"FUIMOS TODOS"

Cronología de un fracaso, 1976-1983

JUAN B. YOFRE

"FUIMOS TODOS"

Cronología de un fracaso, 1976-1983

EDITORIAL SUDAMERICANA

BUENOS AIRES

Yofre, Juan Bautista
    Fuimos todos - 10ª ed. - Buenos Aires : Sudamericana, 2010.
    480 p. ; 23x16 cm. (Investigación periodística)

    ISBN 978-950-07-2858-4

    1. Investigación Periodística I. Título
    CDD 070.44.

Primera edición: septiembre de 2007
Décima edición: mayo de 2010

IMPRESO EN LA ARGENTINA

Queda hecho el depósito
que previene la ley 11.723.
© *2007, Editorial Sudamericana S.A.*®
Humberto I 531, Buenos Aires.

www.rhm.com.ar

ISBN: 978-950-07-2858-4

Composición de originales
MORA DIGIOVANNI - LITERARIS

Esta edición de 3.000 ejemplares se terminó de imprimir en Grafinor S.A.,
Lamadrid 1576, Villa Ballester, Bs. As., en el mes de mayo de 2010.

A MANERA DE PRÓLOGO

ACLARACIÓN OBLIGADA PARA EL LECTOR

◆

Fuimos todos es la historia de un gran fracaso argentino. De una enorme decepción si se tiene en cuenta de dónde veníamos y lo que se esperaba el 24 de marzo de 1976. Es también el relato detalladamente cronológico de historias y confesiones que en gran parte estuvieron guardados en prolijas libretas de apuntes que hoy salen a la luz.

Todo, absolutamente todo, ha sido escrito "sine ira et cum studio" porque a mi entender es lo que corresponde, lo que nos merecemos. En estos tiempos de revisión del pasado tan bastardeado, *Fuimos todos* intenta describir un capítulo oscuro de la historia nacional con la triste frialdad de los papeles escritos que estaban, ahí, al alcance de la mano, a la espera de conocerse. Se me podrá reprochar por qué no antes y respondo que todo tiene su tiempo de maduración. Si esperé treinta años para revelar los secretos de los años convulsionados de Salvador María Allende Gossens en *Misión argentina en Chile* (Sudamericana, Chile 2000), con la esperanza de no entrometerme indebidamente en la política interna chilena, ¿cómo no lo iba a hacer con la Argentina, mi país?

Nadie fue intenta explicar que se llegó al golpe del 24 de marzo de 1976 por la violencia y el caos generalizado de los años que lo precedieron, y que hicieron que la sociedad en su mayoría, y su dirigencia en especial, reclamara a las Fuerzas Armadas que pusieran término a la "agonía". De esa "agonía" de la que le habló, poco antes del golpe, Ricardo Balbín a Jorge Rafael Videla en un encuentro reservado. Por lógica consecuencia, *Fuimos todos* (1976-

7

1983) es lo que sigue. Pero, estimo, es más que eso. Porque saca a la luz un eslabón más de nuestra decadencia. De hombres que llegaron al poder para revertir una situación y la degradaron aún más, en medio de sones marciales, solemnes arengas y formalidades vacías. Tiempos de oídos sordos, de rencores y odios a flor de piel. Años de soledad, de sentirse incomprendidos y rechazados. No lo digo yo, consta en los documentos, en mis apuntes, en la correspondencia, lo gritan las expresiones de sus principales actores. Como muchos otros gobernantes argentinos de antes y después del 24 de marzo de 1976, las Fuerzas Armadas llegaron para inaugurar con grandes pompas un "tiempo fundacional" y luego de innumerables desatinos volvieron al tiempo inicial sin poder explicarlo y, lo que es peor, sin querer explicarlo.

Fuimos todos es también un tiempo de guerra. De una guerra civil interna de baja intensidad pero guerra civil al fin. De una guerra que nació mucho antes y en el exterior. Lo que nos pasó en los años setenta nada tiene que ver con las sangrientas diferencias que sacudieron a la sociedad argentina del siglo XIX y los años previos a los setenta del siglo XX. Todos lo sabemos aunque no todos lo reconocemos. Dirigentes entrenados en el exterior que nos vinieron a explicar que "el poder pasaba por la boca de los fusiles", para implantar un modelo que la sociedad en su conjunto no quería y lo rechazó. Ellos eligieron el campo castrense y el factor militar, como era previsible, los destrozó con una fiereza inimaginable. Y cuyas consecuencias aún padecemos.

Esta guerra, como lo observará el lector, tiñó todo el proceso, especialmente en sus tres primeros años. Cuando las organizaciones terroristas fueron derrotadas con el respaldo activo o tácito de la sociedad, comenzó otra pelea que ya se vislumbraba en los principios del gobierno militar: la pugna por el poder que afectó todo, absolutamente todo. En especial algo que en un régimen castrense se da por descontado como es el don de mando y las jerarquías.

Tras la disputa por el poder que en momentos paralizó al país, afectándolo, vino el debate por el período de duración. Como confesó en la intimidad un gran dirigente político, los militares se dividieron en aquellos que querían quedarse "mucho tiempo" y los aspiraban a quedarse "mucho más", en contra de cualquier principio que suele regir un período o circunstancia accidental de la historia de la Argentina. Los que aconsejaron, dentro del propio gobierno militar, antes y después del 24 de marzo de 1976, que todo tiene un tiempo de maduración, que la excepcionalidad no es eterna, fueron tomados por traidores y sancionados hasta físicamente.

Los que querían perdurar después reconocieron el error, pero ya era tarde, aunque ahora puedan sostener otra cosa. Pensaron que el poder era eterno. ¿Fueron los únicos? No, decididamente no. ¿O acaso antes y después del 24 de marzo no hemos sido testigos de hombres que llegaron y, una vez que se sentaron en el sillón de Rivadavia, cambiaron las reglas de juego porque se sentían predestinados para algo Superior? ¿Entonces por qué no habrían de equivocarse los militares si, además de no prepararse en las academias para ejercer el gobierno, son también argentinos? ¿O es que provienen de otro lugar?

Además, *Fuimos todos* es en parte la historia de un período de la política exterior argentina. Como en todo, construida por grandes hombres y pequeños hombres. Y se trata de política exterior porque ella es el reflejo de lo que sucedía internamente. El alma de aquellos tiempos. Y aquí, aunque no nos guste, hay que decir que alteramos varios de los principios que rigen los países más avanzados. Por lo menos lo que no eran los "nuestros".

Fuimos todos, es dable reconocerlo, sobrevuela otro gran fracaso. Un fracaso que consumió a la "flor y nata" de una generación de argentina de la que se pensaba estaba madura para ejercer la administración de la economía nacional. En especial por su alta preparación en la administración de las finanzas y de las empresas, tanto en la Argentina como en el exterior. Esa generación tomó en sus manos un gran compromiso, cual fue el de revertir la decadencia de un país que se pensaba —principalmente afuera— que estaba llamado a ser una nación promisoria y rectora. Que había perdido el rumbo muchos años antes pero que lo terminó perdiendo mucho más. Y lo peor es que nos llevaron a la noche de los tiempos con una altivez y una soberbia pocas veces vista. Como excusa podrán decir que sus mandantes no los dejaron avanzar; que los pruritos militares fueron más fuertes que las leyes de la economía, en ese caso, entonces, por lo menos se los tratará como cómplices por haber callado, por haberse quedado.

Hacia 1978 o quizá 1979 el proceso militar había terminado con el terrorismo, cuyos jefes estaban muertos o gozaban de la seguridad que les daba el vivir en el exterior; refugiados en La Habana o en algunos países de Europa. Las organizaciones habían sido demolidas: "aniquiladas" como ordenó el poder constitucional en 1975 o "exterminadas", término que usó Juan Domingo Perón en 1974. Ahí, los militares, en lugar de abrir el juego a las expresiones políticas democráticas, se encerraron en sus despachos con argumentos vacuos.

La dirigencia, en esos momentos, estaba predispuesta a convenir una salida con el presidente Videla, incluido, durante un período de transición. Pero, nuevamente, no escucharon a las pocas voces que se alzaron buscando una solución, primero para el país, y después para las Fuerzas Armadas.

Luego de ese momento la gestión castrense fue tan mala que perdió su legitimidad de origen y entró a jugar la coacción de todo tipo. Allí se impuso una constante que bien supo definir Mariano Grondona en su libro *La Argentina en el tiempo y en el mundo* (Editorial Primera Plana, 1967) cuando dijo: "Descendiendo el nivel de legitimidad sube el nivel de la violencia. Esta ley es insoslayable y la Argentina la comprobó más de una vez en su historia".

En diciembre de 1981, cuando el fracaso era absoluto y estaba a flor de piel, la violencia la expresamos hacia afuera. Y una causa justa, como era y es la reivindicación de las Islas Malvinas, Sandwich del Sur y Georgias del Sur, fue tomada para esconder los desatinos del pasado inmediato. Así nació el gobierno de Leopoldo Fortunato Galtieri y su vicio de origen. No lo dice el autor, están los documentos y sus diálogos con el ex Presidente que reprodujo *Clarín* el 2 de abril de 1983.

Por lo tanto, *Fuimos todos* también llega hasta la guerra de Malvinas. Y el título del libro vuelve a ser atinado porque todos se vieron arrastrados y respaldaron esa aventura militar. Sólo unas pocas voces lúcidas y valientes no acompañaron a la mayoría.

Malvinas sacó lo mejor y lo peor de nosotros. Extrajo la generosidad que anida en nuestro pueblo que ofreció lo mejor de sí, aunque después se supo que el "Fondo Patriótico" fue a parar a cualquier parte. Convirtió en héroes a jóvenes conscriptos, oficiales y suboficiales y también mostró la miseria de los que no estaban en condiciones de enfrentar ese desafío. Malvinas afloró las mejores esperanzas y la mentira del poder militar con sus comunicados sobre el desarrollo del conflicto. Cuando todo estaba derrotado, nuestra altivez —que nos imputan en el exterior— se transformó en excusa plañidera: la flota "chatarra" se transformó en una poderosa fuerza naval de un país con un poder tecnológico irrefrenable. Y por último, Malvinas reiteró el desorden que reinaba en el vértice del poder a la hora de tomar decisiones. Como ejemplo nada mejor que citar un párrafo de Alexander Haig a su colega británico Francis Pym en las horas en que ejercía su mediación entre Buenos Aires y Londres: "No está claro quién manda acá. Tanto como cincuenta personas, incluyendo comandos de tropas, pueden estar ejerciendo vetos. Ciertamente, no puedo conseguir nada mejor en este momento".

Fuimos todos, lo reitero, está escrito "sine ira et cum studio". En una oportunidad, muchos lustros después del 24 de marzo de 1976, le dije a un actor privilegiado de esas horas que yo tuve la suerte de poder irme de la Argentina en 1979. Que nadie me persiguió, mucho menos torturó, pero que no soportaba el "clima cultural" de la época. Mi interlocutor sólo me contestó: "Comprendo". Y por cierto el "clima cultural" desangró en mucho a la Argentina, antes y después del 24 de marzo de 1976. Basta leer *Por qué se fueron* de Albino Gómez, Ana Barón y Mario del Carril para darse cuenta.

Como se observará, no juzgo desde el más allá ni miro el período tratado desde afuera. Todo lo contrario, como testigo casi privilegiado, desde el periodismo, me incluyo y sumerjo en el mismo. Por una cuestión de espacio, expongo parte del archivo personal con la intención de informar y reflejar el tiempo que me tocó vivir como a muchos colegas. Sé que corro el riesgo de ser acusado de parcial por profundizar algunas cuestiones y sobrevolar otras. No me voy a amparar en la excusa del espacio, sólo respondo que debería formar parte de otra obra.

Aquí está el Proceso de Reorganización Nacional y su final con Malvinas. No se puede entender el conflicto armado con el Reino Unido de la Gran Bretaña sin considerar seriamente los desatinos de los años anteriores.

Debo agradecer a aquellos que me confiaron gran parte de

los documentos con la sola finalidad de ilustrar al lector. Ellos entienden, como yo, que llegó el momento de que muchas cosas se conozcan. Especialmente para que no vuelvan a repetirse.

Y no sería yo quien soy si no agradezco a mi gran amigo de aquellos años, el general de brigada Ricardo Norberto Flouret, por saber escuchar mis despiadadas quejas sobre el gobierno militar, confiarme algunas de sus dudas y ayudar a descodificar esos momentos.

Por último, un agradecimiento a Macachín, La Pampa, y sus alrededores. Porque me permitió, en la serenidad del lugar, bosquejar el trabajo de *Fuimos todos*.

1. EL GOLPE DEL 24 DE MARZO DE 1976. LA ARMADA EN EL PALACIO SAN MARTÍN, CONDUCE LA CANCILLERÍA. LA IMPROVISACIÓN

◆

En la madrugada del 24 de marzo de 1976 las Fuerzas Armadas derrocaron a María Estela Martínez de Perón y ocuparon el gobierno frente al silencio general. No hubo manifestaciones públicas, ni masivas, de apoyo. Tampoco actos hostiles. Varios blindados se estacionaron al lado de la Casa de Gobierno y en las adyacencias de la Plaza de Mayo. Había algunos curiosos, nada más que eso. Todo se expresaba de una manera tácita, sin ninguna resistencia. Desde ese día hasta el 29, interinamente, altos oficiales se hicieron cargo de los ministerios. El Palacio San Martín fue tomado por efectivos de la Armada a cuyo frente estaba el contralmirante Antonio Vañek. Según relató años más tarde, Raúl Quijano, el canciller de "Isabelita", fue llamado a conversar a la Cancillería.[1] Lo atendió el alto jefe naval y le pidió con toda consideración que retirara sus papeles personales. También le preguntó si necesitaba algo más. Quijano agradeció el trato y dijo que no necesitaba nada. Una vez que tomó sus pertenencias se retiró a su casa. En esas horas se sostenía que Vañek era el candidato a canciller; sin embargo, el 29 asumió el contralmirante César Augusto Guzzetti.

Junto con la asunción de Jorge Rafael Videla, juró como ministro de Relaciones Exteriores y Culto el contralmirante César Augusto Guzzetti, un oficial submarinista que había pasado gran parte de su vida observando el mundo desde su periscopio. Toda una imagen. La Cancillería cayó en manos de la Armada de acuerdo con el 33% que demandó el reparto de las áreas de poder, y las embajadas también entraron en el "cuoteo", salvo contadas excepciones. A su vez, la administración de la Cancillería también se dividió en tres: Armada (política exterior); Ejército (personal y administración) y Fuerza Aérea (las relaciones y negociaciones comerciales con el exterior). Como comentaría años más tarde, con la sutileza que lo caracteriza, el embajador Carlos "Kiko" Keller Sarmiento, "la Cancillería se convirtió en un buque de guerra, con todos los pabellones de combate flameando al viento con una ocupación pacífica pero eficiente de la Marina".[2]

Al capitán de navío Gualter Allara le tocó ejercer como subsecretario de Relaciones Exteriores. Otros oficiales navales (especializados algunos en "Inteligencia") y representantes del Ejército y la Fuerza Aérea se repartieron los cargos más importantes: el capitán de navío Nelson Castro (subdirector general de Política Exterior), capitán de navío Julio A. Santoiani (director general de Planeamiento), capitán de navío Roberto Pérez Froio (subdirector general de Planeamiento), capitán de corbeta Carlos Rodríguez (Asuntos Económicos), capitán de corbeta Roberto Seisdedos (Subsecretaría de Relaciones Exteriores y la Junta de Calificaciones), vicecomodoro Cuadrado, capitán Juan A. Groppo (Subsecretaría de Relaciones Exteriores) y capitán de corbeta Eugenio B. Bilardo (Subsecretaría de Relaciones Exteriores) conformaron los cuadros medios de la estructura de "la casa". No estaban preparados para el desafío y para que no quedaran dudas, un capitán de navío hizo gala de su desconocimiento al afirmar durante una reunión en el Salón Verde: "Yo no sé nada de política exterior, pero me resulta muy divertida".

La Cancillería siempre fue el botín más preciado de los gobiernos constitucionales y los de facto. Hay siempre algo mágico, llamativo y deslumbrante alrededor del viejo palacio que perteneció a la familia Anchorena y que más tarde pasó a llamarse el Palacio San Martín. Para muchos, entrar por los amplios portones de la calle Arenales 721 otorgaba (u otorga) lustre intelectual, ascenso en la ponderación social, cocktails, viajes al extranjero y buenos sueldos en el exterior. A tal punto que los ajenos a la Cancillería la llamaban "la cuna encantada". Esa visión un tanto superficial primó siempre salvo algunos períodos excepcionales. El gobierno del Proceso de Reorganización Nacional no escapó a esta visión en marzo de 1976.

Sus autoridades, además de interventores, se convirtieron en defensores de la moral pública: en medio de una "cacería de brujas", pusieron a todo el personal diplomático en la categoría "a confirmar", o en "disponibilidad", e instituyeron la calificación "SIF", es decir la "situación irregular familiar". Aquel que estaba divorciado se encontraba en problemas. Con el paso de las horas, varios funcionarios fueron echados, sin mediar razones públicas. Todo era a "sotto voce". Unos por razones ideológicas, otros fueron víctimas de venganzas personales. Así se conocieron las expulsiones de Hugo Juan Gobbi, Vicente Berazategui, Ernesto Garzón Valdés, Teresa Flouret, Mario Cámpora, Juan Archibaldo Lanús, Lilian Alurralde, Albino Gómez, Félix Córdova Moyano, José Figuerola y May Lorenzo Alcalá entre otros. Del mismo modo como salieron despedidos unos funcionarios, fueron reincorporados otros que habían sido echados en administraciones anteriores, especialmente durante la "razzia" de Juan Alberto Vignes, el ex canciller de Isabel Martínez de Perón.

Varios diplomáticos se vieron en la calle por razones funcionales. Entre otros, es el caso del entonces secretario de tercera José María Castellano. Pareció el resultado de un mal sueño si no se hubiera convertido en realidad: en 1976, Castellano era un joven diplomático destinado en la embajada argentina en Montevideo, Uruguay. Aproximadamente quince días antes del golpe, fue llamado telefónicamente de urgencia desde la Casa de Gobierno, por Julio González, el secretario general de la Presidencia de Isabel Martínez de Perón, a quien no conocía. A las pocas horas se presentó ante Gonzalez, quien le ordenó juntar cuanto antes todos los antecedentes posibles sobre la "bordaberrización" en Uruguay. Es decir, cómo un presidente constitucional como Juan María Bordaberry (1973-1976) cogobernaba con las Fuerzas Armadas.

En horas, con el conocimiento del ministro de Defensa, José A. Deheza, y de su embajador en Montevideo, Castellano cumplió la orden que se le dio. Sus horas en la Casa Rosada lo convirtieron en mudo testigo de los últimos momentos de Isabel Perón como Presidenta de la Nación.

Cuando en la madrugada del 24 de marzo de 1976, Isabel partió en helicóptero de la Casa Rosada supuestamente a Olivos, para ser detenida en Aeroparque por una delegación militar, llevaba entre sus pertenencias su cartera y una carpeta con un trabajo sobre la "bordaberrización" uruguaya, que pensaba ofrecer como última instancia a los comandantes en jefe de las Fuerzas Armadas, Jorge Rafael Videla, Emilio Eduardo Massera y Orlando Ramón Agosti. La carpeta cayó en manos castrenses y al abrirse, en la primera página, se leía que en caso de mayores precisiones se llamara al secretario José María Castellano a un número telefónico de Montevideo. Su nombre y autoría del trabajo lo dejó fuera de la carrera diplomática que recién iniciaba. Nadie lo defendió. Años más tarde supo la razón de su penuria de boca del propio Julio González.[3]

Dado el carácter castrense de la gestión, se impuso orden en la administración, pero fue un orden en medio del desorden. En apariencia todo funcionaba bien, se cumplían los horarios y cierta consideración existió para con el personal diplomático. Pero primó el desorden: no llegaron ideas nuevas, ni renovadoras, susceptibles de conciliar una lectura certera de lo que pasaba en el exterior. También se intentó adaptar o modificar esa realidad internacional a partir de lo que ocurría en la Argentina. Los responsables de las malas lecturas de la situación internacional no eran los argentinos, sino los otros que no nos entendían.

La línea de política exterior que habría de seguir Guzzetti estaba bien definida en las "Bases para la intervención de las FFAA en el Proceso Nacional": "…ubicación internacional en el mundo occidental y cristiano, manteniendo la capacidad de autodeterminación, y asegurando el fortalecimiento de la presencia argentina en el concierto de las naciones".

Imbuido por el contenido de estos tres párrafos, el coronel Repetto Peláez irrumpió en el despacho de Eduardo Lorenzo de Simone para ordenarle: "Haga un plan para cerrar embajadas en África". El funcionario, sorprendido, con su estilo parsimonioso y su voz nasal le respondió: "Coronel ¿qué vamos a hacer con el Movimiento de Países No Alineados?". La cara del representante del Ejército se desfiguró: "¿Qué es eso?, espere un poco que voy a consultar". Meses más tarde, hablando del no alineamiento, casi al unísono, el canciller Guzzetti decía que "si nos aislamos, si discriminamos, si descartamos a unos por un motivo y a otros por otro motivo, comeremos carne —porque nadie nos comprará nada— pero seremos mediocres".[4]

Más difícil de entender era para el comodoro Raúl Cura, subsecretario de Relaciones Económicas Internacionales, cómo en los países del área socialista no regía la economía de mercado y que la política económica que allí imperaba era planificada y centralizada. "¿Cómo puede ser?" le preguntó a un joven consejero (hoy embajador). "¿Entonces dónde compran los rusos la comida si no tienen mercado?"

Por esos días un diplomático escribió: "Arnaldo [Musich][5] le dijo a Carlos [Muñiz] que hay que cuidar mucho a Enrique Ros,[6] que es la única persona que puede revisar y arreglar con algún criterio las barbaridades que hacen, o algunas de ellas al menos". También añadió que el canciller Guzzetti, después de Chile, tras sus contactos con Kissinger,[7] "se agrandó y se cree estadista en serio, perdiendo la humildad, única virtud que lo adornaba".

Entre los tantos apuntes personales que guardo de la década del 70, está un relato que me hice a mí mismo de un encuentro fortuito que tuve la tarde del 18 de marzo de 1976, una semana antes del golpe del 24 de marzo. Fue en la librería Paner, una librería ubicada en la avenida Callao casi avenida Alvear, cuyos dueños fueron "Pancho" Bunge y su hijo Ernesto. La frecuenté mucho porque quedaba a tres cuadras de mi casa de soltero y teníamos con los dueños una relación casi familiar. Esa tarde, a una semana del golpe, me encontré con un antiguo colega de radio Municipal. Nos habíamos cruzado varias veces, entre 1972-1973, con Patricio Errecalde Pueyrredón[8] en los pasillos de la emisora. A veces hacíamos algún comentario al pasar. No éramos amigos.

Mientras miraba unos libros en la gran mesa de entrada lo reconocí, sabía algo de su pasado, me le acerqué y conversamos un rato sobre los días que estábamos viviendo y me invitó a tomar un café al recordado "Vía Venetto", en la cortada Schiaffino, entre Alvear y Posadas. Patricio se mostraba nervioso. Recuerdo que de vez en cuando pasaban unos Ford Falcon y él los señalaba, diciendo "ése es nuestro" o aquél es de "Ejército", o de "Coordina" (Coordinación de la Policía Federal). Tenía ganas de conversar. Llevaba varios días encerrado en un departamento de los alrededores esperando "una orden", la orden "de salir".

Como tenía ganas de contar, no tuve más que poner el oído.

Estaba a la espera de la instrucción de un contralmirante (con quien se comunicaba adelante mío) para largarse a la calle, o a la larga noche, a buscar a ciertos miembros de las comisiones internas de empresas importantes. Recuerdo que le pregunté "¿Por qué vos?". Y me dijo "porque es lo que debo hacer, es la tarea que tengo asignada".

En ese momento dijo que trabajaría para la Armada "gratis, después del 'Día D', en la zona de La Plata, Berisso, La Matanza y Ensenada". Y a partir de ese instante comenzó a hablar de la dolorosa guerra contra el marxismo en la que estaba comprometido. Fue una mezcla de relatos que helaban, de hechos y personajes que aún guardo en la mente sin necesidad de la ayuda de los apuntes: el retorno de Juan Perón, Ezeiza, las Tres A, el "Oso" Fromigué (a quien nunca conocí, pero tengo entendido que cayó a balazos en una emboscada), "culatas" de Lorenzo Miguel, otros sindicalistas, ex miembros de fuerzas de seguridad, gente despatarrada a balazos. Todos capítulos siniestros de una época que uno imploraba que terminara cuanto antes.

Revisando mis notas, a la distancia, se observan los disparates —si es que no merecen un término más dramático— de las cosas que se hablaban libremente en la Argentina de la época. Errecalde Pueyrredón sentenció como "boletas seguras" a Jorge Taiana (ex ministro de Educación), a [Esteban] Righi (ex ministro del Interior), Raúl Lastiri, Juan Manuel Abal Medina y Nilda Garré. Aseguró que "el golpe va a ser el lunes o martes" y se mostró contrario a [Carlos] Dalla Tea y [Roberto] Viola "y su plan montonero".

Después de un buen rato dimos por terminada la conversación, enfilamos por Alvear hacia Callao y ahí nos despedimos. Él me dijo que tenía que volver a su lugar a la espera de la orden telefónica. Por discreción no pregunté dónde estaba parando. Ese relato sólo fue conocido por no más de cinco personas. A una de ellas le pregunté:

—¿Esto es lo que viene?

Y por toda respuesta se me dijo: "No, es lo que termina".

Sospechando lo que se venía, en otro lugar de Buenos Aires, Juan Manuel Abal Medina abandonó el estudio jurídico que mantenía con Jorge Ramos Mejía el 20 de marzo de 1976. En ese entonces vivía con Nilda Garré en un departamento de Solís 443. El golpe lo agarró en otro lugar de Buenos Aires. Después del 24 sabía muy bien que lo buscaban. Hasta asilarse en la embajada de México, el 29 de abril, saltó de un lugar a otro. De un hotel de pasajeros en la calle Lima, cuyo dueño era un español, a un departamento en la avenida Santa Fe al 2800, de una familia que lo conocían de la época del Colegio Nacional de Buenos Aires. Después a otro donde vivían los familiares de un pariente cercano. Cuenta que Ángel Federico Robledo le dijo que tenía arreglada su entrada en la embajada mexicana, pero no fue así. Hasta el barrio de Belgrano lo acompañaron su hermano y Nilda Garré. Los funcionarios de la embajada de la calle Arcos no lo esperaban y para entrar tuvo que empujar la puerta. Una vez adentro debió esperar hasta 1982 para salir.[9]

Ex cancilleres hablan con Videla y logran definir una tendencia. El primer encuentro de Guzzetti con Henry Kissinger

El 4 de abril 1976 llegó a Buenos Aires el ministro de Marina de Brasil, almirante Geraldo Azevedo Henning. Traía en su portafolio un proyecto largamente acariciado por la Armada de la Argentina: la conformación de un tratado defensivo en el Atlántico Sur que pretendía cortar el avance de la influencia soviética-cubana y defender las rutas de aprovisionamiento de petróleo de los países occidentales. Esperaban contar para tales fines con la colaboración de las armadas de Brasil, Sudáfrica, Uruguay y los Estados Unidos. La participación brasileña se resquebrajó el 21 de septiembre de ese año, cuando el canciller Azeredo da Silveira declaró públicamente que "no hay la menor posibilidad de constitución de un sistema colectivo de defensa... menos aún con la presencia incómoda e indeseable de África del Sur".[10] De todas maneras, haciendo oídos sordos, la Cancillería envió al ministro Alfredo Oliva Day como encargado de negocios en Sudáfrica y los planes de acercamiento al régimen del *apartheid* continuaron avanzando, exponiendo a la Argentina en el bloque de países No Alineados.[11] Es más, la Fuerza Aérea intentó vender sin resultados sus aviones Pucará. "No se habrá de mandar por ahora embajador a Sudáfrica, resulta altamente inconveniente. Y esta decisión contradice la planificación de la política exterior hecha en un principio por el sector 'gorila' de la Cancillería y la Armada."[12]

El presidente Videla, influenciado en gran parte por el equipo económico, no estaba muy convencido de continuar en un bloque cuya voz cantante la llevaba Cuba, Libia y otros países influenciados por la Unión Soviética. La decisión quedó en suspenso luego de un almuerzo que el presidente mantuvo con varios ex cancilleres, entre otros Miguel Ángel Zabala Ortiz, Luis María de Pablo Pardo e Hipólito Jesús Paz. El ágape sirvió además para reflejar el espíritu de competencia que reinaba entre las armas. Fue cuando el canciller Guzzetti se quejó a Videla por no haber sido invitado, en momentos en que se analizaban temas de su área de competencia. La respuesta del Presidente de la Nación, casi una excepción con su estilo conciliador, fue que era su prerrogativa almorzar con quien quisiera. Como se observará en otros momentos, la decisión fue acertada: la permanencia de la Argentina en los No Alineados coadyuvó a los reclamos argentinos en el Beagle (1977-78); respaldó los reclamos de soberanía en las Malvinas y silenció las acusaciones de violaciones a los derechos humanos.

Enfrentado con esta decisión, el ex canciller de Juan Carlos Onganía, Nicanor Costa Méndez, desde el mensuario *Carta Política*, escribió: "Los juristas sostienen que la Argentina está jurídicamente alineada con los Estados Unidos. Por lo menos en una alianza defensiva. [...] No necesitamos militar en el Tercer Mundo, al que no pertenecemos. La militancia en el grupo de los No Alineados puede alejarnos de nuestros viejos amigos y de nuestros naturales aliados. De aquellos países con los que mantenemos activo comercio y activas relaciones económicas y financieras. [...] Otro asunto nos debe mover a reflexión. Las Malvinas. Se necesitan los votos de la mayoría (de la Asamblea General de las Naciones Unidas), dicen los especialistas. No parece ser así, sin embargo. La intervención de las Naciones Unidas permitió comenzar las negociaciones. Es verdad. Ninguna influencia tuvo, empero en las etapas subsiguientes; anualmente la Asamblea General reitera la exhortación a Gran Bretaña. Gran Bretaña no responde a esa exhortación y su silencio no tiene sanción alguna. Conviene determinar si vale la pena limitar nuestra libertad exterior y prendar nuestra independencia en las Naciones Unidas, para asegurar un hipotético voto mayoritario cuya eficacia hasta ahora no se ha demostrado."[13]

De todos los encuentros que mantuvo Guzzetti, en sus primeros meses como canciller, el más importante fue con el secretario de Estado Henry Kissinger, en el contexto de la Asamblea de la Organización de Estados Americanos (OEA). Fue en Santiago de Chile, el 6 de junio de 1976.[14] Lo asistieron los embajadores Julio César Carasales (ante la OEA) y Ezequiel Pereyra Zorraquín (director de Política). En el documento desclasificado por el Departamento de Estado también figura un "Mr. Estrada" y debe tratarse del diplomático Raúl Estrada Oyuela que era un asesor de peso, a pesar de no tener una alta categoría en el escalafón diplomático. Kissinger a su vez estuvo secundado por William Rogers,[15] Carlyle Maw (subsecretario de Asuntos de Seguridad), Luigi Einaudi (que tomó las notas) y un traductor. Tres cuestiones interesaban a Guzzetti:

• La guerra interna que se libraba en la Argentina. "Nuestro principal problema en la Argentina es el terrorismo. Es la prioridad para el gobierno que asumió el 24 de marzo", y dijo que había dos aspectos para solucionarlo. Uno era el restablecimiento de "la seguridad interna"; el otro, resolver los problemas económicos más urgentes. En este sentido agregó: "Argentina necesita la comprensión y el apoyo de Estados Unidos en estas dos áreas". La respuesta del secretario de Estado fue obvia: "Deseamos que al nuevo gobierno le vaya bien. Deseamos que tenga éxito. Haremos lo que podamos para ayudarlo a tener éxito". Y luego comentó que lo que se vivía en la Argentina "es un tiempo curioso, cuando (o donde) actividades políticas, criminales y terroristas tienden a mezclarse sin ninguna separación clara. Entendemos que deben establecer la autoridad". A renglón seguido Guzzetti manifestó su preocupación por el tratamiento que daba la prensa internacional a la Argentina que generaba ausencia de "confianza" para solucionar las cuestiones económicas. Habló de una "orquestada campaña internacional contra nosotros", un tema que parecía inspirar lo que tiempo más tarde sería el Centro Piloto de París. La respuesta de Kissinger fue que para la prensa no había "crimen peor que haber reemplazado un gobierno de izquierda". Una respuesta confusa porque el gobierno de Isabel Perón era cualquier cosa menos un gobierno de izquierda.

El secretario de Estado volvió a insistir: "Comprendo que ustedes no tienen otra opción que restaurar la autoridad gubernamental, pero también está claro que la falta de procedimientos normales será usada contra ustedes". Al respecto, Guzzetti volvió a insistir: "Queremos restablecer las libertades republicanas. Pero ahora tenemos que derrotar al terrorismo y resolver los problemas económicos. Eso lleva tiempo". Y Kissinger sólo comentó que "en el frente (o la cuestión) terrorista no podemos ayudarlo mucho". Y más adelante se permitió un consejo: "Si tienen que hacer ciertas cosas, háganlas rápido y vuelvan lo antes posible a la normalidad". Está claro que el canciller argentino no entendió los consejos de Kissinger, ni sus sutilezas.

En relación con el tema de la seguridad, Guzzetti habló del fenómeno terrorista como "un problema general" en el Cono Sur. Y Pereyra Zorraquín agregó que "la subversión interna está conectada con otros países". Y que para erradicarla era necesario un "esfuerzo conjunto con nuestros vecinos". "¿Cuáles?", fue la pregunta. Y la respuesta argentina: "Chile, Paraguay, Bolivia, Uruguay, Brasil". Guzzetti volvió a equivocarse, porque Brasil no formaba parte del grupo.

Los historiadores han observado en las respuestas argentinas el nacimiento del Plan Cóndor y ciertamente se equivocan. El "Sistema Cóndor" nació el 25 de noviembre de 1975, en pleno gobierno constitucional de Isabel Perón, en oportunidad de la primera reunión de trabajo realizada en Santiago de Chile. Dicho sistema nació como reacción a la formación en 1974 de la Junta Coordinadora Revolucionaria (JCR), organización que nucleaba al PRT-ERP (Argentina), Movimiento de Izquierda Revolucionaria (Chile), Movimiento de Liberación Nacional - Tupamaros (Uruguay) y el Ejército de Liberación Nacional (Bolivia); ya en aquella época, todos, coordinados desde el Departamento América del Partido Comunista Cubano. En ese contexto que no se puede ignorar se dio el enfrentamiento.[16]

• La preocupación argentina por la marcha de su plan económico fue otro de los temas que puso Guzzetti sobre la mesa. "En el campo económico, dijo Kissinger, podemos hacer algo" y prometió recibir a Martínez de Hoz la semana siguiente durante 15 minutos como "un gesto simbólico". También dijo que ignoraba los detalles de la situación financiera argentina, aunque se comprometió a conversar con "el sector privado" y llamar a David Rockefeller (presidente del Chase Manhattan Bank).

• La tercera cuestión que introdujo el canciller argentino fue el tema de Malvinas. "Hasta ahora", dijo Guzzetti, "el gobierno de los Estados Unidos se abstuvo en la cuestión... es muy importante para la Argentina. Esperamos que los Estados Unidos puedan reconsiderar su posición y ayudarnos. [...] Pero sospecho que con el tiempo puede solucionarse, porque las Malvinas ya no son necesarias para el propósito original de los ingleses de proteger la autodeterminación de los isleños, de proteger las líneas de navegación".

"Para nosotros es difícil involucrarnos" (intervenir), fue la respuesta de su interlocutor.

"Lo sé", respondió Guzzetti, y explicó que el problema era que Gran Bretaña buscaba la autodeterminación para 2.000 isleños, 1.600 de ellos empleados de la Falkland Islands Company. Para el canciller argentino la no resolución del problema podría generar "efectos colaterales" y Kissinger visualizó que las cuestiones de seguridad podían asegurarse con armas más modernas (misiles) "bajo ciertas circunstancias", que con una flota naval como en la Segunda Guerra Mundial.

Luego el canciller argentino sacó un tema que no era urgente cuando habló sobre la situación de Angola, y que la Argentina pensaba en la seguridad del Atlántico Sur. "¿Qué está pensando?" preguntó Kissinger. Y el alto jefe naval y canciller argentino explicó los problemas de seguridad en el Atlántico que fomentaba la guerra civil en Angola, con la intervención directa de Cuba.

¿Era una cuestión de prioridades? La Argentina, un país que vivía una guerra civil y tenía su economía en completo desorden hablaba de cuestiones que la sobrepasaban, lejanas a su área de influencia. Apenas unos pocos años más tarde, bajo la conducción del presidente Ernesto Geisel y su canciller Azeredo da Silveira, el régimen militar brasileño estableció relaciones diplomáticas con el gobierno izquierdista de Angola.

A los pocos días de retornar de Santiago de Chile, tras el encuentro con Henry Kissinger, se dio uno de los diálogos irrepetibles que sonaron socarronamente por todas las paredes del Palacio San Martín. Fue entre el diplomático Quadri Castillo y el ministro Guzzetti:

QUADRI CASTILLO: Canciller, lo de la OEA salió bien, muy bien, ahora viene lo más complicado.

GUZZETTI: ¿Ah, sí? ¿Qué es?

QUADRI CASTILLO: Ahora viene el encuentro con (Antonio) Azeredo da Silveira, por la disputa de las represas.

GUZZETTI: Al negrito ese le pongo la cara número tres y lo paso al cuarto.

Pasaron los noventa días iniciales y la situación de los diplomáticos estaba sin resolverse. La mayoría del personal diplomático colgaba de un pincel, o mejor dicho seguía en "disponibilidad". El canciller, pese a todo, no perdió su parquedad. Preguntado sobre cuál era el futuro de Raúl Giraldes (un embajador tildado de peronista) contestó: "presenta un disparo en la línea de flotación". La pregunta vino a propósito de que Giraldes había sido convocado por el canciller días antes para informarle que él permanecería en la carrera. Aliviado por la noticia, cuando bajaba la enorme escalera de mármol que lleva a la calle Arenales escuchó que lo llamaban para que retornara al despacho de Guzzetti. Al entrar nuevamente al despacho que en otras épocas había albergado a Saavedra Lamas, Paz, Zabala Ortiz o Cárcano, el almirante le dijo: "Me equivoqué, su situación continúa bajo análisis de la Junta". Guzzetti pensaba que había conversado con otro embajador y Giraldes debió ser reconfortado en la enfermería del Palacio.

Por aquel entonces los funcionarios más influyentes eran: Juan Carlos Arlía (un experto en Derechos Humanos), Ezequiel Pereyra Zorraquín (director de Política), el coronel (RE) Rafael "Manzanita" Giménez,[17] y Oscar Ataide. Existieron otros, aunque nombrarlos no lleva al fondo de la cuestión.

El 18 de junio de 1976, la militante montonera Ana María González, aprovechando la amistad con su hija, asesinó al jefe de la Policía Federal, general Cesario Ángel Cardozo, colocándole explosivos debajo de la cama. El hecho conmocionó al país. Para sucederlo se habló de varios candidatos: Adel Vilas (lo pidió expresamente por telegrama) y los generales Buaso, Mujica y Corbetta. Fue elegido este último, que duró muy poco en el cargo. Cada asesinato terrorista endurecía al frente interno militar y le quitaba espacio de maniobra a la dirigencia política. Semanas más tarde el terrorismo voló el comedor del Departamento de Coordinación de la Policía Federal. Un clima enrarecido y de temor fue la respuesta inmediata. "¿Quién manda?" se preguntaron funcionarios de la Cuenca del Plata de la Cancillería.[18] "Videla no podrá sostenerse más si se cometen dos o tres crímenes importantes", le dijo un general retirado al embajador Luis Santiago Sanz.

Durante un almuerzo en el restaurante "La Marina", entre dos periodistas y un colaborador militar, los hombres de prensa se sorprendieron cuando escucharon: "Videla sigue sin tomar decisiones, de continuar así lo pueden sacar".[19] Conceptos similares sostenía en esas horas un consejero (hoy embajador), de extracción peronista: "Esta situación no puede perdurar dos meses más. Se corre el peligro de que caiga Videla". En aquellas semanas, la siempre aguzada observación de Oscar Camilión entendía: "Los problemas no se suscitan entre la Marina y el Ejército, sino dentro del Ejército mismo. La Marina sólo entra en la lucha al lado de una fracción del Ejército… Ejército unido, problema solucionado. ¿En qué anda Suárez Mason?", se preguntó.[20] La respuesta estaba en la calle: "Suárez Mason se ha endurecido".[21]

La visita de Hugo Banzer no fue el primero ni el último generador de celos entre los miembros de la Junta Militar: cerca de fin de año, el presidente boliviano Hugo Banzer Suárez devolvió la visita que Jorge Rafael Videla hizo a La Paz. Durante su estadía se quedó sorprendido por los problemas de protocolo que se le planteaban desde los distintos comandos militares. Como es de costumbre, el visitante invistió con la más alta condecoración al dueño de casa, en este caso al presidente Videla. Grande fue la sorpresa que se llevó cuando al desembarcar en Buenos Aires se le reclamaron dos condecoraciones más para los restantes miembros de la Junta, que fueron traídas urgentemente desde La Paz. Esos inconvenientes no fueron inusuales. El 8 de junio, el almirante Eduardo Massera realizó una visita a Ecuador y Nicaragua. Lo hacía como miembro de la Junta Militar, no como comandante de la Armada. El viaje se organizó tan precipitadamente que de los cuatro collares de la Orden del Libertador que necesitaba para otorgar en su periplo (en Ecuador gobernaba una Junta) sólo consiguió dos. En un gesto desacostumbrado, le pidió prestada la suya al cardenal Antonio Caggiano. En Ecuador, luego de condecorar a los tres miembros del gobierno, le pidió como favor especial a su colega de la Armada que se la devolviera con la promesa de que le haría enviar otra desde Buenos Aires. Con la que le restituyeron condecoró posteriormente a Anastasio Somoza Debayle. Massera fue acompañado por personal de la Cancillería, entre otros el director del Departamento América Latina y el director nacional de Protocolo y Ceremonial: "Todo esto no hace más que confundir las cosas y restar al Presidente poder de negociación en el exterior", escribió un observador.

Vaciando la pecera. Cita en "La Pastoril". El principio del fin del PRT-ERP

Si hay un tema que tiñó todo el desarrollo del Proceso de Reorganización Nacional, ese tema fue "la cuestión de los Derechos Humanos". No fue un asunto cualquiera ya que se convirtió, también, en un tema de política exterior. La sociedad argentina lo sabía, lo sentía en la piel, se vivía una situación de "guerra civil". Lo decían las organizaciones armadas clandestinas a través de sus "Partes de guerra"; su organización militar; su instrucción, sus métodos, para llegar al logro de sus objetivos que la gran mayoría no quería y rechazaba. "A las armas" fue la editorial de Roberto "Roby" Santucho, el jefe del PRT-ERP, horas después del 24 de marzo de 1976. Lo mismo se puede hallar en la literatura montonera.

Se sabía —y confiaba— que las Fuerzas Armadas vendrían a poner orden. Decir hoy, a varios lustros de distancia, que la sociedad, a su vez, aspiraba a que se pusiera orden y seguridad a cualquier precio es quizá acertado, pero suena a presuntuoso y, tras el fracaso del régimen militar, a descabellado.

En realidad, la mayoría de la dirigencia política —y mucho más la población— ignoraba cómo se iba a terminar con la subversión, las directivas, las órdenes. Cuando se conocieron los grandes detalles de la "trama" se espantaron aunque la mayoría no dijo nada. Los nombres abundan. Sí muchos recordaban que Juan Domingo Perón había mencionado la palabra "exterminar",[22] luego vino el decreto de octubre de 1975, disponiendo "aniquilar" la subversión.

En su libro sobre "operaciones de baja intensidad", el brigadier Frank Kitson[23] sostuvo que para terminar con el flagelo era necesario tener en cuenta tres elementos. Los dos primeros constituían "propiamente" el objetivo: "es decir el partido o frente y sus células. El tercer elemento es la población y esto representa el agua dentro de la cual nada dicho pez. Los peces varían de lugar en lugar, según la calidad de las aguas en las cuales están destinadas a vivir; y lo mismo puede decirse de las organizaciones subversivas". La pecera comenzó a secarla el propio Perón. Hay innumerables jalones de esa decisión. Los dos más importantes fueron: cuando echó a los diputados de la Tendencia Revolucionaria (febrero de 1974) y cuando, con su discurso del 1° de Mayo de 1974, retó públicamente a los Montoneros de la Plaza de Mayo. El PRT-ERP ya había sido condenado a muerte de antemano.

En una palabra, la subversión terminó en la Argentina porque la población decidió que no tenía cabida en su seno. Con su silencio dio su aquiescencia. El instrumento fueron las Fuerzas Armadas, y estaba claro que en esa guerra la subversión iba a perder, aunque a sus conducciones armadas no les importó arriesgar la vida y los bienes de miles de argentinos.

Hay muchos ejemplos que demuestran cómo la sociedad ayudó, colaboró, a liquidar, "aniquilar" o "exterminar" la subversión. El problema fue el cómo: "Una de las razones por las cuales el terrorismo es un veneno tan virulento, es que la cura puede dañar a la sociedad tanto como la enfermedad. [...] Comúnmente el terrorismo genera su propio antídoto; cuando un público exasperado toma la ley en sus propias manos o clama por una acción más violenta por parte del gobierno acepta incluso que se coarten sus propias libertades. Es esta reacción, más que un cambio liberal y progresivo, es el resultado usual de la violencia terrorista".[24]

Tras el derrocamiento de Isabel Martínez de Perón, el 24 de marzo de 1976, el teniente general Jorge Rafael Videla asumió la Presidencia de la Nación, con retención del cargo de comandante en jefe del Ejército, luego de varios días de sorda lucha interna por los cargos más relevantes dentro del Poder Ejecutivo. Juró en el Salón Blanco de la Casa Rosada a las 18 horas del 29 de marzo de 1976.

Casi simultáneamente, el mismo día, "en las primeras horas de la tarde [...] en dependencias policiales se recibe una denuncia por parte del propietario de una casaquinta, ubicada en la intersección de las calles La Patria y Monsegur, de la localidad de Moreno, provincia de Buenos Aires, identificada con el nombre 'La Pastoril' y que había sido alquilada a mediado de ese mes; quien habría expresado que su cuidador observó movimientos raros y la presencia de personas que hacían presumir una reunión extremista".[25]

"Ante tal denuncia", continúa el informe, "se comisionó personal de civil, dos rodados, sumando un total de 8 hombres, los que previamente al procedimiento, se hicieron presentes en la comisaría de Moreno para informar, no queriendo realizar tal procedimiento sin poner antes en conocimiento de tal hecho a la autoridad local". Fue entonces que la policía bonaerense agregó un móvil más, con 5 hombres de su seccional. Al llegar "a las inmediaciones del lugar e inmediatamente [el personal] es agredido mediante el uso de armas de fuego, lo que obliga a replegarse, al tiempo que se suscita un violento tiroteo". Como consecuencia de "la superioridad numérica del oponente", el grupo pide refuerzos a la Policía y a las fuerzas militares "dependientes de la Jefatura del Área, intensificándose el tiroteo que culmina con la muerte —en el lugar— de cuatro subversivos y varias detenciones en el interior de la finca y adyacencias de la misma. Asimismo, durante la refriega, se pudo observar que el grueso de los delincuentes proceden a huir por los fondos del lugar. El posterior operativo determina que en la localidad de Marcos Paz, provincia de Buenos Aires, sea sorprendido un automóvil marca Chevy, con tres personas en su interior, produciéndose un nuevo tiroteo con fuerzas militares, que culmina con la muerte de los subversivos".

Dentro del material secuestrado, una vez que las fuerzas militares entraron a la casa, el informe contiene un detallado inventario, que luego profundizó en varios anexos: organigramas y relaciones de distintos aparatos a nivel nacional; organigramas y listados a niveles regionales, zonas, frentes y células; bibliografía; documentos de identidad, en su mayoría fraguados; cartelones con las inscripciones "Comité Central del PRT"; "Junta Coordinadora Revolucionaria", "Ejército Revolucionario del Pueblo", "Gloria a las Héroes de Monte Chingolo" y "Viva Angola Socialista". Se encontraron armamentos varios: Fal, Itaka, carabinas, bombas y gran cantidad de detonantes y mechas.

Según el punto 3 del informe de la Inteligencia Militar participaban de la reunión Roberto Mario Santucho ("Carlos"), Domingo Mena ("Nicolás"), Liliana Delfino de Ortolani ("Ana"), Benito Jorge Urteaga Arnese ("Comandante Mariano"), José Manuel Carrizo ("Francisco"), Martín Salvador Falcón ("Luis"), Juan Santiago Mangini ("Pepe"), Leonor Inés Herrera ("Negra"), José Carlos Ferreira ("Daniel") y Carlos Guillermo Elena ("José" o "Gordo Juan"). Al listado le sigue una treintena de nombres de guerra, no individualizados en ese momento. También, de la información estudiada, el personal de Inteligencia relató que se había "comprobado la presencia, en calidad de 'invitados', de elementos provenientes de las bases, específicamente Frente Fabril, como así también de integrantes del Movimiento de Izquierda Revolucionaria (MIR) de Chile".

Con el paso del tiempo pudieron descodificarse muchos de los documentos que contenía el informe. Así pudo saberse:

• El oficial que comandó el grupo militar fue el capitán Juan Carlos Leonetti, el mismo que abatiría a Santucho el 19 de julio de 1976.

• En la quinta murieron dos hombres y dos mujeres. Y fueron capturadas vivas cinco personas, una de estas fue la mujer de Juan Mangini, jefe de inteligencia del ERP, Leonor Herrera. En Marcos Paz, como resultado de una "pinza", caen muertos Juan Santiago Mangini ("Capitán Pepe")[26] con los "tenientes" "Néstor" y "Martín", uno de ellos fue el soldado conscripto que entregó la guarnición militar de Azul en enero de 1974. Según el "plan de retirada", "Pepe" Mangini debió salir con el "grupo A" pero se demoró intentando salvar a su hija.

Dentro de la quinta también murió Susana Gaggero de Pujals, que dirigía el aparato Solidaridad. Los que cayeron vivos fueron llevados a Campo de Mayo y luego parte de esa gente apareció muerta, en supuestos enfrentamientos con fuerzas militares. Como el caso de Leonor Herrera, cuyos restos fueron dejados en Avellaneda.

• Uno de los representantes chilenos del MIR era nada menos que "El Pollo" o "Simón" Edgardo Enríquez, el tercero en el orden de la jefatura y hermano del ex jefe y fundador de la organización Miguel Enríquez (abatido en octubre de 1974 en Chile). No fue el único extranjero, también había representantes de la organización Tupamaros. Es decir, había representantes de la Junta Coordinadora Revolucionaria. Enríquez escapó junto con Eduardo Merbilhaá y se mantuvieron escondidos entre los pastizales durante dos días.[27]

• El plan de retirada: escaparían primero el "Comandante y Buró Político": Carlos (Santucho), Mariano (Benito Jorge Urteaga), Nicolás (Domingo Mena), Simón, Juan, Luis (Martín Salvador Falcón), Tte. Martín, Francisco (José Manuel Carrizo), Ana (Liliana Delfino de Ortolani), Alberto, Chispa (Agustín Choque) y Vasco; el "grupo A" con Mauro (Carlos Germán), Hugo, Lorenzo, Jorge, Ricardo, Osvaldo, Pepe (Juan Santiago Mangini) y otro Pepe, según el informe, identificado como José Carlos Ferreira, y así sucesivamente hasta llegar al "grupo D" que estaba compuesto por todos los integrantes de servicios no incluidos en los grupos anteriores. Entre el personal de Servicio se encontraba Pancho (Javier Ramón Coccoz) que se convertirá en jefe de Inteligencia tras la caída de Mangini. Según Mattini, el jefe de seguridad era J. C. Carrizo y para otros fue Pedro Nicolás Maidana (Teniente Néstor).[28]

Finalmente, entre tantos detalles, se informó que la reunión había comenzado el 28 y culminaría el 29. Por informaciones posteriores, se supo que el "Teniente Luis", Martín Salvador Falcón[29] presentó el informe sobre la JCR y "David" o "Pitito", de nacionalidad chilena, trajo el mensaje del MIR. Roberto Santucho presentó dos informes (Anexo A): "La aventura golpista" y "El golpe es contra el pueblo - Organizar la Resistencia Popular". El informe militar "fue presentado por José Manuel Carrizo (a) 'Capitán Francisco' y el referido a las 'escuelas de cuadros del PRT-ERP' lo presentó Domingo Mena (a) 'Nicolás', determinándose por el estudio de la documentación que dos de ellas funcionan a pleno y una tercera en preparación (Anexo 8)". El punto 7 detalla las finanzas de la organización, con una observación: "Cabe mencionar, al margen de los informes que se agregan, que en la reunión que nos ocupa se habló de una posible ayuda financiera que se recibirá desde Cuba o Vietnam".

Los siguientes anexos comprenden toda la estructura: "totales definitivos: el PRT-ERP estima que la fuerza activa del partido es: 1500 (miembros del PRT); combatientes (no pertenecen al partido, 350) y Juventud Guevarista (no pertenecen al partido, 900). Total 2.750", al que hay que sumarles "simpatizantes y parte de los colaboradores estimados en 2.200". Es decir, "total definitivo 4.950". Más adelante, una de las conclusiones es que "la fuerza activa que se fija (del orden de los 5.000 hombres) si bien puede considerarse algo excesiva, no deja de ser un llamado de a la realidad sobre el total de efectivos con que cuenta el oponente". Y considera que hasta la fecha "ha disminuido la capacidad operacional del PRT-ERP en un porcentual del 40%, a lo que se suman las consecuencias que podría traer aparejado el procedimiento y resultado que dio origen al presente trabajo". La advertencia fue a todas luces premonitoria. En los meses siguientes el PRT-ERP fue golpeado a punto de desaparecer.

• A la semana la Regional Córdoba recibió un "golpe demoledor".[30] Cae abatido el secretario regional, Eduardo Castello y alrededor de 100 células sobre 120 son desarticuladas, tomándose 300 presos. También se abaten células en La Rioja y Mendoza. La Juventud Guevarista es casi desarticulada. El 28 de mayo cae el Comandante del ERP José Manuel Carrizo (a) "Francisco", jefe del Estado Mayor y amigo de Santucho desde la facultad, junto con el "Teniente Cuitiño", jefe de la compañía urbana "Guillermo Pérez".[31] Fue en Martínez, provincia de Buenos Aires. El 5 de mayo cae el poeta y miembro de la Inteligencia del PRT-ERP Haroldo Conti.[32] El 27 es detenido el cineasta Raymundo Gleizer. Por esa época cae Piris, el marido de la hija de Chamizo (candidato a presidente del partido de Álvaro Alsogaray en 1973). El 19 de julio son muertos "Roby" Santucho y Benito Urteaga. Y son detenidos Máximo Mena, Ana Lanzillotto y Liliana Delfino. Luego le llega el turno a "Alberto Vega" Eduardo Merbilhaá. El 13 de agosto caen abatidos en Córdoba Ricardo Alfredo Franchi (a) "Teniente Justo" (responsable político) y Pedro Solsona (a) "Teniente Pedro" (jefe de la "Compañía Decididos de Córdoba"). Horas después se allanó una fábrica de armas de la organización[33] y el 15 se informó la caída de "Negro Lito", responsable militar de la Regional Córdoba.

El 30 de marzo, el embajador norteamericano en Buenos Aires firmó un informe sobre la situación que se presentaba en la Argentina, cinco días después del golpe. El día anterior había jurado Videla como Presidente de la Nación. El informe del embajador Schlaudeman ya reconocía diferencias muy marcadas dentro del Ejército. Dijo: "Este es probablemente el mejor ejecutado y el más civilizado de los golpes en la historia de Argentina. Ha sido único en otros aspectos también. Los Estados Unidos no han sido acusados de estar detrás de el, excepto por *Nuestra Palabra*, el órgano del PCA. [...] Los Estados Unidos, por supuesto, no deben ser identificados muy estrechamente con la Junta, pero en tanto que el nuevo gobierno pueda mantener la línea moderada el gobierno de Estados Unidos debe alentarlo examinando con ojos positivos cualquier petición de asistencia". Y observó que "Videla está al menos por el momento en una posición suficientemente poderosa para controlar a los duros e imponer una orientación moderada. [...] El golpe puede ser ahora definitivamente considerado como moderado [...] no han atacado al peronismo ni a ningún otro partido. Han arrestado a algunos altos funcionarios como Raúl Lastiri, Julio González y Carlos Menem a los que se cree culpables de malversación y abuso de poder [...] pero es claro que no han hecho arrestos masivos. Nadie ha sido puesto contra un paredón. [...] La mayoría de los diputados, gobernadores y funcionarios depuestos han sido simplemente enviados a sus casas. [...] La actividad política ha sido suspendida temporalmente y los partidos tienen que quitar sus carteles en los locales. Sus organizaciones están intactas y varias de las fuentes de la embajada en los partidos han expresado su esperanza de que se permita volver a cierta actividad política en no más de seis meses. [...] Antes del golpe se temía que los militares duros se excedieran en sus órdenes y arbitrariamente asesinaran o arrestaran a sindicalistas, peronistas o izquierdistas que les disgustaran, pero no ha sucedido. [...] Muchos líderes sindicales han hecho las paces con los militares y desean colaborar".

El ciclo de las represalias. Cardozo, Corbetta y Ojeda

El 18 de junio de 1976 muere, como consecuencia de una bomba dejada debajo de su cama, el jefe de la Policía Federal, general de brigada Cesáreo Cardozo. La responsable es la joven de 18 años Ana María González, integrante de Montoneros. Lo curioso es la secuencia del atentado. El 1° de junio[34] es detenida Ana María González junto con un compañero. Ella, a su vez, era amiga y compañera de estudio de la hija de Cardozo. Por pedido del jefe de la Policía fue liberada. Cuando va de visita a la casa de su amiga para agradecer el gesto del padre aprovecha y pone el artefacto explosivo.[35]

El general Cardozo fue reemplazado por Arturo Amador Corbetta. Antes se habló con el general Juan Antonio "Pipo" Buaso y respondió que aceptaba el cargo, con la condición de "blanquear" la guerra: si caía un "uniformado" se lo debía fusilar con uniforme, previa degradación y por televisión.[36] No había espacio para eso en ese entonces. Era la guerra civil: padres contra hijos, hermanos contra hermanos, amigos contra amigos. Los ejemplos abundan.[37]

"No fue un enfrentamiento entre jóvenes 'románticos' y el Ejército. Eran jóvenes 'románticos' que casi constituyen un ejército [...] había un proyecto político y se luchaba por imponerlo. [...] Fue una guerra civil, la más irracional de las guerras. Hubo excesos de los dos bandos y no podemos calificar por la cantidad o por la magnitud de los excesos."[38]

El 30 de junio, la agencia Associated Press envió un cable desde París donde se transcribe un artículo con una ponderada opinión sobre Corbetta en el diario *Le Monde*. Dice que el nuevo jefe de la Policía Federal estimó que "la lucha contra la guerrilla no debe ir en contra de los principios en nombre de los cuales se la combate". Afirma el matutino francés que "la designación de Corbetta, uno de los más jóvenes generales del Ejército, constituye una victoria de los 'moderados' contra los 'duros', con tal de que esta distinción tenga hoy algún sentido en Argentina. [...] Con el general Corbetta el respeto por la vida y la integridad física ya no será, posiblemente, el resultado de una lotería".[39]

"Si los militares nos hubieran combatido con el Código bajo el brazo, como pretendió el general Corbetta, nunca hubieran vencido", confesó años más tarde el dirigente montonero Rodolfo Galimberti. (Extraído de un artículo de Abel Posse donde analiza esta expresión en *La Nación*, abril 2006.)

El 1° de julio hay un supuesto ataque de Montoneros al Batallón de Arsenales Esteban de Luca, en el que caen 12. Luego, en un comunicado posterior, se informa que en un operativo de "cerrojo", tras el intento de copamiento, mueren 5 personas. Entre estas últimas es muerta Beatriz Marta Oesterheld, "María". En total cayeron 17 miembros de Montoneros.

El 2 de julio, José Salgado,[40] miembro de la organización Montoneros, puso una bomba en el comedor de la Superintendencia de Seguridad Federal, donde había policías, mujeres y niños. Murieron 18 personas y 66 resultaron heridas. El oficial primero de la organización Rodolfo Walsh (a) "Esteban" o "Profesor Neurus", es sindicado como uno de los inspiradores del atentado junto con el oficial mayor "Monra", Marcelo Kurlat.[41] Luego del brutal atentado, se produjo una verdadera rebelión contra el jefe de la Policía, general Arturo Amador Corbetta, que se negó a tomar represalias. Corbetta fue reemplazado por el general Edmundo Ojeda. Tras el atentado, un muchacho es fusilado en el Obelisco, pleno centro de la Capital Federal (su cuerpo es retirado por los efectivos de la comisaría Tercera a órdenes del comisario Di Vietri). En las siguientes horas, 8 personas mueren en el garaje "El Abuelo", Chacabuco al 500; otras 8 son sacadas de la propia Superintendencia y otras 4 aparecen dentro de un auto que había sido robado diez horas antes en la Plaza de los Dos Congresos.

El 20 de julio, en la localidad bonaerense de Fátima aparecen 30 personas dinamitadas. El día anterior había sido asesinado el general Carlos Omar Actis.[42] "El país ha entrado en uno de esos extraños momentos que envuelven a un territorio en un soplo de otros tiempos, como si la Edad Media retornara, con su estilo oscurantista de la impotencia ante el dolor, la verdad, los derechos humanos, el conocimiento, la fe. Y a una población impotente frente a tanta impunidad, sólo le queda la oración", se escribió en la tapa de *La Opinión*.[43] El 29 de septiembre, en una casa de Corro y Yerbal es eliminado Alberto José Molinas Beluzzi, secretario político nacional de Montoneros, junto con Juan Carlos Coronel (responsable de agitación sindical); Ismael Salame (acción política estudiantil);

Victoria Walsh (departamento prensa del frente sindical) e Ignacio José Beltrán (miembro del secretariado político nacional).[44]

El 9 de noviembre, Montoneros pone una bomba en el edificio de la Jefatura de Policía de la provincia de Buenos Aires, en la ciudad de La Plata, provocando once heridos (entre ellos el propio subjefe, coronel Ernesto Trotz, quien perdió un brazo) y un muerto, el Ag Bombero PPBA Carlos Restuccia. Horas más tarde en los diarios aparecieron los nombres de los responsables: Guillermo Alfredo Martínez y su esposa Diana Beatriz Wlichky.[45] El mismo día, la organización perdió un poderoso arsenal de armas y explosivos en Chascomús 41, Villa Dominico, provincia de Buenos Aires. El arsenal fue descubierto por albañiles de una obra vecina y denunciado a las autoridades.[46]

Los días 27 y 28 de noviembre de 1976, los diarios informaron que tres refugios de armas, archivos e imprenta de Montoneros, todos en la zona de La Plata, había caído en manos de las autoridades oficiales. En el de la calle 63 y 14 se hallaron ficheros y una plastificadora de documentación.

El 2 de diciembre los diarios anunciaron la caída de Norma Arrostito, (a) "Gaby", Oficial Primero de Montoneros, en la Capital Federal. Era uno de los miembros históricos de la organización y activa participante en el secuestro y asesinato del teniente general Pedro E. Aramburu, ex Presidente Provisional de la Nación. El comunicado lo dio el Cuerpo I, anunciando su muerte. Con el tiempo se supo que fue llevada a la ESMA y que murió el 15 de enero de 1978. La intimidad de su cautiverio ha sido relatada en varios libros y artículos. De su paso por la prisión han dado testimonio numerosos testigos.[47]

El 7, tras seis meses de encierro en un pozo-"cárcel del pueblo", el coronel Juan Alberto Pita, interventor en la CGT, logró evadirse de sus captores.

El 15 de diciembre, José Luis Dios,[48] miembro del "Pelotón de Combate Norma Arrostito" de Montoneros, puso una bomba en el microcine de la Subsecretaría de Planeamiento del Ministerio de Defensa, donde murieron 11 personas y 20 resultan heridas. Dios era un sociólogo que había ingresado en el Consejo Nacional de Seguridad en 1969. El 31 de diciembre de 1976 "Fuerzas de seguridad abatieron a 30 extremistas", publicó *La Opinión* el 2 de enero de 1977. El comunicado del Comando de la Zona 1 emitió un largo comunicado con reflexiones y advertencias sobre el momento, agradeciendo "a toda la población por comprender y haber tomado conciencia de cuál era su puesto en este accionar; por la solidaridad, sacrificio y ayuda prestada".[49]

La renuncia del embajador argentino en Washington Arnaldo Musich. Luego, la segunda cumbre de Guzzetti con Henry Kissinger en Nueva York. Promesas que no se cumplen

El 3 de agosto de 1976 fue detenido e incomunicado en Córdoba el sacerdote norteamericano James Weeks acusado de tener vínculos con la subversión. Finalmente, el 18 de agosto, el sacerdote fue expulsado por la Junta Militar gracias a la intervención de la embajada de su país. El 3 de septiembre, desde Lancaster, Massachusetts, Weeks dijo que su país debía cortar la ayuda económica a la Argentina.[50] El 17 de septiembre presentó su renuncia el embajador argentino en Washington, Arnaldo Tomás Musich. Nunca dio una explicación pública sobre su salida del gobierno, aunque todos sabían que lo hacía por su disconformidad por la política de derechos humanos del gobierno. Desde hacía tiempo, Musich era presionado en los Estados Unidos por la suerte de unos muy pocos ciudadanos norteamericanos (Gwenda Loken López era otro caso), en especial el sacerdote James Weeks con quien mantuvo un encuentro luego de su liberación. Una vez que se conoció el encuentro, Guzzetti exigió su remoción, incentivado por algunos funcionarios de carrera: "O se va él [Musich] o me voy yo" y el presidente Videla entregó la cabeza de su embajador.[51] El 20, el embajador americano en Buenos Aires, Robert Hill, mantuvo una conversación con el canciller Guzzetti,[52] en la que le dijo que era muy difícil a "los que veían con simpatía el gobierno de Videla" explicar la muerte de sacerdotes (4 de julio) y la "reciente masacre en Pilar". "Es muy difícil para los amigos de Argentina, explicar que su gobierno controla la situación." El canciller reaccionó violentamente (con "emoción") cuando Hill hizo referencia a lo sucedido en Pilar. También Guzzetti le explicó lo ocurrido con el embajador Musich. Al día siguiente Hill dialogó a solas con Jorge Rafael Videla.[53] Durante el encuentro, el embajador estadounidense le explicó su preocupación por lo que sucedía en la Argentina y que le llamaba la atención que ninguna persona haya sido puesta a disposición de la justicia por los excesos en la lucha contra el terrorismo. Luego preguntó si iba a conocerse alguna sanción para los responsables de la matanza de Pilar, pero Videla evadió la respuesta. También le explicó la Enmienda Harkin, que prohibía al gobierno respaldar económicamente con su voto a países donde se violan los derechos humanos. Relató que su país dio su voto para acordar un crédito de 8 millones de dólares en el BID para financiar exportaciones y bienes de capital, pero que le resultaba difícil mantener el apoyo de persistir esta situación. Videla agradeció el voto positivo.

Hill describió una sensación general en esos días: "Siempre estaba el tema de los derechos humanos en el aire". Finalmente, expuso que "me fui de la reunión desilusionado, [Videla] me dice que desea evitar problemas con nosotros pero no dio ninguna señal de solucionarlos. [...] Salí con una fuerte impresión de que Videla no mandaba (no estaba a cargo), no era el jefe y él [Videla] lo sabía".

El 23 de septiembre, Arnaldo Musich visitó a Harry S. Schlaudeman, subsecretario de Asuntos Latinoamericanos para explicar que había presentado su renuncia. Por la tarde, la agencia Associated Press emitió un largo cable con un reportaje a Musich que fue publicado por *La Nación* al día siguiente. No dijo concretamente por qué abandonaba la embajada, pero entrelíneas, como era el estilo de la época, se entendió perfectamente:

"Muchos argentinos creen que los Estados Unidos tienen que entender a la Argentina, y la tarea es al revés. Somos nosotros los que debemos entender a los Estados Unidos. El no aceptar esa realidad nos ha privado de una política externa consistente."

"El Ejército Revolucionario del Pueblo, que era el más serio de los tres elementos de la subversión, ha sido aplastado. Aún quedan combatientes, pero como organización ha sido destruida. La estructura del ERP constituía un desafío frontal a la seguridad nacional. Los Montoneros, que se encuentran en proceso de eliminación, son un grupo emocional formado por muchos elementos. Su acción, aunque peligrosa, es fundamentalmente espectacular. El tercer grupo lo forman los vigilantes, los intemperantes, etc."

"¿Cuál es la acción sobre éste?" preguntó el periodista. "Una vez que se remuevan aquellos dos cánceres habrá que limpiar el bisturí."

El 30 de septiembre, en preparación del encuentro de Schlaudeman y Kissinger con Guzzetti, el Departamento de Estado preparó un balance de los 6 meses de gestión del gobierno del proceso, en el que se expresan las dificultades económicas; la situación gremial; una suerte de ola antisemita en la Argentina y los derechos humanos. Siempre los derechos humanos: "El aspecto más espectacular de la campaña antiterrorista han sido los asesinatos cometidos por los escuadrones derechistas de matones pagados que funcionan fuera de la ley. Operan sin temor a castigo y por lo regular se hacen pasar de funcionarios que vigilan la seguridad. Los derechistas son responsables de secuestrar y/o asesinar a cientos de 'izquierdistas que representan un riesgo a la seguridad' [del país]".

Era un diálogo de sordos: lo que sucedía en la Argentina, el canciller Guzzetti no sabía cómo explicarlo. Y si lo intentaba no era comprendido.

—¿Cómo haría usted para explicar a los norteamericanos lo que ocurre en la Argentina? —preguntó Horacio Chávez Paz al canciller César Augusto Guzzetti.

—Primero les diría que fueran a nuestro país, que analicen nuestro pueblo, que lo recorran. Segundo, que tuvieran un información más abierta, más objetiva, más clara, no sólo sensacionalismo, exageración y parcialidad. Todo eso distorsiona nuestra imagen.

—¿Usted piensa que los problemas de la Argentina están en su imagen, o en su realidad?

—La realidad actual argentina no es agradable para nadie. Pero se nos hace aparecer, por ejemplo, como una dictadura militar. La gente necesita elementos de juicio para hacer las diferencias.

—Parece que la Argentina, por el hecho de enfrentar un factor subversivo, mueve a la comprensión de otros países, pero debido a la sensación de tolerancia frente al terrorismo de derecha, despierta repulsión. ¿Cómo ve usted ese aspecto?

—Mi concepto de subversión se refiere a las organizaciones terroristas de signo izquierdista. La subversión o terrorismo de derecha, no es tal. El cuerpo social del país está contaminado con una enfermedad que corroe sus entrañas y forma anticuerpos. Esos anticuerpos no pueden ser considerados de la misma manera que se considera al microbio. A medida que el gobierno controle y destruya la guerrilla, la acción del anticuerpo va a desaparecer [...] Sólo se trata de una reacción natural de un cuerpo enfermo.[54]

El 6 de octubre el canciller Guzzetti, acompañado por el coronel Repetto Peláez, Arnaldo Musich y el embajador Federico Barttfeld, director del Departamento América Latina, tuvieron un almuerzo con el subsecretario de Estado para Asuntos Económicos Agrícolas, Charles W. Robinson, Harry Schlaudeman y Robert Zimmerman, director de los Asuntos de la Costa Este del Departamento de Estado. En la oportunidad, el canciller argentino comenzó sacando el tema de la situación de los derechos humanos; los exiliados y refugiados extranjeros en la Argentina y la situación económica. El alto jefe naval volvió a explicar, ayudado por Musich, la situación de "guerra civil" que vivía la Argentina y Schlaudeman reiteró el problema que se iba a presentar en el congreso de los Estados Unidos cuando se trate la situación argentina. Guzzetti explicó que "en tres o cuatro meses" el gobierno terminaría con las organizaciones subversivas. Y Robinson dijo entender lo que sucedía en la Argentina al enfrentarse "una guerra civil subversiva" y que lo ocurrido en el período inicial no sería aceptable "en el largo plazo".[55]

Al día siguiente, en Nueva York, Guzzetti se entrevistó por última vez con Henry Kissinger. La reunión se realizó en el hotel Waldorf Astoria y el secretario de Estado fue acompañado por el subsecretario Philip Abib y Harry Schlaudeman. A su vez Guzzetti concurrió con Arnaldo Musich y el embajador argentino en Naciones Unidas, Carlos Ortiz de Rozas. La cuestión medular de lo tratado pasó nuevamente por la cuestión de los derechos humanos, que ya teñía la política exterior del Palacio San Martín.

GUZZETTI: Usted recordará nuestro encuentro en Santiago de Chile. Me gustaría hablarle de lo sucedido en la Argentina en los últimos cuatro meses. Nuestra lucha (contra el terrorismo) dio muy buenos resultados en los últimos cuatro meses. Las organizaciones terroristas han sido desmanteladas. Si continuamos en esa

41

dirección, a fin de año, el peligro habrá quedado a un lado [aunque] siempre habrá incidentes aislados.

KISSINGER: ¿Cuándo se va a terminar? ¿En la próxima primavera?

GUZZETTI: No, a fin de este año...

KISSINGER: Mire, nuestra actitud básica es que nos gustaría que tengan éxito. Tengo un punto de vista antiguo: que los amigos tienen que ser apoyados. Lo que no entienden en Estados Unidos es que ustedes están en una guerra civil. Leemos acerca de los derechos humanos, pero no acerca de su contexto. Mientras más rápido el éxito, mejor... El problema de los derechos humanos se agranda en los EE.UU. El embajador de ustedes [Musich] se lo puede informar. Queremos una situación estable. No les vamos a causar a ustedes dificultades innecesarias. Sería mejor si pudieran acabar [con esto] antes de que el Congreso reinicie sus sesiones. Y sería beneficioso si pudieran restaurar las libertades que puedan.

También se volvió a reiterar el tratamiento de la ecuación derechos humanos-parlamento-ayuda económica; es decir la Enmienda Harkin.

La minuta del encuentro transcribe que Guzzetti dijo al finalizar que "requeriremos placet para un nuevo embajador y el presidente [Gerald] Ford se encuentra en campaña".

—¿Usted renunció? —preguntó Kissinger mirando a Arnaldo Musich.

—Sí, señor —fue la respuesta del embajador. Musich no dijo nada más.

—El acuerdo del placet se lo daremos rápido, pero las credenciales...

Guzzetti dijo que el pedido de placet lo solicitaría de forma urgente, y ante una pregunta sostuvo que el nuevo embajador llegaría en un mes. Recién en diciembre se conoció la designación del abogado Jorge Aja Espil para suceder a Musich. Había otra candidatura que propugnaba la Presidencia, la de Roberto Guyer, quien luego fue destinado en Alemania Occidental, en reemplazo de Enrique Ruiz Guiñazú.

Durante esos días de la reunión de la Asamblea General de

las Naciones Unidas, el canciller argentino se entrevistó con sus pares de Alemania, Israel y Paraguay, entre otros.

En esos días Mario Diament, en *La Opinión*, dijo: "La Argentina no debe estar ausente del mundo, no necesita autoexcluirse ni reducirse a bloques defensivos que achican o confunden su causa. Antes bien debe asumir el desafío, un desafío ideológico que el país puede ganar a la par de los éxitos contra la subversión".[56]

Si el año anterior había sido triunfal para River Plate, 1976 fue arrollador para Boca Juniors. De la mano de Juan Carlos Lorenzo, Boca ganó los campeonatos Metropolitano y Nacional, y al año siguiente se alzó con la Copa Intercontinental.

El 9 de setiembre, a los 82 años, murió Mao Tsé-tung, el líder de la revolución en China, y el 4 de noviembre de 1976, el demócrata James Carter le ganó en la elección presidencial al republicano Gerald Ford.

A las pocas horas del triunfo del Partido Demócrata, un télex informativo llegaba desde Nueva York para el presidente de una importante empresa argentina operadora de "commodities". En el texto se sostenía que "el embajador Robert Hill habría mandado un informe sobre la Argentina que fue distribuido a los legisladores con carácter de 'clasificado'. Este informe sería ampliamente negativo para con el gobierno de Videla. [...] El triunfo de Carter presenta una perspectiva más dura para la Argentina en cuanto al tema derechos humanos. Aunque su ideología es 'no intervencionista', su propósito era la 'presencia moral' norteamericana [y] podría concretarse en decisiones desfavorables para países como Argentina, cuestionados por este tema. El propósito de algunos grupos cercanos a Carter es atar el tema con los factores económicos, tales como preferencias arancelarias, créditos, etc. Una frase muy repetida es: 'Que maten [a] toda la gente que quieran, pero que no lo hagan con nuestros impuestos, nuestro dinero. [...] Un factor favorable [para la Argentina] es que, en general, nadie confunde a Videla con Pinochet. Otro factor es que al grueso de la población no le interesa el tema en absoluto".[57] El jueves 11 de noviembre, Videla inició una visita oficial a Chile, suscribiendo en la oportunidad doce acuerdos bilaterales (entre otros, uno de venta de trigo a Chile por 500.000 toneladas anuales y otro de compraventa de gas).

Malvinas en 1976

Desde el 16 de noviembre de 1965, la Argentina contaba a su favor con la resolución 2065 de las Naciones Unidas, que instaba a la Argentina y Gran Bretaña e Irlanda del Norte "a proseguir sin demora las negociaciones recomendadas por el Comité Especial encargado de examinar la situación con respecto a la aplicación de la declaración sobre la concesión de independencia de los países y pueblos coloniales, a fin de encontrar una solución pacífica al problema, teniendo debidamente en cuenta las disposiciones y objetivos de la Carta de las Naciones Unidas y de la Resolución 1514 (XV), así como los intereses de la población de las Malvinas (Falkland Islands)". En su punto 2°, la resolución pedía a ambos gobiernos que "informen al Comité Especial y a la Asamblea General, en el vigésimo primer período de sesiones (es decir, 1966) sobre el resultado de las negociaciones". En pocas palabras, por primera vez se reconocía una disputa de soberanía y aparece la palabra "intereses" de los pobladores (kelpers) y no los "deseos" de los mismos.[58] Hasta 1976 no se había producido ningún avance en las negociaciones y año tras año, en cada reunión de la Asamblea General, los cancilleres argentinos hicieron escuchar sus protestas. Sin embargo, el 4 de febrero de 1976 se produjo un incidente armado, cuando un buque de la Armada argentina disparó un tiro contra la cubierta del buque "Shackleton" que iba a hacer un trabajo de prospección.

Los primeros encuentros entre los funcionarios del nuevo gobierno argentino y los británicos se realizaron en secreto en París, entre los días 10 y 11 de julio de 1976. La delegación argentina la encabezó el subsecretario Gualter Allara y la británica Robin Edmonds, subsecretario del Foreign Office para Asuntos Latinoamericanos. La intención fue sentar las bases para proseguir las negociaciones. Luego volvieron a hacer lo mismo en Buenos Aires el 7 y 8 de agosto. Y, meses más tarde, los días 22 y 23 de febrero de 1977. En esos momentos, la Argentina proponía una Administración Conjunta como etapa provisional y progresiva previa al momento del traspaso definitivo de la soberanía. Los ingleses, en ese caso, preferían hablar de cooperación conjunta en temas tales como explotación de hidrocarburos y régimen de pesquerías. El 7 de noviembre de 1976, la Armada Argentina comenzó a construir, bajo una estricta reserva, un observatorio en la Isla Thule, en el extremo austral de las islas Sandwich. El gobierno inglés pidió explicaciones y la Argentina respondió que era para realizar estudios científicos de manera provisoria. Después de intercambiar notas, finalmente Gran Bretaña presentó una protesta formal que se fue diluyendo con el tiempo. No hubo otro procedimiento y esto hizo pensar más tarde en el "Plan Goa".

Ya entonces la Armada, bajo la conducción de Emilio Eduardo Massera y con la dirección del capitán de navío Jorge Anaya, diseñó el "Plan Goa", basado en la experiencia de la ocupación de la India, en 1961, de la isla portuguesa de Goa y la ausencia casi total de reacción internacional. El plan contemplaba la ocupación y el traslado de los kelpers a Montevideo. La India lo había podido realizar dado el franco retroceso de Portugal de sus colonias y su escaso predicamento en la escena internacional. El año terminó con una resolución en Naciones Unidas donde se felicita a la Argentina por los esfuerzos realizados para favorecer el proceso de descolonización en las Malvinas y promover el bienestar. La resolución fue aprobada con 102 votos a favor, 32 abstenciones y el voto contrario de Gran Bretaña. "Miremos al mar que es también parte de la patria", aconsejó Massera en la Academia Nacional de Derecho y Ciencias Sociales.[59]

NOTAS

[1] Relato de Raúl Quijano al autor, en febrero de 2006.

[2] Carlos Keller Sarmiento, *Vivencias rescatables de un diplomático de carrera, 1934-1982*, Grupo Editor Latinoamericano, Buenos Aires, 2001.

[3] Castellanos fue reincorporado años más tarde. Actualmente es embajador.

[4] *La Opinión*, 4 de octubre de 1976, pág. 15.

[5] Arnaldo Musich fue embajador del proceso en Washington apenas unos meses. Fue sacado, luego de sostener que tras un momento de dureza (en terminar con las organizaciones armadas) había "que limpiar el bisturí". Uno de los que ejerció más presión para que se fuera fue el embajador Juan Carlos Arlía.

[6] Enrique Juan Ros fue asesor de política internacional del presidente Videla. Apenas duró unos meses, pues la Armada lo bloqueó. Fue un funcionario importante durante la guerra de Malvinas.

[7] En junio de 1976, en el marco de la Asamblea General de la OEA, Guzzetti y Kissinger hablaron, especialmente, de derechos humanos.

[8] Errecalde Pueyrredón era de Chivilcoy. Según el diputado nacional Carlos Dellepiane, que en 1976 era concejal peronista y años más tarde sería dos veces intendente, a Errecalde también se lo conocía como Recalde. A comienzos de 1976 paraba en La Plata con vinculaciones con la Armada.

[9] Diálogo con Juan Manuel Abal Medina, 25 de abril de 2007.

[10] En esos años en África del Sur regía la política del *apartheid*.

[11] En ese tiempo el ex embajador en Sudáfrica de Juan Carlos Onganía, Enrique Roncan, aparecía como lobbista de los intereses sudafricanos en Buenos Aires.

[12] Diálogo con el embajador Enrique Ros. Apuntes del autor, 24 de junio de 1976. Estaba presente en la reunión su cuñado, embajador Hugo Juan Gobbi.

[13] *Carta Política*, nota titulada "Por un puñado de votos", 1976.

[14] Aunque los especialistas sostienen que la fecha está equivocada, ya que fue el 10 de junio. Lo importante es lo que dice el documento.

[15] Años más tarde sería consultado por la situación del Banco de Intercambio Regional (1980).

[16] Juan Bautista Yofre, *Nadie fue*, Edivern, Buenos Aires, 2006, pág. 26: "En junio de 1974, Fidel Castro acordó con el comunismo chileno la formación de oficiales en academias militares. Ya para aquel entonces líderes guerrilleros argentinos habían recibido instrucción en los centros militares cubanos".

[17] Su gran mérito era ser íntimo amigo de Viola.

[18] Apuntes personales, 5 de julio de 1976.

[19] Apuntes personales, 27 de julio de 1976.

[20] Conversación con Oscar Camilión, apuntes del autor, 22 de junio de 1976 (17 horas).

[21] Almuerzo con Rosendo Fraga y Fernando Madero, Apuntes del autor, 23 de junio de 1976.

[22] Carta de Perón a los oficiales y suboficiales de la Guarnición de Azul, 22 de enero de 1974.

[23] Frank Kitson, *Low Intensity Operations. Subversion, Insurgency & Peacekeeping*, Faber and Faber, Londres, 1971, pág.114.

[24] Richard Clutterbuck, *Living with Terrorism*, Faber and Faber, Londres 1975, pág. 17.

[25] Informe "Estrictamente Secreto y Confidencial" G.T. 1, Eq 1-2, marzo de 1976 (alrededor de cien páginas).

[26] Según Luis Mattini, "Pepe" no murió sino que cayó vivo. *Hombres y mujeres del PRT-ERP*, pág. 453.

[27] Edgardo Enríquez cayó en abril de 1976.

[28] Lo afirma Gustavo Plis-Sterenberg en *Monte Chingolo*, pág. 394.

[29] Falcón era santiagueño. Amnistiado en 1973, cayó el 9 de julio de 1976 en

Tucumán. El general Adel Vilas lo considera uno de los fundadores de la "Compañía de Monte Ramón Rosa Jiménez".

[30] Calificación dada por Luis Mattini.

[31] Referencias de *Estrella Roja* N° 78, 14 de junio de 1976. Archivo del autor.

[32] Enrique Gorriarán Merlo, en su libro de Memorias, lo sindica de agente de inteligencia de la organización, pág. 324.

[33] *La Nación*, 17 de agosto de 1976.

[34] El mismo día que fue secuestrado el coronel Alberto Pita, interventor militar en la CGT.

[35] Ana María Gonzalez murió en una posta sanitaria de la organización, tras quedar seriamente herida en un enfrentamiento realizado en un control de ruta, el 4 de enero de 1977, en San Justo, Buenos Aires. En el incidente murió el soldado conscripto Guillermo Dimitri.

[36] Conversación con Fernando Madero. Apuntes del autor, 23 de junio de 1976.

[37] Basta recordar algunos apellidos: Alsogaray, Landaburu, Labayru, Acuña, Saavedra Lamas, Yofre, Isola, Sapag, Quinteiro, Vela, Gordillo, Costa, Zucker, Laplane, Palazuelos.

[38] Rodolfo Galimberti, ex dirigente montonero, "El Primero de la semana", América TV, 23 de setiembre de 1996.

[39] Archivo del autor.

[40] El 4 de junio de 1977 se informó en los medios que José María Salgado había sido abatido, luego de resistirse, en Canalejas al 400, Capital Federal.

[41] "Monra" Kurlat, entre otros hechos militares, había comandado el atentado explosivo contra la fragata "Santísima Trinidad" en agosto de 1975. Tras una delación, cayó en un enfrentamiento el 10 diciembre de 1976. Aunque los diarios de la época no lo dicen, Kurlat murió en la ESMA horas más tarde. Tiempo más tarde Montoneros fusiló a la esposa del delator. Kurlat era el jefe de la Columna Norte.

[42] Fernando Juan Lagos (a) "Pipo" fue sindicado como el asesino. Murió el 24 de mayo de 1977, en Lanús. *La Opinión*, 1 de junio de 1977.

[43] *La Opinión*, 21 de agosto de 1976. Archivo del autor.

[44] *Clarín*, 3 de octubre de 1976. Archivo del autor.

[45] Ambos desaparecieron en la zona de Constitución el 24 de diciembre de 1976. Ella se encontraba embarazada de 2 meses. Figuran como desaparecidos.

[46] *La Nación*, 10 de diciembre de 1976, pág. 4.

[47] Véase 14.317/3 "Causa ESMA".

[48] Desaparece en setiembre de 1977 en momentos en que es miembro de la columna Norte de Montoneros.

[49] *La Opinión*, domingo 2 de enero de 1977, pág. 10.

[50] *Miami Herald*, 4 de setiembre de 1976. Archivo del autor.

[51] *Historia general de las Relaciones Exteriores de la República Argentina*, capítulo 68, nota 44.

[52] Cable 7181, 20 de setiembre de 1976.

[53] Cable 7269, 24 de setiembre de 1976.

[54] *La Opinión*, 3 de octubre de 1976. Archivo del autor.

[55] Minuta desclasificada de la reunión.

[56] *La Opinión*, 5 de octubre de 1976.

[57] Copia del télex en el archivo del autor.

[58] El autor reconoce y agradece el valioso trabajo del contralmirante (RE) Eugenio Luis Bezzola que estará presente a lo largo del libro. La obra: *Malvinas, una cronología correlacionada (1963-Abril-1982).* El camino hacia la guerra.

[59] *La Razón*, 2 de diciembre de 1976.

2. 1977. James Earl Carter llegó a la Casa Blanca. La Argentina hacia el aislamiento

◆

El 8 de enero, la Cancillería realizó un balance de su gestión hasta ese momento. Entre los modestos resultados, valoraba "la ruptura del hielo de nuestras relaciones con Brasil y el mayor acercamiento con nuestros países vecinos como resultado de una mayor dinámica diplomática". Puro optimismo. Poco tiempo después, el canciller Azeredo da Silveira puso las cosas en términos más realistas cuando afirmó en el senado de su país que Brasil no tenía nada que discutir con la Argentina sobre la construcción de la represa de Itaipú. Y afirmó también que Paraguay ya no realizaba una política pendular, entre su país y la Argentina, dado que "en la actualidad Paraguay se inclina sólo hacia Brasil". Mientras las autoridades del Palacio San Martín hacían sus balances el personal diplomático seguía en "disponibilidad".

Poco más tarde, entre el 10 y 11 de febrero, los altos mandos del Ejército analizaron la marcha de las relaciones internacionales con su comandante en jefe y Presidente de la Nación. En la oportunidad se llegó a la conclusión que en materia internacional lo más indicado era "tender hacia el aislamiento", como consecuencia de las imputaciones sobre violaciones a los derechos humanos. Una calificada fuente aseguró que los generales analizaron el rompimiento de relaciones con México y Francia, por la facilidad que se les da en esos países a elementos subversivos. Para rechazar esas acusaciones, el 13 de marzo se inició un cónclave de embajadores acreditados en Europa Occidental y organismos internacionales con la coordinación del capitán de navío Gualter Allara. La cumbre tuvo un doble propósito: "esclarecer la situación nacional e intensificar las relaciones de nuestro país con Europa Occidental". Una cosa quedó clara, el gobierno necesitaba "esclarecer" los hechos y las consecuencias de la guerra interna que se estaba librando en la Argentina. Como conclusión, se decidió estructurar un "centro de difusión" de la imagen argentina con sede en París. Para tal fin, a pesar del disgusto del embajador Tomás de Anchorena, el "centro" se llenó de oficiales navales y luego de descartar a Magdalena Ruiz Guiñazú y Ricardo Curutchet (director de la revista *Cabildo*), fue designado el veterano periodista Alfredo Bufano.[1] "La reunión de París fue lamentable, el único que sobresalió fue Víctor Massuh (embajador en la UNESCO).[2] Semanas antes, el 18 de febrero, el Ejército Revolucionario del Pueblo (ERP) dio otra vuelta de tuerca al intentar asesinar al presidente Videla cuando despegaba del Aeroparque Metropolitano (Operación Gaviota).

Intimidades

Como si no faltaran problemas en el país, en las Fuerzas Armadas se generaban muchos más: un documento de la Armada criticaba a los ministros Bruera, Liendo, Harguindeguy y Martínez de Hoz. No aconsejaban la remoción del ministro de Economía, tan sólo la reestructuración de su equipo de colaboradores. De no ser así, los candidatos a sucederlo eran Carlos Conrado Helbling o Adolfo Diz. La Armada, además, proponía a Nicanor Costa Méndez para embajador en Londres (el otro candidato para ese destino era el banquero Alejandro Shaw). El secretario general del Ejército, Jorge Olivera Rovere, propuso en la Presidencia, en nombre de su fuerza, una terna para la embajada en Naciones Unidas: Raúl Quijano, Enrique Ros y Juan Carlos Beltramino. La Armada, para el mismo cargo, presentó dos postulantes: Eduardo Roca y Bonifacio "Fafo" del Carril. Para la embajada en Costa Rica se manejan los nombres de Jorge Mazinghi, Julio Oyanarthe y Ricardo Balestra. Días antes, Massera, de visita en la Escuela de Mecánica de la Armada, dijo que de no haber cambios en la estructura de poder "la Armada retiraría el apoyo al Proceso". Buscaría forzar la designación del "cuarto hombre" que podría ser Ibérico

Saint Jean (un "duro", gobernador de la provincia de Buenos Aires). Mientras tanto, Martínez de Hoz dijo estar preocupado por el espectro internacional que podría hacer peligrar sus planes de inversión y financiamiento.

Desayuno en el Hotel Nogaró: un colaborador del gobierno, el 8 de marzo de 1977, relató cómo un comando de la ESMA, al mando de un capitán de corbeta, detuvo por unas horas al hijo del general Roberto Viola. Se lo hace permanecer de pie con los pulgares apoyados contra una pared. Luego de unas horas se lo liberó. El 11 de marzo, otra alta fuente militar relató que en el avión presidencial que trajo a Videla de Lima, Perú, después de un diálogo del presidente con el periodismo, un oficial naval dijo en voz alta: "Señores, lo que acaban de escuchar no es el pensamiento íntimo de la mayoría de los miembros de las FFAA que se encuentra empuñando las armas".

Encuentro de periodistas con Massera: "Yo no me quiero quemar, por eso comenzaré a tener contactos con políticos y gremialistas para aclararles que yo no avalo este gobierno".

"En Grenada (donde se realizó la reunión de la asamblea general de la OEA), un integrante de la delegación de los Estados Unidos le preguntó a José 'Pepe' García Ghirelli si el 'Bebe' Juan Carlos Arlía trabajaba en la SIDE, por la pasión que ponía en la cuestión de los derechos humanos. Mientras tanto, nació oficialmente la oficina de relaciones públicas en París, para mejorar nuestra imagen en el viejo continente. El decreto 1981 fue publicado en el Boletín Oficial y prevé 100.000 dólares mensuales de gastos reservados. La publicación en los diarios demuestra una gran torpeza y los funcionarios que lleguen a trabajar estarán totalmente quemados antes de iniciar sus tareas."[3]

Entre el 28 y 29 de septiembre de 1976, los abogados cordobeses Gustavo Adolfo Roca y Lucio Garzón Maceda testimoniaron ante la Subcomisión de Organismos Internacionales de la Cámara de Representantes de los Estados Unidos que presidía Ronald Fraser. La serie de audiencias buscaba determinar la situación de los

Derechos Humanos en la Argentina, para analizar si el país era pasible de una enmienda legislativa, según la cual el Ejecutivo de los Estados Unidos estaba en condiciones de suspender la ayuda militar que prestaban a la Argentina. Ya la enmienda había sancionado a Chile y Uruguay. Roca y Garzón Maceda se abstuvieron de condenar a las organizaciones armadas. El director de *La Opinión*, Jacobo Timerman, el 30 de septiembre, pidió testificar argumentando que en varias ocasiones había condenado a los extremismos de derecha e izquierda, porque condenar uno solo "significa ser cómplice del otro extremo".[4]

Gustavo Roca y Lucio Garzón Maceda, eran acusados por el gobierno militar de haber formado parte del grupo de abogados de los más importantes miembros de las organizaciones armadas. En el caso de Roca, nadie se privaba de hacer referencia a su lejana amistad con Ernesto "Che" Guevara y su permanente relación con el terrorismo, algo que iba mucho más allá de una simple relación profesional. Los dos se presentaron ante la Subcomisión hablando mal del gobierno argentino. Algo paradójico si se tienen en cuenta sus íntimas relaciones con las organizaciones armadas, con un largo historial de lucha contra los Estados Unidos (tanto el PRT-ERP como Montoneros respondían a directivas de la inteligencia militar y política cubana).

Para compensar las críticas, el 3 de marzo de 1977, la Subcomisión escuchó el testimonio de Luis Rubeo, dirigente sindical santafesino y ex diputado nacional del peronismo. La trascripción de la sesión que presidió Salberg reseña que Rubeo dijo que deseaba expresar su preocupación "por la forma que se difunde la labor de esta Subcomisión y la excesiva retórica que utiliza la Administración Carter sobre el tema 'Derechos Humanos en la Argentina'. En primer lugar porque el tratamiento del mismo aparece como una clara injerencia en nuestra soberanía. Segundo, porque los derechos humanos no solamente se defienden con las palabras. Y en lo que a Estados Unidos se refiere sería más importante que sus autoridades pusieran atención a la tarea que desarrollan algunos de sus exponentes económicos en mi país. Pues también cuando se genera injusticia social se está practicando una forma de violencia. Además no sería edificante para la democracia continuar con esta colisión contra mi país. Declarar solamente contra el gobierno militar, significa beneficiar a la guerrilla, y no creo que éste sea el deseo de esta Subcomisión y de los hombres libres del mundo".

Seguidamente, el secretario de la Subcomisión le contó que "un representante del gobierno argentino le dijo [hoy] a esta Subcomisión que el movimiento obrero de su país apoya al actual gobierno. ¿Qué opina usted?".

Rubeo expresó: "Posiblemente el representante gubernamental fue mal interpretado. Yo puedo decir que los mejores exponentes del movimiento obrero argentino fueron unos de los principales diques ante cualquier desborde antidemocrático, enemigos implacables de la guerrilla, pagaron con la vida de sus mejores dirigentes, el asesinato de Vandor, Alonso, Rucci, Kloosterman, etc., sirven como ejemplo. En estas circunstancias tan difíciles para la vida de mi país, no van a cometer la irresponsabilidad de atacar indiscriminadamente la acción del gobierno, para favorecer a la guerrilla. Además, el movimiento obrero es consciente del grado de responsabilidad que le compete por la actuación de algunos de sus dirigentes, en el gobierno anterior. Ello no significa que dejen de luchar dentro de la ley, por la pronta normalización de las organizaciones sindicales, por la defensa del salario y por la libertad de los ciudadanos detenidos sin proceso y la pronta eliminación de las bandas armadas responsables de secuestros y desapariciones de honrados ciudadanos, tal el caso del dirigente del gremio de Luz y Fuerza Adalberto Smith. Además llama a mi extrañeza que no se les haya pedido declarar a legítimos dirigentes democráticos de mi país".

La respuesta de la Subcomisión fue: "Sabemos que muchos no desean declarar pues luego tendrían dificultades al regresar a su país". A lo que el dirigente santafesino respondió: "Más, mi pregunta es ¿se le ha pedido a esas expresiones que vengan a declarar?". La respuesta de Salberg: "No, no lo hemos hecho".

SALBERG: ¿Qué piensa de Gustavo Roca y Garzón Maceda?

RUBEO: Las opiniones por ellos vertidas no son ecuánimes, pues exponen el pensamiento de la guerrilla.

SALBERG: ¿Son izquierdistas?

RUBEO: Pertenecen a la extrema izquierda.[5]

Dos hechos negativos demandarían especial atención de las autoridades del Palacio San Martín en el primer semestre del año. El 14 de marzo de 1977, a un año de iniciado el Proceso de Reorganización Nacional, el Departamento de Estado dio a conocer un severo informe sobre la situación de los derechos humanos en la Argentina. La Cancillería respondió que rechazaba "de plano las infundadas acusaciones contenidas en el informe", y reafirmó su decisión de "no permitir injerencia externa alguna en asuntos de jurisdicción exclusiva de nuestro país". Previamente, en febrero, Cyrus Vance en persona anunció que seis países latinoamericanos habían quedado marginados de la ayuda militar estadounidense y la Argentina era uno de ellos. A través de la Enmienda Humphrey-Kennedy, se le redujo a la Argentina el crédito norteamericano de 32 millones de dólares a 15,7 millones del presupuesto del Programa de Asistencia para la Seguridad. El gobierno argentino, entonces, el 1° de marzo de 1977 rechazó toda ayuda, porque entendía que mantenerlo era convalidar las acusaciones de la Administración Carter. A los tres meses de haber llegado Carter a la Casa Blanca (20 de enero de 1977), en abril hizo su primera visita a Buenos Aires la subsecretaria de Derechos Humanos Patricia Derian, quien luego de mantener entrevistas a nivel oficial volvió a su país con una "sensación negativa". El 8 de marzo, bajo el título "Se aproximan horas difíciles", los dirigentes comunistas Rodolfo Ghioldi, Rubens Iscaro, Fernando Nadra, Irene Rodríguez y otros rechazaron al gobierno de Carter "erigido en tribunal supremo que se atribuye el derecho de juzgar a las demás naciones del mundo, ha interferido en asuntos internos de nuestro país esgrimiendo hipócritamente el argumento de la violación de los derechos humanos. [...] Negamos sinceridad y autoridad moral al imperialismo yanqui para defender los derechos humanos más allá de sus fronteras".[6]

El sábado 30 de abril de 1977, las Madres de Plaza de Mayo encabezadas por su fundadora, Azucena Villaflor, realizaron su primera ronda alrededor de la Pirámide, cerca de las cuatro y media de la tarde. Fueron pocas, luego decidieron que realizarían sus marchas los jueves de cada semana, a las tres y media de la tarde.

El segundo hecho negativo fue el 2 de mayo de 1977, cuando se comunicó oficialmente el fallo arbitral sobre el litigio con Chile del canal de Beagle.[7] El fallo de los cinco jueces de la Corte "ad hoc", representantes de los Estados Unidos, Reino Unido, Francia, Suecia y Nigeria, resultó francamente favorable a las aspiraciones chilenas de extender su presencia al océano Atlántico. Así nació un conflicto que llevaría al país en 1978 al borde de la guerra con Chile. La resolución de la Corte Arbitral causó indignación en el gobierno militar, y también entre la clase política: por ejemplo, el 4 de octubre, varios dirigentes solicitaron públicamente el rechazo del fallo del Beagle, entre otros Raúl Alfonsín, Miguel Unamuno, Eloy Próspero Camus y Roberto Ares.

Al cumplirse un año del inicio de su gestión, Videla pronunció un largo discurso que fue televisado. Francisco Guillermo "Paco" Manrique opinó que "nos obliga desde adentro (él se sentía parte del proceso), la necesidad de decir que vimos en pantalla a un ciudadano descontento, quizá trabado en sus dichos por esta inexplicable e inadmisible confusión del poder en su cúspide".[8]

"Ya estamos impacientes" tituló *Prensa Libre*, un diario de la mañana con cierta afinidad con el almirante Massera.

Las retiradas estratégicas de las conducciones guerrilleras. Inventario de un año atroz. La derrota militar de la subversión. La "Causa Graiver"

Según el "Informe Especial Mensual de Inteligencia N° 15/77" (Abril 1977) realizado por el "Grupo de Tareas 1" sobre la "Situación del PRT-ERP", el Buró Político de la organización armada "se ha trasladado al exterior… continuando desde allí la lucha y ordenando por intermedio de la creación de una secretaría política o conducción política con sede en nuestro territorio, ejecutora y realizadora de las órdenes emanadas del Buró". De acuerdo con el informe, los dirigentes que se encontraban en el exterior "serían":

• Arnold Juan Kremer, "Capitán Luis" o "Luis Mattini".
• Enrique Haroldo Gorriarán Merlo, "El Pelado" o "Comandante Ricardo".
• Carlos Emilio All, "Capitán Alejandro" o "El Cuervo".
• Raúl Concetti, "Rogelio Galeano" o "El gringo Luis".

- Carlos Orozocoa, "El Vasco" o "Daniel".
- Julio Oropel, "El Negro Jorge".
- Y, aparte, las esposas de All y Gorriarán Merlo.

El "secretariado político", en el país, estaba integrado entre otros por:

- Hugo Alfredo Irurzún, "Capitán Santiago".
- Juan Carlos Ledesma, "Vizcachón".
- Eduardo Martín Streger, "Teniente Martín" o "La Tía".
- Javier Ramón Coccoz, "Teniente Pancho". A cargo de inteligencia.
- Luis María Aguirre, "Tato" o "El Negro". A cargo de proselitismo militar.
- Sonia Alicia Blessa, "Ángela". A cargo de documentación nacional.
- Elena Codan, "Paula". A cargo de personal nacional.
- María Nora Munitis de Merbilhaá, "Alicia". A cargo de internacional (en el país).

El secretariado tendría "las mismas funciones que ejercía el Buró de la organización, o sea que tomaría todas las tareas partidarias y del ejército pero siguiendo siempre la orientación dada desde el exterior". Esta determinación "fue tomada al igual que otras de importancia en la reunión de los últimos Comité Ejecutivo de la organización que se tenga conocimiento a fines de 1976". En esas reuniones se resolvió: "a) Volver a estudiar las etapas de la guerra prolongada; b) Una autocrítica a la concepción espontaneísta, y c) Disolver o achicar según las necesidades o conveniencias los grandes aparatos partidarios. [...] Esto trae la ventaja de contar con menos integrantes y por lo tanto ofrecer menos blancos".

El informe es una radiografía del PRT-ERP en ese momento, con muy pocas conclusiones: estaba perforado por la inteligencia militar y se hallaba al borde de la extinción. En sus 32 páginas se observa el conocimiento detallado de cada una de las regionales, sus responsables, sus efectivos. Por ejemplo: "La Regional Buenos Aires Norte-Oeste. Se estima en unos 72 miembros, los cuales se encontrarían distribuidos de la siguiente manera: PRT, 25 efectivos; ERP, 17 efectivos y Juventud Guevarista, 30 efectivos". El trabajo de los miembros abarcaba "en la Zona Oeste, las fábricas de Chrysler, Mercedes Benz, Cantábrica y Santa Rosa. Y en la Zona Norte, General Motors, Ford, Fiat, Astarsa, siendo casi nula su actividad en Tensa y Del Carlo, donde perdieron gran parte de sus efectivos". A la "Regional Buenos Aires Sur", el informe le adjudicaba 87 miembros. Y la más poderosa en ese momento era la "Regional Capital Federal" con 90 integrantes (PRT, 30; ERP, 15 y Juventud Guevarista, 45 efectivos), "la mayoría de los cuales milita en los frentes secundarios y universitarios". La otrora activa y conocida "Regional Riberas del Paraná fue destruida en un 95%". En resumen, los militares sabían que en abril de 1977, el PRT-ERP: "a) carecía de jefes y cuadros experimentados; b) falta de periferia; c) dificultades para el apoyo logístico de sus integrantes, y d) desconfianza en la conducción".

Es decir, ya poco quedaba de los 6.000 miembros de los que habló Domingo Mena durante la cumbre de la quinta de Moreno, en la que casi cae toda la conducción guerrillera. Ya no se podía seguir la directiva de Mario Roberto Santucho (vuelta a señalar en este informe): "La guerrilla se debería sentir, moverse, como pez en el agua".

A partir de la página 19, el informe deja de ocuparse de la cuestión militar de la organización y observa, no sin impotencia, la situación internacional en la que ha caído la Argentina como resultado de su enfrentamiento interno, "guerra civil" o como quiera denominársela. La Inteligencia Militar sigue los pasos de un sinnúmero de abogados e intelectuales ligados con la insurgencia, y manifiesta que "lo más grave es que, a pesar de las mentiras que se dijeron en algunos casos, es que fueron escuchados por diversas personalidades de todo el mundo, como ocurrió en el Senado de los EE.UU., donde dieron una conferencia sobre el tema que nos atañe los doctores Gustavo Roca, Héctor Sandler y Lucio Garzón Maceda, o bien como ocurrió con Su Santidad, el papa Paulo VI, que recibió personalmente a familiares del tristemente célebre Mario Roberto Santucho (NG) 'Robi', jefe máximo del PRT-ERP".

Otro informe de Inteligencia Militar N° 17/77, del mes de junio, sobre la "Juventud Guevarista", detalló que en febrero de 1977 se reunió su Mesa Nacional, bajo el nombre de "Rodolfo Ortiz" (a) "Horacio" donde se trazó el estado paupérrimo de la organización, tras la caída de tres miembros de su dirección en septiembre de 1976 (incluido su "secretario general").

Para el año 1977 las organizaciones armadas ERP-Fracción Roja, ERP 22 de Agosto, Organización Comunista Poder Obrero (OCPO), Fuerzas Armadas de Liberación (FAL), Fuerzas Armadas Peronistas (FAP) y Comando Populares de Liberación (CPL) habían sido totalmente aniquiladas. Sólo quedaba Montoneros, organización que para ese momento había "sufrido grandes pérdidas en su aparato político y militar, así como en su apoyo exterior; de sus cuatro jefes nacionales, ha sido abatido uno y otro se asiló".[9]

En ese año, Montoneros generó innumerables atentados terroristas y ultimó empresarios, oficiales de las Fuerzas Armadas y miembros de las Fuerzas de Seguridad. Pero, también en ese año, la organización fue seriamente diezmada. Un rápido inventario de los diarios de la época marca el grado de su aniquilamiento. Aunque, debe advertirse que las informaciones de los medios públicos, en gran parte, no reflejaban con exactitud toda la verdad. O por lo menos, con los detalles que se conocieron años más tarde.

El miércoles 5, *La Opinión* informó que cayeron 17 terroristas.[10] El jueves 6, *La Nación* publicó que fueron ultimados 24 extremistas en varios enfrentamientos. El viernes 7, *La Opinión* informó que habían sido abatidos 12 miembros de la organización Montoneros, entre otros Pablo Ventura, ex dirigente de la Juventud Universitaria Peronista (JUP) y Leonardo Bettanin. Anteriormente había caído Miguel Ángel Zabala Rodríguez. Ambos habían llegado a diputados nacionales, en reemplazo de Carlos Kunkel y Santiago Díaz Ortiz (renunciaron en 1974 por sus disidencias con la reforma al Código Penal del ex presidente Juan Domingo Perón). El sábado 8 se informó que el dirigente Dardo Cabo había sido abatido en un enfrentamiento. Cabo, ex jefe de Descamisados, había intervenido junto con Horacio Mendizábal en el asesinato del dirigente Augusto Timoteo Vandor;[11] dirigió publicaciones de la organización y cayó preso en 1975 cuando se disponía a cobrar, junto con otros miembros de Montoneros, parte del secuestro de los hermanos Born. Con el tiempo se supo que no murió en un enfrentamiento, sino que le habían aplicado la "ley de fuga".

El 28 de enero de 1977 Montoneros puso una bomba en la comisaría de Ciudadela en la que murieron 3 policías. En los días siguientes, en hechos distintos, mueren cerca de 40 personas.

El 18 de febrero de 1977, el avión Tango 01 sufrió un atentado mientras carreteaba por la pista de Aeroparque, transportando al presidente Videla y el ministro José Alfredo Martínez de Hoz entre otros funcionarios. El ataque había sido preparado por un comando del PRT-ERP y se lo denominó "Operación Gaviota". Consistía en hacer explotar una bomba instalada bajo la pista del Aeroparque Metropolitano, a través de las tuberías del arroyo Maldonado. La carga se activó tarde y el avión apenas se conmovió.

Un mes más tarde, sábado 19 de marzo, se informó la caída de María Antonia Berger (a) "Anita", una dirigente histórica de Montoneros, que había participado de la fuga del Penal de Rawson de 1972, y había salvado su vida tras la matanza del 22 de agosto de 1972.[12] (Los otros que lograron salvar su vida fueron Alberto Miguel Camps (a) "Gervasio" o "Felipe", que cayó el 16 de agosto en Lomas de Zamora, y Ricardo René Haidar, que desapareció en 1981.) La semana anterior, 11 de marzo, *La Nación* dijo que el ex diputado nacional Diego Muniz Barreto había muerto en un accidente. No fue así, murió tras ser detenido el 16 de febrero en Escobar.

"La subversión está en retirada", declaró Luciano Benjamín Menéndez, comandante del Cuerpo III, el 20 de marzo. El 23 de marzo, a través de un Parte de Guerra, el ERP se adjudicó "el ajusticiamiento del capitán de navío Luis María Bardi".[13]

En el exterior, de uno y otro lado, se observaba con extrema preocupación lo que ocurría en la Argentina. En *Le Monde* del 27 de marzo de 1977 se publicó una solicitada firmada por numerosos intelectuales y hombres de la cultura de diferentes nacionalidades, en defensa de los derechos humanos de un sector. Entre otros: Lionel Jospin, Michel Foucault, Yves Montand, J.-P. Sartre, Alain Touraine, Simone Signoret, Gian Maria Volonté, Bettino Craxi, Joan Manuel Serrat, Felipe González, Santiago Carrillo, Enrique Tierno Galván, Neil Kinnock y Gunnar Nilsson.[14]

El 22 de abril, a través de los diarios, los argentinos se enteraron de que los jefes de la organización Montoneros habían dado una conferencia de prensa en Roma, en la que presentaron demandas al régimen militar, a la vez que anunciaron el repliegue táctico de su conducción. Hablaron Mario Firmenich, Fernando Vaca Narvaja y Rodolfo Galimberti. También estaban presentes Oscar Bidegain, Ricardo Obregón Cano, Rodolfo Puiggrós, Adriana Puiggrós, Miguel Bonasso, Juan Gelman, Adriana Lesgart y "Lili" Massaferro.[15]

Las ediciones matinales del 20 de abril de 1977 ofrecieron una amplia cobertura a las conferencias que dieron el día anterior, en el Edificio Libertador, los generales Jorge Rafael Videla; Roberto Eduardo Viola (Estado Mayor); Carlos Martínez (Inteligencia) y Luciano Jáuregui (Operaciones).[16] Tanta publicidad sólo era entendible en el marco del descubrimiento de lo que dio en llamarse la "Causa Graiver". Es decir, había estallado un escándalo de proporciones que extendería su onda expansiva sobre sectores de las Fuerzas Armadas, el periodismo, la sociedad, la política, la diplomacia, la industria y el mundo de los negocios. El ojo de la tormenta pasaba por las actividades que en vida había desarrollado el empresario David Graiver. Entre otras, la administración de los fondos de la organización Montoneros.

"Los fondos montoneros son limpios y su origen claro", informó el Comunicado N° 14 de la Oficina de Prensa del Partido Montonero, firmado por Jorge H. Salazar. Y entre las ocho páginas expresó que "los montoneros contamos con grandes sumas de dinero. Ese no es un secreto para nadie. Esos fondos se originan en reparaciones económicas pagadas a nuestra organización (y a través de ella al pueblo argentino) por empresas y personas pertenecientes a la oligarquía o imperialismo. Se trata de fondos mal habidos por sus anteriores poseedores. [...] Cuando se descubrió que habíamos viabilizado fondos a través de David Graiver, el que entra en colapso es el régimen, no el Partido Montonero. [...] El caso Graiver es sólo un episodio de la crisis de la dictadura militar. Ninguno de los dos bandos puede reunificar el fraccionado partido militar si no derrota claramente al otro. Como la corrupción es un tema que salpica a todos los sectores del régimen, los otros enfrentamientos serán sobre otras cuestiones."

El sábado 7 de mayo, como una muestra más del estado de guerra interna que se vivía, un comando montonero atentó contra el canciller César Augusto Guzzetti en el interior de una clínica privada. Lo abandonaron dándolo por muerto después de pegarle varios tiros en la cabeza, usando una almohada para tapar las explosiones. Fue reemplazado en la Cancillería por el contralmirante Oscar Antonio Montes. El 11 de mayo el general de división Luciano B. Menéndez volvió a hacer declaraciones: "La parte armada de Montoneros y el ERP en toda la jurisdicción del Tercer Cuerpo de Ejército… está absolutamente aniquilada".

El inventario cotidiano de la violencia también ofrecía explicaciones tras la noticia de las muertes de 17 extremistas: "El comando de Zona 1 informa a la población otro éxito obtenido contra la subversión marxista, gracias a la espontánea y valiosa colaboración de vecinos del lugar, que advirtieron a las fuerzas legales sobre movimientos sospechosos en la noche del 23 de mayo en una vivienda sita en la calle Uriburu 1151 de la localidad de Monte Grande. Ante la advertencia formulada se ordenó en la madrugada del día 24 de mayo una rápida movilización de efectivos…".[17]

De los altos mandos de la conducción montonera, Firmenich ya vivía en el exterior; "Pingulis" Hobert murió en un enfrentamiento en diciembre de 1976 y el 29 de mayo de 1977, en un combate que mantuvo tras ser rodeado, cayó Julio Roqué, "Lino" o "Mateo". Tenía un largo historial: estuvo vinculado al asalto de un camión del Ejército, donde murió el teniente primero Mario César Asúa en 1971; llegó a Montoneros a través de las FAR (como Quieto y Osatinsky, entre varios); responsable del operativo que termina con el asesinato del general Juan Carlos Sánchez en abril de 1972. Hacía un mes que Roqué había entrado en la Argentina para conducir personalmente a la organización. Como en otros casos anteriores, la Jefatura Militar hizo constar que había caído "ante las denuncias formuladas por los vecinos"[18] de la calle Ceibo 1275 de Haedo. El comando que lo ultimó estuvo conformado por efectivos de la ESMA.

Como consecuencia de los golpes sufridos, algunos miembros decidieron separarse de Montoneros formulando severas críticas a la conducción nacional a quien catalogaban de "una elite burocrática". El documento distribuido a los medios lo firmaron Jorge Todesca (a) "Quique", Juan José Robualdo (a) "Lucas" y Virginia Belaute (a) "Coca" o "Petiza".[19] A pesar de los golpes sufridos, la conducción de Firmenich, desde el exterior, hizo circular un comunicado advirtiendo: "Usted y todos los de su misma especie o condición, expresión directa de la Oligarquía y los Monopolios argentinos y extranjeros, son para el Partido Montonero Objetivos Militares".[20]

Frente a los grandes fracasos militares, la conducción montonera se dedicó a la política internacional. Primero aparecieron en Roma con una conferencia de prensa. Luego, establecieron una "oficina permanente" en Dar Es Salam, Tanzania, tras firmar un comunicado con el partido gobernante "Chama Cha Mapindizi". Hasta establecerse definitivamente compartirían el escritorio con la Organización de Liberación de Palestina (OLP). Luego se dedicaron a visitar las bases de la OLP y Firmenich y su "secretario internacional", Fernando "El Vasco" Vaca Narvaja, se entrevistaron con Yasser Arafat. Y posteriormente, la organización inauguró una sede en la ciudad de México, con la asistencia de un funcionario de la embajada de la Unión Soviética. Bastó una queja oral del embajador Federico Barttfeld, director de América Latina, para que el gobierno mexicano la cerrara.[21] Estas y otras veleidades los argentinos las pagaban muy caras. Los jóvenes montoneros que los seguían porque ponían el cuero mientras sus conductores paseaban por el mundo. Los dirigentes políticos democráticos, porque ante estas noticias los militares se aferraban aún más al poder, hablando de la Tercera Guerra Mundial.

Ejército: La interna de la interna

El 30 de junio de 1977 los militares llevaban quince meses en el poder y aún seguían sin solucionar sus diferencias. Esas diferencias no tenían nada que ver con la otra interna —la de Videla con Massera— aunque era aprovechada por unos u otros. Lo cierto es que el mundo de la política, tras más de un año de gobierno, había llegado ya al convencimiento de que Jorge Rafael Videla no tenía la "capacidad de mando" (término castrense) necesaria, como para ejercer la autoridad dentro de sus propias filas y muchos menos en la Junta Militar. Hacia mitad del año, el Ejército debió considerar qué hacer frente a los reclamos de sus colegas de las otras dos armas sobre la estructura de poder. Según los documentos del Proceso, la Presidencia de la Nación debía ser ejercida por un alto jefe militar en situación de retiro ("cuarto hombre"). Condición que a todas luces le impedía a Videla ser a la vez comandante en jefe. Hasta ese momento, por una cuestión de excepción, el Presidente y el comandante en jefe estaban en las mismas manos. Pero, ya en ese tiempo, había generales que aspiraban al cargo de comandante y Massera soñaba con la presidencia.

El 30 de junio, los generales de división se reunieron para analizar dos posturas: 1) Mantener el actual estado de cosas hasta diciembre de 1978 (línea Videla-Viola) y 2) Designar un nuevo comandante en jefe y Videla "cuarto hombre". En ningún momento se cuestionó la permanencia de Videla en la Casa Rosada.

Los generales hablaron. La mayoría tenía visiones diferentes aunque votaron en conjunto por el punto 2. De allí que tras la reunión se dijo que se había impuesto la "línea dura" sobre "la blanda". La votación fue "informal" ya que era en ese momento un "tanteo" del estado de ánimo de los mandos. Videla escuchó todas las opiniones. Como era el comandante y además la persona aludida no votó. El general Jorge Olivera Róvere como miembro "informante" tampoco votó. Leopoldo Fortunato Galtieri (Cuerpo II) estuvo ausente.

Los generales que votaron a favor de mantener el estado de cosas fueron: Viola (Estado Mayor), Urricarriet (Fabricaciones Militares), Menéndez (Cuerpo III) y Harguindeguy (ministro del Interior).

Los que lo hicieron a favor de nombrar un nuevo jefe del Ejército fueron: Díaz Bessone (ministro de Planeamiento), Suárez Mason (Cuerpo I), Riveros (Institutos Militares), Dalla Tea (Gendarmería), Azpitarte (Cuerpo V) y Laidlaw (SIDE).

Al terminar la reunión se convino en volver a juntarse el 12 de julio. Los que votaron por el cambio de comandante sostenían que sería para definir formalmente la situación. Los que se inclinaron por el 'no' afirmaron que una decisión como ésa debía ser consultada con los generales de brigada.[22]

El jueves 7, días antes de la cumbre de generales, la Junta Militar instaló su sede en el edificio del Congreso de la Nación, una "chicana" de Massera para que la ciudadanía observara que el poder estaba en ese edificio y no en la Casa Rosada. No fue cualquier día ese jueves: para el equipo económico era "el Día 121" y a partir de ese momento el índice de precios de las empresas líderes hasta un 80% del incremento que sufriera la paridad peso-dólar. El anuncio era coincidente con el fin de la tregua de 120 días que había pedido José A. Martínez de Hoz.

Las diferentes líneas del Ejército y la Armada se movieron mucho a través de los medios periodísticos antes de la reunión del 12, dejando trascender que sería definitiva para el futuro del Proceso.[23] Viola, sin perder su calma, dejó hacer reuniones con los generales de brigada (segundos jefes de cuerpo y jefes de las brigadas), para unificar criterios detrás de Videla. La más importante se formalizó en el Comando de Arsenales, a la que asistieron 25 generales. Allí se decidió apoyar a Videla.

El martes 12, el cónclave fue abierto por el comandante en jefe quien expresó que pensaba "mantener el actual sistema de poder" (es decir, retener los dos cargos) y que tenía previsto "no realizar grandes cambios en la cúpula militar, sólo los necesarios". A continuación tomó la palabra Galtieri y dijo que de una compulsa con sus generales del II Cuerpo, llegaba a la conclusión de que no debía ser alterado el actual estado de la estructura del poder.

En ese momento pidió la palabra Suárez Mason para preguntarle, no sin ironía: "¿Usted consulta con sus generales, sus subordinados?". La respuesta no la dio Galtieri, la ofreció Menéndez para decir que él también consultaba con sus generales. Dicho esto, la balanza quedaba inclinada del lado de Videla y se terminó el asunto. El Ejército había resuelto cuál sería su posición cuando a fin de año la Junta Militar tratara la cuestión. Así por lo menos lo exigían Emilio Massera y Ramón "Paraguay" Agosti. Al jefe aeronáutico lo llamaban "Paraguay" por su permanente eclecticismo en esta y otras cuestiones. A veces a favor de Videla, otras a favor de Massera.

A pesar de que a los militares no le gustaba la política, o por lo menos decían no entenderla, el general José Rogelio Villarreal (secretario general de la Presidencia) jugó un papel importante. Hizo campaña entre sus camaradas de la Promoción 76 a favor de Videla y le quitó a Suárez Mason su aliado más importante: lo convenció a Luciano Benjamín Menéndez, quien iba a ser su consuegro, de que Videla pensaba en él para sucederlo en 1978.[24]

Para aquellos que imaginaron que el triunfo de Videla abría las puertas a un diálogo político, las palabras pronunciadas por el ministro del Interior, el 15 de julio en Posadas, los hizo caer en la realidad: "El país deberá olvidarse por mucho tiempo de los partidos políticos, y quiero dejar bien en claro que ningún integrante de las Fuerzas Armadas ha hablado de apertura del diálogo con los partidos. No ha habido, no hay ni habrá diálogo por largo tiempo con los partidos políticos".

El nuevo canciller Oscar Antonio Montes. El fracaso del Centro Piloto de París: El "dossier Carricart". La oferta de la Internacional Socialista a Roberto Eduardo Viola

"El cambio de Montes por Guzzetti no agrega nada especial. Sólo que, se sostiene en la Cancillería, como licenciado en Diplomacia tendrá más facilidad para entender 'el negocio'. Novedades en la Cancillería no hay muchas. Sólo que a la candidatura de Lucio García del Solar se la ha reemplazado por la de Enrique Ros para Naciones Unidas. Su cuñado, Hugo Gobbi, el otro día explicó algunos temas de política internacional ante gente uniformada, inquieta por los temas de la Cancillería. Hablando sobre Brasil, dijo que sí existían errores, pero que era injusto endilgarlos a Oscar Camilión pues él estaba aislado con un ministerio que prácticamente no le daba, ni había dado, instrucciones."[25]

Días más tarde el presidente Videla realizó una visita oficial a Caracas, Venezuela, siendo recibido por Carlos Andrés Pérez. En la ocasión, durante una conferencia de prensa, el mandatario argentino negó que hubiera "malestar en las Fuerzas Armadas" y reconoció "un exceso de la represión en las fuerzas del orden".

La visita fue calificada como "satisfactoria" por algunas fuentes oficiales. En general, el mérito le fue atribuido al embajador argentino en Caracas, el dirigente radical Héctor Hidalgo Solá. Con méritos o sin ellos, el 18 de julio de 1977, Hidalgo Solá, el embajador nombrado a instancias de la Secretaría General de la Presidencia (el núcleo más próximo a Videla), fue secuestrado por un comando paramilitar y nunca más apareció. Días previos a su desaparición, Solá había declarado que aspiraba a una pronta evolución hacia la democracia y aseguró que "voy a hacer lo posible para ser el Presidente de la Argentina". Sus declaraciones "cayeron como un balde de agua fría en las guarniciones militares", dijo *La Nueva Provincia*, de Bahía Blanca.[26] En un país controlado al máximo, el Presidente y comandante en jefe del Ejército no pudo lograr su aparición. No sería ni la primera ni la última provocación que podían causarle. La "colectividad de la sangre" tenía más fuerza que las mejores intenciones.

En agosto, Patricia Derian volvió nuevamente de visita a Buenos Aires. En la Cancillería mantuvo un encuentro antológico. Fue con el subsecretario Gualter Allara y el embajador Juan Carlos Arlía. Tenían visiones encontradas: Arlía se quejó porque cuando un subversivo violaba los derechos humanos, Estados Unidos no decía nada, pero sí cuando se comete un exceso en la lucha contra la subversión. Derian le dijo entonces que cuando un guerrillero cometía un acto, de por sí implicaba una violación a los derechos humanos, por lo tanto estaba implícito en su accionar violar los derechos humanos. Pero que ella no podía entender cómo un Estado podía violar los derechos humanos, cuando en un estado de derecho ellos debían ser protegidos. Arlía seguidamente comparó la violación de los derechos humanos en la Argentina con los cometidos por los americanos durante el apagón en Nueva York. Y remató, aludiendo a los presos por los saqueos, "en las celdas donde entraban tres, ustedes pusieron diez".[27] Apenas unos días más tarde, llegó a Buenos Aires Terence Todman, secretario adjunto de Asuntos Interamericanos. Se reunió con funcionarios del gobierno y los partidos políticos. Se habló de derechos humanos y sobre lo que parecía un atisbo de diálogo político. Un diálogo que, decían, enriquecería el plan del ministro de Planeamiento, general Díaz Bessone. Como para que nadie se confundiera, desde El Palomar, el brigadier Agosti dijo: "La decisión será del gobierno, ante sí y la historia".

En ese marco de violencia y creciente soledad internacional, el 6 de septiembre, Videla, a pesar de desaconsejarlo el embajador Aja Espil y su segundo, el ministro Gastón de Prat Gay, viajó a Washington para estar presente en la firma del Tratado del Canal de Panamá, entre Carter y Omar Torrijos.

Antes de viajar a Washington, Videla y sus colaboradores debieron sortear una serie de inconvenientes. Hasta los de carácter personal. Así, un alto jefe naval le pidió una entrevista al general José R. Villarreal para objetar la presencia en la delegación presidencial del subsecretario general de la presidencia. La respuesta marcó el clima de la época: "¿Sabe cuál es la diferencia entre ustedes y el doctor Yofre? Que Yofre va a Washington a trabajar y ustedes van a hacer turismo y a coger, como lo han hecho en todos los viajes presidenciales, salvo muy honrosas excepciones".[28]

Durante su estadía en Washington, el mandatario argentino tuvo una conversación a solas con el presidente norteamericano. Para que la cita se realizara, entre otros, mediaron Carlos Andrés Pérez y el secretario general de la OEA. En una conferencia de prensa, en la capital de los Estados Unidos, Videla prometió una Navidad sin presos políticos. También mantuvo entrevistas con políticos norteamericanos, columnistas (James Reston) y editores de diarios. No le fue mal al presidente argentino: pudo afianzar la imagen de un presidente "moderado" rodeado por un "grupo de caníbales", como dejó traslucir un cometario periodístico estadounidense.

En el momento que Videla comenzaba su visita a Washington, la Armada dejó trascender que no participaría de los ejercicios conjuntos UNITAS (por el bloqueo a los créditos para compra de armas) y es secuestrado el profesor Alfredo Bravo por un "comando operativo".

"¿Hacia dónde vamos?" preguntaba el periodista Victorio Sánchez Junoy desde la tapa de *La Opinión*. No se sabía. Existían muchas voces con destinos muy diferentes. "La Argentina perdió el siglo XX", decía el titular de Planeamiento. "Esta no es hora de comité sino de hacer obras", respondía Harguindeguy desde Santa Rosa, La Pampa. El peronismo "debe pasar una cuarentena moral y cívica", clamó el almirante (R) Isaac Francisco Rojas, en un acto en el Luna Park.

Cuando se estaba por entrar en 1978, hacia dónde va la Argentina, nadie lo sabe. Massera parecería explicarlo con hechos y palabras: "Le manda armas a Somoza (en secreto) y al mismo tiempo le envía una réplica del sable de Brown a Víctor Raúl Haya de la Torre. Y en Bolivia se despachó con el Grito de Abaroa (grito de guerra boliviano dirigido a Chile), 'que se rinda su abuela carajo'. Esto es un gran desorden".[29]

En octubre se cumplieron tres meses de la desaparición de Héctor Hidalgo Solá y comenzaban a darse nombres para sucederlo. Uno de ellos fue el del general (RE) Haroldo "Cholo" Pomar, un íntimo amigo de Roberto Eduardo Viola. La Cancillería venezolana hizo oír su voz a través de un mensaje: "Deseamos que el próximo titular de la representación argentina sea un funcionario de carrera". En virtud de ese pedido, fue designado Federico Carlos Barttfeld, hasta ese momento director del Departamento América Latina, considerado un "duro" en las relaciones con Brasil. El general Pomar sería postulado para embajador en Uruguay, gobernador en Misiones, y finalmente terminó como interventor en YCF.

El 21 de noviembre, como cerrando el año, llegó el secretario de Estado, Cyrus Vance, al frente de una importante delegación. La entrevista más tempestuosa fue con el almirante Massera, quien luego de las presentaciones de estilo entró en tema señalando que la restricción al programa de ayuda militar representaba un agravio para la Marina de Guerra. Vance atinó a responder que obedecía a los nuevos lineamientos de la política exterior de su país, sustentada en el respeto a los derechos humanos. Y aprovechó para dejar constancia de que durante el secuestro de Oscar Serrat, periodista de Associated Press, según su información había pasado por la ESMA, "lugar donde suceden cosas muy raras". Con Videla, el secretario de Estado trató la cuestión de la firma del Tratado de Tlatelolco. Videla prometió ratificarlo, pero nunca lo hizo. La visita al comandante de la Fuerza Aérea, Orlando Ramón Agosti, fue corta, inocua y aburrida, pero estaba obligado a hacerla: hablaron de Washington, ciudad en la que el jefe aeronáutico había vivido en años anteriores. "Cyrus Vance no estaba de acuerdo en visitar personalmente a cada uno de los miembros de la Junta Militar. Según la embajada, Vance debía ser recibido por la Junta y luego retirarse a conversar directamente con el presidente Videla." [30]

Poco antes de partir de Buenos Aires, en "off the record", un alto miembro de la delegación norteamericana le dijo a un periodista, que se iba "abrumado por la mediocridad del elenco gobernante en su país."

Desde otro lugar, lejano, el periodista Héctor A. Carricart le escribió unas líneas al general de división Roberto Eduardo Viola, relatándole una conversación que en esos días había mantenido con el embajador Tomás de Anchorena, a la vez que le elevaba un memorándum sobre conversaciones mantenidas dentro de la Internacional Socialista (IS). Carricart no era un periodista masivamente conocido. En el pasado había trabajado en la Secretaría de Prensa de la Presidencia de la Nación, durante la gestión de Arturo Frondizi. Cuando años más tarde asumió Juan Carlos Onganía, partió exiliado a Venezuela. En su juventud tuvo una aproximación a la izquierda, de allí que algún servicio de inteligencia lo consideró "activista comunista".

Hacia mitad de 1977, cuando se conoció el decreto que estableció el Centro Piloto de París se puso a estudiar francés con el periodista Rodolfo Jorge Fernández Pondal. No está claro si Fernández Pondal —en ese momento director del semanario *Última Clave*— iba a trabajar en la nueva oficina (cercana a la Armada) o para la Embajada (próxima a Videla y Viola). Lo cierto es que el 5 de agosto en horas de la madrugada fue secuestrado en la puerta del departamento de un alto oficial del Ejército, porque observó que lo seguía un grupo operativo. Desde días antes, Fernández Pondal se había expresado públicamente con severidad sobre las tareas del Centro Piloto de París. Cultivaba muchos amigos en las Fuerzas Armadas y creyó que eso lo habilitaba para hablar libremente. No entendió lo esencial: en esos años, la Argentina era "un país off the record". Saber y hablar constituían un gran peligro.

El "dossier Carricart" arroja algunas luces sobre el Centro Piloto de París y otras cuestiones que eran temas de disputa entre el almirante Massera, el presidente Videla y el jefe del Estado Mayor del Ejército. Expresa, además, la visión negativa que tenía el embajador argentino en Francia sobre las actividades del Centro. El "dossier" se inició con una carta escrita por Carricart a Viola, el 23 de noviembre de 1977, en la que se refiere a dos cuestiones: "una conversación que sostuve en Madrid hace exactamente 8 días y que trata un asunto estrictamente político; el segundo se refiere a los problemas que han surgido en el Centro de Información Política en París y sobre el cual hemos hablado con el embajador Anchorena. El Embajador ha aceptado que le escriba yo, personalmente, para adelantar datos y detalles que tienen directa conexión con su próximo viaje a Buenos Aires, que será aproximadamente entre el 15 y el 17 de diciembre".

Calificada como "estrictamente confidencial", la conversación en Madrid de la que habló Carricart fue con Anselmo Sule ("Sulec" escribió Carricart), chileno, presidente del Partido Radical de Chile y canciller adjunto de la Internacional Socialista para América Latina. Además, escribió, "asiste directamente al presidente Carlos Andrés Pérez en forma muy confidencial".

Sule contó que en la última reunión de Madrid de la IS "que se efectuó con todos los jefes internacionales, me precisó que se adoptó, luego de una larga evaluación política que hizo particularmente Felipe González de España y otros, no atacar directamente a la Argentina. No se recibió a los grupos de extrema que 'rondaron' tratando de sacar una declaración y que un informe y una exposición hecha por Rodolfo Vittar (ex diputado peronista) que propuso apoyar la política de acercamiento con los sectores 'moderados de las FFAA argentinas', fue tomada en cuenta por las detalladas razones que indicaba ese informe-tesis".

"*Tema principal*: Me indicaron que la IS tiene expresos deseos e interés de conversar con el general Viola. Quien será el contacto es el señor Sule que viajaría especialmente a Europa a tal efecto. Ellos programarán a usted entrevistas, con la más estricta reserva y secreto, Mitterrand, Felipe González, Willy Brandt y otros de ese nivel a los que usted califique válidos. El objetivo es que usted explique detalladamente, cara a cara, lo que piensa usted particularmente y el gobierno sobre el futuro y sobre varios temas. Desean proponerle un plan que es muy importante, sobre la base de acuerdos generales —que yo relataré a usted personalmente— pero que consiste en dar apoyo con la prensa internacional. Y un asunto muy especial: ellos expresan que esto ya ha sido conversado en los Estados Unidos y con Carlos Andrés Pérez. En EE.UU. —me han expresado— lo han conversado con los asistentes de Carter y en especial con el asistente en el Consejo de Seguridad, Leo Pastore."[31] (sic)

"*Implementación posible*: Como yo expliqué para usted no es nada fácil salir de Argentina por razones internas, por los proble-

72

mas que podría generar, etc. Me indican que viaje usted invitado por FFAA europeas. Hemos conversado con el embajador Anchorena, por ejemplo, y expresa que no es nada fácil lograr una invitación del Ejército de Francia y hacer lo mismo en España, etc. [...] En el caso de España —debido, por ejemplo, a las tratativas que el embajador Anchorena tiene con el señor Ansón, consejero del Rey y presidente de la Agencia EFE (donde estamos logrando en principio acuerdos muy interesantes)— el Ejército de España lo invitaría inmediatamente porque (así me lo expresaron textualmente) el presidente Adolfo Suárez lo acuerda con Felipe González el líder socialista que son muy amigos y 'socios'."

"*Consideraciones*: Ellos, tengo la impresión, tienen un plan muy concreto para proponerle y que es muy serio. Esto, por lo que me dijeron, no implica romper la unidad de las FFAA y menos de Ejército. Por ejemplo: me aclararon que les preocupa 'la distancia cada vez mayor entre el Pueblo y el Ejército en Argentina por razones de situación política y económica. Ve a Videla muy claramente por encima de toda la mala publicidad que camina por la calle. Saben exactamente de su relación directa con él y la compenetración existente. Tienen un dossier muy amplio sobre un relevamiento interno de las fuerzas (y en cada arma) y sus comportamientos e intereses. Me indican que han llegado a Madrid y han conversado con intermediarios siempre, enviados de Lanusse y Robledo. Cuando Taccone estuvo en Madrid y expresó deseos de conversar con Sule, se le permitió siempre y cuando estuviera presente el señor Vittar. Aunque Taccone tiene estrechas relaciones con grupos sindicales con CIOSL que pertenece a la Internacional Socialista.

"Igualmente, a título de aventurar una hipótesis, y por lo que casi textualmente me dijeron, ellos pueden movilizar recursos millonarios en dólares, inversiones, negociaciones económicas en toda Europa —si llega a un acuerdo— con base también en los Estados Unidos y con el apoyo del gobierno norteamericano. Sule mantiene relaciones con Brandt y con Agnelli, que maneja en Europa 'la Trilateral' (un órgano que crearon los norteamericanos y luego lo adhirieron a Carter). [...] Le indico que el embajador Anchorena lo conoce, pero me expresó que él por obvias razones aportará lo que haya que hacer, en el nivel de reserva necesario, pero que no quería aparecer públicamente en esto."

En cuanto a la cuestión del Centro de Información Argentina en París, Carricart se expresa críticamente y considera que Anchorena debería analizarlo con el presidente Videla en la Sala de Situación de la Casa de Gobierno "porque es un tema extremadamente importante". Como asunto importante, el informante evaluó que "de no ser así el tema sigue quedando en el estrecho ámbito de Cancillería y de Marina. Usted entiende lo demás. Destaquemos que no se trata de iniciar un nuevo flanco de conflicto sino simplemente permitir que las otras armas opinen, por ser este un asunto de estado y que hace en mucho al tema *interno del país*. Que lo conozca el Gabinete nacional y el Ejército en profundidad ya que yo experimenté personalmente que cuando apareció la famosa resolución de Cancillería en el Estado Mayor de Ejército 'algo se sabía' pero no las precisiones de tan importante tema."[32]

Entre otras, Carricart hizo tres críticas de tipo funcional:

• El grupo que funcionaba en París debería conocer el medio, con una visión general y estrecha de los problemas del área e inserción en los niveles de líderes de opinión. "O sea que no se trata de un experto en Inteligencia, sino que haga análisis político con una flexibilidad óptima y que a la vez esté muy informado de la situación en el ambiente de la Argentina."

• Que en Buenos Aires exista realmente un equipo muy ágil, determinado, con capacidad, con conocimiento de la situación europea (esto quiere decir que evite la "subinterpretación argentina" de los problemas). Esta organización en Buenos Aires además de los recursos humanos que *son vitales*, debe tener capacidad de resolver sin mediatizaciones administrativas y burocráticas los problemas que plantea el Centro de París (...todavía no se ha logrado que los diarios de Buenos Aires lleguen con regularidad).[33]

• "No se puede seleccionar el personal por adhesiones simples, amiguismos, u otro de esos errores."

Está claro que el ofrecimiento no fue tomado en cuenta, ya que no mucho tiempo después el almirante Emilio Eduardo Massera usufructuó los contactos.[34]

Un país "off the record"

Más categórico y más crítico en esos días era un miembro de la Junta Militar. "El actual gobierno militar es el peor que ha habido en toda la historia de los gobiernos militares", dijo el almirante Emilio Eduardo Massera.[35] Y siguió: "No hay que descartar que en marzo pueda haber una huelga general en virtud de la desastrosa situación económica... pero Videla se ha empeñado en mantener a Martínez de Hoz. Yo soy pesimista con respecto a la situación económica, si esto sigue así me voy a tener que ir".

La ausencia de unidad de pensamiento en los altos niveles del poder militar era un tema cotidiano. Así, Massera dijo: "La falta de coherencia dentro del Ejército es total. Todo el mundo habla un idioma distinto. Yo, por mi parte, he repartido una cartilla a mi oficialidad sobre los distintos temas de la actualidad nacional, para evitar este tipo de contradicciones". Luego se preguntó: "¿Cuál es la opinión del Ejército, si Harguindeguy (ministro del Interior) dice una cosa, Díaz Bessone (ministro de Planeamiento) otra y Videla otra?". Con referencia a los presos políticos y la represión al terrorismo, opinó que "a Isabel [Perón] y Lorenzo Miguel hay que soltarlos pues no se les ha podido probar absolutamente nada". Sin inmutarse, luego agregó: "Hay que terminar con la represión indiscriminada".

Se vivía un clima esquizofrénico y los diplomáticos lo percibían de esa manera. Quién mejor para expresarlo que Hugo Ezequiel Lezama, en ese entonces director del boletín político *Convicción*,[36] cercano a Massera y la Armada. En el número 12, segunda quincena de septiembre de 1977, escribió: "Todos sabemos que la Junta es el Poder Supremo encargado de establecer las grandes políticas generales y vigilar el cumplimiento de los objetivos del Proceso. Pero la Junta es mucho más que eso. La Junta tiene que ser la entidad que exprese a toda la República. Por eso, y aunque a primera vista parezca un absurdo, la Junta no puede ser sistemáticamente oficialista porque la Junta debe ser también oposición".

En el Palacio San Martín los diplomáticos hablaban en voz baja, y en el periodismo también. En la intimidad de una redacción se desgrabó el testimonio de un asistente a una reunión muy peculiar para la época. Fue entre el almirante Massera y cuatro ex diputados peronistas; algunos habían pertenecido al "Grupo de Trabajo". La cita organizada por el ex diputado Luis Sobrino Aranda fue el miércoles 26 de octubre de 1977, en un hotel de Madrid.[37] Algunos de los pasajes de la exposición del alto jefe naval eran antológicos. Con un lenguaje llano y directo, Emilio Eduardo Massera dijo:

• Que venía a proponer la creación de un gran movimiento nacional, "donde tengan cabida desde una izquierda inteligente, donde el peronismo tendría un rol importante, hasta una derecha controlada... con un programa social demócrata".

• También acotó: "Otra cosa que voy a agregar en la mesa (en la Junta Militar) es que yo quiero dar la lista de los detenidos, la lista de los detenidos de la Marina" y comentó que en la última reunión de la Junta (antes de partir para Europa) planteó al Ejército la necesidad de hacerlo, a lo que Videla le habría contestado: "Mirá, yo esto lo necesito igual que vos, porque entiendo que de lo contrario la situación se hace imbancable. Pero no lo puedo hacer, ya que no lo controlo [al Ejército], sin correr el riesgo de desatar algo peor". Ante la respuesta del jefe militar, Massera dijo que esto puede aparecer como una justificación que "no toleraba", porque en ese aspecto la Armada estaba tranquila porque había procedido coherentemente, teniendo "pruebas para demostrar que no se habían cometido acciones indiscriminadas. Nuestro objetivo sí fue eliminar la guerrilla, el que pensamos ya casi concretado".

• Se refirió con un desdén inusual hacia un ministro del gabinete presidencial. Ante una pregunta sobre el papel del Ministerio de Planeamiento, y su titular el general de división Genaro Díaz Bessone, afirmó sin anestesia: "Ese es un pobre boludo que me hace acordar a Damasco".[38]

• Dijo que nadie daba ni pedía nada (de los presentes en la reunión) y que sólo deseaba que se informaran de su proyecto político (el otro, antagónico, era el del general Roberto Viola). "Entonces, el 20 de noviembre a más tardar, viajará a Europa un capitán de corbeta a hablar sobre alianzas, arreglos y planes para arribar a este objetivo."

• En la ocasión volvió a cargar sobre el titular del Ministerio de Economía. Fue cuando comentó que él no estaba "para nada de acuerdo con la política de Martínez de Hoz, que no sólo había hecho desaparecer la clase media, sino que llevaba al país al total descalabro económico. Por lo tanto en noviembre, probablemente, en forma pública, voy a pedir la renuncia de Martínez de Hoz".

En ese momento, las declaraciones del jefe naval resultaban injustas. Martínez de Hoz llegó al Ministerio de Economía gracias a la presión de la Armada; y es más, según relató un médico, el doctor Carlos Capdevilla tuvo que internar de urgencia a Martínez de Hoz afectado por "una intensa anemia", en razón de sus doce horas diarias de trabajo. Fue internado en el Hospital Militar Central por razones de seguridad. El cuadro presentaba "tres úlceras sangrantes en el duodeno". Lo operó el doctor Stell quien había sido su compañero en el Colegio Nacional Central. "Ahora me las vas a pagar todas juntas", le dijo Stell en sentido jocoso. Y el chiste lo hizo en razón de antiguas competencias. Fueron compañeros de curso y siempre Martínez de Hoz era el primero y Stell el segundo.

El 22 de noviembre, Ricardo Balbín dijo que "nunca como hoy se han dicho tantos discursos" y que "comportan una penetración en el trasfondo político del país y cuya abundancia, como contradictorio significado, están produciendo un desconcierto general muy perjudicial". Discursos por doquier. Uno de ellos pronunciado desde Coronel Suárez por el ministro del Interior, Albano Harguindeguy: "Las FFAA no pueden transitar solas el camino que lleve a la obtención de los objetivos fijados en la etapa fundacional. Eso es imposible. Esa etapa no tiene plazos sino objetivos; pero si bien no quiero hablar de cifras, puedo anticipar que el período comprenderá muchos años".

El mediodía del 23, Massera dijo irónicamente a los corresponsales extranjeros que "lo que pasa es que el ministro se puso nervioso y en vez de decir 1978 dijo 1987. Si todo sale bien habrá elecciones en 1979, si sale mal en 1978".

El 23 de noviembre de 1977, Videla también hizo su "off the record".[39] Fue con los directores de revistas: Mariano Grondona (*Carta Política*), Gabrieli (*Competencia*), Hugo Gambini (*Redacción*), Bernardo Neustadt (*Extra*), Agulla (*Confirmado*) y Olivera (*Discusión*). Entre otros conceptos, el Presidente dijo que "el plan Díaz

Bessone no constituye el plan del gobierno, no lo tomen en cuenta". Hablando sobre la herencia de su gobierno, fue poco feliz aunque preciso: "El proceso es como un hueso pelado, al que hay que rodearlo, darle forma. Esta carne, por decirlo así, es el Movimiento de Opinión. Sobre dicho movimiento tengo, o surgen todavía, algunas dudas en cuanto al modo de su instrumentación". Uno de los presentes comentó que en la Argentina, los movimientos de apoyo al gobierno siempre se han instrumentado desde el Estado, "vea sino el caso del partido conservador y el partido peronista". Gambini, en ese momento, dijo que no se pueden utilizar procedimientos que no condicen con una auténtica democracia. "Yo en ese caso —dijo Gambini— me encontraré en la oposición." A lo que otro colega agregó: "Por supuesto, Hugo, yo nunca descarté que vos pasarías a la oposición". Videla dijo que "los partidos políticos no habrán de intervenir en el Movimiento de Opinión". De todas maneras expresó que "me gustaría intercambiar impresiones con los políticos, pero ello se me hace imposible teniendo en cuenta la situación interna en las Fuerzas Armadas. Yo a las relaciones con los políticos me gustaría denominarlas de 'clandestinas'". Dando a entender que los contactos deberían realizarse a escondidas.

Dos medios sufrieron percances en esos días. Uno, *Correo de la Tarde*, dirigido por Francisco "Paco" Manrique, fue cerrado. El ex marino defendía al equipo económico con pasión, mientras Massera lo atacaba. Durante un encuentro personal, el temperamental ex marino y periodista le dijo a Massera que esta "no era la Marina que había conocido y que se fuera a la puta que lo parió" (textual).[40] El otro medio fue *La Opinión*, intervenido por el gobierno militar, porque a su director, general José Teófilo Goyret, Videla le pidió la renuncia por oponerse a su política con Brasil.

A pocos metros de la Casa Rosada, en su estudio de la avenida Rivadavia, el titular de la Unión Cívica Radical, Ricardo Balbín, también habló en "off the record" con un periodista.[41] "Yo creo que el pueblo argentino está al margen del problema del Beagle. Además, el discurso del ministro Harguindeguy en vez de unir, acercar al pueblo junto con el gobierno, lo ha separado. En un momento como este, en donde se está jugando la posibilidad de un enfrentamiento armado de carácter internacional, sin entrar en consideraciones de política interna, esta clase de errores son mortales." Y consideró que la situación interna de Chile para enfrentar este problema "es mejor que la nuestra".

Balbín observó en otro momento: "Veo muy complicada la situación con Brasil, temo que el arreglo con respecto al diferendo del Alto Paraná no se pueda realizar, pues como es lógico los brasileños aprovecharán la actual coyuntura argentina para endurecerse".

"Brasil, por otro lado continúa avanzando. El presidente Videla regresó de Caracas con un gran éxito." "¿Qué pasó?", se preguntó Balbín. "Al poco tiempo le secuestraron al embajador (Hidalgo Solá) y con ello lograron lo que querían sus secuestradores, encerrar al Presidente. Pues bien, lo lograron."

"Yo hasta hace poco tiempo tenía entendido que había militares malos y buenos, duros y blandos. En estos momentos considero que existen militares que se quieren quedar mucho tiempo en el gobierno y militares que se quieren quedar muchos más." Y agregó: "Aquí no se arregla la situación sosteniendo, en conversaciones privadas, que el presidente Videla no está de acuerdo con el discurso de Harguindeguy. Hace falta algo más, su renuncia". Hablando sobre los diferentes discursos públicos de los altos jefes militares en esos días, observó: "Todos se contradicen, es un caos, yo no se dónde va a terminar todo este proceso, pero lo veo mal, sin alternativas".

Con diferencia de días, el presidente del Partido Intransigente, Oscar Alende, conversó con algunos periodistas, luego de finalizar una gira por varios países europeos. A su lado estaba el coronel (RE) Jaime Cessio. Habló mucho, pero al final sorprendió a la reducida audiencia, al decir: "Nosotros hubiéramos admitido un plan de emergencia después de la catástrofe del período 1973-1976, pero nos será muy difícil admitir una planificación de mediano y largo plazo. Sin consenso interno y externo, hoy en día no se puede gobernar".[42]

Desde Copenhague, un embajador de carrera observó: "Pasó por aquí Luis Clur.[43] Según nos informó, todas las decisiones se postergan hasta marzo. Lo cómico es que todo se posterga, y se marcan las dilaciones con hitos extravagantes: hasta después del Mundial de Fútbol; luego de los pases en el Ejército, etc., etc. Los

argentinos no nos molestamos mucho porque todo quede sin resolverse, siempre que nos den una fecha imaginaria, que sabemos
de antemano que nunca llegará".[44]

Malvinas en 1977: Ted Rowlands visitó
Buenos Aires y Puerto Stanley

En febrero de 1977, el gobierno inglés envió a las Malvinas y
Buenos Aires al subsecretario Edward Rowlands con el fin de tomar contacto con los kelpers y conocer hasta dónde ellos podían
aceptar una política de cooperación con la Argentina. El 15 de febrero, tras un encuentro con el canciller Guzzetti, se establece que
las "conversaciones" pasarían a tener rango de "negociaciones" y
se acuerda el intercambio de embajadores (no había embajadores
desde la época de Isabel Perón).[45] El 19 de abril, se emitió un comunicado conjunto anunciando negociaciones "que se refieren a
las futuras relaciones políticas incluyendo la soberanía, con relación a las Islas Malvinas, las Georgias del Sur y las Sandwich del
Sur y a la cooperación económica con respecto a dichos territorios
en particular y al Atlántico Sudoccidental en general". También
declamaron "una solución pacífica a la disputa existente entre los
Estados sobre soberanía y al establecimiento de un marco para la
cooperación económica argentino-británica". Así se dio paso a la
reunión de Roma, los días 13 y 14 de julio de 1977 en la que ambas
delegaciones realizaron "un amplio intercambio de puntos de vista con el objeto de convenir un procedimiento para identificar las
materias comprendidas en las negociaciones".[46] Los británicos
presentaron un papel haciendo expresa mención al tema de la soberanía, dejando expresa mención que "nada que sea inaceptable
para los isleños puede ser aceptable para el gobierno británico".

En julio, el secretario del Foreign Office, David Owen, presentó un informe a la Comisión de Defensa en el que argumenta
que es necesario llevar a cabo negociaciones serias de fondo para
mantener entretenidos a los argentinos ya que las islas son militarmente indefendibles salvo que se hiciese una enorme e inaceptable inversión de recursos corrientes.[47]

El 11 de octubre, el Comité Conjunto de Inteligencia británico informó que un segundo contingente naval argentino va a desembarcar en la isla Sud Thule, en las islas Sandwich del Sur. Sin embargo, se juzga que una intervención militar es poco probable y depende de las negociaciones. Pero el 21 de noviembre se decide desplazar una fuerza para mostrar una "presencia" inglesa discreta en la zona. Como apoyo a las negociaciones diplomáticas que se iban a realizar, se envían al Atlántico Sur dos fragatas y el submarino nuclear HMS "Dreadnought". En las negociaciones del 13 y 14 de diciembre en Nueva York no se logró ningún avance.

NOTAS

[1] En julio de 1977 se conoció oficialmente la creación del Centro Piloto de París con el fin de difundir hechos, circunstancias, informaciones y material dirigidos a mejorar la imagen argentina en el exterior.

[2] Confesión de un embajador al autor, el 21 de marzo de 1977.

[3] Informe a un embajador.

[4] *La Opinión*, 8 de diciembre de 1976, pág. 15.

[5] Acta de la exposición de Luis Rubeo. Archivo del autor.

[6] Declaración completa, archivo del autor.

[7] El único ex canciller que opinó que se debía cumplir fue Mario Amadeo, designado más tarde en la Subcomisión de Prevención de Discriminaciones y Protección de las Minorías de las Naciones Unidas. Su nombramiento fue impulsado por el subsecretario Gualter Allara y el embajador Juan Carlos Arlía. Minuta del 19 de marzo de 1978, en el archivo del autor.

[8] *Correo de la Semana*, 4 de abril de 1977.

[9] Cuadro de situación al 16 de diciembre de 1976. Archivo del autor.

[10] *La Nación* de ese día informa de la caída de sólo 14.

[11] Esto fue relatado en el semanario *El Descamisado* de febrero de 1974. La revista era dirigida por el mismo Cabo. De todas maneras, José Amorín, un ex jefe de la organización, en su libro *Montoneros, la buena historia* tiene otra versión.

[12] *La Nación* del 19 de marzo de 1977 publicó la noticia. Sin embargo, Berger fue secuestrada en Tapiales, Buenos Aires, el 16 de octubre de 1979, según archivo de la CONADEP. En los mismos días caen Bernardo Tolchinsky, "Juliot"; Ana María Wiessen, "Manuela"; Horacio Campiglia, "Petrus" y Guillermo Amarilla, "Negro". Luego cae la jefatura de la Columna Oeste.

[13] *Estrella Roja*, lunes 11 de abril de 1977. Archivo del autor.

[14] Archivo del autor.

[15] *La Nación* y *La Opinión* del 22 de abril de 1977. Archivo del autor.

[16] Se realizaron suplementos especiales.

[17] *La Nación*, 25 de mayo de 1977.

[18] De esta manera fue publicado en *La Opinión* del 5 de junio de 1977. Archivo del autor.

[19] *La Opinión*, 9 de junio de 1977.

[20] Mayo de 1977. Archivo del autor.

[21] Informe confidencial a diplomáticos de carrera, 19 de agosto de 1977.

[22] Minuta de la reunión en el archivo del autor.

[23] Especialmente en *Somos, Redacción* y *Última Clave*.

[24] Datos extraídos de un informe confidencial a algunos diplomáticos de carrera, 20 de julio de 1977. Archivo del autor.

[25] Carta de un observador al embajador Oscar Camilión, del 31 de mayo de 1977.

[26] Extraído de un artículo del corresponsal de *Jornal do Brasil*, 20 de julio de 1977. Archivo del autor.

[27] Informe de la situación para el embajador Ros que estaba en el exterior, del 19 de agosto de 1977. Archivo del autor.

[28] Informe confidencial n° 5 a diplomáticos de carrera, 16 de septiembre de 1977. Archivo del autor. Días antes un comando paramilitar puso una bomba en la casa de Ricardo Yofre. Al año siguiente le dinamitaron su casa en el Club Los Lagartos. Meses más tarde viajó al exterior y abandonó la función pública.

[29] Carta de un diplomático argentino, septiembre de 1977. Archivo del autor.

[30] Conversación "off the record" de Jorge Aja Espil con el autor, el 23 de noviembre de 1977.

[31] Queda claro que se refiere a Robert "Bob" Pastor, considerado un "duro" en la cuestión de los Derechos Humanos.

[32] Carricart sostuvo que los coroneles Flouret y Peña estaban al tanto de los inconvenientes como resultado de "la ambigüedad de las directivas de la Resolución del Ministerio de Relaciones Exteriores y Culto".

[33] Cualquiera de los funcionarios de Cancillería de aquel entonces sabe que, durante un tiempo, presos de la ESMA iban por la noche al sector de prensa del Palacio San Martín, para hacer análisis de noticias extranjeras. Luego se realizaron en la misma ESMA. Los testimonios en este sentido sobran.

[34] Como se verá en 1978.

[35] "Off the record" con el autor y dos personas más, el 27 de diciembre de 1977.

[36] Tiempo después *Convicción* se convirtió en matutino. El párrafo resaltado por el autor del artículo.

[37] Apunte del autor: trabajando en *La Opinión* se me pidió desgrabar la cassette. Una copia la conservo en mi archivo. A mano apunté los nombres de Sobrino Aranda, Santiago Díaz Ortiz, Rodolfo Vittar, Julio Bárbaro y Bajczman. La cassette llegó al matutino por instancias de Ángel Federico Robledo.

[38] El coronel Vicente Damasco fue ministro del Interior de Isabel Perón y, según afirmaba, depositario del plan político de Juan Domingo Perón sobre la "Comunidad Organizada".

[39] Minuta de la reunión en poder del autor.

[40] Informe escrito a un embajador argentino, del 28 de noviembre de 1977.

[41] Minuta con fecha 1 de diciembre de 1977, en poder del autor.

[42] Minuta en el archivo del autor.

[43] Luis Clur fue un periodista de larga trayectoria. En la década del 70 fue director periodístico de *La Opinión* (intervenida) y años más tarde director del noticiero de Canal 13.

[44] Archivo del autor.

[45] *Historia general de las Relaciones Exteriores de la República Argentina*. Trabajo de Andrés Cisneros y Carlos Escudé.

[46] Juan Archibaldo Lanús, *De Chapultepec al Beagle*, Emecé, Buenos Aires, 1984.

[47] Bezzola toma el texto del Informe Franks, elaborado por Lord Franks al término de la guerra de Malvinas (1983).

3. EL AÑO DEL MUNDIAL DE FÚTBOL, LA CORONACIÓN DE DOS PAPAS Y EL CONFLICTO DEL BEAGLE CON CHILE

◆

El régimen militar inició su segundo año de gobierno sin objetivos claros y sin plazos. Dos fueron los temas que demandaron su mayor atención: el diferendo del Canal de Beagle y la reestructuración del esquema de poder político, es decir el debate sobre el "cuarto hombre", ya que la Armada y la Fuerza Aérea querían que el presidente Videla ejerciera sólo su cargo de Presidente y dejara la comandancia en jefe del Ejército.

Otra visión de esos días decía: "La política exterior continuará siendo el eje de la política del gobierno durante todo el año. Los delicados problemas del Canal Beagle (Chile), Alto Paraná (Brasil y Paraguay), Malvinas (Gran Bretaña) y Derechos Humanos, seguirán ocupando la atención del gobierno, las Fuerzas Armadas y el país, acaparando las primeras planas de los medios de opinión".[1]

La Cancillería se preparaba en todos sus niveles a rechazar el fallo de la Corte Arbitral y mientras se trabajaba en esta dirección, el jueves 19 de enero, Jorge Rafael Videla y Augusto Pinochet se encontraron en la base de El Plumerillo, Mendoza, sin llegar a ningún atisbo de solución después de ocho horas de reuniones entre los mandatarios y sus equipos de colaboradores. El 25 de enero la Argentina rechazó de plano el Laudo Arbitral del Beagle.

En unos apuntes de un diálogo "off the record" con Jorge Aja Espil, embajador argentino en Washington, se informaba: "Espero que el presidente Videla no se deje engañar por Pinochet, pues éste es muy rápido" le dijo hoy el almirante Massera al embajador Aja Espil. El embajador en EE.UU. había viajado a Buenos Aires para participar de una reunión de embajadores con el canciller

Montes. Mañana vuelve a Washington. Preguntado cómo estaban las gestiones sobre el caso Beagle, dijo:

• Que la reunión de embajadores del lunes pasado se pudo haber obviado. "No se dijo nada nuevo, además los presentes salvo raras excepciones no sabían nada."

• "En la Cancillería se me dijo que se iba a rechazar el Laudo y al mismo tiempo se concretarán posesorios el día 25. El día martes 18, luego de una reunión especial sobre el tema en el Ministerio, nos llevaron al embajador en la OEA [Julio César Carasales], en Naciones Unidas [Enrique Ros] y a mí a conversar con el Presidente. Ese día lo vi a Videla más que como presidente, como comandante en jefe. Dijo Videla que no tenía una agenda fija, ni instrucciones especiales, pues para eso llevaba sus asesores. Yo le dije que debía saber a qué iba, como se estila en cualquier encuentro de esta importancia."

• "Preguntado Videla si se iban a realizar actos posesorios, dijo que 'el 25 no, sino en unos cuarenta y cinco días' más tarde, pues todavía no habían llegado las partidas de municiones. Más adelante Videla nos dijo que 'si tengo que perder prestigio político para arribar a una solución amistosa, lo perderé'."

• "Cuando llegué a la Cancillería con esta información (de que el 25 no se realizarían actos posesorios), no entendían nada y me dijeron que no era así. Les tuve que decir, entonces, que así lo expresaba el presidente."

• Preguntado si tenía conocimiento de las presiones norteamericanas sobre la Argentina y Chile, para arribar a una solución amistosa del diferendo, Aja Espil dijo: "No las conozco, pero sí conozco el memo de la Secretaría de Estado que sostiene que la Argentina no tiene munición para sostener más de tres a cuatro días de combate". Con referencia a lo anterior, dijo que las Fuerzas Armadas en los últimos tiempos habían comprado material de guerra en previsión de un eventual enfrentamiento, en el siguiente orden: Marina, 30 millones de dólares; Aviación, 40 millones y Ejército, 40 millones.

• Más adelante dijo que había estado con Martínez de Hoz. Se mostraba muy preocupado por la posibilidad de un enfrentamiento que le retrasaría todo su plan económico.

• Sobre la reunión de Videla con Pinochet en Mendoza, dijo que la propuesta argentina no difería de la presentada por [almirante] Torti en Santiago. "Todo conduce a hacer pasar la línea divisoria por un islote que se encuentra a pocas millas al Este del Cabo de Hornos. Lo que me comentaron es que Pinochet cambió de carácter una vez que tomó contacto con sus asesores. No era igual su estado de ánimo a la mañana que por la tarde, en donde se mostró menos diplomático y duro. Según me informaron, él también tiene sus serios problemas internos."

• Hablando sobre el papel de la OEA en el conflicto, y en particular sobre su secretario general, Alejandro Orfila, Aja Espil dijo que el canciller Antonio Montes le había dicho: "Al embajador Orfila se le enviarán instrucciones muy precisas, a las que tendrá que atenerse". Yo no entendía nada y me pareció una gran equivocación. Orfila es secretario general de la OEA y por lo tanto no puede recibir instrucciones de un gobierno que es miembro de la organización. Debe mantener un criterio independiente. Todo eso se debe a que Orfila debió haber presentado su renuncia a embajador argentino y no lo hizo. Si se llegan a enterar los chilenos el escándalo que harían.[2]

El 26 de enero Videla y Pinochet volvieron a encontrarse, esta vez en Puerto Montt, Chile. Al final de la cumbre se firmó el Acta de Puerto Montt por el que se acordó la formación de comisiones negociadoras que, en tres etapas, deberían arribar a una solución para la "delimitación definitiva de las jurisdicciones que correspondan a Argentina y Chile en la zona austral". Lo sorprendente fue que en el Acta se introdujo el tema del Estrecho de Magallanes, cuestión que no estaba en el Laudo Arbitral. Al finalizar el encuentro, la diplomacia argentina se vio sorprendida por el discurso del mandatario chileno, cuando dijo: "La jurisdicción en esa región quedó refrendada en forma definitiva en la sentencia de Su Majestad británica. Por lo tanto, las negociaciones a realizar en ningún caso afectarán los derechos que en esa área el laudo reconoció para Chile". Videla, estupefacto, debió dejar su discurso escrito (que le había preparado, entre otros, el ex canciller Miguel Ángel Zabala Ortiz) e improvisar unas palabras con su habitual moderación. Pocas horas más tarde, el almirante Massera dijo en

Río Grande que "aquí no hay alfombras espesas que ahoguen el latido de la tierra, aquí no sobreviven las intenciones oblicuas, las palabras elásticas, las argucias protocolares o la oratoria malhumorada como expresión de una hostilidad vacía de derecho". Un conflicto externo, un capítulo más de la interna castrense.

El 23, Videla se dirigió al país para explicar los alcances del Acta de Puerto Montt, y previno que habría "negociaciones de difícil trámite", pero expresó su confianza de que se llegaría a "soluciones justas y armónicas". El país comenzaba a prepararse para enfrentar un conflicto armado. Todo conducía en esa dirección. Para encabezar la delegación argentina en las negociaciones con los chilenos fue designado el general (RE) Ricardo Etcheverry Boneo, quien presentaba como antecedente inmediato el ser secretario de Acción Comunal de la gobernación de Santa Fe. La contraparte chilena fue presidida por Francisco Orrego Vicuña, profesor de la Universidad de Chile y Ph.D. en Leyes en la Universidad de San Francisco, Estados Unidos. Era, además, hermano de Claudio Orrego Vicuña, un importante dirigente de la Democracia Cristiana y desde sus columnas en el semanario *Hoy* un opositor frontal a Pinochet y férreo defensor de los derechos humanos.

Los argentinos se enteraron del problema del Beagle por los diarios, otros a través de los noticieros radiales y televisivos. Y muchos más en "Con sabor a Pinky", un programa diario que emitía Canal 11, conducido por Lidia Elsa "Pinky" Satragno, con el apoyo de Sasetru Alimentos Argentinos que pagaba la friolera de cuatro mil doscientos millones de pesos (4.200.000.000). Tenía un equipo de producción idóneo, con Armando Barbeito, Pancho Guerrero, Daniel Mañas y Raúl Blanc. El programa de alguna manera estaba emparentado con "Almorzando con Mirtha Legrand", "Mónica presenta" y "Videoshow". Los canales estaban en manos del gobierno, por lo tanto había temas que estaban vedados para el gran público por "razones de seguridad y autoridad", como explicó Gustavo J. Landivar en *Somos*.[3]

Más problemas por los Derechos Humanos. Rodolfo Mattarollo en acción. El fracaso y papelón de la "Operación México"

El 13 de enero *The New York Times* publicó a toda página una solicitada en la que se pedía la libertad del ex presidente constitucional Héctor José Cámpora, asilado en la embajada de México en Buenos Aires desde abril de 1976. La firmaron dirigentes políticos e intelectuales de todo el mundo, especialmente aquellos ligados con la izquierda socialista y los comunistas. Entre otros: Bruno Kreisky (primer ministro de Austria y presidente del Partido Socialista); Gabriel García Márquez (Colombia); los italianos Enrico Berlinguer (secretario general del PC), Bettino Craxi (secretario general del PS), Mariano Rumor (presidente de la Unión Mundial Demócrata Cristiana), Luigi Longo (presidente del PC) y Pietro Nenni (presidente del PS); Ernesto Cardenal (Nicaragua); los españoles Ana Belén (actriz), Santiago Carrillo (secretario general del PC), Geraldine Chaplin (actriz), Joan Manuel Serrat (cantante), Antonio Saura (pintor) y Enrique Tierno Galván (secretario general del PS); Olof Palme (ex primer ministro de Suecia); el actor Héctor Alterio (Argentina) y a continuación toda la conducción de la organización Montoneros.[4]

El 24 de enero, un cable de la agencia noticiosa ANSA[5] informaba que el gobierno argentino, a través de su embajador Enrique Ros, había criticado a cuatro organizaciones no gubernamentales que habían denunciado al gobierno argentino por "violaciones a los derechos del hombre". Ros las acusó de presentar "fachadas respetables, incompatibles con los requisitos de Naciones Unidas". En este sentido señaló a Pax Romana, Federación Internacional de Derechos Humanos, Comisión Internacional de Juristas, al Fondo Internacional de Intercambio Universitario. Todas tenían "status consultivo ante la ONU" y solicitó "mayor información" sobre las finanzas de las dos primeras y que debían seleccionar con "particular cuidado" a sus portavoces. En la Comisión Internacional de Juristas atacó a Rodolfo Mattarollo,[6] y el delegado de la CIJ sostuvo que las críticas de Ros "carecen de fundamento" y se basaban en "vagos rumores de segunda y tercera mano". También denunció a Lidia "Lili" Massaferro, conocida integrante de la organización Montoneros, miembro de la Federación Internacional de Derechos Humanos.[7] En ese momento Ronald Puma, representante de la organización, definió a Massaferro como una "refugiada política" y al informar sobre los fondos que recibe la Federación dijo que "no menos de 20 gobiernos y un cierto número de fundaciones, entre las cuales figura la Rockefeller Foundation".[8]

El 29 de enero, el famoso corresponsal de *The New York Times* en México, Alain Riding, relató a sus lectores que un comando integrado por militares había ido a México para matar a dirigentes de la conducción de Montoneros.[9] Por supuesto la noticia no se publicó en Buenos Aires, aunque estaba en las redacciones de los diarios. La "Operación México" se pergeñó en el comando del Cuerpo II, cuyo comandante era el general Leopoldo Fortunato Galtieri.

En CRD[10] "Quinta de Funes", el oficial mayor montonero Tulio Valenzuela (a) "Tucho", jefe de la columna Rosario,[11] se comprometió a marcar a la conducción montonera en la capital mexicana, quedando como rehenes Raquel Negro (a) "María", su compañera (embarazada), y su hijo Sebastián. "Tucho" había caído preso el 2 de enero de 1978, delatado por su lugarteniente "Nacho", cuando se encontraba en la tienda "Los Gallegos" de Mar del Plata.

Valenzuela, con el documento falso a nombre de Jorge Raúl Cattone, una vez en el lugar, se presentó a la casa de la calle Alabama y relató lo que estaba ocurriendo. Mientras, los militares esperaban en un hotel. El 18 de enero dio una conferencia de prensa denunciando toda la operación. Al día siguiente, el diario *Unomásuno* se comunicó con el teléfono del general Galtieri que reconoció: "No controlo a mis agentes afuera del país". Más detalles del operativo fueron distribuidos en Buenos Aires por la agencia clandestina [de Montoneros] ANCLA.[12] El hecho trajo como resultado varias consecuencias: 1) Deterioró aun más las relaciones argentino-mexicanas; 2) El comando militar argentino fue detenido y maltratado antes de volver a la Argentina; 3) La conducción montonera, tras enterarse del incidente, se mudó definitivamente a La Habana, luego de permanecer refugiada en la embajada cubana en el Distrito Federal; 4) "Tucho" Valenzuela fue degradado por la organización por "colaborar" con el enemigo. Tras unos meses, Valenzuela fue enviado a la Argentina en la "contraofensiva" y murió al tragarse la pastilla de cianuro, cuando se sintió descubierto en Posadas, Misiones.

A pesar de las protestas en las Naciones Unidas, una delegación de la Federación Internacional de Derechos Humanos, presidida por el almirante francés (RE) Antoine Sanguinetti ("el Almirante Rojo", como se le decía en Buenos Aires), visitó la Argentina, entre el 18 y 24 de enero de 1978, y se entrevistó con altos miembros del gobierno. El ministro del Interior, Albano Harguindeguy, reconoció que había 3.472 detenidos. El canciller Montes les dijo a los miembros de la misión: "Ustedes comprobarán que se puede pasear de noche en Buenos Aires más tranquilamente que en París". Sanguinetti reconoció que era "exacto", y preguntó: "Por qué entonces mantener el estado de sitio". Y Montes respondió que "sería necesario liberar a las personas que están a disposición del Poder Ejecutivo, y esto sería perjudicial para la seguridad de la República".

La entrevista más importante la tuvo con el almirante Massera y, según contó más tarde, quedó perplejo: tras una larga entrevista, el comandante en jefe de la Armada le reconoció la gravedad de las violaciones a los derechos humanos. Y agregó: "Es culpa de los infantes [el Ejército]. Ni la Marina, ni la Fuerza Aérea, tienen nada que ver con esto. [...] Si el término no fuera desagradable, diría que hay en el arma de tierra [el Ejército] verdaderas bandas fascistas".[13] Unos días más tarde, el 30 de enero, *The Washington Post* publicó en primera página que "a menos de dos años de haber sacado del poder a la presidenta Isabel Perón, parece estar desarrollándose una seria división dentro de la Junta Militar de la Argentina. El jefe de la Armada, almirante Emilio Eduardo Massera, está expresando de un modo creciente su desilusión con la jefatura del presidente Jorge R. Videla. Según fuentes bien informadas, Massera desearía visitar los Estados Unidos para decirle a Carter que, a diferencia de Videla, él está dedicado a detener las violaciones de derechos humanos, y preparar el camino para el pronto retorno a la vida constitucional". La información decía que dos capitanes de la Armada Argentina habían estado ya en Washington y conversado sobre un posible intercambio de visitas de altos oficiales navales. Por la tarde, Carter, preguntado por los periodistas sobre la noticia, dijo que "no puedo garantizar su veracidad".[14]

La cuestión se despejó el 2 de febrero, cuando se supo que Larry Birns, presidente del Consejo de Asuntos Hemisféricos, le había mandado una carta al presidente Carter relatando su entrevista con dos oficiales de la Armada. Birns era un crítico permanente del gobierno militar, de allí que dijo en su carta: "Nuestra organización se opondrá a cualquier invitación que se le haga [a Massera] hasta que la Marina argentina dé una dramática indicación de que intenta mejorar drásticamente sus antecedentes sobre derechos humanos". La embajada argentina, el mismo día, dijo desconocer la visita de los oficiales navales.[15]

Por ese entonces el embajador argentino en Francia era el capitán (RE) Tomás de Anchorena, un destacado dirigente agrícolo-ganadero. El 7 de marzo de 1978 mantuvo un altercado epistolar con el obispo auxiliar de París, Daniel Perezil, con motivo del interés argentino de celebrar una misa en Notre Dame en ocasión del bicentenario de Libertador San Martín. El sacerdote, en una de sus misivas, le comunicó a Anchorena que "en las actuales circunstancias, parece inoportuno que se realice con este motivo una ceremonia pública" en la catedral. "Usted no ignora", escribió Perezil, "que desde hace varios meses la opinión pública francesa se preocupa por la suerte de cierto número de nuestros compatriotas y de otras personas que residen en el país que usted representa." La misa finalmente se llevó a cabo en la residencia del embajador, contándose con la única presencia de los agregados militares, funcionarios diplomáticos y empleados administrativos. El gobierno no lograba dar una explicación, dentro y fuera del país, a la cuestión de la seguridad ciudadana. En esos días, durante un almuerzo con abogados de empresas, preguntado por la seguridad de los habitantes, Albano Harguindeguy explicó su método: "Un día salgo de mi casa para la izquierda y otro lo hago para la derecha. Nunca sigo un camino igual". Por esa fecha, la embajada envió un informe al Departamento de Estado a fin de que no se insistiera en reclamar la democratización en la Argentina. Para el embajador Raúl Castro, tal exigencia podría desestabilizar a Videla en momentos en que se estaban por tomar decisiones trascendentes.

Las peleas por el poder. El "cuarto hombre". Todo continúa en "off the record"

El miércoles 15 de marzo tres jóvenes radicales conversaban en el Edificio Libertad con el capitán de navío Antonio "Mito" Arguedas, jefe del gabinete de asesores del almirante Emilio Eduardo Massera. Al poco rato, por una puerta lateral, apareció Massera en mangas de camisa, dando comienzo a un interesante diálogo:

Arguedas, dirigiéndose a uno de los presentes, le dijo: "Coméntele al almirante lo que estábamos hablando hace un rato, sobre la posición de importantes miembros de su partido".

"Bueno", dijo el joven señalado, "nosotros pensamos que este proceso se encuentra agotado. El gobierno se ha aislado de la civilidad y la actual política económica lleva al país al borde de un enorme precipicio. Por lo tanto, nosotros pensamos que lo único que puede rescatar de su soledad e impopularidad a este gobierno es:

1) Convocar a elecciones constituyentes con el objetivo de realizar en conjunto con las Fuerzas Armadas aquellos retoques indispensables a la Constitución Nacional.

2) La constituyente, a través de un mecanismo a implementar, deberá designar a un alto oficial de las Fuerzas Armadas con el cargo de Presidente de la Nación. Dicho presidente deberá ejercer el poder durante un período de transición por tres o cuatro años.[16]

3) Al mismo tiempo, la constituyente se declarará en ejercicio del Poder Legislativo, por el tiempo que dure el mandato del presidente recién designado.

4) Durante este período se implementará una política económica acorde con el pensamiento de los dos partidos mayoritarios, que previamente se pondrían de acuerdo."

El almirante Masssera, luego de escuchar la exposición del invitado, dijo que "estoy totalmente de acuerdo, coincidimos plenamente. Yo creo que este gobierno es un desastre y que así como van las cosas se corre el serio peligro de que nos pasen por arriba. La famosa propuesta política no sirve para nada, no define ni aclara nada, y el frente externo, donde todos son fracasos, demuestra la total falta de una conducción firme en el país. Cuando nosotros nos ponemos un poco duros ante los chilenos, llegan los 'negociadores' [en alusión a Videla] y echan todo a perder. Estoy de acuerdo con un arreglo con los partidos mayoritarios, con verdadero sentido nacional y popular, y que luego de coincidir en un programa económico conjunto se designe a un oficial de las Fuerzas Armadas para que gobierne".

"Sí", dijo uno de los asistentes, "pero lo que sucede es que en otros sectores de las Fuerzas Armadas se habla de llegar a algo similar pero recién dentro de tres o cuatros años".

"¡Qué tres o cuatro años!", elevó la voz Massera, "esto hay que hacerlo dentro de los próximos diez meses, de lo contrario como he dicho antes nos pasarán por arriba. Esto es lo que no me entienden Videla y Agosti. El plan económico de Martínez de Hoz ha demostrado que nos conduce al fracaso. Él ha dicho que durante este año habría un 60% de inflación y miren ustedes ya por qué índice andamos. A fin de año se calcula que llegaremos a 100% o más. El otro día conversaba con [el brigadier] Agosti y le pregunté cómo veía la situación económica. Me dijo que la veía muy bien, a lo que le respondí: ¿pero vos con quién conversás, con el hermano de Martínez de Hoz?".[17]

Escasos días más tarde, un observador recogía la opinión de un político encumbrado del radicalismo: "Ayer, durante una conversación con el doctor Raúl Alfonsín, se pudo conocer el pensamiento medular de lo que transmitió a su ex compañero del Liceo Militar y actual ministro del Interior. El general Albano Harguindeguy, de acuerdo con lo expresado por Alfonsín, no habría rechazado el planteo siguiente:

1978. Permitir la actividad de centros políticos de estudio del quehacer nacional. Actividad doctrinaria.

1979. Aceptar la actividad partidaria, con el objeto de que se produzca una reorganización interna en las fuerzas políticas. Recambio generacional.

1980. Realización de elecciones en el orden provincial y nacional con la finalidad de integrar los poderes legislativos respectivos. A dichas elecciones concurrirán, cuanto más, tres o cuatro fuerzas políticas.

Previamente habría un acuerdo con las Fuerzas Armadas, tendiente a lograr: 1) Que ningún político solicitara la formación de una comisión investigadora para los hechos suscitados en la guerra antisubversiva, y 2) A su vez, los políticos pedirán a las Fuerzas Armadas garantías de no interrupción de este proceso. Durante esta etapa se concretará un acuerdo entre las fuerzas políticas para llamar a una convención constituyente.

1981. Período de transición. Elecciones presidenciales (con la constitución reformada). Se sucederán dos períodos con gobiernos encabezados por un militar hasta 1990".[18]

Contemporáneamente, una minuta redactada en un matutino para conocimiento interno sostenía que la Armada estaba estudiando un mecanismo para elegir al "cuarto hombre". La idea era integrar "un plenario" con representantes de las tres fuerzas. Cada fuerza presentaría una terna. Y cada fuerza estaría representada en proporción directa con la cantidad de oficiales superiores que tenga. El "cuarto hombre" saldría electo por mayoría. Todo el mecanismo ha sido pensado para bloquear la elección de Videla.

En medios diplomáticos extranjeros se viene comentando últimamente las reuniones con diferentes embajadores que mantiene el almirante Massera. Todos han coincidido en afirmar que Massera les ha expresado que Videla no será el "cuarto hombre".

Mientras tanto, la situación económica no lograba afirmarse. En marzo, cuando se conoció el último índice del costo de vida (9.5%), Martínez de Hoz intentó dar explicaciones públicas. Aconsejó que no deben enviarse flores de regalo "si están caras", y aseguró que habría que borrar del índice los gastos de peluquería. También cuestionó las estadísticas oficiales del INDEC. Una visión similar expresó el general Roberto Viola unas semanas antes, el 3 de enero, durante un almuerzo con jóvenes en el Círculo Militar. Preguntado por la marcha de la economía y la persistencia de la inflación, comentó que él se guiaba "por el precio del ananá que mi esposa Tita compra en el mercado; cada día está más caro".

Seguidamente Viola aventuró que "no habrá solución política, ni diálogo si no se soluciona el problema del esquema de poder. Y esto recién lo visualizo para el mes de septiembre". Uno de los presentes comentó en voz alta: "Bueno general, entonces debo interpretar que, sumado a ello el problema económico, la propuesta del general Videla señalada para el mes de marzo próximo, como dicen los reos, es para 'la gilada'".

Viola se sonrió y respondió: "No es del todo así, pero hay algo de eso".[19]

El jueves 30 de marzo de 1978, se realizó una exposición en el Edificio Libertad para los oficiales retirados (almirantes y capitanes de navío). Habló el almirante Fracassi, secretario general de la fuerza. Dijo que la pretensión de la Armada era que no se constituyera ninguna "hegemonía" del Ejército en el poder; informó que la situación con Chile era "extremadamente delicada" y que los retirados debían estar atentos porque podrían ser "convocados" al servicio activo; comentó que había "algunos embajadores empeñados en una campaña de desprestigio a la Armada" y puso como ejemplos de embajadores "no amigos del arma" a Jorge Aja Espil (EE.UU.) y Tomás de Anchorena (Francia). Uno de los asistentes, el contralmirante Santamaría, durante el vino de honor, le preguntó a Massera: "¿Cómo es posible que ocurran tales cosas, teniendo la Armada a usted como representante en la Junta y un vicealmirante al frente de la Cancillería?". A lo que Massera respondió que él más no podía hacer.

En esas horas, una alta fuente de la Fuerza Aérea comentó que el embajador en Francia, Tomás de Anchorena, trajo desde París un crítico informe de las tareas que cumplía la Oficina Piloto de París, montada para mejorar la imagen argentina en el exterior, porque complicaba las relaciones de la embajada con los medios franceses. Ninguno de los funcionarios más importantes, el capitán de corbeta Eugenio Bilardo y el periodista Bufano hablaban francés. El informe dejado en la Casa Rosada fue derivado a la Secretaría de Información Pública, causando un gran revuelo. Tanto es así que se habla de un coronel como interventor.[20]

Contradicciones en el Departamento de Estado

El miércoles 12 de abril, trascendió a la prensa un largo memorándum confidencial que reflejaba las contradicciones existentes en el gobierno de Carter respecto de su política de derechos humanos. El documento se filtró en medio de las crisis que terminó con la renuncia de Terence Todman, secretario adjunto de Asuntos Latinoamericanos. El funcionario entendía que era contraproducente para los intereses americanos la retórica e insistencia de la Administración sobre las libertades civiles y aconsejaba dos aspectos fundamentales a tener en cuenta en una política con América Latina: 1) Ayudar a satisfacer las necesidades humanas básicas sin avalar prácticas represivas de los gobiernos. Tenemos que ser cuidadosos de no aparecer ante ellos tan rígidos sobre los derechos políticos que neguemos los apremiantes derechos socio-económicos; 2) Usar la discreción ejecutiva disponible en relaciones militares, y especialmente no reducir aún más nuestros ya delicados vínculos militares en países gobernados por regímenes militares represivos.[21]

El mismo 12, en el departamento del presidente del Consejo Argentino para las Relaciones Internacionales (CARI), el ex canciller Carlos Manuel Muñiz, se realizó un almuerzo en homenaje al ex embajador de Chile, René Rojas Galdames. Uno de los participantes relató que, según su información, la renuncia de Terence Todman, secretario adjunto de Asuntos Latinoamericanos, tenía relación directa con la política del Departamento de Estado hacia América Latina: "No hay que equivocarse, Todman no se va exclusivamente por su disconformidad con Patricia Derian y la política de derechos humanos. Hay otro motivo, cual es el proyecto de la Secretaría de Estado de comenzar a presionar a los países del Cono Sur para que inicien en el más corto plazo, el proceso de democratización de sus gobiernos. Todman no estaba de acuerdo, pues opinaba que de esa manera, además de inmiscuirse en los asuntos internos, se corría el peligro de acelerar 'algunos procesos' que aún no se encuentran en etapa de 'maduración'. Dicho esto, intervino Rojas Galdames para sostener que 'coincido con tu información, si no mira lo que sucede en mi país, donde nos hemos visto obligados a realizar algunas cosas con las que el gobierno no estaba de acuerdo, pero las presiones son grandes'".[22]

El día anterior, un comando de la organización Montoneros asesinó a Miguel Padilla, subsecretario de Coordinación del Ministerio de Economía. A partir del 26 de abril el presidente James Earl Carter realizó una gira por Venezuela y Brasil. Con su colega Ernesto Geisel analizó cuestiones de seguridad. Entre otras, el papel de Cuba en el fomento de la subversión en el continente. Brasil no tenía relaciones con el régimen de La Habana, la Argentina sí.

El jueves 20, el periodista Alejandro Rosiglione fue invitado al Edificio Libertad para conversar con Massera. "Mire", dijo el jefe naval, "yo tenía mucho interés en conversar con usted. Se debe a que me he enterado que, hace unos diez días atrás y durante una conversación de amigos, usted dijo que la no elección de Videla, como 'cuarto hombre', constituía un golpe de Estado. Como considero que usted es un hombre inteligente, deseo aclararle ciertas cosas, al mismo tiempo que demostrarle por qué yo no considero que la elección de Videla constituye un golpe de Estado".

Inmediatamente se dirigió hacia una caja fuerte, de donde extrajo varias carpetas: "Mire, lea con tranquilidad", dijo Massera, "aquí podrá ver el Acta de la Junta donde se establece que Videla habría de desempeñar la doble función de comandante en jefe del Ejército y Presidente tan sólo por un espacio de noventa días. Ya van dos años y no se ha producido ningún cambio. ¿Y qué ha pasado mientras tanto? En el plano internacional se ha demostrado una falta absoluta de carácter y el plano interno lo mismo. Se ha sostenido una política económica que está llevando a la industria argentina a la quiebra. Y Martínez de Hoz en el exterior está rematando al país a los monopolios internacionales. En una palabra", continuó Massera, "esto no va más y debe cambiar. Yo le dije a Videla, en la última reunión de Junta [jueves 13] que él debía hacer un gran renunciamiento en beneficio del país".

Luego acercó otra carpeta diciendo que "sé que por ahí se comenta que yo estoy en contra de la elección de Videla para presidente, como si yo dispusiera a mi antojo la posición del arma. Vea cuál ha sido el resultado de la votación realizada en el Consejo de Almirantes [le mostró el acta del Consejo donde por unanimidad el arma no apoya a Videla]. Esto se lo muestro pues también sé que se afirma que un 80 por ciento o un 75 por ciento votó en contra y el resto a favor. Ello no es cierto. Lo comuniqué, en reunión de Junta, a Videla y Agosti. Usted me dirá que duda sobre el voto de algún almirante. Diga un nombre... por ejemplo Mendía, que dicen que no ha votado. Aquí tiene el radiograma, desde Washington, fijando su posición" [votaba en contra de Videla].[23]

El lunes 24, el secretario general de la Presidencia, general José Rogelio Villarreal, relató a sus colaboradores algunas decisiones tomadas en la última reunión de los altos mandos del Ejército: se acordó apoyar a Videla, incluso a costa de la negativa de las otras dos armas. La palabra justa fue "imponerlo". El tratamiento sobre quién será el próximo comandante en jefe del Ejército quedó postergado para después de la definición presidencial.

Villarreal también relató que no era cierto que Massera hubiera realizado la tan mentada elección en el Consejo de Almirantes. Sólo se limitó a consultar personalmente y en forma separada a cada uno de los vicealmirantes.[24]

El miércoles anterior, el jefe del Cuerpo I, Carlos Guillermo Suárez Mason, volvió a reunirse con dirigentes radicales en el domicilio de Horacio Hueyo. Junto con el dueño de casa, asistieron Ricardo Balbín, Julián Sancerni Jiménez y Antonio Tróccoli. En esa ocasión, Suárez Mason opinó que no era partidario de que "la elección del 'cuarto hombre' la hiciera esta Junta Militar". Preguntó: "¿Cómo Videla se va a votar a sí mismo? No queda muy bien".

Les dijo a los dirigentes radicales que "por un año todavía no habrá diálogo político" y sobre el conflicto del Beagle les informó que "a la crisis se la podía postergar seis meses, incluso un año, pero al final llegaremos a un enfrentamiento".

"Metiste el dedo en la llaga", fue la respuesta del jefe militar cuando Horacio Hueyo preguntó sobre la situación económica. Cuando se fue Suárez Mason, Hueyo le preguntó a Balbín cómo veía el panorama, a lo que Balbín respondió: "Es mucho más duro de lo que suponía".

Diálogo entre un capitán de navío y un coronel, durante un almuerzo el 11 de mayo de 1978:

CAPITÁN DE NAVÍO GUILLERMO ARGUEDAS: Videla es el presidente administrativo del Estado y los tres comandantes en jefe constituyen el órgano político que gobierna el país, que fija las pautas y fija la dirección en que se debe mover el país en lo económico, etcétera.

CORONEL RICARDO FLOURET: Si es así, hay que ir actualizando los pasaportes.[25]

Las reuniones de Massera en el exterior. Aparece Héctor Villalón

Desde París, el sindicalista Casildo Herreras (que se presentó como secretario general de la CGT y miembro del Consejo Superior Peronista en el exterior) envió una carta al presidente Videla con motivo de cumplirse el segundo año del gobierno del Proceso, en la que "expresando el sentir de centenas de millares de argentinos en el exterior y en el exilio", dice a la Junta Militar "que la etapa del dolor y el desencuentro de nuestro pueblo debe quedar superada". Estima que el gobierno deberá otorgar una amplia amnistía política y sindical, con la liberación de todos los presos políticos "sin excepción". Pide también la liberación de Isabel Perón y Héctor Cámpora. El mensaje fue firmado, entre varios, por Emma Tacta de Romero (del movimiento femenino y miembro del Consejo Superior) y Héctor Villalón, como responsable político del mismo Consejo en el exterior.[26]

Menos de un mes más tarde, Héctor Villalón reveló en París una entrevista secreta entre el almirante Massera y alrededor de 25 dirigentes políticos peronistas. Entre otros, Casildo Herreras, Raymundo Ongaro, Luis Sobrino Aranda, Santiago Díaz Ortiz, Rodolfo Vittar, Jorge Llampar e Iturrieta. Massera había llegado a París tras una visita privada a Arabia Saudita y España. No estuvo solo, siempre lo acompañaron miembros de su staff.

Como era una constante en la época, poco y nada fue publicado en los diarios. *La Nación* publicó el 9 de abril una incomprensible nota de su corresponsal Luis Mario Bello, titulada "Fue entrevistado en París el almirante Massera" y *Clarín*, el 10, "La misión de Massera". La difusión de los encuentros provocó un cimbronazo en el interior de las Fuerzas Armadas. No sólo por los nombres en danza (en el que había que agregar al empresario Julio Broner allegado al ex ministro de Economía José Ber Gelbard), sino también por los trascendidos de lo tratado en esas reuniones. Además, los enemigos del jefe naval incentivaron el malestar: copias de los cables de las agencias noticiosas (que no se publicaron) eran distribuidos de mano en mano entre los más altos oficiales.

En síntesis, Villalón dijo que "mucho ocurrirá luego de nuestra conversación con Massera. [...] Estimo, honestamente, que habrá una pronta liberación de presos políticos. Posiblemente el mes próximo. Y que luego habrá un gradual retorno a las actividades sindicales y a una vida normal en los meses próximos". También se habló de la liberación de Isabel Perón, Héctor Cámpora, Lorenzo Miguel y el periodista Jacobo Timerman.

Villalón declaró que su conversación con Massera fue más allá de una tregua por el campeonato mundial de fútbol, "apuntamos a poner fin a la dictadura militar y a lograr la vuelta de la vida normal en la Argentina". El diario parisino *Le Matin* informó que la cita se había realizado en el Hotel Sofitel, de Roissy, y luego Massera partió dejando a miembros de su delegación.[27]

Una vez en Buenos Aires se vio obligado a explicar en la Junta Militar y en su fuerza el sentido de dicho encuentro. En la reunión de la Junta Militar, el tema lo introdujo el brigadier Agosti. "Massera dijo que no había hablado con todas las personas que se citan en los informes que poseen las fuerzas, sino que se había limitado a conversar con algunos argentinos interesados por la marcha del país. Agosti dijo que según los cables entre esas personas se hallaba Villalón, a lo que Massera respondió negativamente: 'No hablé con Villalón y si este estaba en el grupo yo no lo sabía' [...] La Armada emitió un radiograma para información exclusiva del arma, donde se desvirtuaban los rumores sobre tales reuniones. Asimismo, hoy, se realizó en el Edificio Libertad una reunión que contó con la presencia de alrededor de 100 altos oficiales donde Massera hablaría de las reuniones. Existe prohibición de publicar la reunión".[28]

Desde España, el embajador argentino, teniente general (RE) Leandro Anaya, le envió un cable "exclusivo para el canciller, solicitando 'poner en conocimiento del Señor Comandante en Jefe de la Armada', en el que se informaba de los dichos de la prensa madrileña, respecto de los encuentros de Massera. Según el cable,

Massera había hecho saber, de manera más o menos oficial por cuanto hablaba en su nombre, que el gobierno de Videla puede ofrecer una solución al caso de Isabel Perón, Lorenzo Miguel y Héctor Cámpora".[29]

En definitiva, la cuestión rondaba entre dos cuestiones. Uno, el gran interés de la Junta Militar por una "tregua" durante el Mundial de Fútbol. Que no se cometieran actos terroristas, a la vista de los delegados, visitantes y periodistas extranjeros. Y en ese sentido Rodolfo Galimberti se encargó de dar la noticia: "Los Montoneros no lanzarán ninguna operación que pueda poner en peligro a los jugadores, los numerosos periodistas y miles de visitantes que llegarán a la Argentina. [...] De nuestra parte no habrá ninguna escalada en la lucha armada. Estamos dispuestos a ir más lejos. Proponemos una tregua a la dictadura militar del general Videla".[30]

La otra cuestión que estaba en juego era la lucha por la presidencia que libraba Massera en esos días en la cima del poder militar. Una vez más Villalón adelantó el juego, esta vez desde el semanario *Istoé* de Brasil, cuando declaró al corresponsal en París que "el próximo presidente argentino será designado en el último bimestre de 1978. [...] Y que el sucesor de Videla será otro militar".

Años más tarde, Villalón pudo relatar algunos momentos de esos días y otros encuentros:[31]

1. El almirante no fue una vez, sino varias veces a París, y en consecuencia extendía su viaje y contactos en Italia y en España.

2. El almirante nunca fue solo a París, estaba acompañado por un equipo.

3. El primer viaje "fue negociado", o sea utilizó contactos "comunes" para proponer una reunión —no conmigo— sino con la dirección peronista en el exilio, cuya dirección estaba a cargo mía, por el poder "post mortem" (dejado por Juan Domingo Perón); Casildo Herreras; Bernabé Castellano y más otros 5 exiliados en el norte de Europa, o sea, fue una reunión "orgánica".

4. Para que se realice, pedimos el acuerdo del presidente Giscard d'Estaing y pedimos la cooperación de [James] Carter, quien designó a Irving Brown —AFL-CIO— para coordinar todo.

5. La reunión oficial fue en un hotel enfrente del Aeropuerto de Roissy. Él representaba en la reunión al general Viola.

6. A partir de la reunión surgió un "programa de conciliación nacional y reordenamiento institucional".

En forma resumida:
- surgió un plan de actividades;
- un plan de compromisos;
- un almuerzo privado con Irving Brown;
- una entrevista personal para un segundo viaje con el Presidente Giscard;
- un compromiso de plan de liberación de detenidos (incluida Isabel, etc., etc.).

Resuelto lo esencial acordamos:
- viaje a la reunión de Asunción de Mando del Presidente de Republica Dominicana;
- viaje a Washington para ser recibido por el vicepresidente de los EE.UU. (Walter Mondale);
- regreso a París con la lista de "desaparecidos" o "detenidos" europeos.

Hay más aspectos acordados pero no publicables, porque son parte de los acuerdos con Irving Brown.

7. Él visitó Italia y estuvo reunido con Licio Gelli. Massera era miembro de la P2.

8. Sabíamos que se encontraría con Firmenich y que de la reunión participaban "ex montos" al servicio de sectores de la inteligencia militar. Ninguno de los miembros de la Conducción Peronista en el exterior se vinculó nunca a ese tipo de reuniones, ni se mantuvo contacto jamás con los espías "montos" de la Marina.

9. La actitud del almirante Massera fue correcta. Lo que él se comprometió en tres reuniones lo cumplió ciento por ciento. Lo que el peronismo e Irving Brown asumimos como compromiso se cumplió 100%.

10. Viola ratificó todo.

11. Massera fue acompañado por un delegado nuestro, el dirigente [Eleuterio] Cardoso, de la Federación de la Carne, a República Dominicana y Washington. En Dominicana hubo una reunión

con la dirección internacional de la Social Democracia para resolver el problema de jóvenes europeos asesinados, desaparecidos y/o presos. Massera era acompañado en las reuniones de trabajo por un oficial a cargo del Servicio de Inteligencia de la Marina.

12. En todo este esquema hubo serios desencuentros con el jefe de la Escuela de Mecánica de la Armada y con el ministro del Interior.

13. En la entrevista bien a posteriori con Giscard hubo incidentes por la aparición de listas con nombres falsos inventados en la Escuela de Mecánica. Esto tuvo que ser resuelto en un tercer viaje.

14. La negociación integral no se refirió al Mundial de Fútbol sino a la reorganización institucional del país. El plan de cooperación de las partes jamás incluyó el menor beneficio para ningún interviniente de nuestra conducción. Massera sólo aspiraba a construir un partido político y ser candidato a la Presidencia, lo que era impracticable.

15. Quien cumplió un papel importante en toda esta "normalización" fue Everardo Fachini quien dirigía desde Göteborg —el grupo "Argentina Gruppen"— que llevaba a su cargo parte del exilio peronista, dirigido desde París, la "supervisión de actividades" de "montos" exiliados al servicio de la inteligencia militar (ministro de Interior y del sector Escuela de Mecánica). En todo este largo esquema de actividades montoneras estuvieron envueltos no sólo el general Harguindeguy, sino [Raúl] Carcagno, [Leandro] Anaya y Dalla Tea (persona de la total confianza de Viola y con buenos contactos en el peronismo).

Cita en "Normandie Farms". Próximo al retiro, Massera se despide de la Junta Militar con propuestas inaceptables

El 27 mayo, el canciller Oscar Montes estuvo en Washington en visita privada. Venía de participar en Nueva York de la Asamblea sobre Desarme, a la que debió haber concurrido el presidente Videla pero se lo impidieron las fechas del 25 de Mayo y el Día del Ejército; además todavía no había definido la cuestión del "cuarto hombre". Durante su corta visita a la capital de los

EE.UU., Montes mantuvo una larga sobremesa con los embajadores argentinos ante la Casa Blanca y la OEA, Jorge Aja Espil y Julio César Carasales. El almuerzo se hizo en la granja "Normandie Farms", en las cercanías de Washington. El canciller se explayó sobre la cuestión del Beagle, diciendo que las relaciones con Chile "andan mal" y por lo tanto "requerirán indefectiblemente a fin de año una operación militar". También comentó que "las negociaciones con Brasil estaban bien encaminadas" (la cuestión de las represas en el Alto Paraná). Cuando "Coco" Aja Espil le preguntó si deseaba entrevistarse con el secretario de Estado, Cyrus Vance, aprovechando su viaje en junio a la reunión de la Asamblea de la OEA, muy suelto de cuerpo respondió que "por el momento no, en todo caso improvisamos sobre la marcha".[32]

El 31 de mayo durante una recepción en Washington, en la que hablaría el sindicalista y presidente de la AFL-CIO George Meany, Wayne Smith, el recordado consejero político de la embajada americana en Buenos Aires (y que en ese momento era el responsable de los asuntos cubanos en el Departamento de Estado), preguntó a un periodista argentino cómo estaba la situación en Buenos Aires. Luego de escucharlo, dijo: "Cada vez que pienso en el proceso argentino cruzo los dedos para darle suerte, pero no soy optimista. Yo creo que va a terminar muy mal". El ex secretario adjunto de Asuntos Latinoamericanos, Terence Todman, presente en el diálogo, acotó que había hecho todo lo posible para que en los EE.UU. se entendiera al proceso "pero su gobierno no ayudó mucho".[33]

Hacia fines de mayo, próximo a abandonar la comandancia en jefe de la Armada, el almirante Massera, elevó a la Junta Militar dos propuestas que trascendieron en algunos medios: 1) publicar una lista de desaparecidos y muertos de uno y otro lado, dando por terminada la guerra contra la subversión y 2) analizar "una solución militar a las Islas Malvinas". Nunca trascendieron las respuestas. Pero ninguna de las dos se concretaron. El 26 de mayo, el brigadier Orlando Ramón Agosti aseguró en un discurso que "este gobierno es legítimo" y que para la defensa de los ideales que perseguía estaban dispuestos a pagar el precio que fuera necesario, "aun en la más estricta soledad si fuera necesario".

El 8 de junio de 1978, la Junta Militar analizó las relaciones con México y el tema de las atribuciones del "cuarto hombre". En lo que respecta a México, el gobierno acababa de recibir una nota pidiendo explicaciones sobre qué se pensaba hacer con el ex presidente Cámpora y los demás asilados. También trascendió que el gobierno mexicano había puesto un plazo para obtener una definición. En el Ejército se preparó un trabajo con diferentes alternativas, entre otros la posibilidad de retirar al embajador (argentino), como en el caso de las relaciones con la corona británica.[34]

Junio y julio fueron meses de fiesta en todo el país. Se llevó a cabo el campeonato mundial de fútbol y la Argentina se distraía al compás del equipo de César Luis Menotti. Era "la locura del Mundial", como tituló *Somos* el 9 de junio. Llegaron turistas de todos los lugares del planeta. Acompañado por su esposa y rodeado de custodios, vino Henry Kissinger, el ex secretario de Estado de los presidentes Richard Nixon y Gerald Ford. Además de presenciar varios partidos, dio una conferencia en el Consejo Argentino para las Relaciones Internacionales y se entrevistó con altos miembros del gobierno militar. En uno de esos encuentros, en la residencia del comandante en jefe de la Armada, tuvo una sorpresa: el almirante Emilio Massera le propuso una mediación argentina en el conflicto árabe-israelí. Una alternativa que poco tiempo después dejaría trascender el canciller Montes.[35]

Además, el mundo vivía otra suerte de locura. Era la epidemia que transmitía John Travolta y su "Fiebre de sábado por la noche", dando origen a la música "disco" que supieron imprimirle los Bee Gees.

Malvinas. Reunión de la Junta Militar del jueves 22 de junio de 1978

La reunión estuvo precedida por dos documentos que la Armada elevó a la Junta que contenían cuatro inquietudes:

- Problema de las viviendas para jubilados y desalojados.
- Agilizar el trámite de la ley de Asociaciones Profesionales.

Se considera que dicha ley debe sancionarse conjuntamente con la ley de Obras Sociales.

• Debe considerarse la situación de los detenidos políticos y los desaparecidos.

• La Armada considera que debe darse "una solución militar" al problema de las Islas Malvinas.

La reunión fue muy tensa. Agosti estaba muy nervioso y junto con Videla increpó a Massera por sus declaraciones formuladas en San Juan, en donde sostuvo que no estaba de acuerdo con la política exterior del gobierno. Agosti le dijo: "Estamos cansados de tus matoneadas destinadas a agrandar tu imagen interna, mientras nosotros quedamos como boludos". Massera sostuvo que estaba cansado de las negociaciones que no conducen a resultado alguno. Y agregó: "Si hago como vos, Videla, que largás trascendidos a los diarios, a mí no me los recoge nadie, por lo tanto he optado por hacer declaraciones a la prensa".

Videla expresó: "Además de la consideración que debés tener para un camarada tuyo [el almirante Montes era el canciller], descolocás a la política que están implementando nuestros negociadores. Política que vos has aprobado en la Junta. Por otra parte tus declaraciones pueden ser tomadas en el exterior y utilizadas en contra nuestra".

Massera, luego, sostuvo que está todo listo para dar "un paso militar" en las Islas Malvinas. En materia logística todo se encuentra en condiciones. Posteriormente, dijo que hay que solucionar el problema de los desaparecidos "ya que no tiene por qué pasar a la próxima Junta". Videla respondió que por ahora no hay solución y que lo mismo piensan "los generales a quienes yo represento".

En un momento, la discusión se hizo muy fuerte, proponiendo Agosti la disolución de la Junta Militar y "el juzgamiento de Massera"; que él lo va a desenmascarar "para que tu arma te juzgue". Agosti, entonces, volvió sobre el tema de la compra de aviones por la Armada, amenazándolo con que, llegado el caso, les impedirá volar.

Luego se analizó el tema de las precisiones entre la Junta Militar y el "cuarto hombre". Hablaron sobre en qué lugares debían ubicarse los miembros de la Junta y el Presidente en los actos, tanto en los actos civiles y en los de carácter militar. Y quién designaba a los embajadores y gobernadores. Sobre la comida de camaradería de las FFAA se acordó sería el 7 de julio y que hablaría Agosti, pues este comandante es el último en retirarse. También se acordó realizar un importante desfile militar, aprovechando la euforia del Mundial de fútbol.[36]

El viernes 30 de junio, luego de permanecer doce días en Washington, en donde se desarrollaba la Octava Asamblea de la OEA, el canciller Montes realizó ante el gabinete presidencial, un pormenorizado análisis de la situación de su área. Específicamente habló de cinco cuestiones: 1) Derechos Humanos (invitación a la Comisión Interamericana de DDHH a realizar una visita "in loco" a la Argentina); 2) Relaciones con los Estados Unidos, donde la cuestión de los DDHH es el principal escollo, tanto es así que el canciller argentino se vio impedido de conversar con el secretario de Estado y el subsecretario Gualter Allara sólo pudo dialogar con David Newson (subsecretario de Asuntos Políticos); 3) Reelección de Alejandro Orfila como secretario general de la OEA; 4) Represas del Alto Paraná. A pesar del interés manifestado por Montes de conversar con el canciller brasileño, Azeredo da Silveira habló ante la Asamblea General, dialogó con Orfila, almorzó con el secretario de Estado, Cyrus Vance, y volvió a Brasilia; 5) Actuación de la delegación argentina en la Asamblea, en la que se puso de manifiesto el interés de mantener el perfil más bajo posible. De la cuestión de las Islas Malvinas, ni una palabra.

El debate final sobre la estructura de poder. Jorge Rafael Videla es el "cuarto hombre"

Después de semanas de discusiones separadas y conjuntas entre los altos mandos de las FFAA, quedó definido el "esquema de poder" y se creó la figura del "cuarto hombre", no sin antes llevarse a cabo durante quince horas (que fueron grabadas) la reunión de la Junta Grande, que congregó en un mismo lugar a todos los altos mandos militares (generales, almirantes y brigadieres).

La cumbre se hizo a propuesta de la Armada que no quería que Jorge Rafael Videla continuara en la Presidencia. La respuesta del Ejército fue clara: "Hay tres candidatos a Presidente, Videla, Videla y Videla". La Armada consideraba que, terminada la etapa de "excepcionalidad", Videla no podía continuar reteniendo los cargos de comandante en jefe y de Presidente de la Nación. Y como si fuera poco, además demandaba el cambio de Videla, considerando que se iniciaba una etapa nueva que exigía una imagen diferente hacia el interior y exterior. Los oficiales navales "chicanearon" con que el Ejército debía presentar una terna para ser considerada, también, por la Fuerza Aérea. La propuesta fue rechazada y los términos más duros fueron los que expusieron el vicealmirante Fracassi y el general Harguindeguy. El debate llegó a su más alto nivel cuando los representantes del Ejército amenazaron con hacerse cargo del Proceso y disolver la Junta Militar.

Las agresiones verbales en lo alto del poder fueron tan graves que el brigadier Basilio Lami Dozo comentó "off the record" que "las consecuencias de lo que pasó en la Junta Grande las sufrirá el país en el futuro". Como si no bastara con decidir el nombre del futuro Presidente, también se discutió el desempeño de los altos funcionarios de la Administración Pública: "De acuerdo a lo que tengo entendido, para el próximo 15 de julio deben estar terminadas las listas de ministros, gobernadores y embajadores a cambiar, propuestos por cada una de las armas, para después compatibilizarlas. En una palabra, sigue rigiendo el 33%".[37]

En definitiva nació un Presidente con sus atribuciones absolutamente condicionadas, teniendo por arriba a la Junta Militar cuya sede estaba en el edificio del Congreso. Salvo cuestiones menores, Videla necesitaba el aval de los tres comandantes para las decisiones de Estado. El manejo de las relaciones exteriores era una de ellas.[38] Tal era el desgaste de la imagen de Videla, que en una ocasión monseñor Tortolo le dijo: "Che, Jorge, cómo has permitido que se degrade de esta manera la figura presidencial. ¿Cómo te ataste de esa manera?".[39]

El 31 de julio, Roberto Eduardo Viola asumió con comandante en jefe del Ejército y Jorge Rafael Videla juró como Presidente de la Nación el 1° de agosto. El mismo día, en un intento de asesinato al futuro jefe de la Armada, vicealmirante Armando Lambruschini, un comando montonero mató a su hija Paula, con una descarga explosiva. También ese día salió a la luz el matutino *Convicción*, cercano a Massera y a las posiciones de la Armada.

El "Parte de Guerra del Pelotón Especial 'Eva Perón', del Ejército Montonero", informó que: "El explosivo que detonó en el mencionado barrio [Barrio Norte] produjo la destrucción de la casa del asesino Lambruschini, la muerte de uno de sus custodios y graves heridas a otro. Lamentablemente también murieron su hija y una anciana, víctimas inocentes de esta guerra declarada por la dictadura y heroicamente enfrentada por nuestro pueblo". En una clara advertencia a los jefes militares, se les dijo que "no pueden evitar estar rodeados: sus choferes, sus servicios domésticos, los almaceneros, el empleado, el colimba, el obrero de una fábrica... son los ojos del Ejército Montonero".

Setenta días más tarde un comando militar secuestró a Carlos A. Squeri (a) "Cali" o "Antonio", jefe del Primer Grupo de Combate de la Secretaría Militar de la Columna Norte de Montoneros. A través de sus declaraciones se pudo desenredar la madeja y conocer los nombres de los que realizaron el atentado de la calle Pacheco de Melo 1963. Después caerían la teniente primero Lucila Révora de De Pedro (a) "Ana" y Carlos Fassano (a) "Negro" o "Raúl", secretario general de la Zona Capital Federal en un procedimiento en la calle Belén 335.[40]

También caerían: Francisco Scutari (a) "Daniel", Roberto Lázara (a) "Tanga" o "Antonio", Julia Elena Zavala Rodríguez (a) "Carmen", Alfredo Amílcar Troteiro (a) "Ernesto" y Enrique Basale (a) "Raúl", por atentar contra Lambruschini y su familia. Troteiro y Basale y la mujer de "Ernesto" fueron los que atracaron una poderosa carga explosiva en la medianera del 2º piso de Pacheco de Melo 1959 que detonaron a la 1.40 de la madrugada, presumiendo que toda la familia estaría durmiendo, pero asesinaron a Paula de sólo 15 años, hija del marino, y a la señora Margarita Obarrio de Vila, de 82 años, hiriendo de extrema gravedad al señor Ricardo Álvarez (que un día después fallecería por las importantísimas heridas recibidas). También sufrieron heridas de gravedad otras 10 personas, vecinos y peatones.

El atentado criminal conmovió a la sociedad. El repudio fue

absoluto. *Clarín* opinó que "no sólo reúne todas las características de una desesperada expresión de paranoia ante la derrota irreversible que advierten sus autores, sino que además, pone de relieve su intención de buscar efectos dramáticos ante la opinión pública general [...] ninguna motivación racional puede encontrarse ante esta expresión superlativa de ejercicio de la crueldad, llevada a extremos tales de irresponsabilidad y de cobardía que agota todos los calificativos. [...] Esta es la hora, en suma, de terminar con los restos de la subversión, quitándole toda posibilidad de recuperarse. En esa empresa se ubica todo el pueblo argentino...".

La Nación fue un tanto más allá, al decir: "De una vez por todas la Argentina debe tomar una actitud frontal ante los gobiernos que financian o apoyan por cualquier medio a las bandas de criminales supuestamente políticos. Debe ser una actitud equivalente a aquella con la cual se ha reducido considerablemente aquí el despiadado comportamiento de la subversión, que durante muy largo tiempo tuvo a maltraer a todo el país. [...] No es aquí precisamente, sino en el exterior, donde esos verdaderos apátridas reciben el sustento político que obra como última garrafa de oxígeno en su accionar ya sin destino".[41]

Con fecha 4 de agosto, la Junta Militar informó al país que "ejercerá las facultades del inciso 14 (conclusión de tratados de paz, de alianza, de límites y de neutralidad) del Artículo 86 de la Constitución Nacional otorgada al Poder Ejecutivo, así como también los del inciso 19 (aprobación de los tratados, alianzas y de neutralidad) del Artículo 67 que la Constitución Nacional atribuye al Congreso". En materia de política exterior (y de diseño de una política interior) el Presidente estaba atado de pies y manos. Por ejemplo, los embajadores sólo podían aprobarlos los miembros de la Junta.

En sus primeras declaraciones a la prensa, Viola dijo que "había que iniciar el diálogo [político] cuanto antes". Horas más tarde, el ministro del Interior le contestó que "no tenía la versión oficial" (de las declaraciones de Viola) y que "por otra parte había siempre diálogo". El domingo 6 de agosto, Viola dio marcha atrás al reconocer que siempre hubo diálogo, sólo que faltaba "esquematizarlo".

Poco después, en abierta contradicción, Albano Harguindeguy declaró que el Proceso no tenía plazos para la democratización del país y que "los que quieren plazos que se reúnan afuera". También, en la ocasión, negó que hubiera presos políticos. Dirigiéndose al periodista le dijo: "Si usted me da el nombre y me prueba de que en el país existe un preso político, yo llego a Buenos Aires y lo hago liberar". En esos días, el ministro del Interior hizo llamar al penal para darle a Carlos Saúl Menem tres opciones de residencia bajo "libertad vigilada". Los lugares fueron Mar del Plata, Mendoza o Neuquén y el ex gobernador de La Rioja eligió Mar del Plata. La noticia de una pronta salida del penal de Magdalena cundió entre los presos. Cuando el dirigente del SUPE, Diego Ibáñez, se enteró que él no estaba comprendido en el grupo a liberar, intentó suicidarse con barbitúricos: viendo los carceleros que Ibáñez no aparecía en la mañana, entraron a su celda y lo encontraron en estado semicomatoso, abrazado a la foto de sus hijos. Poco tiempo más tarde, Carlos Saúl Menem, Jorge Vázquez, Rogelio Papagno, Julio González y Antonio Benítez fueron beneficiados por el régimen de "libertad vigilada".

La soledad

Para conciliar posiciones, el canciller Montes viajó a Viena y presidió una cumbre de embajadores argentinos. Dijo que la Argentina enfrentaba siete grandes problemas de política exterior. Cuando un embajador le preguntó qué soluciones tenía previstas, respondió que "por ahora es muy difícil formularlas". Se destacó Víctor Massuh (UNESCO) cuando dijo que "no podía esperarse un mejoramiento de la imagen externa si previamente no se daban algunos hechos internos. Por más que los embajadores desarrollemos la mejor de las tareas en este sentido, si no contamos con algunos hechos, por parte del gobierno al que representamos, todo será inútil".

La Argentina, estaba claro, se encontraba cada día más aislada por la cuestión de los Derechos Humanos. Pocos la defendían, ni siquiera la prensa conservadora. En Washington, uno de los pocos que se exponía públicamente para respaldarla fue el representante demócrata Gus Yatron, un ex boxeador de la categoría pesada que regenteaba la heladería "Yatron's Ice Cream".

Aprovechando la euforia generada por la victoria argentina en el campeonato mundial de fútbol,[42] la Junta Militar acordó realizar un desfile militar por la avenida del Libertador. En la ocasión, ante la presencia de monseñor Adolfo Tortolo, se dio el siguiente diálogo entre la señora de Massera y el ministro del Interior, cuando este último subía al palco oficial:

HARGUINDEGUY: Ahora que su marido pasa a retiro va a tener más tiempo para estar en su casa.
SRA. DE MASSERA: Está muy equivocado, estará en la calle combatiéndolo a usted, que es un mal ministro.[43]

En un clima de abierto desorden generalizado en el poder, era muy difícil mantener una política exterior estable y coherente. Agosto fue un mes marcado por los cruces entre el Departamento de Estado y la Argentina por la cuestión de los DDHH y la búsqueda estadounidense de un plan de democratización en el país. El 10 de agosto, Patricia Derian, hablando ante el Subcomité de Asuntos Interamericanos de la Cámara de Representantes, entre otras tantas acusaciones a la Argentina sostuvo: "No vemos nada que indique que haya una tendencia genuina hacia una mejora en el clima de derechos humanos". Desde la Cancillería argentina, un vocero la trató de "irresponsable". Mientras se sucedían los agravios verbales entre Washington y Buenos Aires, Massera en un "off the record" hablaba sin cortapisas: "Yo le dije a Videla que había que dar una lista de desaparecidos, pero ustedes saben cómo es él. Todo lo discute, lo consulta, con sus mandos.[44] El ministro de la Corte Suprema de Justicia Pedro José Frías estuvo hablando el sábado pasado durante dos horas con Chasseing (gobernador de Córdoba). Éste le dijo que por ahora no había posibilidades de 'frenar a los grupos' operativos. Frías dijo que 'no lo quieren entender y la presión de los Estados Unidos se incrementará'".[45]

El que sí entregó a las autoridades argentinas una lista de personas desaparecidas (alrededor de 500) fue el secretario general de las Naciones Unidas, Kart Waldheim, durante su visita a

Buenos Aires. Mantuvo reuniones con los tres miembros de la Junta Militar. Waldheim en la ocasión vino acompañado por el embajador Enrique Ros, quien días antes había presentado en la ONU una denuncia contra Gran Bretaña, por la posibilidad de que estableciera un anillo de 200 millas alrededor de las Islas Malvinas. La nota no fue elaborada en la delegación en Nueva York, sino en la Cancillería, sin intervención de Ros. "En algunos círculos diplomáticos se habla de que la Armada tiene pensado realizar una operación bélica en el área de Malvinas, un proyecto que acaricia desde el pasado mes de junio. No lo han hecho porque tienen la información que Gran Bretaña ha tomado las previsiones del caso enviando un submarino a la zona."[46]

El 8 de agosto de 1978, el comandante del Cuerpo I volvió a mantener un encuentro con la cúpula del radicalismo. Suárez Mason, Balbín, Pugliese y Hueyo volvieron a encontrarse. El motivo del almuerzo en lo de Hueyo era consultarlo sobre un eventual documento que el radicalismo pensaba emitir respecto de la crisis del Beagle. Sin embargo, la conversación se deslizó por otros temas de actualidad.

El alto jefe militar realizó un rápido repaso de la situación hasta ese momento: las negociaciones argentino-chilenas no avanzaban y los radicales querían saber hasta dónde se pensaba utilizar la maquinaria militar. Suárez Mason opinó que a principios de año "las máquinas estaban a todo vapor, pero fueron paradas por orden de Videla, ahora veremos qué sucede". Cambiando de tema, Suárez Mason volvió a reiterarle a Ricardo Balbín que "en este año no habrá diálogo". Como dijo en esos días un coronel muy lúcido, "en el Ejército hay una frase que sostiene que todo el mundo está de acuerdo en que Videla hable de diálogo, mientras no dialogue con nadie".[47]

Seguidamente, el dueño de casa le preguntó: "¿Cacho, qué va a pasar con vos?". A lo que respondió: "A mí me ofrecieron ir a la Junta Interamericana de Defensa, y les dije que no porque creo que no sirve para nada. Por otra parte, tampoco me interesa ganar en dólares, por lo tanto pienso quedarme aquí". Uno de los presentes le dijo, entonces, que la información de la calle sostenía que Videla le había ofrecido a Menéndez la jefatura del Estado Mayor.

Al respecto, Suárez Mason dijo: "¿Quién es Videla para ofrecer eso? Es un general retirado que ya no tiene nada que ver. Además, Menéndez es el hombre que menos le conviene a Viola, pues es capaz de venir con el caballo y tirarle toda la estantería abajo. Ustedes están hablando con el comandante en jefe sustituto, porque si le sucede algo a Viola yo soy el comandante". También afirmó que "yo saqué más votos", refiriéndose a la consulta realizada por Videla a los altos mandos para designar a su sucesor.[48]

Fallece el papa Pablo VI. Pelea en la Junta Militar el miércoles 30 de agosto de 1978: Babel

El 6 de agosto murió en Roma Giovanni Battista Montini, Su Santidad Pablo VI. Luego de varios días de conciliábulos, el consejo cardenalicio eligió al cardenal Albino Luciani, que tomó el nombre de Juan Pablo I. Su coronación se iba a realizar en Roma, con todos los atributos de su majestad moral. En la Argentina, la discusión sobre quién debía encabezar la delegación que viajaría al Vaticano mostró la profundidad de la crisis en el vértice del poder. En lo institucional y también en lo intelectual.

El presidente Jorge Rafael Videla fue citado por la Junta Militar, a las 8 de de la mañana, al Comando en Jefe del Ejército, donde se estaba considerando la presencia de un alto dignatario del gobierno en la coronación de Juan Pablo I. Lo que sigue es un relato de un testigo de los hechos que fuera prolijamente anotado para ser conocido en el futuro:

"Siendo las 8.40 y en virtud de que no había sido invitado a entrar en el salón donde se hallaba reunida la Junta, Videla procedió a retirarse a la Casa Rosada.

"Luego conversó con el general Bignone. El general Videla se sentía ofendido por la espera sufrida, pero Bignone le explicó que Viola no lo hacía entrar para no exponerlo a la discusión que se estaba llevando a cabo.

"Después retornó al Edificio Libertador y se reunió con la Junta Militar. Allí escuchó de boca de Massera que él no podía ir a Roma, porque quien debía hacerlo era un miembro de la Junta.

Que las personalidades que iban a estar presentes en la coronación eran jefes de Estado y que él no lo era.

"Massera dijo que la Junta era el órgano político supremo del Estado, mientras que Videla era jefe de gobierno.

"Videla, a pesar de la oposición, ratificó que viajaba igual, pues para él era un asunto de Estado. De lo contrario, dijo, estaba dispuesto a presentar su renuncia al cargo de Presidente.

"La Fuerza Aérea, a través de [Orlando Ramón] Agosti, opinó que para su arma, el papa Juan Pablo I no cuenta con su confianza. Lo mismo que Pablo VI, dijo Agosti, este Papa no cuenta con nuestra confianza. Para Agosti todo parecía muy simple; en vista que el nuevo Papa había afirmado que iba a continuar con la línea de Pablo VI, Agosti, por deducción, decía que 'este Papa tampoco cuenta con nuestra confianza'.

"En un momento, el clima que se alzaba en la reunión se hizo insostenible. 'Che, Viola', dijo Massera, 'a vos tu arma no te da pelota. Aquí tengo el decreto firmado por Videla ordenando la libertad de los presos de Magdalena y a un mes de haberse firmado todavía no ha sido ejecutado'.

"A todo esto el nuncio apostólico Pío Laghi estaba furioso porque iban a verlo, unos para decirle que tenía que aconsejar que fuera un miembro de la Junta, otros para decirle que tenía que viajar Videla. Al final dijo, ya harto, que viajara el que tuviera ganas".[49]

Era Babel, hablaban y no se entendían.

Finalmente, Jorge Rafael Videla encabezó la delegación argentina a las ceremonias de coronación de Juan Pablo I. En la capital italiana fue víctima de manifestaciones contrarias, organizadas por exiliados argentinos. Sin embargo, fue la ocasión para mantener tres sustanciosas entrevistas con Walter Mondale, Giulio Andreotti y Raymond Barre.

Al final de las ceremonias, y después de largas gestiones del secretario general de la OEA, Alejando Orfila, Videla fue invitado a conversar con el vicepresidente de los EE.UU. en la sede de la embajada norteamericana en Roma, un viejo palacio que habitó el Rey de Italia en plena Vía Veneto a pasos del hotel Excelsior. Tal como trascendió, fueron 40 minutos de diálogo "franco y sustancial" para "repasar las relaciones bilaterales". Como era de esperar, se prestó especial atención a la cuestión de los derechos humanos, aunque se convino en la conveniencia de no focalizar con exclusividad en los derechos humanos la relación bilateral. De todas maneras, Mondale solicitó al presidente argentino "un esfuerzo" para que dicha situación en la Argentina encontrara "una solución de raíz". También, Mondale habló sobre la reticencia argentina a firmar el Tratado de No Proliferación Nuclear. Los periodistas acreditados pudieron escuchar, luego del encuentro presidencial, la predisposición de Videla y Mondale de iniciar en un nivel político superior, un ciclo de "recomposición bilateral".[50] Los hechos habrían de demostrar que todo se reducía a expresiones de deseos.

Videla mantuvo un diálogo con el premier italiano, luego de las ceremonias de coronación. Casi a escondidas, se vieron dentro del Vaticano y el "fratello" que ayudó a juntarlos fue Licio Gelli. Con Raymond Barre se trató la insólita negativa francesa a que los cadetes de la fragata "Libertad" rindieran una ofrenda floral en la tumba del soldado desconocido, ni desfilar o realizar una formación bajo el Arco de Triunfo (esta información había sido entregada por la embajada francesa a la Cancillería el 30 de agosto de 1978).[51] La cuestión de los derechos humanos no fue evitada. El que sí evitó encontrarse con el canciller Montes fue el titular de Itamaraty, Antonio Azeredo da Silveira, para tratar el tema de las represas Corpus e Itaipú (o, como se denominaba, la cuestión de los recursos naturales compartidos).[52]

El 15 de septiembre, Emilio Eduardo Massera dejó la comandancia de la Armada en manos de Armando Lambruschini. Ahora pasaba a la actividad política.

En Ginebra, con el apoyo de la Unión Soviética, México, Colombia, Pakistán, Grecia, Sri Lanka, Perú y Bulgaria, se decidió no tratar la situación de los derechos humanos de la Argentina dentro de la Subcomisión de Prevención Contra la Discriminación y la Protección de las Minorías. A pesar de los notables esfuerzos del destacado embajador Gabriel Martínez, los representantes de los Estados Unidos, Gran Bretaña, Francia, Turquía y la India votaron a favor de la investigación. En el Palacio San Martín, toda la política de derechos humanos estaba concentrada en una dirección denominada CORPOLEX (Coordinadora de Política Exterior), bajo la conducción del embajador Juan Carlos "Bebe" Arlía. Una suerte de cruzado que concentraba todo bajo su lupa: en una oportunidad, propuso que toda designación de un argentino en un organismo internacional, previamente, debía contar con el "placet" del régimen militar. La propuesta fue aceptada. En otras ocasiones iba más allá que los propios militares que ocupaban la Cancillería. Fue cuando propuso que los futuros aspirantes al Servicio Exterior debían hacer los dos últimos años del bachillerato en un lugar que acreditara confiabilidad. Por ejemplo, dijo, en el Colegio Militar de la Nación. La sensata respuesta del capitán de navío Allara lo dejó sin argumentos: "¿Usted qué quiere, diplomáticos o coroneles?".

"¿Hay alguna información sobre la 'apertura al Este' que dejan trascender algunos funcionarios en la Cancillería?"

"¿Qué apertura? Días antes de salir el canciller Montes a la Cumbre de No Alineados, se entrevistó con embajadores de los países moderados del grupo, para ver si sus países aceptarían el proyecto argentino de pedir la expulsión de Cuba de los No Alineados. También, en caso de no aceptarse eso, chequearon la posibilidad de que estos países, junto con Argentina, vetaran a La Habana como lugar de sede para la próxima cumbre. Algunos países, si mal no recuerdo, eran Yugoslavia, India, Arabia Saudita y Perú. Enemistarse con Cuba puede ser muy perjudicial en los organismos internacionales. Por ahora Fidel Castro se muerde la lengua y si ocurriera un rompimiento le haríamos un gran favor. Entonces de qué 'apertura al Este' hablamos. No es serio.

"En estos momentos, el representante de Ejército pidió las cabezas de los embajadores Boatti Osorio, Pullit, Barboza, De la Guardia, Lagorio, Massuh, Anchorena, Ghioldi, Di Marino, Ricciardi, Pepe, Sagasti y hay varios más. Si se suman a estos los que va a pedir la Armada y la Fuerza Aérea, prácticamente echan a media Cancillería. Por otra parte, Camilión y Aja Espil, por el contrario, están bien conceptuados."[53]

El 15 de agosto de 1978, un periodista tuvo un diálogo "off the record" con un diplomático norteamericano. El diplomático le dijo que "en Washington le estaban perdiendo la confianza a Videla y Viola. Tienen la casi certeza de que ambos no tienen el poder suficiente como para poder llevar adelante un plan de democratización de la Argentina. Ante ello, la embajada norteamericana empezaría a jugar la opción Massera".[54]

Confusión en el poder militar. Furia soterrada.
Crisis y renuncia de Montes.
Asume el brigadier (RE) Carlos Washington Pastor

La crisis con Chile avanzaba con el paso de las semanas. Mientras en Chile, Augusto Pinochet afianzaba su poder, echando sin miramientos al jefe de la Fuerza Aérea, Gustavo Leigh, por tener una visión diferente del futuro político, en la Argentina los asesores de Videla eran conscientes del restringido margen de maniobra del titular del gobierno. Así lo dejó traslucir el coronel Miguel Mallea Gil, durante un almuerzo en el departamento del dirigente radical Horacio Hueyo, situado en avenida Quintana y avenida Callao, al que asistieron Antonio Tróccoli y Carlos Fonte.

"Nadie toma decisiones", dijo. "El presidente no puede tomarlas y la Junta Militar discute el 90% del tiempo sobre temas protocolares. Sobre si la Junta tiene que estar ubicada de tal o cual manera en el Tedeum." Demostraba, aunque en reserva, su hastío e impotencia. Tróccoli, con cierto desdén, dijo que ya no leía los discursos de Videla. "Apenas un poco por si la gente en la calle me pregunta algo." Además, observó que desde julio el presidente se encontraba "muy desgastado". Y para que no quedaran dudas, remarcó: "Ustedes le reprocharon a Illia que había tardado 20 días para elegir a un secretario de Guerra y ahora vemos que Videla tardó 40 días para designar al comandante en jefe" (Viola).

Eran días de confusión, de malestar militar, de silencio de la oposición. En "off the record" el ex presidente Alejandro Agustín Lanusse opinó que "la situación actual se asemeja mucho al período marzo-septiembre de 1962, en donde hasta un [José María] Guido puede ser nuevamente Presidente. Lo que hay que tratar de obtener es una participación de los partidos políticos y un compromiso de los mismos durante un período de transición, ya que un proceso electoral sería una locura". En otro momento, comentó que "cuando almorcé con Massera el 18 de mayo, me dijo que en estos momentos no cabía otra cosa que rezar y hacer lo menos posible para no interferir en la crisis militar, cuya solución será dura".[55]

Todos se sentían con derecho a hablar y Viola no era una excepción. El 28 de septiembre declaró que "la sucesión de este proceso se entregará a aquellos que estén no identificados, sino muy identificados con el proceso. Para ser más claros, puntualizó, muchas de las cosas que han pasado acá no admiten revisión". El tiempo se encargaría de demostrar una realidad bien diferente.

El 29 de septiembre, el gobierno chileno presentó una formal protesta diplomática a raíz de varias situaciones que afectaban a ciudadanos de su país residentes en la Argentina, y también solicitó que se pusiera término "al ánimo belicista que impera". En gran medida, ese ánimo belicista era alimentado por el oficial encargado en el Estado Mayor Conjunto de conducir la campaña de acción psicológica contra Chile. El oficial era el general Ramón J. Camps. La campaña, en muchas ocasiones, se llevaba adelante a través de notas o editoriales que llegaban a los medios gráficos para su publicación, escritas por noveles —y no tan noveles— funcionarios diplomáticos del Palacio San Martín.

El 18 de octubre, el embajador argentino en Chile, general (RE) Hugo Miatello, llegó a Buenos Aires con la misión de concretar un nuevo encuentro entre Videla y Pinochet. La gestión fracasó porque no había margen para un nuevo diálogo. Era evidente que la comisión mixta argentino-chilena no lograba ningún acuerdo. En esas mismas horas, aunque no salió en los medios de la época, el brigadier Salinas realizó una sesión informativa en el Estado Mayor Conjunto sobre la coyuntura internacional argentina en medio de un posible conflicto bélico, en la que anticipó que Brasil, Paraguay, Uruguay, Ecuador y Perú no se inclinaban por la Argentina. "Salimos de la reunión muy impresionados por nuestro aislamiento", dijo un asistente. Finalmente la comisión mixta acodada en la reunión presidencial de Puerto Montt puso término a sus funciones, con un comunicado en el que expresó: "En lo relativo a los temas vinculados con delimitación, no obstante haber sido examinados en profundidad y detalle, no pudo hallarse una coincidencia".

En esos años no existía Internet, tampoco el fax, ni la telefonía móvil. Todo se manejaba a través del teléfono y la correspondencia. En ese entonces, algunos pocos diplomáticos de carrera recibían un informe quincenal de un observador calificado sobre la situación argentina y del Palacio San Martín. El correspondiente al 31 de octubre de 1978, entre otras cuestiones, informó:

• El martes 24 *Clarín* publicó un "gabinete fantasma" próximo a ser anunciado por el presidente Videla. A partir de ese momento todos los sectores afines a Videla reaccionaron violentamente. Los nombres de Alberto Rodríguez Varela y Juan R. Llerena Amadeo no coincidían con la imagen de hombre moderado y dialoguista que habían fabricado de Videla. Los que durante dos años y medio se dedicaron a "vender humo" se pasaron de bando y comenzaron a boicotear al presidente. La Armada se encontraba en total ebullición. No perdonan lo de Montes (su renuncia) y ya están pensando en proponer una nueva reunión de la Junta Grande. El viernes 27, Videla lo llamó a [Horacio] Liendo a las 20.30 (ya Montes había renunciado). Le dijo que no entendía la actitud de Montes.

La Armada objetó que el presidente no hubiera defendido del manoseo a su ministro… y tampoco se entendía cómo se podía sacar al canciller 72 horas antes del 2 de noviembre (día que concluían los trabajos de la comisión mixta argentino-chilena).

• Carlos Guillermo Suárez Mason (comandante del Cuerpo I) le dijo anoche a Horacio Hueyo, que lo fue a invitar para almorzar con Ricardo Balbín, que Videla es un "inepto" que "no entiende nada de nada". "En mi comando todo el mundo lo critica aunque yo no lo permita." Suárez Mason opinó de su comandante: "Viola es un amigo, por eso lo defiendo, pero le queda grande el traje… yo saqué más votos que él" (aludía a la reunión de altos mandos del Ejército que se realizó para designar al sucesor de Videla).

• Hasta el presente, como en las negociaciones del Alto Paraná, en las negociaciones con Chile todo se movió en un plano idílico por la censura que ellos impusieron a la prensa. En los últimos 10 días viajaron a Santiago de Chile dos misiones especiales de la Argentina (a las que habría que sumarles las anteriores). La primera misión fue la del general Villarreal. Fue a concertar una entrevista presidencial para el 5 de noviembre y volvió con las manos vacías. Pinochet le preguntó si iba en nombre de la Junta Militar.

La segunda misión estuvo integrada por Bignone, Fracassi y Lami Dozo. Los tres secretarios de las FFAA pudieron acordar que el 2 de noviembre se dará un comunicado exponiendo los acuerdos alcanzados. Los desacuerdos se continuarán tratando hasta el 10 o 12 de noviembre. La Argentina varió su posición: hasta ese entonces sostenía que el acuerdo debía ser total o de lo contrario no habría nada. Era una forma de presión. Ahora sostiene que puede haber acuerdos parciales.

• El 10 de octubre, el embajador Miatello apreció que si había ocupación (de alguna isla en disputa), tenía que ser una vez fracasadas las negociaciones. No antes. Que Chile, ante el fracaso de las negociaciones, tendría una misma respuesta política, aunque distinta respuesta militar, según sea las islas que se ocupen.

• Lo difícil es imaginar un acuerdo honorable que incluya tierra (en disputa, para los chilenos). Luego de la campaña de prensa montada aquí, de que no se va a entregar la soberanía, etc., etc. La Cancillería está muerta, todo el mundo en los pasillos especulando. No sería difícil que los subsecretarios sean civiles.

El 27 de octubre renunció el almirante Oscar Antonio Montes y quedó a cargo del Palacio San Martín en forma interina el ministro Harguindeguy. El 6 de noviembre prestó juramento como canciller el brigadier (RE) Carlos Washington Pastor; era hijo del dirigente conservador Reynaldo Pastor y concuñado del presidente Videla. Su última actividad había sido la de administrar un criadero de pollos.

Todo el mundo hablaba dentro del universo militar, algo que era difícil de entender en un ambiente donde debía primar la jerarquía. El 23 de noviembre, durante la comida anual de la Asociación de Dirigentes de Ventas de Mar del Plata, usó de la palabra el secretario de Prensa y Difusión de la intervención bonaerense, el capitán (RE) Jorge Cayo. En su discurso (cuyo texto fue entregado a los medios), dijo entre otros tantos conceptos: "Estados Unidos, líder del mundo occidental, es tan responsable de lo que ocurre como Moscú, porque teniendo la obligación y la inmensa responsabilidad de liderar a Occidente, en lugar de apoyar y apuntalar a quienes estamos luchando para mantener la cohesión de ese mundo, nos reta, nos castiga, nos sanciona. Por eso, siempre digo al referirme a Carter, el inefable señor Carter, parafraseando el 'zapatero a tus zapatos' digo manisero a tus maníes".[56]

El 8 de noviembre, Videla le escribió una carta a Pinochet en la que le expresa que "la vía de la negociación no se halla agotada y que una sincera voluntad de persistir en ella de buena fe permitirá superar los obstáculos que aún restan para un acuerdo integral". Desde Chile, mientras tanto, se insiste con una mediación sin considerar nuevas negociaciones, ya que estas quedaron totalmente agotadas. Entre los posibles mediadores, los más nombrados eran el Rey de España y el Papa Juan Pablo II. En esas tensas semanas, mientras se hablaba de desplazamientos militares, el canciller Carlos Washington Pastor hizo su primer viaje al exterior. Fue al Uruguay. En el viaje de vuelta habló con el enviado de *Clarín*, quien le preguntó sobre la situación del Beagle. O no quiso hablar o no estaba al tanto, pero la respuesta de Pastor fue: "De eso no me pregunte porque recién estoy en la primera bolilla".

La segunda semana más larga del año

Como una última oportunidad, los gobiernos de Argentina y Chile decidieron establecer un encuentro de cancilleres en Buenos Aires, para dirimir quién sería el mediador y cuáles las diferencias a dirimir ante el mismo. En una reunión previa al encuentro de cancilleres, el Comité Militar había resuelto apoyar y promover la mediación papal. De fracasar dichas gestiones, se acordó, se promoverían operaciones militares entre el 15 y el 20 de diciembre (ocupándose las islas Evout, Barnevelt y Hornos). Y si existía una "respuesta militar" de parte de Chile, entonces los operativos militares se centrarían sobre Punta Arenas, Puerto Williams y Porvenir. Se había decidido focalizar el conflicto, reforzando el TOA (Teatro de Operaciones Austral), al mando del general Antonio Vaquero con 25.000 efectivos y 250 tanques. Esto significaba que "enfriaban" el TONO (Teatro de Operaciones Noroeste), al mando de Luciano Menéndez.

En medio de un clima de tensión, trascendió una propuesta que había llevado el ex presidente chileno Eduardo Frei Montalva al Vaticano. En pocas palabras, el político demócrata cristiano proponía: a) homologar las coincidencias de la Comisión Mixta 2 (establecida en el Acta de Puerto Montt), y b) proponía una línea divisoria apoyada sobre puntos marítimos, es decir que la línea divisoria pasara sobre boyas, mientras que la Argentina pugnaba por pilones construidos sobre las islas. La versión sobre la posibilidad de un acuerdo con estas características fue filtrada a la prensa por el general Reynaldo Bignone, en su reunión semanal. Una fuerte presión de Menéndez —que se enteró por los diarios— motivó un desmentido de la Secretaría de Información Pública. Según las fuentes y Pío Laghi, Menéndez se encuentra enfrentado con el cardenal Primatesta que en estos trámites tuvo un destacado desempeño. En la zona del Cuerpo III a Primatesta se lo llama "roja testa" por ser sensible a algunos reclamos de la izquierda.

Pío Laghi, hablando el martes 12 con el ex embajador argentino Gerardo Schamis, le refirió una larga serie de anuncios que corrían por el Cuerpo III. Entre otras chapucerías, le cuenta que en Córdoba se dice que "a fin de año se brindará en La Moneda con champagne". Su interlocutor le responde "Pero mi caro amigo, esos son cuentos que le traen curitas de pueblo", a lo que Laghi contestó: "Me lo contó Primatesta y lo dice Menéndez". En esas horas, el Nuncio estudió la posibilidad de condicionar la intervención de la Santa Sede, si la Argentina procedía a desmovilizar a sus tropas, pero Videla y Viola no estaban en condiciones de hacerla cumplir.

Con una gran expectativa, el martes 12 de diciembre se produjo el encuentro de cancilleres, en medio de los más variados rumores y corrida bancaria. En el Salón Verde del Palacio San Martín se sentaron frente a frente Carlos Washington Pastor y Hernán Cubillos Sallato. Al lado de Pastor lo hicieron Moncayo, Gutiérrez Posse y Federico Mirré (salvo Mirré, los restantes no tenían ni formación ni trayectoria diplomática). Rodearon al canciller chileno Francisco Orrego Vicuña, Enrique Bernstein, Helmut Bruner y Rolando Stein (con excepción de Cubillos, todos tenían una larga trayectoria diplomática o académica). Durante las conversaciones, por la mañana, ambas delegaciones coincidieron en una serie de ideas que los asesores de los cancilleres, por la tarde, concretaron en un borrador. Una vez que el documento fue aprobado por los dos jefes de las delegaciones, Pastor lo llevó al Comité Militar, que lo rechazó. El problema no era el mediador, el problema para los argentinos era la agenda que debería elevarse a Su Santidad. Para Chile sólo debían delimitarse los espacios marítimos, no los terrestres, que ya habían quedado delimitados por el Laudo. Del lado argentino, el temario debía contener un punto fijo terrestre donde apoyar la división territorial.

Uno de los delegados chilenos confió esa noche que cuando Pastor volvió con la respuesta negativa, y un cambio total de su posición, pensó que pocas horas más tarde renunciaría. (Un observador dijo que "en este gobierno nadie renuncia, sólo se van si los echan, y citó el caso del almirante Montes a quien Lambruschini lo citó para intimarlo a que renuncia, en bien de la imagen de la Armada, para no ser más manoseado por los trascendidos y los 'gabinetes paralelos' que se publicaban en los diarios".)

En fuentes de la Cancillería chilena se desestimó la posibilidad de una nueva reunión de los cancilleres, por "la ausencia de interlocutor argentino efectivamente válido para Chile". En un aparte que mantuvo Hernán Cubillos Sallato con el nuncio apostólico en Buenos Aires, monseñor Pío Laghi, el canciller chileno le dijo no encontraba "un solo centro de poder" sino que el mismo se encontraba "atomizado".

En esos días las versiones que trascendían de las reuniones de los altos mandos del Ejército no hacían más que agregar dificultades al gobierno. El martes14 se realizó una reunión de altos mandos del Ejército presidida por Viola. Menéndez exigía fijar una fecha para iniciar las operaciones militares, porque las negociaciones habían fracasado. Algo similar expuso Suárez Mason. En un momento de la reunión (por la mañana), Galtieri (Cuerpo II) lo hizo llamar urgentemente a Vaquero (Cuerpo V) —que se estaba haciendo un chequeo en el Hospital Militar— para que concurriera a auxiliar a Viola, porque las presiones y críticas podían hacerle perder su cargo.

Tras el encuentro, Viola le comentó a un amigo: "Soy duro en la Junta y blando en el Edificio, siempre pierdo". Y que tenía que esperar un tiempo prudencial para darle tiempo a los EE.UU. a que desplegara su diplomacia. En este sentido, el embajador Raúl Castro se movió mucho buscando una salida pacífica, incluso llegó a hablar ante los mandos militares.

Como si no faltaran preocupaciones, el general Antonio Llamas, secretario de la SIP, en una conferencia de prensa desmintió la renuncia del presidente Videla y la "existencia de preocupación en Campo de Mayo". Y atentan contra el almirante (RE) Massera y detienen a Ricardo Balbín en medio de una cena política (un mozo avisó a las autoridades militares que se realizaba una reunión política). El líder radical era uno de los pocos que hablaba bien, en la intimidad, del presidente Videla: "Es la única persona que podemos transitar los radicales. Y después de Videla ¿qué?".

El domingo 17, viajó secretamente a Chile el brigadier Basilio Lami Dozo. Fue a entrevistarse con el jefe de la Fuerza Aérea, Fernando Matthei. Al escuchar la propuesta del militar argentino, Matthei contestó que a él no le correspondía intervenir en el manejo de las relaciones exteriores, ya que es una actividad privativa de Pinochet.[57]

Lo que ocurrió entre el 18 y 21 de diciembre linda entre la diplomacia y la historia militar. Los gobiernos de Chile, Brasil y Estados Unidos manejaron la información que el 21 se produciría la invasión argentina a los territorios insulares en disputa. La flota argentina estaba en alta mar, soportando un fuerte temporal. El mismo 21, Pinochet estaba en la Escuela Militar, presidiendo una graduación de oficiales, cuando su edecán Jorge Ballerino le acercó un mensaje urgente de Punta Arenas, informándole que se iniciaban las hostilidades. Luego, en el 10° piso del Edificio Diego Portales (la sede del gobierno) optó por aguardar 24 horas más para responder. El jueves 21 por la noche, llegaban a Roma las respuestas de Videla y Pinochet aceptando al Papa como mediador. Lo que fue informado el 22 al mediodía (8 y 7 de la mañana en Buenos Aires y Santiago, respectivamente).

El 22 de diciembre, el Papa hizo llegar un mensaje invitando a la paz a los gobiernos de Argentina y Chile, y el cardenal Samoré llegó a Buenos Aires el domingo 26. El 8 de enero se volvieron a encontrar Pastor y Cubillos con el mediador del Vaticano. La paz había triunfado esta vez.

Desde Chile, años más tarde, se opinó que "la participación del ex director de la DINA, el general Manuel Contreras, en un último intento de negociaciones secretas con militares argentinos que no eran partidarios del conflicto, habría permitido convencerlos de hacer que la Casa Rosada se allanara a la mediación. Lamentablemente, el anatema que pesa hoy sobre la imagen de Contreras y su posterior ruptura con Cubillos, no han permitido una indagación profunda y reveladora sobre este interesante y poco abordado punto de la crisis del Beagle. Pudo haber influido también para que Argentina aceptara la mediación, la noticia llegada de algún modo a Buenos Aires (¿por los propios militares chilenos?) de que los estrategas de Santiago ya conocían al detalle las posiciones de los tanques y las fuerzas argentinas de infantería apostadas junto a la cordillera, derribándose así el plan del general Menéndez, de traspasar la frontera valiéndose del factor sorpresa".

El 22, la intervención de Juan Pablo II puso término a una de las semanas más largas del año. Fue también en ésta que el régimen militar lució lo peor que anidaba en su interior. Sus flaquezas y miserias, en medio de una población que observaba silenciosa cómo cualquier cosa podía suceder. La otra se había suscitado en julio, cuando se dirimió el "esquema de poder". En las dos se discutió lo mismo: El Poder. Días como estos sólo se conocerían en 1982.

Precisamente en ese año, tras la guerra de Malvinas, varios ex comandantes en jefe del Ejército se volvieron a ver las caras, durante una reunión citada por Cristino Nicolaides. Fue en la primera semana de julio de 1982. Se analizó la situación que se vivía esos días. El teniente general Alejandro Agustín Lanusse criticó el momento, diciendo "el problema reside en la estructura de poder vigente desde el 24 de marzo de 1976, de ello puede dar fe Videla". Y Jorge Rafael Videla coincidió en la apreciación. Roberto Eduardo Viola dijo que en 1978, año del peor momento de tensión con Chile, era imposible designar un mando unificado para la dirección de la guerra. Podían establecerse jefes de los teatros de operaciones, pero no unificar el mando.[58]

Más infructuosas reuniones por Malvinas

El 15 y 16 de febrero las delegaciones de la Argentina y el Reino Unido vuelven a sentarse a negociar. Según una fuente británica, ponen sobre la mesa una propuesta de mayor participación argentina en la explotación de petróleo y pesca, a cambio de que los isleños continúen siendo británicos. La misma fuente dice que "ellos [los argentinos] quieren el símbolo, no la sustancia de la soberanía". A su vez los kelpers se obstinan en seguir como están y no aceptan una administración argentina.

Después de Lima, en Londres se llega al convencimiento de no mantener una presencia naval en el Atlántico Sur, teniendo en cuenta el alto costo que insume (180 millones de libras anuales). Como alternativa se estudia la conformación de una fuerza de contingencia, a ser destacada en un punto remoto, disponible para el caso de dificultad. Una fuerza de despliegue rápido. En mayo el Parlamento inglés tomó conocimiento de la ocupación argentina en la isla de Thule y se informa que el gobierno no ha mandado una fuerza de infantes de Marina para desalojarla. En septiembre, en el marco de la reunión de la Asamblea de Naciones Unidas, el canciller Oscar Antonio Montes dialogó con su par David Owen sin llegar a ningún punto. Luego, también en septiembre se conversó en Ginebra. El 20 de diciembre, en medio de la tensión del Beagle, Allara y Rowlands anunciaron un principio de acuerdo de cooperación científica en las Georgias y Sandwich del Sur. Otra vez, fue rechazado por los kelpers.

NOTAS

[1] Párrafo de una minuta, de fecha 7 de marzo de 1978.
[2] Minuta con el diálogo, de fecha 20 de enero de 1978. Archivo del autor.
[3] *Somos*, Editorial Atlántida, Año 2, N° 59, pág. 21.

[4] Copia de la editorial, archivo del autor.

[5] Cable ANSA 166/8 del 24 de enero de 1978. Archivo del autor.

[6] En su momento titular de la Junta Coordinadora Revolucionaria, sigla que reunía al ERP, MIR (Chile), ELN (Bolivia) y Tupamaros (Uruguay). Conocido en esa época con el alias "Raúl Navas", abogado, actual subsecretario de Derechos Humanos de la Nación.

[7] Si se desea profundizar la vida de "Lili" Massaferro, ex pareja de "Paco" Urondo y Juan Gelman, véase *Buscada* de Laura Giussani, Grupo Norma, Buenos Aires, 2005.

[8] Aquí debe recordarse que si José A. Martínez de Hoz tuvo un amigo y aliado en los Estados Unidos, ese era David Rockefeller. Está claro que la familia hacía un doble juego.

[9] Archivo del autor.

[10] "Centro de Reunión de Detenidos", según la jerga militar.

[11] Todas las referencias lo sindican como jefe del "Operativo Carerola", asesinato del general (RE) Jorge Cáceres Monié y su esposa Beatriz Isabel Sasiaiñ, el 3 de diciembre de 1975, en Entre Ríos.

[12] ANCLA, Servicio Especial, 240/41, 10 y 13 de febrero de 1978. Archivo del autor.

[13] *Le Monde*, 3 de febrero de 1978. Archivo del autor.

[14] Agencia AP, Ary Moleón, 30 de enero de 1978. Archivo del autor.

[15] Agencia UPI, A175, 2 de febrero de 1978. Archivo del autor.

[16] Esta iniciativa fue estudiada por varios dirigentes políticos, entre otros Raúl Alfonsín, pero fue desestimada por los sectores más duros de las Fuerzas Armadas.

[17] Minuta del diálogo con Massera, del 16 de marzo de 1978.

[18] Minuta del 19 de marzo de 1978. Archivo del autor.

[19] Apuntes del autor, que estaba presente.

[20] Minuta del 10 de abril de 1978.

[21] *Clarín*, 12 de abril de 1978.

[22] Minuta del 12 de abril de 1978. Archivo del autor.

[23] Minuta escrita el 20 de abril de 1978. Archivo del autor.

[24] Minuta con fecha 25 de abril de 1978. Archivo del autor.

[25] Minuta sobre el diálogo, 11 de mayo de 1978. En el archivo del autor.

[26] Agencias AP y AFP, 24 de marzo de 1978. Archivo del autor.

[27] Agencias Latin-Reuter y AFP del 10 de abril de 1978, archivo del autor.

[28] Apuntes del 12 de abril de 1978. Archivo del autor.

[29] Cable N° 251, 12 de abril de 1978, archivo del autor.

[30] Declaraciones de Galimberti en *L'Express*, recogidas por Latin-Reuter del 10 de abril.

[31] Mail con el autor, 1 de junio de 2007.

[32] Minuta de la reunión en el archivo del autor.

[33] Minuta en el archivo del autor. El autor fue testigo del encuentro. Mayo de 1978.

[34] Desarrollo de información interna de un matutino, no publicable, del 8 de junio de 1978. Archivo del autor.

[35] La mediación en el conflicto árabe-israelí también fue ofrecida años después por el presidente Raúl Alfonsín y más tarde por el presidente Carlos Saúl Menem.

[36] Informe de lo tratado por el poder militar en minutas varias, del archivo del autor.

[37] Apuntes en poder del autor.

[38] Véase el comunicado de la Junta Militar respecto de las "atribuciones" del presidente en los diarios del 5 de agosto de 1978.

[39] Información sacada de un diálogo con un alto oficial el 5 de octubre de 1978. Apuntes en el archivo del autor.

[40] Causa 6859/98, en la que aparece nombrado el teniente primero Miguel Del Pino, quien resultó herido en el enfrentamiento.

[41] Ediciones de *Clarín* y *La Nación*, 2 de agosto de 1978.

[42] En algunos países de Europa la fiesta inaugural fue censurada. Y algunas notas escritas por los enviados especiales que reflejaban el clima tranquilo que habían vivido en la Argentina fueron prohibidas.

[43] Relato de fuente directa, incluido en un informe de octubre de 1978.

[44] Minuta en mi poder, con fecha 10 de agosto de 1978.

[45] Minuta en mi poder, 26 de julio de 1978.

[46] Apuntes en el archivo del autor, 4 de agosto de 1978.

[47] Conversación con el coronel Ricardo Norberto Flouret, del 19 de julio de 1978. Minuta en el archivo del autor.

[48] Minuta de la conversación con fecha 21 de agosto de 1978.

[49] Relato en poder del autor. Viernes 1 de septiembre de 1978.

[50] Como resultado de ese encuentro, el 27 de septiembre el Departamento de Estado levantó el veto en el Eximbank para el financiamiento de las turbinas para Yacyretá. El anuncio lo formuló en los Estados Unidos el ministro Martínez de Hoz.

[51] Apuntes privados del 6 de septiembre de 1978, en poder del autor.

[52] *Clarín*, Eduardo Van der Kooy, 5 de septiembre de 1978.

[53] Diálogo con un oficial del EMGE del 15 de agosto de 1978. Minuta en el archivo del autor.

[54] Diálogo con Tex Harris, 16 de agosto de 1978.

[55] Diálogo de Lanusse con el autor.

[56] Gacetilla en el archivo del autor.

[57] Resumen de la reseña de la semana del 11 al 18 de diciembre de 1978. Archivo del autor.

[58] Minuta del 6 de julio de 1982. Archivo del autor.

4. 1979. Visita de la Comisión Interamericana de Derechos Humanos. La Argentina, Chile y la mediación de Juan Pablo II

Exactamente a las 20.13 horas del 8 de enero de 1979, los cancilleres Carlos W. Pastor y Hernán Cubillos firmaron el pedido oficial de mediación elevado a Su Santidad, Juan Pablo II, durante una ceremonia que se realizó en Montevideo, Uruguay. A las pocas horas, el cardenal Antonio Samoré volvió a Roma con el documento en el que ambos países solicitaban que la Santa Sede actuara "como mediador con la finalidad de guiarlos en las negociaciones y asistirlos en la búsqueda de una solución del diferendo para el cual ambos gobiernos convinieron buscar el método de solución pacífica que consideraron más adecuado". Sin embargo, el documento oficial omitió decir que para que el Vaticano aceptara la tarea mediadora, ambos gobiernos, en conversaciones privadas con el cardenal Samoré, debieron acceder a los siguientes compromisos: 1) "No recurrirán a la guerra"; 2) "Que no tomarán, ni siquiera para el futuro, ninguna medida no sólo de carácter militar, sino de cualquier otra especie que pueda, de algún modo, lesionar la armonía de cualquier sector"; 3) Que ambos países "retornarán gradualmente a la situación militar normal y a un 'statu quo'". En otras palabras, aquello que el 12 de diciembre del año anterior no había sido aceptado por la Junta Militar, ahora le era arrancado por el Vaticano.

Por esos días se alejó de la Cancillería, para ocupar funciones en la Armada, el capitán de navío Gualter Allara. Había demostrado ser el funcionario más capaz de todos los que habían pasado hasta el momento. Su partida estuvo rodeada de homenajes de despedida de parte de muchos diplomáticos. Uno de los más significativos fue el que le brindó el embajador Carlos Ortiz de Rozas, quien incluso le regaló un objeto personal "de alto valor histórico". Allara fue reemplazado por el comodoro Carlos Cavándoli, oficial que haría de nexo entre el Palacio San Martín y el Edificio Cóndor. Se entiende: ahora la Fuerza Aérea tenía más presencia en la Cancillería. Especialmente desde el despacho del secretario general del arma, el brigadier Basilio Lami Dozo. La influencia que salía de la aviación era tan sólida que el comodoro Cavándoli pronunció una frase que sería repetida en reiteradas ocasiones, ante los reparos de algunos funcionarios: "Cuando mi comandante en jefe dice que es carnaval, así sea Viernes Santo, yo aprieto el pomo".

A pesar de los tres años transcurridos desde el 24 de marzo de 1976, la Argentina no lograba concitar el interés necesario en el exterior como para recibir una corriente importante y permanente de inversiones. Parecía no alcanzar con los esfuerzos que hacía el equipo económico. El 19 de marzo de 1979, en Nueva York, se realizó la reunión del "Committee on Multinational Enterprises and Investment" del Consejo de la Cámara Internacional de Comercio. Uno de los participantes, Conrado Etchebarne (nieto), a su vuelta redactó un escueto informe en el que expresaba que "quedó evidenciada la seria preocupación de la generalidad de las empresas multinacionales existentes, con respecto a dónde orientar sus inversiones futuras. Consideran que la política exterior de Carter les agrava el problema por cuanto conduce a la reducción del mundo capitalista".

"En relación a la Argentina", expresó Etchebarne, "concretamente expresaron su falta de interés. No la consideran, en general, una alternativa válida como país para invertir. Por varias razones: Una, de fondo, porque entienden que el mercado argentino es muy chico (26 millones), y no sólo no crece sino que el standard de vida, en su opinión, está bajando, lo que se traduce en un menor mercado. En cuanto al argumento de invertir en la Argentina para exportar a otros países en desarrollo, la descartan por varias razones, entre ellas, por suponer más conveniente hacerlo desde Brasil (mano de obra más barata y menor riesgo político), o aun desde Estados Unidos".

Por último, observó: "Los únicos que demuestran interés en invertir son las empresas extractoras de petróleo, minerales u otras materias primas, siempre y cuando se aseguren una alta tasa de retorno (mínimo 18% anual) para compensar el riesgo. Algunas empresas manifestaron que han comenzado las dudas acerca del éxito del plan económico actual del gobierno argentino".[1]

El 27 de abril de 1979, sectores sindicales reunidos en el "grupo de los 25" organizaron una Jornada Nacional de Protesta, disconformes con la marcha de la política social y económica del gobierno. Entre los organizadores estaban Saúl Ubaldini (cerveceros), Roberto Digón (tabaco), Ricardo Pérez (camioneros), Osvaldo Borda (caucho), José Rodríguez (mecánicos), Hugo Curto (metalúrgicos) y Roberto García (taxis).

Una de las primeras cuestiones sin resolver que trató la nueva conducción aeronáutica del Palacio San Martín fue la de las relaciones con México. El gobierno militar se negaba a otorgar los salvoconductos a los asilados en la residencia del embajador mexicano. Se trataba del ex presidente Héctor J. Cámpora, su hijo Pedro y el doctor Juan Manuel Abal Medina. Para solucionar el inconveniente, el presidente José López Portillo envió como embajador a José Antonio Lara Villarreal, un hombre de su íntima confianza.[2] En una actitud poco usual, antes de presentar sus cartas credenciales, Lara Villarreal se entrevistó con los miembros de la Junta Militar y el ministro de Economía, José Alfredo Martínez de Hoz. En cada uno de esos encuentros se habló del mismo tema y recibió similares respuestas: es imposible la entrega de los salvoconductos porque no lo resistiría el "frente interno" militar. En gran medida, por esta cuestión insalvable, la Argentina perdió en aquel entonces de concretar un acuerdo de complementación e implementación de la industria naval, para la construcción de quince barcos petroleros de sesenta mil toneladas cada uno.[3] El negocio, finalmente, se lo llevó España, gracias a las gestiones de Eduardo Peña, el embajador español en México. Pero, al margen del negocio, la Argentina se enemistó con un país con el que nunca antes había mantenido notables diferencias. En ese tiempo, para un diplomático argentino de carrera, ser destinado en México era un dolor de cabeza: "Enrique Lúpiz va a España, luego de

137

alegar problemas cardíacos para disparar a México. No lo critico, pues esa embajada es un espanto: agregados militares, espías de la SIDE y otros servicios, pésimos funcionarios, los asilados en Buenos Aires, etc. Yo no tenía la menor intención de aceptarla. Esperaba que me la ofrecieran formalmente para rechazarla. En otra época me habría encantado ir a México", escribió un embajador.[4]

Hacia el mes de octubre de 1979, se descubre en el ex presidente Cámpora una dolencia de tipo cancerosa. El gobierno militar no cree en la enfermedad. Entonces, violando todas las convenciones sobre asilo, se lo saca de la embajada y se le practica una biopsia en el Hospital Italiano, en presencia del coronel Roberto Estévez, designado por la Junta Militar. La Iglesia se vio obligada a intervenir y tras una reunión entre el cardenal Aramburu y el ministro Albano Harguindeguy se acordó que si se comprobaba el mal canceroso, sólo en ese caso, Cámpora podría salir del país.

El 4 de mayo de 1979, después de ganar las elecciones, la reina Isabel II le encargó a Margaret Thatcher que formara gobierno. Era la primera vez que una mujer llegaba al cargo de primer ministro del Reino Unido. En la tarde de ese día, después de abandonar el Palacio de Buckingham, se constituyó en su residencia del 10 de Downing Street. En la Argentina, la victoria de la "Dama de Hierro" fue celebrada por las más altas autoridades. Se entendía que ella iba a observar con más "equilibrio" que Jimmy Carter la situación interna argentina, en especial la cuestión de los derechos humanos.

El derrumbe de la dinastía Somoza, en Nicaragua, volvió a poner a prueba el sistema de decisión en el gobierno militar. Desde junio de 1979 se había convocado a la decimoséptima reunión de consulta de la OEA para analizar la situación en el país centroamericano. El gobierno argentino era partidario del sostenimiento del gobierno de Anastasio Somoza Debayle,[5] lo mismo que Chile y Uruguay. Observaba con extrema preocupación el avance de la influencia castrista en América Central. El resto del continente votaba contra Somoza. Viendo la soledad en que quedaba, con el resto de sus colegas, el embajador Julio César Carasales le transmitió telefónicamente sus preocupaciones a un alto funcionario del Palacio San Martín. El funcionario debió trasladarse fuera de la Capital Federal para hacerle comprender al presidente Videla que la Argentina debía aliarse con las democracias del continente que condenaban a Somoza, porque igual iba a caer y de nada valdría un voto negativo argentino a la resolución. Así fue como la Argentina votó favorablemente, aunque con reservas, la resolución que declaró el "reemplazo inmediato y definitivo" del régimen somocista. Asimismo, el pedido de remoción se basaba en "la conducta inhumana del régimen [somocista] imperante allí, puesta de manifiesto en el informe de la Comisión Interamericana de Derechos Humanos, es la causa fundamental de la dramática situación". El voto no había sido consultado con la Junta Militar en virtud de la urgencia, pero la crónica de la época recuerda cómo el canciller Pastor hubo de visitar a los tres comandos militares para brindar sus explicaciones. El mayor reproche que se le hacía al canciller era el de haber abandonado a un gobierno considerado amigo en la lucha contra el comunismo. No se quería aceptar que más importante que la actitud argentina fue el gesto del gobierno de Jimmy Carter, cuando le soltó la mano a Somoza y fue el propio embajador de los EE.UU. en Managua, Lawrence Pezzullo, el que lo obligó a alejarse a Miami. A pesar de haber dado el voto clave (que hizo que se lograran los 17 que se necesitaban), la Argentina no estaba convencida. El 27 de junio, Jorge Aja Espil se encontró con el subsecretario de Estado para Asuntos Hemisféricos, Viron Vaky, para expresarle su preocupación por la instalación de un régimen controlado por los guerrilleros sandinistas, muchos de cuyos líderes habían recibido adiestramiento en Cuba. "Occidente se halla en crisis", escribió el periodista que firmaba con el seudónimo de "Polibio". Y sentenció: "La Argentina es un peñón que no confunde las palabras en medio de un mundo a la deriva".

Sin embargo, en materia de derechos humanos, 1979 fue el año de la visita de la Comisión Interamericana de DDHH de la OEA, que la Argentina había autorizado un año antes. En julio de 1978, el segundo de la misión argentina ante la OEA, Arnoldo Manuel Listre (un afiliado radical, considerado una "paloma" frente a los "halcones" de Arlía), estimó que "es posible que dentro de

139

un informe negativo, se pudiera destacar que a partir de una determinada época algunos hechos que se consideran violación a los DDHH han dejado de producirse o que se registra una mejoría en diversos campos".

A diferencia de Chile con Pinochet, o la Cuba de Fidel Castro, la CIDH realizó la visita "in loco" sin ningún tipo de restricción: visitaron cárceles, unidades militares y conversaron con dirigentes de todo el arco político. La comisión llegó a Buenos Aires el 6 de septiembre, pero una semana más tarde el Boletín Oficial dio a conocer el texto de la ley 22.068, en la que habían trabajado miembros de la Cancillería, como el embajador Enrique Juan Ros, y oficiales cercanos a Videla, entre los que se destacaba el coronel Carlos Cerdá. La norma legal indicaba que "podrá declararse el fallecimiento presunto de la persona cuya desaparición del lugar de su domicilio o residencia, sin que de ella se tenga noticias, hubiese sido fehacientemente denunciada entre el 6 de noviembre de 1974, fecha de declaración del estado de sitio por Decreto 136874, y la fecha de la promulgación".

Frente a la CIDH, los partidos políticos hicieron oír su voz. El justicialismo, por ejemplo, expresó en un documento que se le entregó a la comisión que "el comportamiento de la autoridad militar que ejercita el mando en la República Argentina, es francamente violatorio de los derechos humanos". El radicalismo fue más equilibrado: "No ignoramos que este proceso que vive la República ha sido inédito en el país, por cuanto hemos debido recorrerlo con el trasfondo de una agresión subversiva cuyas secuelas parecen persistir". Otros dirigentes políticos sostenían en público una posición y en privado decían lo contrario. Meses más tarde trascendieron algunos de estos diálogos. Con Arturo Frondizi por ejemplo: "Frondizi dijo a la comisión que había escuchado que había muchos desaparecidos. 'Es lo que me han contado', aseguró. Sólo tomó vida la conversación con él, cuando Tom Farell (miembro de la comisión) le preguntó cómo marchaba, a su juicio, la situación económica. Habló 45 minutos del tema y terminó la conversación".[6] Después de dos semanas de intenso trabajo, la CIDH volvió a Washington para preparar un informe, que sería presentado a la OEA al año siguiente.

El viernes 7 de septiembre, al mismo tiempo que la CIDH visitaba la Argentina, en Japón jugaba la selección juvenil de fútbol, con Maradona, "El Pelado" Ramón Díaz, Juan Barbas y muchos grandes jugadores detrás. Todo se mezcló en la Avenida de Mayo, donde quedaba la oficina de la OEA. Por un lado, una larga fila de familiares de desaparecidos que iban a denunciar sus problemas. Por la otra, una multitud que se desplazaba, alentada por el gobierno a través de las radios, festejando el triunfo del equipo argentino frente a la Unión Soviética. "La Oral Deportiva" de Radio Rivadavia hizo punta, transmitiendo en directo desde Tokio. Detrás del "Gordo" José María Muñoz que invitaba "a un festejo popular", se prendieron Julio Lagos ("Cada día") y Juan Alberto Badía con Diego Bonadeo ("A mi manera"). ATC lo hizo vía satélite y desde sus estudios en la avenida Figueroa Alcorta lo vieron, en directo, Videla, Galtieri y los generales Reston y Llamas. Hubo tanta euforia en Buenos Aires por la obtención del campeonato mundial, que hasta Videla se vio obligado a salir al balcón después del partido para saludar a la muchedumbre. "Vayamos todos a la Avenida de Mayo y demostremos a los señores de la Comisión de Derechos Humanos que la Argentina no tiene nada que ocultar", gritaba Muñoz desde la radio, mientras Tito Junco y Juan Carlos Morales cubrían a los protagonistas de la hazaña, también acompañados por el almirante Carlos Alberto Lacoste. Todo era fiesta, alegría, lo que transmitían las unidades móviles de Mitre y Rivadavia. La frutilla del día la puso Mirtha Legrand: alrededor de las 13.30 llegó a sus almuerzos en un camión junto con la mamá de Maradona y fue presentada por José Gómez Fuentes. También se hicieron presentes Ana María Picchio y la estrella de "Andrea Celeste", Andrea del Boca.

Cuando se apagaron los ecos de la victoria de la selección juvenil de fútbol habló Ernesto Sabato. Leyó la declaración que le dio a la CIDH que lo visitó en su casa. Entre otros conceptos: "No hay violaciones execrables y violaciones justificables. Aunque sean cometidas en nombre de grandes ideas, como dice el socialismo, la patria o la justicia social, y sobre todo si son perpetradas en nombre de esas grandes ideas. Admitir que puedan existir ciertas violaciones legítimas es el más tenebroso de los sofismas de nuestro tiempo y siempre ha conducido, además, a las mayores barbaridades. Por tal motivo, sólo tenemos derecho a denunciar violaciones en la Argentina los que también hemos denunciado las cometidas en los países comunistas, como el atroz genocidio camboyano donde sobre una población de 8 millones, hubo 2 millones de desaparecidos". Pidió responder al terrorismo con "la ley, la ley más dura, pero la ley".

La relación con Washington no pasaba de lo meramente superficial. La embajada argentina en la capital norteamericana tenía prácticamente todas las puertas cerradas. Su embajador, Jorge Aja Espil, aconsejaba al presidente Videla la libertad del periodista Jacobo Timerman, porque ayudaría a allanar muchas dificultades. Finalmente, hizo falta una orden de la Corte Suprema de Justicia al Poder Ejecutivo para que Timerman saliera del país. Fue en esos días de septiembre de 1979 cuando el gobierno de Videla resolvió, a través de una orden de la Corte Suprema de Justicia, expulsar del país al periodista Jacobo Timerman, luego de ser despojado de su ciudadanía argentina. También otorgó el salvoconducto para que el ex presidente Héctor J. Cámpora viajara a México, tras comprobarse su afección cancerosa. La decisión sumó más leña al caldero de la interna militar. El comandante del Cuerpo III, Luciano Benjamín Menéndez, se sublevó contra el comandante en jefe del Ejército, con algunas unidades bajo su jurisdicción, por "no haber cerrado la puerta al resurgimiento futuro del marxismo en el país" y exigió la dimisión de Viola. Asimismo en sus críticas apuntó contra la política de Viola de tejer alianzas con los partidos "amigos" (entre otros los partidos provinciales). Fue una "chirinada" que se resolvió sin enfrentamientos armados, pero sacó a la superficie lo que se denominaba la lucha entre los "duros" contra los "blandos" en el Ejército. El otro "duro", el general Carlos Guillermo Suárez Mason, se mantuvo al lado de Viola. Menéndez fue sancionado con 90 días de arresto en una guarnición en Corrientes. También fueron pasados a retiro otros altos oficiales. Atravesada la crisis militar, el 4 de octubre el presidente Videla y su comitiva viajaron oficialmente a Japón. En esos días se estrenó en Nueva York la ópera "Evita", de Tim Rice y Andrew Lloyd Webber; la actriz y cantante Patti LuPone hizo el papel de la esposa de Perón.

La reunión con Héctor Raúl Sandler se hizo en la casa de Larry Birns, director del Comité de Asuntos Hemisféricos (COHA). Sandler estaba en Washington para hablar de derechos humanos en el Congreso norteamericano. Vivía exiliado en México adonde había huido tras las amenazas de las Tres A en dos ocasiones. La definitiva fue en 1976. El veterano diputado de UDELPA, el que había promovido la candidatura presidencial de Pedro Eugenio Aramburu en 1963, llegó con sus heridas a cuestas. Era uno de los pocos que aún pagaba por promover la amnistía de 1973 y se hallaba, en ese momento, absolutamente radicalizado. Primero preguntó y escuchó el panorama que le trazó su interlocutor sobre la Argentina de ese entonces: la cerrazón militar, expresada a través de la insurrección de Luciano Menéndez; los atentados recientes de Montoneros, y otros detalles que señalaban un panorama plagado de dificultades para la "salida" que él demandaba. Siempre se volvía a la misma cuestión de los desaparecidos y una solución negociada. La verdad es que, con el tiempo, tuvo razón: "Pensar en una negociación previa es insensato. Nadie puede garantizar con su firma absolutamente nada. Ahora, si teniendo en cuenta el futuro del país todos debemos hacer algunos sacrificios, los haremos. Toda negociación sobre el tema de los desaparecidos se dará en base a cómo se negocie el futuro del país".

Después, la conversación tomó otro rumbo. El indicado como para recordar que "entre los montoneros y yo existe un cadáver de por medio, el de Aramburu". No tenía muy en claro quiénes habían atentado contra el viceministro de Economía, Guillermo Walter Klein. El interlocutor le preguntó si le estaba haciendo un chiste, porque tenía la seguridad absoluta de que habían sido los montoneros. Así lo demostraban las entradas de Armando Croatto y Horacio Mendizábal en la Argentina. La conversación, amenizada con mate, finalizó cuando el interlocutor le dijo que los atentados montoneros volvían a confirmar que eran unos provocadores. Que cuando ven que puede haber un clima de distensión política realizan un desastre para endurecer las relaciones entre los militares y la dirigencia política.[7]

Contemporáneamente, un variado grupo de dirigentes y hombres de la política realizó un extenso trabajo para ser depositado en manos militares. No tuvo trascendencia periodística porque, a pesar de la importancia de los firmantes, estos trabajos sólo veían la luz en los despachos oficiales o en ambientes muy reducidos. Al documento, "Informe sobre el Proceso de Reorganización Nacional",[8] lo firmaron Marcelo Sánchez Sorondo, Carlos Imbaud, José Antonio Allende, Roque Carranza, Ernesto Corvalán Nanclares, Juan Pablo Oliver, Reinaldo Vanossi, Francisco Uzal y Basilio Serrano. A simple vista, ninguno era un adversario declarado de las Fuerzas Armadas. Ni en el pasado, ni en ese presente. Sin embargo, bajo la enriquecedora pluma de Sánchez Sorondo, se afirmaba que "no coincidimos con la consigna que se reitera a manera de aforismo, como si fuese un hallazgo de expresión, según la cual en la perspectiva del proceso 'no existen plazos sino objetivos'. ¡Qué error! Ninguna política puede plantear objetivos intemporales, porque toda política está circunscripta por su contenido de época y lugar, recortada por las fronteras de su tiempo histórico, de sus circunstancias límites, de su cronología. [...] Hoy, en agosto de 1979, nuestro país está mucho más lejos que ninguna etapa anterior de su existencia, de alcanzar un cuadro de normalidad en lo político, en lo económico y en lo social. Hemos retrocedido en todos los planos. [...] Incluso la investidura presidencial [...] se ha visto despojada de sus atributos eminentes. [...] Vimos instalarse, así, en reemplazo del gobierno civil, un sistema atípico e incontrolable que a raíz de la lucha contra la subversión ha podido disponer a su albedrío de la vida y los bienes de los argentinos. Pero, paradójicamente, esta dictadura soberana carece de conducción unitaria y ejecutiva y ha diversificado, con los focos de decisión, los ámbitos administrativos de influencia, que sólo responden a la instancia superior correlativa a la zona de poder asignada a cada fuerza. Asistimos al auge de un insólito 'feudalismo' cuyos perturbadores efectos se hacen sentir en la conducta vacilante del régimen en los asuntos de mayor envergadura. [...] Las vacilaciones y retrocesos de la política exterior han demostrado a los ojos de propios y extraños la intrínseca debilidad de una *conducción sin conductor* que no sabe negociar ni puede sostener en la hora de la prueba una voluntad de intransigencia. [...] La especulación desplaza las inversiones del campo y de la industria; las finanzas públicas se desenvuelven bajo el signo de la elefantiasis y del déficit;

al paso que la transferencia de recursos del sector financiero reduce el consumo. Entretanto, la espiral inflacionaria, irrestricta y recesiva, que eleva el costo de la vida, al extremo de registrarse aquí los precios internos más altos del mundo, ha sido enfáticamente consagrada desde los ámbitos oficiales como un inevitable compañero de ruta con el cual es forzoso resignarse a convivir. […] Este cúmulo de factores negativos empuja al país hacia una situación de dramático aislamiento como hasta ahora, sin excluir la época de la Independencia, no ha conocido. La Argentina, desprestigiada, conflictuada ante el mundo exterior y disminuida a los ojos de sus vecinos iberoamericanos, se encuentra sola, absolutamente sola. Ha perdido, si los tuvo, sus aliados en el mundo de las grandes potencias y su soledad es aun más triste y ostensible en el espacio que le pertenece, donde está llamada a desarrollar su influencia. […] La falta de resistencia social que permite al régimen militar prolongarse en función de criterios intemporales, no expresa el consentimiento nacional. Por el contrario, revela con rasgos acentuados el agotamiento propio de una crisis. Sin duda esta perplejidad de la conciencia social facilita el ejercicio sin trabas del poder. Pero ese poder omnímodo que transfiere al orden militar la responsabilidad del orden político es un gigante de pies de barro. Podrá sostener transitoriamente un orden aparente que oculta su desorden visceral, su ausencia de normalidad, pero no podrá engendrar jamás una sucesión política ni generar una convivencia dinámica. […] Consideramos la guerrilla como una típica manifestación de anarquía psicosocial y de mentalidad colonialista… no se olvide nunca, sin embargo, que abatir la guerrilla no equivale a dominar la subversión. Lo primero es una contingencia militar; lo segundo es la resultante de una acción política".

El 28 de diciembre, el general Leopoldo Fortunato Galtieri[9] fue designado comandante en jefe del Ejército por Roberto Eduardo Viola. Junto con el nuevo jefe, también fueron nombrados los comandantes de cuerpo y las brigadas, entre los seguidores más leales de Viola. Tal era el compromiso de Galtieri con Viola que hasta le designaron sus colaboradores más inmediatos. La oficialidad joven hubiera preferido a los generales Luciano Benjamín Menéndez o Carlos Suárez Mason. El primero fue pasado a retiro en septiembre, luego de una sublevación. Del segundo se sostenía que quedó descartado por su frontal oposición al plan económico de Martínez de Hoz. Sin embargo, terminó como presidente de Yacimientos Petrolíferos Fiscales (YPF).

El 24 de diciembre de 1979 las tropas soviéticas invadieron Afganistán. La reacción occidental fue inmediata. Considerando que la anexión de Afganistán llevaba la influencia soviética más allá del territorio tradicional del Pacto de Varsovia, EE.UU. y sus aliados organizaron inmediatamente la contraofensiva. La ONU y los Países No Alineados condenaron la invasión, y la Casa Blanca, junto a otra serie de medidas destinadas a frenar el expansionismo del Kremlin, decidió ayudar a la guerrilla islámica que se enfrentaba a las tropas soviéticas. La invasión soviética de Afganistán y la consiguiente reacción occidental desencadenó un nuevo período de tensión internacional tras la época de la distensión: una nueva guerra fría. En consecuencia, entre otras medidas, Jimmy Carter declaró el embargo cerealero, al que se plegaron los países productores más importantes del mercado de granos. La Argentina, no por una cuestión de afinidad ideológica con Moscú, sino por razones económicas (balanza comercial) y políticas (resentimiento contra Carter por sus permanentes críticas a la situación de los derechos humanos y el embargo de armas) decidió no participar del bloqueo.

En diciembre de 1979 las Fuerzas Armadas, a pesar de las fuertes disensiones internas, dominaban el centro del escenario político. Se sentían fuertes y, enfrente, los partidos políticos, aún, no tenían una alternativa. La mayoría gozaba de una estabilidad económica y la población se sentía segura tras la derrota militar al terrorismo (había fracaso la "contraofensiva" montonera). En lo político, el Proceso estaba a pasos de celebrar su cuarto año de gobierno. Desde 1952 hasta la fecha ningún gobierno había podido llegar a cumplir cuatro años ininterrumpidos. La cuestión del Beagle estaba en manos de Su Santidad Juan Pablo II; el sindicalismo se hallaba fragmentado (ya se había sancionado la Ley de Asociaciones Profesionales); el triunfo de Ronald Reagan auguraba un cambio en la relación entre los Estados Unidos y la Argentina; los generales "duros" estaban afuera del Ejército; Viola esperaba pacientemente su futura designación presidencial y Galtieri, al reemplazarlo, fortaleció el "esquema del poder". Son datos objetivos. En este contexto, a fines de diciembre la Junta Militar dio a conocer las "Bases Políticas de las Fuerzas Armadas para el Proceso de Reorganización Nacional". Las mismas pretendían diseñar el futuro político argentino; establecer el "diálogo" con los partidos políticos y las organizaciones representativas; fijar lineamientos económicos; límites para el "diálogo"; encarrilar una salida y una herencia del proceso a través de una corriente política afín. La propuesta de la Fuerza Aérea influenció a las "bases", especialmente en lo relacionado con la orientación de una política exterior. El documento no merecería recordarse si no fuera que en el mismo se notó la pluma de Nicanor Costa Méndez, el que volvería a ser canciller a fines de 1981. En uno de sus puntos, luego de detallar cómo el poder militar derrotó el fenómeno subversivo en el Cono Sur de América Latina, frente a la incomprensión de gran parte de las potencias occidentales, llega a la conclusión de que "quiérase o no, América latina en su parte sur se ha transformado en reserva de Occidente. [...] El precio de afrontar este desafío puede ser la soledad. Existen pocos puntos de referencia y además, como se está recorriendo un camino único y sin precedentes, se es en alguna forma objeto de la desconfianza y aun de la agresión. [...] Las presiones con motivo de la presunta violación de los derechos humanos pueden derivar en la adopción de medidas de coacción de tipo político-económico, por parte de organismos internacionales, países con gobiernos socialdemócratas o socialistas, países liderados por EE.UU., por el Vaticano, etc.". Proponía el "gradualismo" como sistema; la formación de "un movimiento de unión nacional identificado con el ideario del PRN"; la elección de "representantes nacionales" que designarían al Presidente de la Nación en una "Asamblea Legislativa" y establecía un Senado con "representantes provinciales" y "personalidades designadas por la Junta Militar en una relación del 50% con respecto a los senadores elegidos".[10]

"El 'parto de los montes', o sea el documento llamado 'Bases Políticas del Gobierno', de tan prolongada y conversada gestación, fue el broche de oro con el que cerró el año 1979, caracterizado también por episodios tan lamentables como significativos y propios de la modalidad vigente en el Ejército, desde que Videla y Viola tuvieran particular incidencia en su conducción y particularmente en sus actitudes políticas trascendentes (diciembre de 1973)", escribió el ex presidente Alejandro Agustín Lanusse.[11]

"Fueron dadas las 'Bases Políticas' que marcan los límites del disenso. Todavía no hay una clara definición sobre las mismas por parte del peronismo y menos del radicalismo. Creo que no habrá un rechazo categórico porque todos aspiran a correr la carrera. Además, el cachetazo de hoy puede significar la proscripción del mañana, proscripciones que prevé el documento de las FFAA, como facultad privativa de la Junta. El único partido que ya se pronunció oficialmente, rechazando duramente el documento de las FFAA es el MID de Frondizi y Frigerio. Esto significa que *Clarín* se pasó a la oposición."[12] Las ideas más destacadas que propuso la Fuerza Aérea para compatibilizar con las otras dos fuerzas en la Junta Militar son antológicas, y un fiel reflejo de un pensamiento común en amplios sectores de las FFAA y algunos círculos civiles.

Malvinas en 1979: la Misión Ridley

Con la llegada de Margaret Thatcher al gobierno, lord Carrington asumió como secretario del Foreign Office. A su vez, como subsecretario de Asuntos Latinoamericanos fue designado Nicholas Ridley, un personaje aséptico y fiel creyente de la política económica de la primer ministro. Su participación fue la última ocasión para evitar un conflicto armado. En junio viaja a Buenos Aires y el 12 se entrevista con el subsecretario Cavándoli. En julio visita Puerto Stanley. En Malvinas observará el estado de irrealidad que vivían los isleños. Allí discutió con los isleños sobre las ventajas de cooperación con la Argentina, aunque aclaró que ninguna solución será posible sin un visto bueno de los kelpers. Observó: "Plantean [los isleños] una amenaza completamente desproporcionada en relación con su tamaño". Al volver de las islas vuelve a conversar con Cavándoli, acordando reponer a los embajadores (que habían sido retirados en 1976). Pero Ridley madura un plan que trata de satisfacer a unos y a otros. A grandes rasgos, es la entrega de las islas a la Argentina y un posterior contrato de arriendo ("lease back") a los isleños por un período definido. La Argentina lograría una titularidad legal, aunque simbólica. En octubre de 1979, lord Carrington presentó a Margaret Thatcher y al Comité de Defensa un memorándum que recomendaba las conversaciones entre diplomáticos a fin de explorar soluciones políticas y económicas "sin compromisos y sin apurar el asunto". También advirtió que la Argentina podía ocupar militarmente las islas y que estaba en capacidad de hacerlo. El informe contiene tres opciones:

- La fortaleza Falklands.
- Negociaciones sin concesión de soberanía.
- Sustanciales negociaciones respecto a la soberanía.[13]

A fines de los años setenta se hacen sentir las restricciones económicas a la Armada Real, en especial al mantenimiento de sus fragatas Leander, y los sueldos del personal son tan bajos que muchos optan por no embarcarse para tener un segundo trabajo.

NOTAS

[1] Memorándum de Etchebarne en el archivo del autor.

[2] Lara Villarreal, años más tarde, publicó en México un libro relatando su gestión en Buenos Aires.

[3] Diálogos del autor con el embajador Lara Villarreal y el representante comercial argentino en México, ministro Honorio Pueyrredón. México, febrero de 1982.

[4] Archivo del autor.

[5] Desde enero de 1978, tras el asesinato del periodista opositor Pedro Joaquín Chamorro, Nicaragua sufría el embargo de armamentos de parte del gobierno de los Estados Unidos.

[6] Diálogo del autor con un miembro de la comisión que visitó la Argentina.

[7] Apuntes de la conversación, archivo del autor, 18 de octubre de 1979.

[8] Archivo del autor, agosto de 1979. Lo destacado pertenece a los autores.

[9] Según Oscar Camilión, en la designación de Galtieri pesó el consejo del presidente Jorge Rafael Videla. Se consideraba a Galtieri un militar que suscribía la política económica de Martínez de Hoz.

[10] Archivo del autor.

[11] Carta al autor del ex presidente Alejandro Lanusse, con fecha 23 de enero de 1980.

[12] Carta de un aeronáutico, del 2 de enero de 1980. Archivo del autor.

[13] Escrito por lord Carrington y tomado por el Informe Franks.

5. 1980: EL EJÉRCITO ENVUELTO EN EL "GOLPE DE LA COCA" EN BOLIVIA. GALTIERI LLAMA A "OCUPAR LOS ESPACIOS VACÍOS". DEVOLUCIÓN DE ATENCIONES A "JIMMY" CARTER. A PESAR DEL EMBARGO, LA ARGENTINA LE VENDE GRANOS A LA UNIÓN SOVIÉTICA

◆

A comienzos de 1980, los soviéticos enviaron a la Argentina varios funcionarios para negociar una compra importante de granos, en especial maíz, ya que en lo referente al trigo la Argentina no tenía grandes reservas. Los norteamericanos también enviaron a un emisario el 21 de enero —el general Andrew Goodpaster— con la finalidad de evitar las compras de la Unión Soviética.[1] La misión fracasó porque los rusos compraron el 62% de los cereales y oleaginosos en los primeros cinco meses del año. Durante mayo, por ejemplo, se llevaron el 72% de los granos embarcados. Para compensar la actitud "pro soviética" la Argentina decidió no participar en los juegos olímpicos de Moscú. La decisión se tomó luego de una entrevista, en Washington, entre Martínez de Hoz y Lloyd N. Cutler, asesor del presidente Carter, encargado de coordinar el boicot deportivo a Moscú.

Martínez de Hoz aún contaba con todo el respaldo del presidente Videla y también del nuevo jefe del Ejército. En una ocasión, invitado por Galtieri todo el equipo económico expuso la marcha del plan económico al generalato. La presentación de Galtieri no presentó fisuras: "Señores, éstos son los héroes civiles del Proceso, que merecen todo nuestro apoyo y solidaridad".

Mientras tanto, Viola preparaba pacientemente su acceso al poder. Un embajador, en febrero de 1980, observaba desde Europa la situación de la siguiente manera: "La aspiración de Viola es ser presidente por cuatro años, y después el diluvio como decía Luis XV. No tiene dos ideas en la cabeza, y salvo de política menuda es imposible arrancarle otra conversación, el bostezo se impone luego de diez minutos de charla. Me parece superfluo aclararte que su conocimiento de los problemas del país es superficial y periodístico". Otro observador, desde Washington, relataba a un embajador en Europa oriental: "Los temas serios de política exterior no pasan por la calle Arenales (la Cancillería). Los arregla Martínez de Hoz, hoy enfrentado con Pastor y Castro Madero (titular de la CONEA). También tiene influencia directa Lami Dozo, el verdadero canciller como él dice. Por su parte, Cavándoli se pasea por el mundo atemorizando a los funcionarios, y Montes convertido ahora en experto, asesora a Massera en política internacional".[2] Así eran los tiempos que corrían en el Palacio San Martín, en los que el teniente coronel Galassi y el vicecomodoro López Imizcoz obligaban a los aspirantes diplomáticos a asistir a retiros espirituales.

La caída del Banco de Intercambio Regional[3]

Durante el régimen militar, dos hechos golpearon a la sociedad argentina de manera escandalosa. Uno fue en abril de 1977 cuando se destapó al "affaire Graiver". La desaparición del empresario David Graiver en un accidente de aviación en México llevó al gobierno a descubrir una red financiera, que se extendía a los Estados Unidos y Europa, que había sido administradora de una parte importante de los fondos obtenidos por Montoneros a través de secuestros extorsivos. Especialmente de una porción importante del rescate de los hermanos Juan y Jorge Born (19 de septiembre de 1974, se pagaron sesenta millones de dólares) y del secuestro del empresario de la Mercedes Benz, Enrique Metz (24 de octubre de 1975, se pagaron cuatro millones de dólares). Según declaró el otrora integrante del Departamento de Finanzas de la organización armada Juan Gasparini, Graiver llegó a recibir 17 millones de dólares.[4] El "affaire Graiver" tuvo honda trascendencia por la gran cantidad de intereses que tocó, en los que el empresario fallecido era parte.

El otro hecho fue la caída del Banco de Intercambio Regional (BIR), porque destapó el velo que descubrió la fragilidad del sistema financiero, con su reforma de junio de 1977 en la que el Banco

Central se convirtió en un 100% garante de los depósitos de las organizaciones bancarias. La trama envuelve al titular del banco, José Rafael Trozzo, y a numerosos funcionarios, banqueros, empresarios, abogados y periodistas afines unos, ligados otros, con el gobierno de Jorge Rafael Videla y el ministro de Economía. Tras numerosas gestiones realizadas por Raúl Piñero Pacheco para comprar el banco (del que era a su vez deudor por 40 millones de dólares por operaciones de exportación), el 28 de marzo el gobierno, a través del Banco Central, intervino el BIR, revocando "la autorización para funcionar con carácter de banco privado comercial nacional". El hecho trajo la ruptura de la "confianza" de la masa de los ahorristas; se llevó tras de sí a varios bancos más y le provocó al Estado una sangría de cerca de 1.000 millones de dólares. Días antes, la consultora Arthur D. Little Internacional Inc. presentó un informe previniendo que "la ruina del BIR traerá gravísimas consecuencias, cuyos efectos repercutirán a lo largo del tiempo sobre la comunidad bancaria argentina, en todos los ámbitos comerciales y financieros, y en la reputación de Argentina en los mercados financieros internacionales".[5] Lo que Piñero Pacheco sólo explicó a medias es que fue una víctima de la época. Los sectores "tradicionales" podían permitirle, con cierto desgano, ser el tercer operador de las exportaciones de azúcar de la Argentina; también podían servirse de los beneficios de su revista *Carta Política* y la Fundación Piñero Pacheco (organizador de eventos que sirvieron para la promoción del gobierno y su equipo económico), pero lo que no iban a tolerar era que se quedara con el segundo banco por cantidad de depósitos más importante de la Argentina, con más de un centenar de sucursales. El ex secretario del Tesoro de los Estados Unidos, William Rogers, llegó a decir en privado que la caída del banco "ponía en duda el mecanismo de control del sistema bancario argentino frente a toda la comunidad financiera internacional".[6] Para salvar al sistema el equipo económico dio a luz la circular 1.051 del Banco Central.

El 11 de abril, tras la intervención del BIR, el peronismo, con la firma de Bittel, emitió un documento criticando la "industria financiera" y sus derivaciones: "Capitales del exterior, atraídos por la singular liberalidad de este verdadero paraíso financiero, acudieron a obtener tasas de retorno que triplicaron las vigentes en los mercados internacionales. Todo ello en el contexto de una política económica que había venido a sustituir la 'especulación' por la 'producción'. [...] Los desastres financieros de las últimas semanas, que aparejaron quebrantos para 350.000 ahorristas y afectaron depósitos por más de 1.000 millones de dólares, significan el peor escándalo financiero del siglo [...] que en otras circunstancias hubieran dado ya paso a un pronunciamiento militar".

En abril habló Ricardo Balbín. Desde Madrid, en declaraciones a Julio Nudler, corresponsal de *Clarín*, dijo lo que nadie se atrevía a admitir públicamente: "Creo que no hay desaparecidos; creo que están muertos, aunque no he visto el certificado de defunción de ninguno [...] lo que me preocupa es aliviar dolores, pero también evitar nuevos dolores. No tiene remedio. Fue así. Algún día se escribirá el capítulo de las responsabilidades". Además dijo que el sucesor de Videla debería ser el último presidente militar.

Por otro lado, Leopoldo Fortunato Galtieri comenzaba a dar sus primeros pasos como jefe del Ejército. Visitaba unidades de combate; largas charlas compartidas con sus oficiales, en las cuales hacía sentir su autoridad castrense, algo que sus predecesores, más inclinados por permanecer en sus escritorios, no habían hecho. Durante una visita al Colegio Militar de la Nación les dijo a los oficiales que la política "forma parte de la vida de la Nación Argentina, pero esto no quiere decir que mañana haya elecciones. No. Las urnas están bien guardadas y van a seguir bien guardadas". Desde Lima, Perú, en donde se encontraba participando de una reunión de la Internacional Socialista patrocinada por el APRA, Raúl Alfonsín le respondió que a las urnas "le vayan pasando el plumero porque las vamos a llenar de votos".
Durante la comandancia de Galtieri, se desarrolló la tesis de "la ocupación de los espacios vacíos" que dejaba la Administración de Carter con su política de derechos humanos, como por ejemplo en América Central. De allí entonces que el Ejército Argentino se viera envuelto en los calurosos y húmedos climas de Honduras, Nicaragua y El Salvador.
Los militares seguían insistiendo en que tenían objetivos pero carecían de los tiempos para cumplirlos. El 14 de junio, Gal-

tieri expuso una nueva visión al hablar de las tres etapas del proceso: 1) La toma del poder (24 de marzo de 1976); 2) El reordenamiento, y que se estaba atravesando el segundo tramo de tres etapas, para llegar a: 3) La consolidación. El mismo día el gobernador de Córdoba, general Adolfo Sigwald declaró que los próximos dos presidentes "serán también militares".

En junio de 1980 primaba la sensación de que los militares aún contaban con margen de maniobra para entenderse con la dirigencia civil. Así lo reflejó el 30 de junio Arrigo Levi en *The Times*: "Los líderes militares argentinos mantienen que ninguno puede entender o juzgar el 'exceso del antiterrorismo si uno se olvida que la Argentina estuvo en un estado de guerra civil; la supervivencia en sí de una sociedad civilizada, estaba en peligro como resultado de las bárbaras actividades de los terroristas. Muchos argentinos están probablemente listos para aceptar esta visión y olvidar o perdonar. Pero, para muchos, y no solamente los parientes de desaparecidos, la verdad debe ser revelada antes de que la Argentina comience a transitar en el sendero de una vida normal y democrática. De no ser así, las acciones de odio y violencia se mantendrán y producirán nuevos horrores".

En otro momento, Levi observó que "los militares insisten en que si los argentinos quieren volver a un gobierno civil, deberán aceptar primero que cualquier cosa que haya pasado durante la represión deberá ser olvidada y perdonada. ¿Eso es realmente posible? [...] He hablado también con el líder del partido peronista, Deolindo Bittel; el del Partido Radical, Ricardo Balbín y Raúl Alfonsín; el del Partido Intransigente, Oscar Alende y el socialista Rodolfo Ghioldi. Todos admiten que la reconciliación nacional es necesaria. Todos parecían estar listos para aceptar la 'ley del olvido'.

"El señor Balbín me dijo: 'Los sufrimientos de los demás me afectan mucho. Pero debo pensar en el futuro, y no quiero que nuestras futuras generaciones caigan de nuevo en los mismos horrores'. Los puntos de vista del señor Bittel fueron bastante similares. Él me dijo: 'Otros países han atravesado períodos de baños de sangre, pero llegó el momento en que ellos firmaron tratados de paz. Nosotros los argentinos debemos hacer la paz con nosotros mismos. No podemos seguir otros 50 años cobrando viejas cuentas. Pero es difícil la paz con fantasmas, la paz debe hacerse con gente real, con las organizaciones políticas legítimamente populares, sus partidos y sindicatos. Un gran debate debe iniciarse. El actual es sólo un diálogo de sordos'."[7]

El 30 de junio el canciller Pastor reunió en París a un conjunto reducido de embajadores argentinos en Europa. "Pastor se encuentra hoy reunido con un pequeño grupo de embajadores. Huelga decirte que el viaje europeo del ilustre canciller es algo totalmente artificioso, una manifestación del afán de turismo de los príncipes que nos gobiernan", escribió un embajador argentino destinado, precisamente, en Europa.

"Aunque parezca un chiste, algunos viajeros que pasaron por Washington me contaron que Omar Graffigna tiene deseos de ser Presidente de la Nación. Cree eso y ha designado a un equipo de asesores y lee discursos permanentemente. La gracia mayúscula se la mandó cuando se hizo invitar en febrero a Brasil, antes del viaje del presidente Figueiredo a Buenos Aires, en mayo. Una vez en Brasilia fue recibido en audiencia por Figueiredo. El presidente brasileño imaginó que sería una conversación meramente protocolar. La sorpresa se la llevó cuando Graffigna le comentó que 'había ciertos temas que él [Figueiredo] debería tratar con la Junta Militar' antes que con el presidente Videla. Entonces sacó de su portafolio un memorándum con los temas pendientes entre la Argentina y Brasil. Por supuesto también le dijo que, en el país, la Junta era la que tomaba las decisiones. Otros viajeros me han referido que se piensa publicar la famosa lista de los desaparecidos antes de que termine el mandato de Videla. Con esta 'genialidad', piensan, el nuevo Presidente comenzará un 'período nuevo', sin las complicaciones de los derechos humanos. Esta idea sería apoyada, aunque con motivaciones disímiles, por el Vaticano y el Departamento de Estado. También a los cráneos de nuestra Cancillería se les ha ocurrido que la próxima Asamblea de Cancilleres de la OEA (de noviembre de 1980) podría realizarse en la Argentina, más precisamente en Mar del Plata. De esa manera, sostienen, el medio ambiente presionará sobre los miembros de la asamblea, cuando se trate el informe de la CIDH sobre los derechos humanos en la Argentina."[8]

En 17 de julio, apoyado económicamente por grupos ligados al narcotráfico de Santa Cruz, el general Luis García Meza[9] derrocó al gobierno constitucional de Lidia Gueiler en Bolivia. Lo hizo para impedir el acceso a la presidencia de Hernán Siles Suazo. La intervención primordial de oficiales de las Fuerzas Armadas de la Argentina pasó a convertirse en un serio escollo entre las relaciones de la Argentina con los Estados Unidos. El gobierno argentino es señalado como el mentor intelectual del golpe. Tal vez, para que no quepan dudas, Videla expresó desde Córdoba su "simpatía" por el nuevo régimen militar de altiplano. Por esas horas, circulaba una minuta que informaba que "Sam Eaton, por entonces encargado de América del Sur en el Departamento de Estado, tenía las fotos de los argentinos que descendieron en La Paz setenta y dos horas antes del golpe, de un vuelo de Aerolíneas Argentinas. Fueron alrededor de 150 hombres. El golpe respondió a la tesis de Galtieri de 'ocupar los espacios vacíos que dejaba EE.UU. en su lucha contra la subversión' por su política de Derechos Humanos. Hubo un último intento de parar el golpe de parte de Siles Suazo. Fue en un encuentro entre su delegado en Washington, Marcial Tamayo, con un asesor de Viola. El encuentro fue en el hotel Embassy Row. En un momento, se le pidió a Tamayo que Siles Suazo formulara declaraciones rechazando la violencia armada. Lo hizo a las pocas horas en un reportaje en *Clarín*".[10] De todas maneras el golpe se llevó a cabo: "Nuestros militares sostenían que Bolivia era (sería) un territorio de paso para los montoneros que llegaban al país, vía Libia y los campos de entrenamiento militar palestinos. Además Siles Suazo declaró que le vendería el gas a los brasileños".[11]

Como consecuencia de esa participación en el golpe del general Meza, en un claro "gesto de desagrado" por el reconocimiento argentino al régimen del general Meza, el nuevo subsecretario de Asuntos Hemisféricos, William Bowdler, suspendió su anunciada visita a la Argentina. Bowdler se encontraba en Lima (la delegación americana la encabezó Rosalynn Carter) participando en las ceremonias de la asunción presidencial de Fernando Belaúnde Terry. Como un eslabón más del aislamiento argentino, Videla no estuvo presente por expreso pedido del nuevo Presidente. Para transmitir ese pedido viajó a Buenos Aires, antes de asumir como primer ministro, Manuel Ulloa.

El embajador estadounidense Raúl Castro terminó sus funciones en Buenos Aires y fue reemplazado por Klaus Russer, un funcionario de menor nivel. Durante un tiempo prolongado el gobierno norteamericano no designó ningún embajador. A pesar de que se conocía que el sucesor de Castro sería Harry Schlaudeman, el gobierno de Carter no presentó el placet. Como represalia, Jorge Aja Espil que se hallaba en Buenos Aires fue demorado en el país. Desde Nueva York, el 13 de agosto de 1980, Castro dijo que no se había nombrado un sucesor "porque los republicanos no quieren que designemos a ningún embajador hasta después de las elecciones". Habló de las dificultades entre su país y la Argentina y citó a los derechos humanos y la situación de Bolivia. Pero más importantes fueron sus consideraciones sobre la designación del sucesor de Videla y el poder de la Junta Militar. Dijo que la Argentina se encontraba en "un proceso electoral interno" de las Fuerzas Armadas. "Se están efectuando", agregó, "entre los oficiales tanteos y encuestas informales que tienen como finalidad seleccionar al próximo presidente". Luego mostró su visión de la estructura de decisión en la Argentina: la Junta Militar funciona "como si fuera un consejo de dirección" y el Presidente ejecuta la política acordada.[12]

El martes 19 de agosto, Videla realizó una visita oficial de cinco días a Brasil. Fue un viaje importante porque en la ocasión se firmaron los acuerdos de aprovechamiento hidroeléctrico en el Alto Paraná y otros de carácter comercial y de cooperación nuclear. Nadie lo decía, pero era la culminación exitosa de la gestión del embajador Oscar Camilión que, casi en soledad, logró cerrar la disputa con Brasil sobre la utilización de los recursos naturales compartidos. Si no obtuvo más fue porque su "frente interno" le puso zancadillas en todo momento. Y fue obra de él porque la Cancillería de Guzzetti ni siquiera le dio las instrucciones (se las tuvo que redactar personalmente) y las demás gestiones de Montes y Pastor apenas lo tuvieron en cuenta. Durante las seis oportunidades en que el presidente Videla estuvo frente al general João Baptista de Figueiredo se evidenciaron algunas diferencias: Videla apoyaba a García Meza, pero Figueiredo no. Videla propugnaba un acuerdo de seguridad, pero Figueiredo no. Brasil había decidido marchar hacia la democracia, pero la Argentina, todavía, ni la imaginaba. Es más, se estaba en pleno período de elección de un presidente, bajo la consulta a los altos mandos. Por aquel entonces, un informe de la situación interna militar dirá que, consultado todo el generalato, salvo el general Etchegoren, la mayoría opinaba que se debía elegir al teniente general (RE) Roberto Eduardo Viola.

Leopoldo Galtieri, confidencialmente, ya en esos días no pensaba lo mismo. Por eso constituyó un pequeño grupo para que lo aconsejara sobre qué medidas tomar. El grupo dictaminó que por el momento no se debía hacer nada, pues no solamente el generalato se inclinaba por Viola sino también gran parte de la clase política. La Armada le ofreció privadamente la presidencia a Galtieri. Siempre se aseguró que en esas semanas se fortaleciera la relación entre el jefe del Ejército y el entonces jefe del Estado Mayor de la Armada, vicealmirante Jorge Anaya.

En la primera quincena de septiembre, William Bowdler, hablando ante ejecutivos del Chase Manhattan Bank dijo que las relaciones con la Argentina presentaban diferencias, entre otras la cuestión de los derechos humanos, la política nuclear y la simpatía expresada al nuevo gobierno boliviano de García Meza. Casualmente, días más tarde, el canciller Pastor, en el marco de la Asamblea de Naciones Unidas, habló "off the record" con cinco periodistas argentinos de su reciente entrevista con el canciller Zambrano de Venezuela, en la que le dijo: "Nunca antes hemos intervenido en Bolivia. En ese país limítrofe tenemos instructores militares de todo tipo desde hace ya mucho tiempo, incluso hasta profesores de equitación. La primera vez que intervenimos, los Estados Unidos nos hacen un escándalo bárbaro. Como si ellos no hubieran intervenido nunca en país alguno". Según Pastor, Zambrano respondió que tenía razón.[13]

A pesar del malestar norteamericano, trascendió, que a través de un proceso de explicaciones recíprocas de los diferentes puntos de vista podría conducir a un descongelamiento de las relaciones argentino-norteamericanas en el futuro. El futuro no estaba tan lejos, porque el lunes 20 de septiembre, en un vuelo regular de línea, llegó a Buenos Aires el embajador Schlaudeman para hacerse cargo de la representación de su país. Presentó sus cartas credenciales el 4 de noviembre y el 5 se entrevistó con el canciller Pastor.

"El miércoles 1° de octubre, los cinco generales que tienen 'los fierros' (de sur a norte: Villarreal, Montes, Nicolaides, Jáuregui y Bussi) informaron a Galtieri que su posición era que Viola no era negociable y que si era necesario se debía modificar la regla de unanimidad [de la Junta Militar]. Esta fue la posición que Galtieri mantuvo en la reunión de la Junta Militar del jueves 2 de octubre [...] y la Armada no tuvo otra alternativa que aceptar para mantener la unidad de las Fuerzas Armadas." El viernes 3, llegó a Washington la postergada noticia de la designación de Viola para suceder a Jorge Rafael Videla.

Ese mediodía del viernes 3, en el restaurante "Tiberio", Christian Zimmerman, representante argentino en el Banco Interamericano de Desarrollo (BID), almorzó con el economista radical Bernardo Grinspun. El diálogo fue cordial y se llegó a la conclusión de que debían adoptarse "nuevas medidas para corregir gruesos errores". Lo que no sabía Zimmerman es que días antes Viola había comido con tres economistas del radicalismo. Según Grinspun, el presidente electo fue receptivo a las críticas que realizaron a la gestión de Martínez de Hoz y su diagnóstico no difería, en el fondo, con el de los radicales.[14]

La postergación se debió a variados motivos, entre otros la resistencia que el propio Viola provocaba entre las otras armas, en especial en la Armada, y a la desconfianza que le guardaba el establishment empresario y financiero. Uno de los tantos inconvenientes que debió sortear Viola dentro de la Junta Militar fue una documentación que presentó el almirante Armando Lambruschini. En esos papeles se podían observar los trámites que realizaron en Washington gente cercana a Viola para que realizara una visita privada a los Estados Unidos, sin conocimiento de la Junta Militar y antes de que fuera anunciada su designación. En el informe se señalaba a la empresa de relaciones públicas McKenzie[15] (la misma agencia de lobby que había trabajado intensamente para Anastasio Somoza) y a la Fundación Internacional Argentina que dirigía Jorge Juárez Dover (y financiaba Ricardo Masueto Zinn) como las responsables de organizar una visita privada a los Estados

Unidos, para dar una serie de conferencias. La Armada y Fuerza Aérea entendieron que se le quería imponer una política de hechos consumados: si Viola todavía no había sido elegido por la Junta Militar, ¿en nombre de quién se presentaba en Washington?

Entre el anuncio de la designación de Viola y su asunción el 29 de marzo de 1981 transcurrieron seis meses. Una eternidad si se tiene en cuenta la crisis económica que devoraba la popularidad del gobierno militar.

"Estuve conversando con Viola casi una hora. Lo encontré sereno y consciente de los problemas. Me dijo que sabía muy bien de la indiferencia con que había sido recibida su designación, por lo que juzgaba absurdo oír algunos que hablaban de 'consenso'. Hablamos de generalidades y no se tocó mi situación: cuando el tema se insinuó lo cambié", relató el 12 de noviembre de 1980 un embajador de carrera con diferencias con el canciller Pastor.[16] Luego, el diplomático miraba hacia la dirigencia política y observaba: "Ningún partido tiene el más mínimo plan, o elemental idea de qué hacer en estos momentos. Se limitan a esperar el desarrollo de los acontecimientos, o sea palpitar si el próximo gobierno funciona o no. [...] Imagino el desencanto, porque el gobierno ha resultado peor de lo que suponíamos en el '76".

Roberto Viola, "el hombre que manejaba los silencios", según el periodista Joaquín Morales Solá, hizo su presentación en público durante un programa de televisión en un canal rosarino. Apoyado en la barra de un bar, tomando un whisky y fumando, intentó dar una imagen distendida y familiar. Sólo originó sonrisas, más aún por sus declaraciones intrascendentes. Sin embargo, sus asesores y exégetas se encargaron de precisar que Viola dijo que "no existe cogobierno" (en alusión a la Junta Militar) y que "aquellos principios y conceptos de la política económica [de Martínez de Hoz] no serán en ningún modo modificados. Se van a mantener íntegramente". Nadie le creyó. A pesar de que, hasta noviembre de ese año, Viola y Martínez de Hoz se encontraban mensualmente en el departamento de la calle Oro del embajador Gerardo Schamis. Entre ellos existía una muralla de desconfianza. "Pesos más, pesos menos, yo voy a seguir la política cambiaria suya", le dijo el futuro presidente en una oportunidad.

El 9 de octubre de 1980, bajo el título "¿Tiene la Argentina el gobierno que se merece?", el periodista Manfred Schönfeld, del matutino conservador *La Prensa*, opinó que "el presidente Videla no parece haberse planteado adecuadamente la 'profunda gravedad' del problema de los desaparecidos y que 'cabría desear que al menos lo hiciera el flamante presidente designado'". Y añadió: "El resultado es un creciente descreimiento, una falta de fe por parte de los estratos más amplios de la población. [...] Hay en estos momentos un escepticismo, un cinismo, particularmente entre la gente joven, como hace tiempo no lo había".[17] La desazón, especialmente de los jóvenes, aumentó el drenaje de lo que denominó "la fuga de cerebros". El *Washington Post* del 29 de octubre informó que diariamente cientos de argentinos se acercan a las oficinas consulares en Buenos Aires interesados en emigrar, en la búsqueda de un país más libre y confortable. "Unos dos millones de argentinos emigraron en las últimas dos décadas. 'No puedo encontrar trabajo acá', declaró Juan Fernández, un ingeniero de 30 años, 'hay muchos ingenieros y la economía es un desquicio. Tengo que vivir con mi madre y llevo más de un año sin trabajar'."

"El nivel de desempleo", escribió Kenneth Fredd, "se ubica en un 10 por ciento, en un país donde cualquiera que trabaje una hora semanal es considerado ocupado. Fuentes gremiales estiman que unos dos millones y medio de personas tienen trabajo ocasional u ocupan posiciones donde no trabajan. La inflación se ubica entre las más altas del mundo —150 por ciento— y ha sido de tres dígitos en los últimos seis años".

Desde otro ángulo, el sociólogo José Enrique Miguens publicó un trabajo en *Clarín*, el 4 de diciembre de 1980, bajo el título "Frente a la complejidad social", en el que expresó que "desde 1973 hasta la fecha, seis universidades nacionales y privadas cerraron sus carreras de formación de profesionales en Sociología. La mayoría de ellas, por orden directa o por presión del Ministerio de Educación de la Nación". Y agregó: "El asunto es de tal gravedad, y los argumentos que se dan para justificar esta política son tan endebles, que la única explicación que se puede dar a tamaño desatino es que los funcionarios que promueven esta política no tienen la menor idea de cómo funcionan las sociedades actuales en los países civilizados". El interrogante del lúcido Mi-

164

guens lo desentrañó Richard Boudreaux, corresponsal de Associated Press en Buenos Aires: "Las purgas (entre profesionales e intelectuales que trabajan dentro del Estado), sostienen fuentes del Ministerio de Educación, son realizadas por oficiales de Inteligencia de las Fuerzas Armadas destacados en el Ministerio. Su blanco predilecto son los psiquiatras, los psicólogos y los sociólogos, pero también sancionan a veces a los físicos y a los químicos, especialidades que han dado a la Argentina renombre internacional".

"La fuerza actual del gobierno argentino está en la resignación y en el escepticismo, y un gobierno no puede basarse en la resignación para conducir un país", dijo Jorge Luis Borges en Biarritz, Francia.[18]

El 13 de octubre, John Sanness, miembro de la Academia Noruega del Premio Nobel, informó que el argentino Adolfo Pérez Esquivel había ganado el Premio Nobel de la Paz, por sus esfuerzos en la lucha por el respeto a los derechos humanos. La noticia cayó como una bomba, fue tomada como un agravio por el gobierno militar. Con ese singular estilo que lo caracterizaba, el escritor Jorge Luis Borges, un intelectual no precisamente de izquierda, dijo: "No entiendo por qué ahora que tenemos otro Premio Nobel nadie está agradecido. Me han contado —señaló— que fue terrorista y que se escandaliza del terrorismo de derecha y no del de izquierda. Esto que dicen posiblemente sean calumnias, es decir, algo totalmente injusto". Borges después desvió su mirada a otro tema, al decir que "económicamente hay muchos problemas que espero se solucionen en 1981, pero creo que continuaremos declinando, no sólo nosotros sino todo Occidente".[19]

En el calendario de 1980, noviembre marca dos hitos fundamentales. Primero, se realizó dentro del marco de la OEA, el análisis del informe que la CIDH preparó sobre la base de la visita realizada el año anterior a la Argentina. Previamente, en la Cancillería argentina se había librado un fuerte debate: si el informe era condenatorio al gobierno militar, la Argentina retiraría su apoyo a la OEA. Esta tesis la encabezaba el embajador Ros y experto el embajador en los organismos internacionales en Ginebra, Gabriel

Martínez. El embajador argentino en la OEA, Raúl Quijano, en esos meses viajó a Buenos Aires, con un proyecto de respuesta a lo que iba a ser el informe de la comisión, pero fue descartado por "moderado" y reemplazado por otro más duro que preparó el jurista Julio Oyhanarte con oficiales de las tres armas. La tarea de la CIDH, finalmente, fue resumida en 15 recomendaciones. Ellas sostienen que "con respecto a las muertes imputadas al gobierno se deben abrir las investigaciones correspondientes". Se recomienda, asimismo, "considerar la posibilidad de derogar el estado de sitio; otorgar el derecho de opción para salir del país a los detenidos a disposición del Poder Ejecutivo; investigar a fondo las denuncias sobre tortura; asegurar a las personas sometidas a juicio ante los tribunales militares las garantías del debido proceso". El punto 13 recomendaba:"en lo que respecta a los derechos políticos, dar los pasos necesarios orientados al restablecimiento de la actividad y participación de los partidos políticos en la vida pública de la nación, así como garantizar los derechos políticos de los ciudadanos". En la página 148 del documento original de la CIDH, la comisión sostiene que "no está en condiciones de dar una cifra exacta del número de desaparecidos en la Argentina". Sin embargo da el número de 5.818 (durante el período 7 de enero de 1975 al 30 de mayo de 1979), después de haber consultado a las más importantes organizaciones de promoción de los derechos humanos (por ejemplos: Asamblea Permanente de los DDHH, Liga Argentina por los Derechos del Hombre, Comisión de Familiares de Desaparecidos y Detenidos por Razones Políticas, Movimiento Ecuménico, etc.).

En el frente interno del Palacio San Martín, el largo proceso de negociaciones, observaciones y críticas al informe, entre el gobierno argentino y la comisión de la OEA, fue calificado como un gran éxito del embajador Raúl Quijano y una gran derrota para Enrique Ros.

De acuerdo con el informe privado de un observador en Washington: "La 'victoria' en la OEA ha dado pie a distintas negociaciones y resoluciones. Dos son para mí muy significativas. Con México se habría acordado otorgar el salvoconducto para salir del país, en los próximos meses, al hijo de Cámpora. Juan Manuel Abal

Medina deberá esperar tiempos mejores para salir. En dicha negociación participó, entre otros, Fernando Petrella, quien viajó en 'secreto' (no hay secretos en Washington) para entrevistarse con el canciller Castañeda, del que es amigo desde los tiempos en las Naciones Unidas. Con Barbados, se resolvió dejar sin efecto la apertura de la embajada por orden expresa del canciller Pastor, debido a la pertinaz oposición a la postura de la Argentina en la OEA.

"Con la delegación de los EE.UU. las negociaciones fueron duras y arduas (se llegó a las amenazas cuando el miércoles 26 de noviembre a la noche Ros aconsejó al canciller Pastor retirarse de la OEA, actitud que hubieran seguido otros países del Cono Sur). A tanto llegó la presión que el propio canciller argentino lo amenazó a Alejandro Orfila con quitarle 'la confianza' (no sabía que Orfila no dependía de él). En materia de derechos humanos ambos pretendían salvar algo. Unos, las banderas (los americanos), los otros la ropa (el gobierno argentino). Los diarios argentinos vieron la negociación como si fuera un partido de fútbol; Pastor también. En la madrugada del 27, Pastor una vez que alcanzó la resolución que pretendía, con lágrimas en los ojos felicitó a la delegación y luego le pidió disculpas y abrazó a Quijano en público.

"Ahora que se habla del futuro gabinete de Viola, para el caso de que sea designado un diplomático, el cargo es disputado por dos embajadores: Raúl Quijano y Enrique Ros. Raúl tiene la contra de haber sido el último canciller de Isabel Perón y Enrique es poco conocido en el exterior. Según mis informaciones, Carlos Ortiz de Rozas no aspira a la conducción del palacio San Martín. Sobre la situación económica mejor ni hablar. Massera sostiene que la situación será explosiva en noviembre de 1981, y que Viola se verá en la obligación de convocar a elecciones. No creo que todo sea de esta manera, pero pienso que puede hacer tambalear a todo el Proceso. Juan José Taccone estuvo comiendo en mi casa días pasados. Analizaba el momento de la siguiente manera: ningún gobierno desde 1955 a la fecha tuvo el coraje de revertir a la Argentina hasta 1942, por lo tanto ahora deberemos pasar nuevamente por un 1943. Usted, mejor que yo, sabe que los procesos históricos no son lineales, pero también sospecha que el Ejército siempre busca el 'coronel' que lo salve. Más ahora que hay muchas cosas que olvidar".[20]

La respuesta del gobierno militar al informe de la CIDH fue presentada a la OEA el 28 de abril de 1980. Es un trabajo de 170 páginas con un anexo en el que se detallaban 1025 casos de civiles y militares muertos y heridos por el terrorismo de izquierda. Desde Augusto Timoteo Vandor (junio de 1969) a Francisco Soldati (asesinado por Montoneros en 1979).

El 1° de noviembre, en el vuelo 811 de TWA llegó a Washington Raúl Alfonsín, invitado como observador a las elecciones presidenciales que se realizarían tres días más tarde. Su visita estuvo precedida por Bernardo Grinspun, en aquel entonces asesor del Comité Interamericano Económico y Social (CIES), quien se encargó de organizarle la agenda de entrevistas junto con otros argentinos que vivían en la capital de los Estados Unidos. En aquellos momentos, Ricardo Balbín todavía era el presidente de la Unión Cívica Radical, pero ya se hablaba de Alfonsín como de alguien que prometía un futuro exitoso. A diferencia de la mayoría de los políticos argentinos que llegaban a Washington, Alfonsín no necesitó del auxilio de la Embajada de Jorge Aja Espil y quizá por esta razón el embajador argentino le previno al subsecretario adjunto de Asuntos Latinoamericanos, William Bowler, que el visitante representaba a la "extrema izquierda" de su partido a la vez que preguntó por qué no se invitaba a dirigentes radicales más "moderados".[21] La inexactitud de Aja Espil con respecto a Alfonsín estuvo unida con una protesta que fue lo que motivó el encuentro: era la conferencia que iban a dar el 6 de noviembre Patricia Derian, Jacobo Timerman y Robert Cox sobre Derechos Humanos en la Argentina.

La noche de su llegada, Alfonsín comió en un restaurante de Georgetown junto con unos muy pocos correligionarios; entre ellos Ricardo Gjivoje, funcionario de la OEA y amigo de Grinspun. Durante la cena analizó la agenda y dio su visión del momento argentino: "Para mí todo esto entró en picada definitiva cuando se dio el golpe en Bolivia, porque demostró el grado de soberbia que anima al gobierno, al desafiar al propio Estados Unidos". En ese tiempo, su intención, dijo, "es impedir un arreglo con los militares en estos momentos porque los militares aún conservan una ventaja. En unos meses más la tendencia en picada de ellos y el repunte de los políticos harán coincidir las dos líneas en su punto de encuentro y ahí deberá darse un acuerdo o negociación. No podemos salir a negociar, ahora, por una gobernación o unas intendencias".

De Viola dijo que aún no tenía el poder, por lo tanto no podían "esperarse cambios de políticas. Cuando los empresarios van a conversar con Viola, ahora, se equivocan. Él no puede prometer nada que no sea lo que está fijado, porque de lo contrario no le dan la presidencia. Lo mismo sucede con los políticos".[22]

Al día siguiente, antes de comenzar sus actividades, mantuvo un almuerzo un poco más amplio, al que fue acompañado por Jorge Roulet. En esta ocasión, Alfonsín demostró su sorpresa al analizar al Partido Laborista británico y su grado de infiltración trotskista bajo la presidencia de Neil Kinnock. Brian Thomson, uno de los comensales, observó que no era así como lo querían hacer aparecer los sectores conservadores del partido y que por otra parte el trotskismo tenía diferentes líneas y "con algunas de ellas puede llegarse a un entendimiento". Alfonsín negó de plano esa posibilidad. El mismo comensal deslizó una crítica al libro *La cuestión argentina* que Alfonsín terminaba de escribir, diciendo que era un error sostener que el radicalismo no es de izquierda ni de derecha "ya que debía definirlo como partido de izquierda". Alfonsín volvió a retrucarle: "No quiero que al partido lo tiren al centro… pero tampoco es de izquierda. Yo rescato en el libro a los sectores conservadores".[23] Por la noche, ese discurso no era lo que esperaban escuchar algunos invitados argentinos en la casa de Thomson y tras algunas preguntas se levantaron y se fueron. "No creo que en la Argentina nadie busque un Nürenberg", sostuvo. En los días que estuvo se entrevistó con altos funcionarios del Departamento de Estado (Bowler y Eaton); brindó conferencias en la American University y en Georgetown; analizó la situación argentina con catedráticos y parlamentarios y, tras la victoria de Ronald Reagan, conversó con Jeane Kirkpatrick y Richard Allen, que llegarían a embajadora en Naciones Unidas y consejero de Seguridad, respectivamente.

Antes de partir de Washington, luego de palpar el ánimo norteamericano en los días finales de Carter y el triunfo del candidato republicano, Alfonsín observó: "La frustración nacional por el rol declinante de los Estados Unidos en la escena global es superior a cualquier otra consideración interna y a menos que Reagan pueda dar al país una nueva supremacía internacional, será barrido dentro de cuatro años".

El segundo hecho importante se produjo el 4 de noviembre: la victoria de la fórmula republicana Ronald Reagan-George Bush en las elecciones presidenciales norteamericanas. Hubo júbilo en muchas capitales del continente latinoamericano. Por ejemplo en Buenos Aires, Montevideo, Santiago de Chile, Asunción, La Paz y El Salvador. También en varias capitales europeas. "En estos momentos todo un andamiaje falso, ese famoso de los 'derechos humanos', de los premios Nobel digitados para inmiscuirse en casa ajena, de la hipócrita invocación a la paz, cae estrepitosamente", declaró al borde de la euforia un tal "Cecilio Jack Viera", un analista de la agencia oficial TELAM. "En lo que cuenta para el gobierno militar argentino", editorializó *La Nación*, "el hecho de que los republicanos vayan a tomar las riendas de Washington en enero parece traer la promesa de una mayor comprensión de los norteamericanos con referencia al fenómeno subversivo, a su represión y a las huellas que esto ha dejado en la Argentina".

Para *Clarín*, "el nuevo presidente [Reagan], nada dispuesto a cometer gazapos, como fueron la prédica de los derechos humanos o las actitudes hamletianas en la relación bipolar con Moscú o la confusión entre los intereses del pueblo norteamericano en su conjunto y las ideologías de las transnacionales, tendrá ante sí, a partir del 20 de enero, un amplio campo de negociación".[24] El mismo 4 de noviembre, presentó sus cartas credenciales al presidente Videla el nuevo embajador norteamericano Harry Schlaudeman, un diplomático de carrera, del que se esperaba se moviera con profesionalismo.

La última presencia argentina importante en Washington fue la del jefe de la Armada, Armando Lambruschini. Entre sus actividades más importantes, inauguró la nueva sede de la Armada en la capital norteamericana y asistió a una recepción para 350 personas que le brindó el empresario nicaragüense Francisco "Pancho" Aguirre en el Congressional Club. También le ofreció una cena el embajador Jorge Aja Espil. En los cuatro días que duró su visita mantuvo innumerables reuniones con jefes navales de los EE.UU., todas relatadas con prolijidad por el periodista de United Press Internacional, Ary Moleón, en un largo cable del 2 de diciembre de 1980. Lo que no contó Moleón fue que en esos días "mantuvo una larga conversación con un miembro del equipo económico de Martínez de Hoz, quien le aseguró que si persistía este clima de indefinición en cuanto a la línea económica que adoptaría el gobierno de Viola, la Argentina debía estar dispuesta a perder alrededor de 1.000 millones de dólares de sus reservas que se están marchando, a razón de 30 a 40 millones diarios. Después de su gira en Washington, el almirante Lambruschini partió para Alemania Occidental con el fin de presenciar la botadura del primero de dos submarinos construidos para la Armada argentina en los astilleros Thiessen. Durante los cuatro días en suelo alemán, Lambruschini se entrevistó con el canciller alemán. Al final del encuentro, el gobierno alemán emitió un comunicado oficial donde se relata que se le plantearon temas relacionados con los derechos humanos y en el que no existieron coincidencias. El trato no fue cordial y la cuestión asumió su gravedad porque el alto jefe naval tiene rango de Jefe de Estado. Este hecho debe haber caído en Buenos Aires como balde de agua helada, luego de las declaraciones del canciller Pastor al llegar de la reunión de la OEA: 'Para la Argentina esto (el tema de los derechos humanos) está terminado, lacrado, sellado y archivado'. Los acontecimientos demuestran que no es así. El tema se agrava aún más si se tiene en cuenta que nuestro país le está comprando a Alemania armamentos por varios millones de dólares (submarinos y fragatas). Pensar que los ingleses perdieron de vender, además de sus calidades técnicas, porque el gobierno Laborista de entonces presionaba por los derechos humanos".

El 8 de diciembre, cerca de las 23, el mundo por unos instantes dejó de latir: cuando estaba entrando a su departamento, en el Edificio Dakota, fue asesinado John Lennon, el alma de los "Fab Four".

El año 1980 se fue con otra cuestión externa sin resolver. El 12 de diciembre, en el Vaticano, Juan Pablo II entregó a los cancilleres de Argentina y Chile sus propuestas de mediación. Sentado en su trono, Su Santidad leyó un mensaje a los ministros Carlos Washington Pastor y René Rojas Galdames: "Me gustaría que durante estas fiestas de Navidad, Año Nuevo y Epifanía del Señor, en que los cristianos estamos invadidos por el gozo de la celebración litúrgica del Misterio de 'Dios con nosotros,' pudiera madurar el fruto de vuestras respuestas". La respuesta definitiva de la Argentina sólo llegó cuatro años más tarde, con Raúl Ricardo Alfonsín.

La propuesta de Nicholas Ridley.
José A. Martínez de Hoz en Londres.
Un plan para Malvinas

Los 1.813 habitantes de las Islas Malvinas, durante ese año se agitaron por un plan que nació en el mismo Londres y que pretendía poner fin al diferendo de soberanía en Malvinas. El Foreign Office lo llevó adelante a través de su subsecretario de Asuntos Latinoamericanos, Nicholas Ridley. Para eso hizo dos visitas a las islas y después mantuvo conversaciones con funcionarios argentinos. Se llamó la solución del "lease back": Inglaterra aceptaba la soberanía de la Argentina y en un tiempo determinado transferiría la administración y la explotación de los recursos. La transferencia sólo se haría en un plazo no menor de 50 años. Un mecanismo similar al que Gran Bretaña había establecido para Hong Kong y que fue firmado por 99 años. Las otras dos propuestas eran negociar con el gobierno argentino el condominio o administración conjunta de las islas, o de lo contrario congelar las negociaciones por un tiempo no definido. El Consejo de las islas en abril rechazó la idea del "lease back" e intentó suspender los encuentros para tratar la soberanía. Pero Ridley volvió a insistir y viajó a Puerto Stanley nuevamente.

Entre el 22 y 29 de noviembre, ante unas trescientas personas reunidas en el Town Hall, el subsecretario de Asuntos Latinoamericanos habló de cuatro alternativas: 1) La fórmula de arrendamiento; 2) Aceptar todas las demandas argentinas y transferir la soberanía; 3) Congelar por 25 años la cuestión de soberanía y 4) Rechazar de plano cualquier cuestión de soberanía.[25] Nicholas Ridley admitió que la primera opción era la preferida de la primer ministro. En su áspero diálogo con los isleños, el funcionario deslizó una advertencia: que no se podía descartar que "la Argentina, cansada, pudiera intentar una solución militar". Les dice, además que Gran Bretaña no podrá asumir la defensa de las islas. Los kelpers al escuchar hablar de "leasing" reaccionaron violentamente y Ridley fue despedido con carteles insultantes en Puerto Stanley. A su vez, los isleños y los sectores más conservadores hicieron oír sus opiniones de rechazo en la prensa y el Parlamento. En ese clima, el 2 de diciembre Ridley se presentó a informar ante los Comunes. Sufrió agresiones similares a las que ya había recibido en Puerto Stanley. El vizconde Cranborne llegó a decir que induciría a los isleños a pensar que "no contaban con el apoyo que se merecían de la madre patria". Los observadores no dejaron de tener en cuenta que el gobierno británico tenía una fisura, ya que había importantes sectores que consideraban que la cuestión de soberanía, al fin de cuentas, debía tratarse. Ante la presión del "lobby" de las islas, el gobierno británico dos semanas más tarde intentó iniciar un proceso licitatorio para explorar petróleo "off shore" en el Atlántico Sur, lo que generó un nuevo intercambio de protestas diplomáticas.

En junio, José Alfredo Martínez de Hoz dijo en Londres que sería conveniente para ambos países la elaboración de planes conjuntos en explotación petrolera y pesca, en el área de Malvinas, al mismo tiempo que se analiza la cuestión de soberanía. El ministro de Economía entendía su proyecto como un ensayo de aproximación, pero los mandos de las FFAA insistían con la soberanía, antes de cualquier proyecto común. En sus comentarios íntimos, Martínez de Hoz solía decir que una forma de solucionar el largo diferendo era realizar "tareas mancomunadas con los británicos". Nicholas Ridley entendió que "no es posible explorar las fuentes de pesca o petróleo a raíz de la fuerte disputa con Argentina".[26] La ecuación en esa época era muy simple: "Entre el 50% de algo o nada, prefiero el 50%. Pero los militares, cuando se sentaban a negociar, antes que nada preguntaban por la soberanía y ahí los ingleses se iban".[27] Esa visita a la capital del Reino Unido fue casi presidencial. Estuvo con los más importantes funcionarios del gobierno. Desde Margaret Thatcher, lord Carrington, el presidente del Banco de Inglaterra y el secretario de Agricultura. Con Margaret Thatcher no habló de Malvinas para no despertar los celos del canciller Carlos Washington Pastor. La primer ministro hacía semanas que estaba en el gobierno y quería conocer la experiencia argentina. Lo dejó explicar y al finalizar le preguntó: "Si usted tuviera que darme un consejo, ¿cuál sería?". Martínez de Hoz pensó un segundo y le dijo que "mientras mantenga su mentalidad abierta, escuche y escuche. Luego, cuando esté segura 'stick your guns' [no vaya a aflojar]". Margaret Thatcher se incorporó de pronto llevándose por delante la mesa ratona que los separaba y afirmó: "You bet it will! [¡por supuesto!]".

También estuvo con el secretario del Foreign Office y el subsecretario Nicholas Ridley. Hubo una suerte de ping pong entre los dos, sobre diferentes alternativas. El "lease back" fue la más analizada. Durante la conversación, uno de los funcionarios presentes dijo que la Argentina y el Reino Unido sólo estaban separados por el "3 F": "Falklands, Football and Foot and mouth". Es decir, las Malvinas, el fútbol y la aftosa.

En 1980, cuatro oficiales superiores de la Armada Argentina (Roque Manrique, Arico Taladriz, César Tombetta y Roberto Pérez Perri)[28] presentaron un extenso panorama, frente a la posibilidad de hacer valer los derechos de soberanía, cuyas observaciones no serían tomadas en cuenta ni por la Junta Militar ni el Palacio San Martín en abril de 1982. El estudio revela:

• La oportuna intervención de las Naciones Unidas ha significado, si es convenientemente explotada, la creación de factores favorables a nuestro país.

• El Reino Unido, aunque con reticencias, se ha avenido a dar cumplimiento a llevar a cabo conversaciones dispuestas por las Naciones Unidas.

• Cuando se ha discutido la cuestión en el seno de las Naciones Unidas, se ha contado con el apoyo de los países latinoamericanos, del denominado Tercer Mundo y los de la órbita comunista.

• Si bien no claramente definida, aunque obvia, los EE.UU. han mantenido una posición de simpatía a su tradicional aliado que se materializa con la abstención.

• Las naciones del Commonwealth apoyan al Reino Unido.

El trabajo advierte que el Reino Unido intentará mantener bajo su jurisdicción las islas Malvinas, Georgias del Sur y Sandwich del Sur. Y que tiene capacidad para reaccionar ante una agresión. También predice que los EE.UU. apoyarán al Reino Unido: por problemas políticos coyunturales (DDHH); por tradición y origen; por necesidad de mantener influencia en América Latina ante el avance soviético en el Atlántico Sur, y condenarán en los foros cualquier tipo de agresión armada.

En el caso de la Comunidad Económica Europea (CEE), apoyará al Reino Unido promoviendo medidas políticas y/o económicas contra la Argentina (cierre de mercados de exportación, prohibición y trabas a la venta de ciertos materiales). También analiza que la URSS podría dar un eventual apoyo, político y económico por responder a sus propios objetivos.

Entonces, para el caso de una operación armada contra las Malvinas, el trabajo llegó a las siguientes conclusiones:

• Aliados posibles (de la Argentina): América Latina, URSS y Tercer Mundo.

• Adversarios: Reino Unido y Commonwealth, EE.UU. y la Comunidad Europea.

• Neutrales: China, empresas multinacionales y países influenciados por el Reino Unido y los EE.UU.

• En cuanto a la capacidad militar: superioridad manifiesta del adversario, agravada por nuestra dependencia logística del Reino Unido. [...] Reaccionará con todo o parte de su poder militar, ante una agresión directa, para la recuperación de las islas y acciones de apoyo de desgaste, interferencia o cierre de las líneas de comunicación de la Argentina. El trabajo recomienda por lo tanto varios escenarios, siendo el más destacado el de continuar con las negociaciones diplomáticas en el seno de las Naciones Unidas.

NOTAS

[1] *Clarín*, 24 de enero de 1980, pág 4. Ricardo Kirschbaum en su nota sobre la misión de Goodpaster llegó a decir que también se hablaría de Malvinas. Archivo del autor.

[2] Materiales informativos en poder del autor.

[3] Para más información: *La degeneración del 80*, El Cid Editores, 1981, fue el libro donde el empresario Raúl Piñero Pacheco relató sus peripecias por comprar el banco quebrado y su detención. Y si el lector prefiere algo novelado debe buscar *Escándalo bancario* de Silvina Bullrich, Emecé.

[4] Programa de televisión "Espejados", 14 de junio de 2007, al presentar Gasparini su libro sobre el caso Graiver.

[5] *La degeneración del 80*, pág. 147.

[6] *Op. cit.*, pág. 90 .

[7] Artículo en el archivo del autor.

[8] Carta a un embajador argentino en Europa, con fecha 23 de junio de 1980. Archivo del autor.

[9] General Luis García Meza Tejada, militar que arrebató el poder a la presidenta Lydia Gueiler Tejada. Gobernó durante 11 meses, de los 20 años que había prometido, a la cabeza de una efímera Junta Militar. Actualmente cumple una condena de 30 años en la cárcel de Chonchocoro, La Paz. Su ministro de Gobierno y comandante del Colegio Militar fue Luis Arce Gómez, el representante del narcotráfico en el gobierno de García Meza. Arce Gómez fue jefe de Seguridad del presidente Ovando; cursó estudios en España; fue jefe del G-2 con García Meza, desde donde preparó el golpe del 17 de julio de 1980. Años después fue capturado en Buenos Aires y trasladado a Miami donde cumple una condena de 30 años por narcotraficante.

[10] El título del reportaje fue: "Bolivia no será un foco guerrillero". *Clarín*, 5 de julio de 1980, pág. 16.

[11] Carta al ex presidente Alejandro Lanusse del 19 de julio de 1980.

[12] *Clarín*, miércoles 13 de agosto de 1980, pág. 10.

[13] Informe a diplomáticos, archivo del autor. Octubre de 1980.

[14] Informe privado del 8 de octubre de 1980.

[15] Ian McKenzie era un argentino radicado en los Estados Unidos.

[16] Archivo del autor.

[17] Cable con la firma de Oscar Serrat, agencia AP, del 9 de octubre de 1980.

[18] Noticia de *La Nación*, del 28 de septiembre de 1980, extraída del semanario *Resumen* 29, Madrid 1980, publicado por el Club para la Recuperación Democrática Argentina. Archivo del autor.

[19] Diarios de la época..

[20] Carta de un observador al embajador Enrique Lúpiz, en ese momento destinado en Rabat, Marruecos.

[21] Apuntes de la reunión del miércoles 29 de octubre de 1980, de fuente diplomática, entre el embajador Aja Espil, funcionarios diplomáticos y agregados

militares. En esta reunión relató su entrevista con Bowler. Después, Aja Espil pidió una entrevista a Alfonsín pero fue rechazada. Archivo del autor.

[22] Apuntes del autor, 1º de noviembre de 1980.

[23] Apuntes del autor, 2 de noviembre de 1980.

[24] Cable de AP del 6 de noviembre de 1980, en el archivo del autor.

[25] *Historia general de las Relaciones Exteriores de la República Argentina*, Cisneros y Escudé.

[26] Cable de Latin-Reuter, 2 de diciembre de 1980. Archivo del autor.

[27] Diálogo del autor con Martínez de Hoz.

[28] Eugenio L. Bezzola advierte que los cuatro oficiales, en diferentes momentos y distintas tareas, pasaron por el Reino Unido. El contralmirante Bezzola, durante la comandancia del almirante Jorge Anaya, fue el sexto oficial en el escalafón de mandos. Era director de Electrónica Naval.

6. 1981. EL AÑO EN QUE EL TENIENTE GENERAL (RE) ROBERTO EDUARDO VIOLA SE SINTIÓ EL HOMBRE MÁS IMPORTANTE DE LA ARGENTINA. SUS OCHO MESES DE GESTIÓN. EL CAOS

◆

El 1° de enero de 1981, la gestión de Jorge Rafael Videla entraba en sus últimos tres meses. Lo importante para los observadores de aquellos tiempos era saber quiénes eran los hombres de consulta del próximo presidente de la Nación, teniente general Roberto Eduardo Viola, y cómo habían quedado conformadas las cúpulas de las Fuerzas Armadas. A diferencia de lo que sucede actualmente, durante el Proceso la designación de tal o cual general al frente de un cuerpo de Ejército o una brigada era tan importante porque manifestaba la dirección del gobierno y porque además las cúpulas conformaban con su participación en las reuniones de mandos verdaderos cuerpos colegiados. Hablaban y decidían sobre todo. Asimismo, la conformación de esos mandos pasaba a convertirse en un termómetro del apoyo al mandatario de turno. Esa fue la enseñanza que dejó el período de Jorge Rafael Videla. ¿Por qué no habría de repetirse ahora lo mismo?

El Ejército, desde meses antes, estaba comandado por Leopoldo Fortunato Galtieri, un general tropero, en cuyo trato personal escaseaban las sutilezas y amante del contacto directo con sus subordinados. A diferencia de sus antecesores, no era considerado un general de escritorio. El proceso que lo condujo al tope de su fuerza no fue corto ni fácil. Viola tuvo que desarrollar toda su astucia para dejar fuera del camino a otros candidatos, como Suárez Mason o Menéndez. Eligió a Galtieri porque era el que menos le podía hacer sombra. Y también metió el bisturí para dejar conformado un tejido de mandos que le permitiera comenzar su gestión presidencial sin sobresaltos.

Los cuerpos del Ejército quedaron comandados por los generales José Antonio Vaquero (Estado Mayor General); Antonio Domingo Bussi (Cuerpo I); Juan Antonio Trimarco (Cuerpo II); Cristino Nicolaides (Cuerpo III) y José Rogelio Villarreal (Cuerpo V). Otros cargos, no menos importantes: Llamil Reston (de ministro de Trabajo pasa al Estado Mayor Conjunto); Luis Martella (del Colegio Militar a la Secretaría General de la Presidencia); Reynaldo Bignone (Institutos Militares) y Horacio Tomás Liendo, que del Estado Mayor Conjunto asumiría como ministro del Interior. La famosa promoción 76 llegaba a la primera línea de la conducción, especialmente aquellos más afines con la "línea Videla-Viola". Un dato no menor para los tiempos que vendrían fue la designación del agregado militar en Washington. La designación cayó en el general Miguel Mallea Gil, uno de los oficiales más preparados y con mejores contactos en la capital de los Estados Unidos, por la simple razón de haber cursado en la academia militar de West Point. En su agenda estaba el general Edgar Meyer, jefe del Estado Mayor del ejército norteamericano. "Lo mandé a Estados Unidos aprovechando sus buenos contactos y antecedentes en ese país", dijo años más tarde el general Galtieri.[1] Por su residencia de la "W Street" desfilarían gran parte de los funcionarios de la Administración Reagan.

Entre los que conformaban el círculo más próximo del futuro presidente, estaban los generales retirados Urricarriet, Goyret, Pomar y Juan Pita. También los coroneles Lagomarsino, Peña, Lizarazu y Víctor Pino. Y entre los civiles se destacaban Lorenzo Sigaut, José Dagnino Pastore, Gerardo Schamis, Amadeo Frúgoli, Rafael Martínez Raymonda, Rosendo Fraga, Jorge Berardi, Hugo Lamónica, Alfredo Olivera y Avelino Porto, en cuya universidad se reunía una suerte de "gabinete en las sombras". Nombres que salvo excepciones muy puntuales hoy dicen poco, pero en esa época, entre murmullos, manifestaban una alternativa totalmente distinta a la del equipo económico de José Alfredo Martínez de Hoz. Precisamente por eso, la pelea de fondo en esos tiempos previos a la asunción de Viola se dio sobre quién sería el ministro de Economía.

El manejo de la economía en la Argentina, la pelea de fondo. En los Estados Unidos de América asume Ronald Reagan; a su lado estaba el general (RE) Omar Bradley

Para Martínez de Hoz el candidato debía ser Guillermo Walter Klein y por esa razón, como "presentación en sociedad", Klein viajó a Washington en el agosto de 1980, donde fue recibido por altos funcionarios del gobierno, organismos internacionales, la banca y parlamentarios. Fue una visita más para consumo argentino y a destiempo: Estados Unidos estaba en plena batalla electoral y los funcionarios de la Administración Carter, al año siguiente, ya no estarían más. Con el transcurso de las semanas surgieron otros nombres. El de Luis García Martínez fue uno de ellos. Sin embargo, Lorenzo Sigaut seguía en la cercanía de Viola, a veces como simple candidato a dirigir una oficina de asesoramiento económica en la propia Casa Rosada. Salvando las grandes distancias de todo tipo, una suerte de Rogelio Frigerio de Arturo Frondizi.

Después de agosto siempre viene septiembre. Precisamente, el 18 de septiembre de 1980, en ocasión de una recepción que dio la embajada de Chile para festejar su fecha patria, en el salón principal del edificio de la OEA, uno de los invitados, Samuel Eaton, el subsecretario de Asuntos Latinoamericanos del Departamento de Estado, comentó delante de algunos asistentes que "para ver los resultados positivos del plan de Martínez de Hoz deberían transcurrir entre 8 y 9 años". También observó que "no hay tiempo" para esa espera. El sábado 27 de septiembre llegó a Washington la delegación argentina, presidida por Martínez de Hoz, para participar en las reuniones anuales del Fondo Monetario Internacional y el Banco Mundial. En horas de ese mediodía se realizó un almuerzo en la residencia del embajador Jorge Aja Espil, en 1815 de la calle Q, a escasos metros del Dupont Circle. Del almuerzo participaron los agregados militares Martínez Quiroga (Ejército), Bonino (Armada) y Barbuy (Fuerza Aérea). También Adolfo Diz, Alberto Solá y Christian Zimmerman. Durante todo el encuentro, Martínez de Hoz insistió en la continuidad de la estrategia económica fijada el 2 de abril de 1976. En un momento llegó a sostener que "la suspensión del plan económico tan sólo un mes haría perder todos los resultados obtenidos a través de cinco años de sacrificios". "Mire ministro, a mí no me tiene que convencer porque yo, entre otros, lo designé", dijo el brigadier Barbuy. "Al que tiene que convencer es al resto del país." Luego le preguntó qué tipo de respuestas tenía en el plano político y no respondió. Cuando volvió a insistir, Martínez de Hoz le dijo: "No me apure, no se olvide que soy un ministro de largo plazo". Otro de los asistentes le preguntó por qué no se había avanzado más rápido en el proceso de privatizaciones. El ministro respondió que "mi poder de convencimiento tiene un límite, que es el que imponen las Fuerzas Armadas. A veces logro convencer, a veces no. Y en este caso no lo he logrado. Yo soy de la opinión de que Teléfonos del Estado esté en manos privadas, lo mismo que otros servicios, pero yo tengo un límite".[2] El jueves 2 de octubre Martínez de Hoz viajó a Nueva York y entre otras actividades asistió a un almuerzo que le ofreció el poderoso presidente del Chase Manhattan Bank, David Rockefeller, al que asistieron 22 titulares de las empresas multinacionales más importantes.

Martínez de Hoz no pudo imponer su sucesor en el Ministerio de Economía, pero él y su equipo habrán de repetir hasta el cansancio que nunca como en esos años existió tanta inversión directa y nueva en la Argentina. Lo que no es poco en un país que en sus últimos diez años había tenido ocho presidentes. Es decir, la inestabilidad era la regla. Él y su equipo, también, expondrán los descensos de los niveles de la desocupación (2,2% en el período 1979-1980) y subocupación. Explicará la caída abrupta del nivel de inflación en su último cuatrimestre. Dirá, asimismo, que faltó el tiempo del que habló Samuel Eaton, en Washington, o su amigo el pensador Jacques Perriaux (hablaba de "una generación").

A diferencia de otros gobiernos de facto de esos años, aquí no hubo una voz con mando. Existió un coro desafinado con intereses diferentes. Además, una vez que un interventor militar se aposentaba en la gerencia general de la empresa estatal, después no quería abandonarla. El Estado se llenó de alcázares: el general Pomar en YCF; Suárez Mason en YPF; Urricarriet en Fabricaciones Militares; militares por todos lados, hasta en el directorio del Banco Central y los canales de televisión. Los proyectos demoraban meses, años. Aprobar la reforma al código de Minería fue una batalla porque se oponía Fabricaciones Militares (que no contaba ni con capitales y mucho menos maquinarias para producir y explotar). Se llegó a situaciones ridículas cuando se discutió la Ley de Parques Nacionales. La rechazaba el Ejército (que en esa época comandaba la Gendarmería), porque no se podía dejar en manos de civiles zonas limítrofes. No hubo, ni había, ambiente interno para aceptar un proceso de modernización de la economía. Para las Fuerzas Armadas y los principales partidos políticos había zonas intocables porque hacían a "la seguridad nacional". Y tampoco hubo ambiente en el exterior. Una vez, un fuerte empresario extranjero pensó en voz alta ante un embajador que ofrecía negocios en la Argentina: "Yo le creo a usted, pero es parte de un gobierno provisional. ¿Pero qué va a pasar después, cuando el gobierno se vaya?". Era un diálogo de sordos. No hubo urgencia en la dirigencia y el equipo económico, y el gobierno al que pertenecía no sabía o no quiso hacerse entender. Hizo falta el colapso de fines de los años 80 para provocar una reacción. El gobierno militar ya estaba en descomposición.

El 12 de enero de 1981, en la residencia de Alejandro Orfila, en 2329 California Street, se realizó una comida donde el invitado especial era Francisco Guillermo Manrique. Entre otros, asistieron Albino Gómez, Enrique Durand, Francisco "Pancho" Aguirre, Alberto Salem, Guillermo Mc Gough, Raúl Quijano y Marcelo Huergo. Entre otras cuestiones, "Paco" Manrique dijo, con la locuacidad que lo distinguía, que iba a Roma a hablar con su "amigo" Cavalli, uno de los asesores del cardenal Samoré. El Papa ya había entregado las conclusiones de la mediación en diciembre, pero los argentinos sostenían que era desfavorable para la Argentina. Se resistían a rechazarla, teniendo en cuenta que la había dado el máximo referente del "Occidente cristiano". Tampoco daban ninguna respuesta. Manrique dijo que la Junta Militar "iba a tener que aceptar la propuesta". Sostuvo que su gestión era "personal" y que "nuestros negociadores en Roma no tienen poder de decisión". En Washington quería conversar con Alexander Haig, pero el encuentro no se realizó (Haig recién asumió como secretario de Estado, junto con el presidente Ronald Reagan, el 20 de enero). Luego relató que el tema del Beagle y la lista de los desaparecidos eran cuestiones que tenían apesadumbrado al teniente general Viola. La Junta Militar se negaba a publicar la lista.

El martes 20 la ciudad de Washington estuvo de fiesta. A pesar del frío mucha gente asistió al discurso inaugural del presidente Ronald Reagan y a la parada militar. Para que no quedara ninguna duda de la dirección que habría de tomar su administración a su lado, en el palco de honor, sentó al general Omar Bradley, el último héroe viviente de la Segunda Guerra Mundial. En los días previos todos los árboles tenían una cinta amarilla en homenaje a los rehenes de Teherán y la canción más difundida por las radios era "Ata una cinta amarilla alrededor del viejo roble", un tema que interpretaba Tony Orlando, cuya letra invitaba a no olvidar. Y los Estados Unidos no olvidaban a su gente presa en Irán. Eran los días finales de un proceso decadente, encabezado por James Carter, y el inicio de uno de los períodos más recordados de la historia norteamericana.

El martes 3 febrero de 1981, alterando las pautas cambiarias, se produjo en Buenos Aires una devaluación del 10% del peso por pedido de las autoridades que iban a asumir en marzo. En vez de lograr el sosiego que se buscaba sacaron a la luz del día la fragilidad de la situación económica. El país perdía aproximadamente 300 millones de dólares por día y aunque el precio de la moneda norteamericana tocaba los 2.400 pesos no se encontraba en las casas de cambio. Llegaban a Washington todo tipo de rumores. Parecía existir un clima de pregolpe contra Viola, lo que le impediría asumir el 29 de marzo. Era parte del enorme desgaste que soportaba Viola tras seis meses en el llano preparando su asunción. La responsabilidad de la erosión era primordialmente de las Fuerzas Armadas y también de un final poco feliz del equipo económico de Martínez de Hoz.

Al respecto, un embajador de carrera desde Europa observaba que el esfuerzo principal de la futura gestión de Viola sería en la economía. "Los otros problemas, decía, son casi de tipo geológico. Los cambios se operarán solamente por el transcurso del tiempo, y habrá que observarlos con la sorpresa íntima que tenemos cuando, frente a un desierto, nos dicen: 'aquí había mar'. Pensá nada más en la educación, con las universidades postradas, sin medios, con los pocos técnicos que tiene el país hoy instalados en el extranjero, por razones políticas o económicas. Luego seguí con el asunto del sector público, en un país en donde quiebran las empresas, y sus propietarios siguen millonarios, donde se nacionalizan fábricas que producen artículos que está probado que el público no quiere. Una administración pública que parece escapada de un cuento de Chejov; pensá en la Cancillería, donde una secretaria de 30 años te cuenta —no miente— cómo invariablemente le hace los discursos a su jefe, que preside delegaciones internacionales sin tener idea del tema a tratar." Ahora, agregó el diplomático, "se han añadido problemas que son de difícil solución. Te cito únicamente dos: cómo convencer a los millares de oficiales retirados que deben dejar sus cargos públicos, y cómo convencer a los familiares de los 'desaparecidos' que sus parientes eran tan criminales como sus ejecutores. Y que sus hijos, chicos de clase media, luchaban por una revolución que nadie les había exigido".[3]

En medio de las corridas cambiarias en el microcentro y las especulaciones en torno a los integrantes del futuro gabinete, el domingo 22 de febrero de 1981 debutó en la cancha de Boca uno de los jugadores más grandes que dio el fútbol argentino: Diego Armando Maradona. El pase de Argentinos Juniors a Boca era un récord: cuatro millones de dólares por el préstamo y cuatro millones por el pase definitivo. Tenía 21 años y estaría acompañado por otras estrellas, como ser Miguel Ángel Brindisi, Marcelo Trobbiani, Hugo Gatti, Oscar Ruggeri, el "Chino" Benítez, el "Tano" Pernía y Roberto Mouzo. El director técnico estaba al nivel de las constelaciones en la cancha, era el legendario Silvio Marzolini.

El 29 de marzo de 1981 asumió Roberto Eduardo Viola la presidencia de la Nación. Días antes, el teniente general Galtieri realizó una exposición ante los generales en actividad en la que calificó de "floreciente" a la situación económica. Ya la tempestad financiera se había llevado a Sasetru, una de las empresas más sólidas de la Argentina.

La conducción del Palacio San Martín descansaba ya en las manos de Oscar Camilión, que aún merecía la desconfianza del establishment por su pensamiento desarrollista. En la capital de los Estados Unidos, los grupos más conservadores no olvidaban el papel que el nuevo canciller había tenido en el gobierno de Arturo Frondizi, cuando la Argentina no se plegó, en la conferencia de la OEA realizada en Punta del Este, al bloqueo contra Cuba. Para que no lo olvidaran, algunos deslizaron a las agencias internacionales en Washington la fotocopia del capítulo de un libro donde se lo criticaba por su notable participación en esa conferencia. El distribuidor era un corresponsal de una agencia italiana que mantenía excelentes relaciones con el embajador Jorge Aja Espil.[4]

De todos modos, para aventar fantasmas, antes de asumir la presidencia, el 15 de marzo Viola hizo una visita de cinco días a Washington. Llegó con tres asesores: el general Luis Martella (futuro secretario general de la Presidencia, señalado como el hombre clave que ayudó a desmontar la asonada del general Luciano Menéndez en septiembre de 1979); Rosendo Fraga (que habría de ocupar la jefatura de Gabinete del ministro Horacio Liendo) y Alfredo Olivera (vocero de prensa). Lo realmente sorprendente para el mundillo de Washington fue que no viajó para asesorarlo Oscar Camilión, quien ya se sabía que iba a ser su canciller. Su ausencia causó sorpresa: con él iban a tener que tratar diariamente; conocía la capital norteamericana como pocos; tenía muchos años de oficio diplomático y académico y, lo que no era un detalle menor, conocía el idioma, por lo tanto le brindaba naturalidad a los diálogos. Durante su estadía, Viola recorrió todo el andarivel de la política norteamericana: el presidente Ronald Reagan; el secretario de Estado, Alexander Haig; parlamentarios y académicos. Para los observadores, el presidente electo llegó a Washington muy condicionado por la situación interna argentina. No trajo de Buenos Aires nada especial: aceptó todos los consejos de la Embajada, leyó los discursos que le escribieron sus funcionarios y repitió hasta el cansancio lo que sostenía, entre cigarrillo y cigarrillo:[5] que se proponía a una vuelta a la democracia "seria y estable" y la continuidad "con ajustes" del plan económico. En Washington, casi siempre con la presencia silenciosa de Francisco "Pancho" Aguirre, las autoridades norteamericanas lo trataron con especial atención. Una suerte de mensaje implícito de "barajar y dar de nuevo".

Como suele acontecer cuando las altas autoridades argentinas salen al exterior seguidas de una corte de periodistas, al hablar miran más al "frente interno" que a los extranjeros que tienen enfrente. Al representante demócrata Claiborne Pell le dijo que iba a dar una lista de desaparecidos y se desdijo en Buenos Aires escasos días más tarde.

Los informes que llegaban a Washington acerca de la situación financiera eran preocupantes: "Hoy el precio del 'call money' estuvo entre los 450 y 500% anual y las empresas debían tomar dinero al 300% anual. La semana pasada se fueron [de la Argentina] entre 1.000 y 1.100 millones de dólares. Esto motivó, el viernes 20, el cierre de las casas de cambio con la Policía y que se estableciera el control de cambio (la compra de dólares es con pasaporte, boleto de viaje en la mano y no más de 20 mil dólares después de llenar una planilla para la DGI)".

El observador, además, señalaba que "la gente que está por asumir parece que ya lleva tres años en el gobierno, ha sufrido un gran desgaste. No sé si no se debe pensar en que algo tendrá que precipitarse. Hay dos alternativas: 1) El golpe dentro del golpe del propio Viola; 2) Un golpe de Galtieri o del mismo Bussi (antes de que los liquiden, pasándolos a retiro cerca de fin de año). Mientras todo esto sucede, allí en Buenos Aires, todo es una negociación permanente. Según Carlos Muñiz, la designación de Oscar Camilión le costó a Viola el tener que nombrar 4 embajadores por arma. La Fuerza Aérea (hay que pensar que a propósito) antes de que el nuevo Presidente asumiera el mando y de que el nuevo canciller se sentara a estudiar los temas, hizo públicos sus 4 nombramientos, sin ni siquiera anticipar el placet. Uno de ellos fue el de Orlando Capellini a Australia, como si ese país fuera un destino militar, una suerte de base de El Plumerillo".

"¿Hasta cuándo todo esto?", se preguntó el observador. Y siguió: "Tres días antes de que viajara a Washington detuvieron a 68 madres de la Plaza de Mayo. Mientras Viola estaba aquí en Washington, haciendo 'pininos' con el tema de El Salvador, el secretario general del Comando en Jefe del Ejército, general Alfredo Saint Jean, declaraba muy suelto de cuerpo que si se lo pedían, la Argentina 'intervendría militarmente'. Viola, al llegar a Ezeiza, tuvo que desechar la afirmación. ¿Hasta cuándo?".[6]

El domingo 29 de marzo no fue un día cualquiera. Para el gran público, Carlos Alberto Reutemann ocupó el podio más alto al ganar de punta a punta el Gran Premio de Brasil de Fórmula 1. También, en un marco de acentuado ascetismo, asumió Roberto Eduardo Viola, como trigésimo noveno Presidente de la Nación. El juramento de estilo se lo tomó el teniente general Leopoldo Fortunato Galtieri, en nombre de la Junta Militar. A diferencia de Videla, su gabinete tenía varias figuras civiles donde el que más se destacaba era el canciller Oscar Camilión, no solamente por su envergadura intelectual sino por provenir de las filas de un partido de alcance nacional como el Desarrollismo. También juraron por la tarde, entre otros, Amadeo Frúgoli (Justicia); Lorenzo Sigaut (Economía, Hacienda y Finanzas); Carlos Burundarena (Educación); Carlos García Martínez (Comercio) y Jorge Aguado (Agricultura). Entre los militares, el que más relevancia tenía era el general Horacio Tomás Liendo en el Ministerio del Interior.

"Es posible que pocas veces, en la historia argentina, un Presidente de la República haya llegado al gobierno en circunstancias tan difíciles. Corresponde al general Roberto Viola iniciar una nueva etapa, dentro del proceso en curso, en medio de tremendas dificultades que abarcan a todas las áreas del quehacer nacional", publicó *El Economista* el 27 de marzo de 1981. Álvaro Alsogaray, desde *La Prensa*, habló de "el fracaso experimentado y la oportunidad perdida", es decir del gobierno de Videla y la gestión de Martínez de Hoz. Criticó la "inflación reprimida", el desarrollismo y la mentalidad faraónica y el "pragmatismo y el gradualismo". El radicalismo tampoco fue ajeno. Dio a publicidad, en un documento de 8 carillas, una severa crítica e hizo propuestas, con las firmas de Ricardo Balbín (presidente) y Francisco Rabanal (secretario). El 30 de marzo, mientras en Buenos Aires todo era motivo de debates y polémicas, en Washington el presidente Ronald Reagan sufrió un atentado que lo hirió de bala, lo mismo que a un asesor inmediato.

La llegada de Camilión al Palacio San Martín representó una brisa de aire fresco después de cinco años de intervención militar. Nombró a profesionales en los cargos más importantes, e inmediatamente intentó realizar una renovación en el plantel de embajadores destinados en el extranjero. No le fue fácil, porque todo, absolutamente todo, debía ser discutido en los comandos, primero, y en la Junta Militar después.

El primer aviso público. Nuevamente "Babel". Primera visita de Galtieri como Comandante en Jefe del Ejército

El 20 de abril, el presidente almorzó con Leopoldo Galtieri. A la salida habló con el periodismo de la Casa Rosada, y ante una pregunta declaró que en el actual momento "acá hay un cambio de hombres con definidas y distintas personalidades. No hay cambio de filosofía económica ni desviación de los objetivos por el proceso de marzo de 1976. De haber sido lo contrario, estoy seguro de que el señor Presidente de la Nación hubiera renunciado o la Junta Militar le hubiera solicitado la renuncia". El analista dominical de *Clarín*, Joaquín Morales Solá, explicó la frase: "Demasiado voltaje para un clima sensibilizado, aunque luego se explicaría que esas declaraciones no tenían otra intención que la de graficar la unión de criterios existente entre la Junta y el Presidente".[7] La realidad demostraba otra cosa: unos párrafos más abajo de la misma columna, tuvo que explicar a la "familia militar" por qué Viola designaba al santiagueño Omar Vaquir como asesor en cuestiones de Medio Oriente, al margen de la Cancillería, y que en el pasado no había sido "lopezreguista" sino todo lo contrario. Por si había dudas sobre la relación de sujeción del Presidente a la Junta, el jefe del Cuerpo III, Cristino Nicolaides, fue más claro aún: "La Junta Militar es la que tiene el poder militar y político de la República". La exposición del jefe militar con asiento en Córdoba fue escuchada pacientemente por numerosos dirigentes políticos y alguno que otro sindicalista. En cierto punto formuló una nueva interpretación de la Historia Universal, al sostener que "en este momento en que el monstruo marxista se lanza sobre el mundo, lo encuentra débil, inerme. Por eso todos debemos producir una reacción", y luego agregó: "Una lucha de todos [...] de ser o no ser como Nación", que "debemos pensar que hay una acción comunista-marxista internacional que desde 500 años antes de Cristo tiene vigencia en el mundo y que gravita en el mundo".[8]

Viola contaba con un espacio de maniobra muy reducido. En la Cancillería las designaciones tardaron varios meses en ser aprobadas por la Junta Militar. Ante la Casa Blanca, por ejemplo, desde la partida de Videla la Argentina no tuvo embajador durante seis meses, porque los candidatos eran bochados sucesivamente: Raúl Quijano, Gerardo Jorge Schamis, finalmente fue el empresario Esteban Takacs (rechazado para ir a Brasilia, terminó en Washington). Los nombres de los embajadores iban y venían: Nicanor Costa Méndez, a las Naciones Unidas, al final fue Juan Carlos Beltramino; Schamis finalmente fue a París y no a Roma, luego de vaticinar que en las elecciones francesas iba a ganar el socialista Mitterrand; y a Roma terminó yendo un almirante.[9]

El domingo 5 de abril de 1981 viajó a Buenos Aires Edgard Meyer, jefe del Estado Mayor del Ejército de los Estados Unidos. En conversaciones con Galtieri establecieron, como comentaría *La Prensa*, la "primera etapa de la integración estratégica y militar, en el contexto de lo que pretende ser una vasta acción hemisférica, concebida en Washington para contener la penetración soviética en la región". Luego, los dos comandantes avanzaron públicamente un paso más: Consideraron la posibilidad de establecer un sistema periódico de consultas a raíz de la "ofensiva marxista" en el continente y se analizó la cuestión "en el marco de la nueva realidad política internacional". La visita de Meyer instaló, el miércoles 8, la foto de Galtieri en la tapa de *The New York Times*, con una crónica de su corresponsal en Buenos Aires, Edgard Schumacher, en la que se afirmaba sobre "un cambio de política" de parte de los Estados Unidos y de otros viajes de militares norteamericanos a la Argentina. Por caso, el almirante Peter K. Cullins, comandante de los Estados Unidos para el Atlántico Sur; el almirante Harry Train, comandante en jefe de la Flota Atlántica y comandante supremo aliado en el Atlántico y unos días más tarde el brigadier Richard Ingram, comandante de la Fuerza Aérea. Los militares argentinos comenzaban a sospechar que dejaban de ser "parias" en el mundo.[10]

Desde la capital de los Estados Unidos, un diplomático profesional, echado de la Cancillería por el gobierno militar, sostuvo: "En el caso de las relaciones con los Estados Unidos, se está armando un 'paquete' al margen de la Cancillería que al paso que vamos nos transformaremos en los 'cubanos' de EE.UU.".[11]

"Nuestros países enfrentan un enemigo común y un desafío común. El enemigo, oportunamente repudiado por nuestros pueblos y definitivamente derrotado hoy, lamentablemente asola otras partes del continente", leyó Leopoldo Fortunato Galtieri en la ceremonia de condecoración al ministro de Ejército de Brasil, Walter Pires de Carvalho, que se realizó en el Edificio Libertador.

El sábado 25 de abril, en un episodio confuso, dos oficiales del Ejército argentino con sus esposas fueron detenidos dentro del territorio chileno, cerca de Portillo, por comandos vestidos de civil que los encapucharon y llevaron a Santiago de Chile, acusándolos de "espionaje". En la madrugada del miércoles 25, el Ejército argentino respondió movilizando tropas y cerrando las fronteras (el paso de Las Cuevas) con carácter meramente "precautorio".[12] "Me calenté", dijo Galtieri en la intimidad.[13] Lo cierto es que el incidente que demandó varias semanas en resolverse puso en la superficie el debate sobre el "esquema de poder": la facultad de movilizar tropas por cuestiones bélicas son facultades que la Constitución reserva al Presidente, pero que fueron expresamente resguardadas para la Junta Militar, mientras el Presidente tiene la conducción de las relaciones internacionales. Habían pasado solamente 30 días desde que juró Viola y se estaba transitando una "semana complicada", como dijo un reconocido periodista ante un llamado internacional.

Además de lo que afirmó Galtieri y "enseñó" Nicolaides, Lorenzo Sigaut había centrado sus críticas en Martínez de Hoz, haciéndolo responsable de la crisis económica; el ministro de Bienestar Social (Argüelles) exponía públicamente el estado de las villas de emergencia (es decir, la miseria) y el ministro de Trabajo (brigadier Porcile) dijo que "el peronismo tiene la misma bandera que yo". Demasiadas palabras después de mucho tiempo de silencio. Las críticas más severas sobre la anterior gestión económica partían desde el mismo gobierno militar. Tras anunciar una serie de medidas para reducir el gasto público y socorrer financieramente a las empresas, el ministro Sigaut blanqueó la situación: informó públicamente que la deuda externa heredada de la gestión de José Alfredo Martínez de Hoz alcanzaba a unos 30.000 millones de dólares y que para el fin del año llegaría a 35.000 millones y las reservas sumaban alrededor de 5.500 millones y Sigaut preveía un déficit de la balanza comercial de casi 3.000 millones de dólares. Del déficit del presupuesto nacional para 1981, calculado originariamente en un 2,3 por ciento del PBI, Sigaut dijo que sólo en el primer trimestre había llegado al 4,2 por ciento. La Unión Industrial Argentina (UIA) calificó a las medidas del ministro como "insuficientes" frente a "la más grave crisis de la historia".[14]

Rumores de todo tipo corrían por las calles de Buenos Aires y rebotaban en el exterior.

En aquellos días, a "sotto voce", un embajador argentino en Europa relataba, desde Washington, lo que le contaron tres amigos telefónicamente: "Un abogado importante me llamó de Londres y el tercero, industrial, de París. Los tres coinciden en que la situación económica es gravísima y la estabilidad del flamante gobierno muy dudosa. Lo notable es que el panorama que me pintaron era idéntico, a pesar de que no se conozcan entre ellos. Los puntos principales son: 1) Viola está jaqueado por la Junta, que reclama el poder; 2) Lo anterior produce una parálisis, el gobierno no se ha movido; 3) Viola carece del mínimo margen para cualquier intento de maniobra política; 4) Sigaut carece de relevancia. Tampoco tiene poder; 5) El gobierno no tiene defensores. *La Razón* y *La Prensa* lo atacan impunemente. El adocenado (Claudio) Escribano resta en lugar de sumar, y 6) El tema de la conjura está en la calle, y es algo más que un rumor. Uno de mis informantes (abogado de la banca inglesa) es muy amigo de Camilión, y me dijo que lo encontró muy preocupado". El diplomático analizó tres variantes: "La táctica de Viola (no conoce otra) es esperar que sus enemigos se desgasten en amenazas y luego liquidarlos reglamentariamente; 2) No hay nadie que pueda ir a otra cosa más potable que la que propone el gobierno. El fracaso rotundo de Martínez de Hoz lo descarta totalmente a él y a su equipo. Diferente sería si hubiese hecho una gestión apenas discreta; 3) Un golpe se agota el mismo día en que se da. Vendría después una estúpida represión. El país está deshecho económicamente y nadie puede creer que los golpistas tienen una fórmula salvadora. El golpe dejará como herencia una fórmula ganadora tan siniestra como la de Cámpora-Solano Lima".[15]

Como si hiciera falta alguna aclaración, una alta fuente militar de la Casa de Gobierno dejó trascender que "la Junta Militar respalda en absoluto al gobierno. Los rumores nacen siempre los mismos días: los viernes. Y ustedes saben de dónde provienen". Aunque se negó a identificar a los autores, dijo que son "los que pretenden volver al poder".[16] El vocero los ubicó: se podían "identificar perfectamente en Florida o Esmeralda; en plena zona financiera de la Capital Federal; en el microcentro", etc. En pocas palabras, hablaba de los sectores financieros, es decir de los seguidores de Martínez de Hoz. En esos días un observador escribió: "La semana pasada pasó por Nueva York, tras venir de Europa, el general (RE) Albano Harguindeguy, acompañado de un séquito de empresarios para hacer contactos. Mejor dicho, ofrecer posibilidades de negocios, dada su doble condición de general y asesor presidencial. Según me contaron los que estuvieron con él, se hicieron gestiones para arrimar agua al molino de Capozzolo. Sostenía en las conversaciones que la situación en la Argentina es desastrosa y que la solución pasaba por el retorno de Martínez de Hoz. Que todo lo que estaba ocurriendo se lo debíamos a Sigaut, porque no inspiraba ni respeto ni confianza. En una oportunidad abrió su agenda, donde tenía escrito todas las actividades de Martínez de Hoz, día por día, hora por hora; lo que venía a demostrar que estaban en completa comunicación. Esto viene a colación con un denominado 'Plan Marshall' que instrumentaría 'Joe' a través de sus contactos, para canalizar hacia la Argentina una importante suma de dinero. Por supuesto, esta 'gauchada' no es para Viola sino para Galtieri, quien también ambiciona ser Presidente ahora, o más tarde. Como bien suponés, esta fábula la desestimo, ya que nadie enteramente cuerdo puede ir hoy a la Argentina a poner su capital".[17]

Especulaciones al margen, desde el semanario *América Latina. Informe Semanal* del 12 de junio de 1981, se informó que en la Argentina "la Ford anunció que reducirá su producción 40% debido a los vastos stocks no vendidos. Añadió que por el momento no se ha decidido el cierre de sus plantas pero advirtió que esta decisión podría cambiar en los próximos meses. Otras ensambladoras, como la Volkswagen, Mercedes Benz y Sevel (Fiat-Peugeot) y Renault, están despidiendo a sus trabajadores. Dirigentes sindicales dijeron que se han perdido 36.000 empleos en la industria automotriz desde 1976".[18]

Massera en el campo opositor.
Liberan a María Estela Martínez de Perón.
El debate sobre la prohibición de "Cambalache"

El 17 de junio, apareció en la calle el periódico *Cambio*, muy próximo a Emilio Eduardo Massera. El título de tapa era "El gobierno duerme", mostraba a Viola con los ojos cerrados y trataba al gobierno de incompetente. Semanas más tarde el mismo periódico tituló: "Esto no va más". No era el único que lo pensaba, sólo que el ex jefe naval había sido parte del gobierno hasta dos años antes. En definitiva, como ex miembro de la Junta Militar tenía su cuota de responsabilidad en todo, y de la desocupación también. Precisamente, el 2 de julio se publicó un informe reservado elaborado por el gobierno, en el que se sostenía que la desocupación "encubierta" llegaba a 4.2 millones de personas, un 40.1 por ciento de la población económicamente activa. La población económicamente activa era en ese momento de 10.78 millones de personas.[19] El ministro de Economía sólo atinó a decir que era "un tema preocupante".

Sin embargo, las respuestas más importantes del gobierno estaban dirigidas contra José Alfredo Martínez de Hoz y el sector financiero, señalados por difundir rumores que perjudican a la Argentina en el exterior. Era la caza del "chivo emisario". En declaraciones al *Jornal do Brasil*, el Presidente argentino señaló que "enemigos de la Nación" realizan una campaña de rumores que afectan a las áreas política y económica, pero que, a pesar de "dificultades circunstanciales", no alterarán la disposición de caminar "sin prisa pero sin pausa hacia un proceso de democratización".[20]

Tras cinco años de prisión en distintos lugares de la Argentina, el 9 de julio María Estela Martínez de Perón salió del país rumbo a España. Había sido incluida en el Acta de Responsabilidad Institucional, y sus bienes interdictos en 1976, y en julio de 1981 fue condenada por un juez federal a ocho años de prisión, pero resultó excarcelada. Viajó a Madrid en compañía de su abogado Julio Arriola, Ricardo Fabris, ex director de Prensa de la Presidencia de la Nación, y Horacio "Chacho" Bustos. Además, formaban parte de la comitiva Nélida "Cuca" Demarco y las ex diputadas nacionales Aronilda Bonifatti y Álvarez de Seminario. La noche anterior a su partida comió en San Vicente con Ítalo Argentino Luder, Ángel Federico Robledo, Manuel Aráuz Castex, Julio Arriola y Ricardo Fabris.

Ese 9 de julio la delegación con la señora de Perón llegó a Ezeiza desde San Vicente en dos helicópteros de la policía bonaerense. Embarcó en el vuelo de Iberia y en Madrid la esperó un enjambre de periodistas y no faltó el ex secretario general de la CGT, Casildo Herreras, el mismo que se había "borrado" en marzo de 1976.

En su primera entrevista pública con *Clarín* no habló de política, sino que sobrevoló sus años de detención, sus preferencias y lecturas. Le dijo al enviado especial Albino Gómez que tenía a la Biblia como su libro de cabecera y que se había pasado horas de detención viendo la telenovela "Rosa de lejos" y se distraía con "Polémica en el bar", "Operación Ja Ja" y "Videoshow" conducido por "Cacho" Fontana. Al respecto, Hernán Pereyra, columnista de la agencia UPI, escribió en Buenos Aires que "el fracaso de los cinco años de gobierno militar, entendido como la imposibilidad de que la Argentina crezca económicamente y encuentre un sistema político estable, ha devuelto a Isabel Martínez parte de su prestigio perdido. [...] La situación económica y política del país, signada por una crisis definida como la peor en los últimos 50 años, no parece ser hoy mejor que en 1976, y algunos la definen como peor."[21]

"Si tuviese que decidir querer o no querer, yo quiero el fracaso del proceso y el fracaso de las Fuerzas Armadas. Pero no es el caso, porque este proceso es un cadáver insepulto. Y a los cadáveres no se les puede pedir el triunfo, porque ya son cadáveres, y lo que les falta es una cristiana sepultura, nada más que eso", dijo Vicente Leónidas Saadi, líder de la nueva Intransigencia Peronista.[22] Días más tarde, Arturo Frondizi declaró que "el país ha sido vaciado". Intentando bajar los reproches, Albano Harguindeguy, ex ministro del Interior y asesor de Viola, vaticinó que si el peronismo o el radicalismo tomaban nuevamente el gobierno, se producíría un golpe militar en la Argentina. Lo dijo en Tandil al hablar con representantes de fuerzas de centro derecha.[23]

Para tornar más confuso el panorama, apenas unas semanas más tarde, al tratar el proceso de "democratización" el ministro del Interior, Horacio Tomás Liendo, dijo que los militares podrían permanecer en el poder hasta 1990 o 1993.[24] Estas declaraciones se agregaron a las formuladas por el propio Viola, la semana anterior, cuando anticipó que en 1984 lo sucedería otro militar. El dirigente peronista Ítalo Luder dijo que las declaraciones de Liendo "son una agresión al pueblo argentino".

De todas maneras, los líderes del justicialismo, radicalismo, democracia cristina, intransigencia y desarrollismo, el martes 28 de julio emitieron su "Convocatoria al país", en que expresaron que "serán inútiles los agravios recíprocos y el intento de mantener la sociedad argentina dividida en réprobos y elegidos; todos debemos asumir nuestros errores y nuestros aciertos". Exigían, además, el retorno a la democracia. Semanas más tarde, radicales, peronistas y desarrollistas participaron en un seminario de la American University de Washington, sobre el desarrollo político y la economía en la Argentina. Por esa razón estuvieron en la capital norteamericana los peronistas Antonio Cafiero, Roberto Lavagna, Carlos Corach y Alberto Iribarne. Roque Carranza por el radicalismo y Gonzalo D'Hers por los desarrollistas. Finalizadas las exposiciones, Cafiero se vio rodeado por un reducido grupo de argentinos que le preguntó qué pensaba sobre la situación de los derechos humanos en el país. Cafiero no dijo nada.[25]

En este contexto, ¿qué política exterior podía diseñar el canciller Oscar Camilión? Si el Palacio San Martín parecía "un cuartel de bomberos", según una expresión de la época. Enfrentaba varios problemas al mismo tiempo, y además tenía como ancla los disparates que se cometían en el interior del país. Debía explicar herencias del anterior gobierno (Beagle y Bolivia), al tiempo que desmentir que elementos argentinos se hallaban en América Central entrenando a los "contras" del sandinismo; mandar tropas de paz al Sinaí propugnado, dentro del marco de los "acuerdos de Camp David", por Estados Unidos, Egipto e Israel y hacerse cargo de la situación de los desaparecidos. Mientras todos discutían sobre estas y otras cuestiones, nadie supo explicar por qué la Argentina no asistió a la Cumbre de Cancún,[26] México, destinada a promover el diálogo entre los países del Primer y Tercer Mundo.

Los temas en la Argentina eran si estaba o no prohibido el tango "Cambalache" (por el inmenso escepticismo que emana de sus versos); los desaires castrenses a diplomáticos que eran públicamente vetados por la Junta para ser embajadores (basta rememorar que Raúl Quijano fue rechazado por Galtieri para ser embajador ante la Casa Blanca por estar casado con una chilena, pero sí estaba en condiciones de serlo ante la OEA) o la polémica entre el brigadier Graffigna y el presidente de la Ford, Nicolás Enrique Courard. El miembro de la Junta Militar declaró que los argentinos "comen siete días a la semana" y Courard, en un discurso ante 300 personas, le dijo que él "no sabe lo que ocurre en las casas de los obreros suspendidos" y que "en muchas casas no se come todos los días, lo que pasa es que al brigadier nunca lo suspendieron en su trabajo". Hasta las diferencias en cuestiones internacionales se dirimían en los periódicos, como el caso de la publicación en *La Prensa* de un mapa de la zona del Beagle que contenía las ideas del mediador Samoré sobre la línea demarcatoria entre la Argentina y Chile.[27] Era todo una comedia de enredos lo que trascendía al exterior: mientras el ministro de Economía decía "el que apuesta al dólar pierde", la gente se agolpaba frente a las casas de cambio para comprar dólares. Y por si fuera necesario, el ministro de Comercio llegó a decir que la Argentina estaba "al borde del colapso". Parecía verdad, pero no era para ventilarlo. Nunca tan real el dibujo (editorial) de Sábat de *Clarín* del 19 de julio de 1981: todos los miembros del equipo económico aparecían, en desorden, apuntando en distintas direcciones. Más grosero fue el semanario *Newsweek* al decir en su tapa de la primera semana de agosto que la Argentina era un prostíbulo.

El 27 de julio, Camilión intentó un nuevo paso diplomático con el Reino Unido, al invitarlo formalmente a "impulsar" las negociaciones sobre Malvinas. En una nota que se presentó a la embajada británica se afirmó que desde la reanudación del proceso negociador, en 1977, sólo se intercambiaron "los respectivos puntos de vista en términos generales", sin haberse alcanzado "términos sustanciales". En la extensa nota existía, además, un párrafo que, por venir de un experto como Camilión, sonaba a advertencia: "Todo esto es altamente irracional y nadie puede sostener seriamente que el statu quo pueda prolongarse más tiempo".

A comienzos de agosto llegó a Buenos Aires la influyente embajadora de Ronald Reagan en las Naciones Unidas, Jeane Kirkpatrick. Mientras, en esos días (3 de agosto) Leopoldo Galtieri realizaba una gira a la Costa Oeste y la capital de los Estados Unidos. Luego de una conversación con el general Edgard Meyer, dijo que "la Argentina tiene que salir de la caparazón en la que estuvo encerrada durante muchos años" y habló de la "identidad de objetivos" entre su país y los Estados Unidos.

El martes 11 de agosto, el almirante Armando Lambruschini anunció el nombre de su sucesor al frente del Comando en Jefe de la Armada. El elegido fue el vicealmirante Jorge Anaya "afín con los principios que desde el primer momento, pero más marcadamente a partir de 1955", sostuvo la Armada.[28] Es caracterizado como un "profesionalista", término que significaba que no tenía pretensiones políticas. Eran tiempos difíciles para el gobierno de Viola. Lo dijo *Newsweek* el 16 de agosto: "La Junta de Gobierno argentina se reunió con el presidente Roberto Viola en julio y le dio un ultimátum. O estabiliza la economía del país, agobiada por la inflación, en dos meses, o es reemplazado. […] Su sucesor probablemente sea el general Leopoldo Galtieri, el oficial que Viola eligió en 1979 para que lo suceda como comandante en jefe del Ejército. Observadores pronostican que Galtieri podría devolver a la Argentina a una era de políticas sociales y monetarias más rigurosas que aquellas impuestas por el más moderado Viola". Al mismo tiempo, el ex presidente Juan Carlos Onganía propuso en una declaración pública "el restablecimiento de una autoridad central con capacidad de tomar decisiones".[29]

El sábado 15 de agosto, Boca dio la vuelta olímpica con Maradona, que se consagró goleador del Metropolitano. Con la devaluación y la inseguridad cambiaria era imposible mantenerlo en el plantel. Al año siguiente fue vendido al Barcelona de España. No era el club de la Ribera el único que enfrentaba serios problemas en esos momentos. El 16, los diarios publicaron unas declaraciones del presidente de la firma automotriz Ford Motor Argentina, señalando que "alrededor de 1.200.000 personas están sufriendo las consecuencias" del crítico momento. El empresario adelantó que a partir del jueves y viernes siguientes los obreros no trabajarían, aunque cobrarían sus sueldos: "No solamente no se puede producir en la Argentina, sino en cualquier parte del mundo. Ningún negocio lícito es tan rentable como para poder afrontar un costo del dinero del 11 por ciento mensual".

Encuentro en Foggy Bottom.
Oscar Camilión con Alexander Haig

El sábado 29 de agosto se casaron en Londres el príncipe Carlos y Diana Spencer. El mismo día, Oscar Camilión y un reducido grupo de colaboradores llegaron a Washington para mantener una ronda de consultas. Lo central de su visita fue el encuentro con el secretario de Estado, Alexander Haig. Al respecto, una minuta de la época retrata pasajes del diálogo en Foggy Bottom:[30]

"En la entrevista con Haig se conversó especialmente sobre la situación de la guerra interna en El Salvador; la situación reinante en Bolivia, donde el general Luis García Meza, con la participación argentina, había impedido el proceso de democratización al no dejar asumir la presidencia a Hernán Siles Suazo y el embargo de armamentos. Al comenzar el diálogo, Haig dijo que quería transmitir 'tres inquietudes'. Tomó un papel y leyó: 1) Preguntó por la situación de una detenida de origen israelita, cuyo estado preocupaba a la comunidad judía de los Estados Unidos; 2) Expresó el interés de su país de que la empresa norteamericana Allis Chalmers sea beneficiada en la adjudicación de las turbinas para Yacyretá, y 3) Expresó su preocupación por la marcha en las negociaciones con Chile, por el diferendo del canal de Beagle.

"Con respecto al punto 2° (ese fue el orden dado a los temas), no sé si Camilión sabía que terminaba de finalizar una visita a Washington el canciller de Paraguay, Alberto Nogués, quien en determinadas conversaciones con funcionarios y empresarios norteamericanos expresó su preocupación por la 'demora e indecisión' argentinas en el trámite licitatorio. Como habrás de imaginarte, los paraguayos ya tenían un 'especial interés' que los ataba a Allis Chalmers, de allí la presencia de Pappalardo Zaldívar en la delegación. Había argentinos que también tenían un "especial" interés por la victoria de Allis Chalmers: hay que ver cómo usan los aviones privados de Scott, el presidente de la empresa, para desplazarse a la Costa Oeste o llevarse a sus estudios jurídicos en Buenos Aires la representación del grupo. Una vez, en septiembre, hasta lo hicieron desplazarse en el avión de Scott a un ministro y sus edecanes militares. En relación con el punto 3°, Camilión sólo se limitó a asegurar que no había guerra con Chile.

"La conversación con el vicepresidente George Bush fue más interesante, pero para la interna argentina. Dijo que los Estados Unidos no avalarían de ninguna manera cualquier tipo de gobierno militar, y si no que vieran en qué situación se encontraba Bolivia. Hay que recordar que hace escasos días, Galtieri volvió a 'legitimar' al gobierno boliviano, reuniéndose con García Meza, mientras que EE.UU., Brasil y Venezuela, entre muchos, no lo reconocen. El canciller argentino repitió permanentemente que la 'excelencia' de la relación con los Estados Unidos pasaba por el afianzamiento del proceso de democratización en la Argentina o que no se produzcan 'retrocesos' en ese proceso.

"También mantuvieron otros encuentros. En uno de ellos, en la Subsecretaría de Asuntos Latinoamericanos, se propuso establecer un 'mecanismo de consulta permanente' entre ambos países. Los norteamericanos quedaron en estudiar la cuestión y responder. De todas maneras, algo bastante 'lavado' se hizo al respecto.

"Al mismo tiempo que Camilión estaba en Washington, el embajador 'especial' Vernon Walters viajó a Buenos Aires. No sé en base a qué datos, 'don Vernon' viajó a parar un golpe contra Roberto Viola y a establecer algo 'más estable' en Bolivia. Y cuando Camilión se encontraba haciendo gestiones en Nueva York, apareció en Buenos Aires también el general (RE) Gordon Summer, asesor para temas de América Latina del Departamento de Estado. Como si esto no fuera importante, en el preciso momento que el canciller estaba aquí, en Buenos Aires, a dos cuadras de los Tribunales, un comando parapolicial secuestraba a dos dirigentes peronistas. Uno de ellos era el ex diputado nacional Julio Bárbaro.

Esto encrespó las aguas y hasta la propia Jeane Kirkpatrick llamó a la embajada argentina para hacer llegar su 'preocupación'.

"Los norteamericanos dicen que en las conversaciones con Camilión 'tomaron nota'. Saben de su sólida preparación y conocen sus grandes limitaciones. Que no son otras que las que le imponen los militares.

"También en agosto estuvo Leopoldo Fortunato Galtieri en la Costa Oeste (donde visitó Disneylandia en Los Ángeles) y en Washington. Algo debe estar preparando, porque sino no se entienden sus encuentros con el subsecretario del Tesoro, Paul Craig Roberts (fuera de agenda y durante dos horas); Richard Allen y Anderson de la Casa Blanca y Stoessel del Departamento de Estado. Está claro que todas estas reuniones se hicieron con la enorme ayuda y contactos de 'Miguelito' (el general Miguel Alfredo Mallea Gil, el agregado de Ejército en Washington). Galtieri es de la opinión de intervenir en el Sinaí, como una forma de congraciarse con los Estados Unidos, por lo menos en una segunda instancia de integración de la Fuerza de Paz. Aquí se ha movido siempre bajo el consejo de Mallea Gil. Evidentemente, ir al Sinaí obligará a replantear toda la política exterior, pues no podemos estar con los acuerdos de Camp David y al mismo tiempo pretender sentarnos con los No Alineados. En Buenos Aires todo el mundo opina, hasta monseñor Victorio Bonamín: 'La Argentina necesita proyectarse bien en el extranjero. A nosotros nos persiguen tanto afuera, dicen cosas tan feas, que creo conveniente el envío de tropas'. También el mismo 20 de agosto se conoció que 70 dirigentes políticos pronunciaron 'su más categórico rechazo' a la intervención argentina en la fuerza multinacional del desierto de Sinaí."

Estaba claro o no querían verlo los propios protagonistas del equipo de Viola, y si lo observaban poco hicieron para intentar un cambio de rumbo. Estaba en marcha el proceso de reemplazo del presidente y tanto él como sus colaboradores eran saboteados cotidianamente. Había una suerte de espíritu suicida flotando en el ambiente. La consigna parecía ser "empujar, empujar", pero no se sabía para qué, ni para dónde.

Al día siguiente de llegar a Washington, y a horas de comenzar sus entrevistas, el análisis político de *La Nación* del domingo

30 de agosto de 1981, se ocupó del canciller Camilión: "Fuentes de la Casa Rosada dijeron a *La Nación* que el presidente Viola confió por dos veces a sus amigos, entre el jueves 20 y el sábado 22, que ha llegado a la conclusión de que 'la convivencia con el Desarrollismo es imposible'. La ruptura, por así llamarlo, de Viola con los desarrollistas no pondría inmediatamente en peligro la cartera de Relaciones Exteriores. Por un lado, las relaciones personales del canciller con el Presidente son aceptablemente buenas. Por el otro, no hay razones para pensar que, llegado el caso, Frondizi y Frigerio reclamen al Dr. Camilión que tome la mochila y vuelva al hogar partidario".

Murió Ricardo Balbín.
Jorge Anaya asume como comandante en jefe de la Armada

A las 8.02 del miércoles 9 de septiembre, el doctor Carlos Di Rago, director de la clínica IPENSA, de La Plata, salió al hall y enfrentó al periodismo. Los miró fijo y con voz serena dijo: "Lamentablemente debo comunicarles que el doctor Ricardo Balbín falleció hace unos instantes". Con Balbín partían décadas de política argentina. De grandes debates y grandes reconciliaciones. La política por un instante enmudeció y su funeral se transformó en un multitudinario homenaje cívico.

El viernes 11 de septiembre, el almirante Jorge Anaya juró como comandante en jefe de la Armada. En la interna naval significaba que Massera, aún, mantendría una fuerte influencia.[31] Al asumir en la Fuerza, Anaya dio un mensaje con tres premisas fundamentales: 1) Adecuación a los nuevos medios, cuya tecnología nos someterá a un severo esfuerzo de capacitación; 2) Defensa de la soberanía nacional en todo el ámbito marítimo, lo que nos demandará una incesante vigilancia y la disposición permanente para realizar los mayores sacrificios; 3) El Proceso de Reorganización Nacional, de cuyo éxito somos indeclinablemente corresponsables, debe alcanzar sus objetivos y asegurar que la Argentina no vuelva a sufrir las frustraciones y los dramas del pasado. Por su parte, Armando Lambruschini, el comandante que se iba, dijo que "las Fuerzas Armadas no están aisladas".

Sin tomarse un respiro, Camilión pasó de ocuparse de las relaciones bilaterales con los Estados Unidos a sobrellevar los entuertos limítrofes con Chile, el del canal de Beagle estaba primero en la lista de prioridades. Estuvo con Juan Pablo II, el cardenal Samoré y viajó hasta Venecia para conversar con el secretario de Estado del Vaticano, cardenal Agostino Casaroli. Como diría años más tarde el propio Camilión: "Yo tomaba el tema de Chile, Estados Unidos, América Central. Todo lo demás lo delegaba en Enrique Ros, secretario de Relaciones Exteriores".[32] Un detalle: Malvinas no figuraba en la lista de prioridades. Se entiende, había otras más urgentes con directa incidencia en las Fuerzas Armadas en esos momentos. Según explicó años más tarde, el canciller argentino intentó diluir al conflicto del Beagle dentro de un paquete de problemas limítrofes pendientes con Chile. Lo que se podía perder en un caso se podía ganar en otro. Camilión fue muy bien recibido en el Vaticano, pero no llegó a ningún avance. El cardenal Samoré creía que tenía la fórmula y Casaroli, en esos días, miraba más a Europa que a América Latina. Conocía bien a la Argentina y muy bien a Chile, donde se desempeñó como nuncio apostólico en 1978, cuando se inició la mediación de la Santa Sede.

Mientras continuaban los rumores de golpe contra Viola y arreciaba la crisis económica, el 13 de octubre, el Presidente y su equipo económico expusieron frente a la Junta Militar en el edificio de la Armada, durante horas y horas, los planes del Ejecutivo hasta 1984. Solamente la participación de Lorenzo Sigaut duró seis horas. Con la fina ironía que siempre lo caracterizó y expresando el pensamiento generalizado de la población, Marcelo Sánchez Sorondo, denominaba a Sigaut como "el boticario": "Siempre dando paquetes y recetas".

Malvinas "la prioridad 238" para el Reino Unido de la Gran Bretaña

El 30 de septiembre Oscar Camilión volvió a Washington para participar de la reunión de cancilleres de la OEA. Durante su estadía en Washington, el gobierno americano levantó la Enmienda Humphrey-Kennedy que limitaba la compra de equipos militares a la Argentina. Mantuvo una larga entrevista con la senadora Nancy Landon Kassebaum, la legisladora que propuso el párrafo sustitutivo a la nueva ley de asistencia externa. El texto retenía una disposición que condicionaba la reanudación a una comunicación escrita del presidente Ronald Reagan, en la que se asegurara que se estaba logrando una normalización de los derechos humanos en la Argentina. La propia ley respondió de antemano la cuestión, al decir que "el Congreso recibe con beneplácito las medidas del gobierno de la Argentina para adjudicar (someter a los procedimientos normales de la Justicia) numerosos casos de personas detenidas a disposición del Poder Ejecutivo. El Congreso expresa, además, su confianza de que se continuará progresando en ese terreno".

Después, en el contexto de la reunión de la Asamblea General de las Naciones Unidas, el canciller se reunió con su par británico, lord Carrington. Durante la conversación Camilión le informó que la cuestión de Malvinas comenzaba a tomar una inusitada urgencia y lo invitó a que "impulse resueltamente el proceso formal de negociaciones a resolver de manera definitiva" los pedidos argentinos de reivindicación de sus derechos sobre las islas Malvinas, Georgias del Sur y Sandwich del Sur. Según el canciller argentino, Carrington lo escuchó entre aburrido y con cierta impaciencia. Al salir, Camilión le dijo a Carlos Ortiz de Rozas, embajador argentino en Londres, que se había quedado con la sensación de que Malvinas era "la prioridad 238" en la agenda de Carrington.

A mediados de octubre, llegó a Washington el nuevo embajador argentino ante la Casa Blanca, Esteban Takacs. Lo hizo después de sortear un largo proceso de aprobación en la Junta Militar. Antes había sido embajador en Canadá y en un momento fue candidato a embajador en Brasil. Era una buena persona, un empresario de la madera, de trato afable. Todo lo contrario a las pasiones que levantaba, a favor o en contra, Jorge Aja Espil. El 22, el Senado también aprobó el levantamiento del embargo de armas a Chile, con un texto similar utilizado días antes con Argentina. Su inspirador, Jesse Helms, dijo que el embargo a Chile era más severo a las restricciones que se aplicaban a algunos países comunistas como China, lo que equivalía a "un enfoque dual de moralidad".

Ese mismo día, en la Argentina, el presidente recibió a un numeroso grupo de empresarios extranjeros coordinados por "Business Internacional". Uno de los visitantes le preguntó si "debido a la insatisfacción de la sociedad argentina con el actual proceso no sería posible que en 1984 la Junta Militar se vea obligada a llamar a elecciones, y tal vez volver a manos de civiles". El presidente Viola respondió: "Espero que la insatisfacción de la sociedad no siga creciendo en estos dos años, espero que se revierta totalmente esa tendencia y que empiece a llegar satisfacción para cubrir la insatisfacción. Como calculo que en 1984 vamos a estar todos más optimistas, no aprecio la necesidad de forzar situaciones que lleven a lo que usted plantea". El martes 27 de octubre pasó por Washington Horacio Rodríguez Larreta, un hombre del Desarrollismo y asesor del canciller Camilión. Preguntado en la intimidad, contó que Rogelio Frigerio era de la opinión que el gobierno de Viola "se acaba en el corto plazo" y que "económicamente no se puede resistir". Una fuente próxima a la Armada, al que se lo identificaba como "Delta", dijo ese mismo día telefónicamente que "Viola está liquidado, Galtieri ha iniciado su ofensiva política final. Tiene plazo hasta abril".

El sábado 31 de octubre a la noche el almirante Jorge Anaya volvió a Buenos Aires luego de presenciar ejercicios navales realizados en los canales fueguinos. El mismo día partió para Washington el teniente general Leopoldo Fortunato Galtieri, para participar en la Conferencia de Ejércitos Americanos. El matutino Clarín, que cubrió su partida de Ezeiza, lo mostró sonriente, luciendo un traje gris y corbata rayada. A su lado, Lucy, su esposa, más sonriente aún, con camisa y pollera clara y tapado sobre los hombros para el frío que la esperaba en la capital de los Estados Unidos. Si el simple lector daba vuelta la página de la edición de Clarín, correspondiente al 1° de noviembre, vería una foto del presidente Viola, pálido y ojeroso, acompañando unas declaraciones en las que decía que "el problema argentino no es económico sino político".

El 1° de noviembre, Galtieri llegó a Washington en un avión 707 de la Fuerza Aérea Argentina. En el aeropuerto de la Base Andrews, lo esperaban Esteban Takacs, el embajador argentino ante la Casa Blanca, y Raúl Quijano, ante la Organización de Estados Americanos. No aceptó vivir en la residencia del embajador, ya tenía reservada una suite en el edificio Watergate. De esa manera se podía mover con más facilidad y privacidad, y le quedaba más cerca el lugar de las reuniones.

Cumbre de comandantes en Mc Nair.
La coronación del "Majestuoso"

La XIV Conferencia de Ejércitos Americanos no se hizo en un lugar cualquiera. Se llevó a cabo en una base del Ejército, cercana a Washington y pegada al río Potomac, que lleva el nombre de Lesley J. McNair, el general de más alto rango que murió en combate en la Segunda Guerra Mundial (en julio de 1944). Tampoco la cumbre de comandantes se realizó en un momento cualquiera. En esos días el Frente Farabundo Martí de Liberación Nacional (FMLN), una conjunción de socialdemócratas (Guillermo Ungo), castristas y otras organizaciones guerrilleras, luchaba palmo a palmo contra las fuerzas legales en El Salvador. En Nicaragua, el gobierno pro castrista del Frente de Liberación Sandinista transitaba un poco más de dos años, y desde Honduras, los "contras", con la ayuda estadounidense y argentina intentaban voltearlo. En la cumbre de comandantes participaron delegados de Argentina, Barbados, Bolivia, Brasil, Canadá, Chile, Colombia, República Dominicana, Ecuador, El Salvador, Guatemala, Haití, Honduras, Jamaica, Panamá, Paraguay, Surinam, Uruguay y Estados Unidos. Como era lógico no fueron invitadas Cuba y Nicaragua.

El tema principal fue "cómo combatir la infiltración cubanosoviética en las Américas". Edgard Meyer, comandante del Ejército de los Estados Unidos abrió la conferencia con un discurso y presentó el temario. Los generales más activos, según todos los informes, fueron los de Argentina, Chile y El Salvador. "Ya estamos en guerra" dijo uno de los presentes. Hubo una agitada discusión alrededor de la terminología a utilizar, y se acordó que la expresión "subversión marxista" era la más ajustada. No se debía hablar de "revolucionarios", sino de "terroristas" o "subversivos". Se estableció crear un centro de procesamientos de datos e incrementar la comunicación entre los ejércitos. Luego de los discursos, otros temas y recomendaciones, se acordó que la próxima conferencia se realizaría en Brasil, en 1983.[33] Y se convino en que Nicaragua fuera excluida de la Junta Interamericana de Defensa. Ningún delegado estadounidense dijo que en otras esferas se estaba negociando un encuentro secreto entre Carlos Rafael Rodríguez —vicepresidente de Cuba y hombre fuerte del PCC— con el secretario de Estado, Alexander Haig. Es decir, se insuflaba a los comandantes militares un clima de cruzada antimarxista, mientras el socio principal (EE.UU.) comía con el enemigo. Esto no se pudo esconder: veinte días más tarde, un informe que circuló por Washington (centros financieros, diplomáticos y académicos especializados en asuntos latinoamericanos) manifestaba que Haig y Rodríguez se habían encontrado en México entre las 16.30 y 18.30 del lunes 23 de noviembre. Un vocero del Departamento de Estado dijo que "ni confirma ni niega". Además, como si fuera poco, Haig y el canciller nicaragüense Miguel D'Escoto dialogaron en el marco de la cumbre de la OEA en Santa Lucía.

Justo es reconocer que la cumbre de comandantes estaba fijada con mucha antelación, pero le llegó a Leopoldo Galtieri como anillo al dedo. Estaba en Washington en el momento justo: los rumores de golpe arreciaban más fuerte que nunca; la situación económica y financiera era crítica y la población mostraba signos de cansancio del gobierno de Roberto Eduardo Viola. Se suponía que era un gobierno de orden, castrense, pero reinaban una confusión y un desánimo sin límites. El final estaba anticipado, sólo faltaba ponerle el día y la hora. "No way", como dicen los americanos. Por si faltaba algo, en Washington se hablaba de un informe del Departamento de Estado que afirmaba que el Presidente no pasaba de diciembre.

Galtieri no llegó solo a la capital de los Estados Unidos. Lo hizo acompañado de Alberto Alfredo Valín, jefe de Inteligencia, y del Jefe III (Operaciones), Mario Benjamín Menéndez. Como era de esperar, también lo acompañó el coronel Norberto Ferrero, su secretario —y consejero— privado.

El momento cumbre llegó con un importante almuerzo que se sirvió en 1815 Q Street, NW, la residencia del embajador argentino. A decir verdad, ese encuentro de ningún modo podía haberlo preparado el embajador Esteban Takacs. Sin disminuir la capacidad del nuevo embajador en Washington, en dos meses en funciones, un representante de la Argentina no podía concitar la atención de los hombres de más peso de la intimidad de Ronald Reagan, si no había algo más.[34] Y había algo más, lo decían las informaciones y rumores que llegaban de Buenos Aires y corrían por los pasillos diplomáticos de "la Roma del siglo XX". En tal evento colaboraron, entre otros, Miguel Mallea Gil y Francisco "Pancho" Aguirre, un nicaragüense con muchos años en Washington, casado con una Debayle (por lo tanto pariente político de "Tachito" Somoza, con quien estaba peleado, se decía, por razones cremísticas) y que siempre rondaba por las embajadas y agregadurías militares latinoamericanas y la OEA. Para un íntimo amigo, "Pancho" trabajaba para "la compañía de Jesús", eufemismo que evitaba decir la CIA.

El lunes 2 de noviembre, a las 13, concurrieron entre otros Caspar Weinberger, secretario de Defensa (que luego se mostró como un tenaz enemigo de la Argentina en los días de Malvinas); Richard Allen, asesor de Seguridad Nacional del presidente Reagan; Thomas Enders, subsecretario de Asuntos Latinoamericanos del Departamento de Estado; William Middendorf, embajador en la OEA; Edgard Meyer, jefe del Ejército y compañero de promoción de Mallea Gil en la Academia Militar de West Point; John Marsh, secretario del Ejército; Vernon Walters; Raúl Quijano, embajador ante la OEA, Alejandro Orfila, secretario general de la OEA, y los generales Valín (que hablaba permanentemente de un zoológico personal que tenía en las afueras de Buenos Aires) y Menéndez.

El más incómodo era el dueño de casa. Estaba en medio de una ceremonia de coronación pero su monarca era otro. Como suelen ser esos momentos, nadie hablaba de Roberto Eduardo Viola, pero la mayoría comprendía por qué estaba ahí, en ese comedor estilo inglés-americano de larga mesa que mira a un jardín, y en una de cuyas paredes colgaba un clásico cuadro de Liberti que supo llevar Carlos Manuel Muñiz en su paso por la embajada (1971-1973). Galtieri se movió con soltura y simpatía campechana. No hablaba inglés sino que lo "pataleaba". Cuando le ofrecieron traducción, respondió que "no, yo me las arreglo". A los postres se paró y brindó por la amistad de la Argentina y los Estados Unidos.

Habló de la unidad para enfrentar el enemigo común, la Unión Soviética y sus países satélites. En ese momento creía realmente lo que pensaba. Un año más tarde le dijo al autor: "Era el niño mimado de los Estados Unidos, me trataban con deferencia".[35] Todo estaba armado y coordinado. Afuera esperaban los corresponsales Carlos Bañales, un periodista uruguayo, jefe de la nueva corresponsalía de TELAM en Washington. Otro de la agencia Saporiti, cuyo corresponsal era un joven inexperto que también tenía un trabajo "part time" en la Agregaduría de la Fuerza Aérea argentina, hijo de un funcionario argentino que trabajaba en un organismo internacional. Cuando fueron saliendo los invitados el joven tomó la mayor cantidad de declaraciones que pudo. Se jugó la vida. Le llegó el turno a Richard Allen y la pregunta fue: "¿Qué impresión le causó el general Galtieri?". La respuesta, después de unas milésimas de segundo, fue: "Me pareció un hombre de una personalidad majestuosa". Ya estaba, Galtieri era "el general majestuoso". Más cauto fue el secretario de Defensa, un hombre de personalidad gris y ácida, ante la misma pregunta (siempre la misma pregunta) sólo atinó a responder que le parecía "un hombre que impresiona mucho".[36] Para aumentar la adrenalina del teniente general, antes de partir de Washington tuvo el jueves 5 por la noche un "face to face" con el vicepresidente George Bush.

"Anoche se hizo una recepción en la embajada [argentina] a la delegación del curso de Estrategia que encabezaba el general [Antonio] Llamas e integraban varios coroneles y oficiales de menor graduación. Los diplomáticos se acercaron a saludarlos y conversar. Al poco rato, cuando hablaron de la situación interna (argentina), los diplomáticos quedaron azorados por el nivel de angustia que reflejaban. Sin mediar intimidad, dijeron que 'Viola es un incapaz' y que había que comenzar a 'colgar' a los responsables del fracaso del Proceso. Uno se preguntó: '¿Qué vamos a hacer ahora que hemos desecho al país? No podemos ni salir a la calle'."[37]

Desde Europa, un embajador escribió, con fecha 5 de noviembre: "Estuve con Viola más de una hora; tomamos dos whiskies. No solamente me hizo la pregunta clavada —'¿cómo nos ven en Europa?'— sino que me pidió información de cada uno de los países. Luego me pidió que le diera mis impresiones acerca del país. Recuerdo que, indiscretamente, me comentó que Sigaut no 'despertaba confianza', dándome a entender que era inminente el raje del nombrado. Me dio la cabal idea de que no sabía lo que pasaba, ni en el mundo ni en el país... se limitó a sugerir que había una especie de indefinida conspiración contra su gobierno y, ante semejante insensatez, no pude menos que permanecer en silencio. Cerraban fábricas, el Central dilapidaba dólares a millares tratando de controlar lo incontrolable... y Viola pensaba que era todo un invento de los diarios y de un grupo golpista al que no se animó a individualizar. Como no tenía solución posible, creo que lo mejor era dejar todo como estaba, esperanzado en que la Multipartidaria sacara del pozo a un presidente que no atinaba a ejercer el poder. Tengo la certeza de que el viejo Balbín debe haber visto el panorama de forma parecida".

El teniente general Leopoldo Galtieri se prepara para retornar a Buenos Aires. El 7 y 8 de noviembre los pasó en Nueva York, Tuvo horas de distensión en Manhattan; hasta conoció el famoso y selecto restaurante "Le Cirque" de la avenida Madison, cuyo dueño Sirio Maccione se acercó a saludarlo. Estuvo acompañado por miembros de la delegación militar y los embajadores Juan Carlos Beltramino, en las Naciones Unidas y Gustavo Figueroa, cónsul general en Nueva York. Se habló de todo, hasta de su empeño en enviar tropas argentinas al Sinaí. Por supuesto Beltramino no le habló de platería antigua del que es un experto desde sus años mozos. No era el momento. Antes de partir tuvo una satisfacción: a través de la embajada argentina en Washington, el Departamento de Estado le mandó agradecer su influencia en Bolivia, al convencer al general Lucio Añez y al coronel Faustino Rico Toro de no hacer un golpe contra el presidente Celso Torrelio Villa que hubiera generado más caos en el Altiplano.[38]

El lunes 9 a la noche llegó sonriente al amplio hall del aeropuerto donde debía embarcar para Buenos Aires. Su cara adquirió un rictus de tensión cuando el cónsul Gustavo Figueroa le transmitió un mensaje "urgente" que acababa de recibir de Buenos Aires. Le relató que pocas horas antes el presidente Roberto Viola había sido internado de urgencia en el Hospital Militar Central. Dejó a Lucy, se sentó en un sillón, prendió un cigarrillo y puso su mirada en punto Alpha durante cuarenta minutos. Se había quedado solo con sus pensamientos. La Casa Rosada estaba al alcance de la mano.

La "enfermedad" de Viola. El teniente general Leopoldo Fortunato Galtieri se prepara para asumir como Presidente de la Nación. Nicanor Costa Méndez retorna al Palacio San Martín

En Buenos Aires, ese lunes 9 de noviembre de 1981, a las 15.05, el presidente Roberto Eduardo Viola junto con su esposa y su hijo salieron en su automóvil blindado rumbo al Hospital Militar Central, en la avenida Luis María Campos. Sus íntimos dejaron trascender que la presión arterial había alcanzado niveles peligrosos (22 a 16). Además del estrés, Viola era un hombre de 57 años que fumaba tres atados de "True" diarios y bebía whisky sin discreción en sus largas conversaciones. Su físico estaba muy desgastado y aparentaba más edad, por eso lo llamaban "el Viejo". Su desgaste no se reflejaba solamente en su persona, era su gobierno, el Proceso, el que ya no tenía margen de maniobra. No despertaba adhesiones, nadie le creía. Galtieri había hecho mucho para que el fin de Viola estuviera cerca. Desde hacía meses que se hablaba de "golpe" y él no decía nada.

Leopoldo Fortunato Galtieri llegó a Buenos Aires el martes 10. Lo que debió ser una reunión informativa, sobre el panorama que encontró en Washington, entre el comandante en jefe del Ejército y sus pares de la Junta Militar, se transformó en un análisis de la nueva situación a la vista. De este encuentro sale la versión de adelantar la asunción de Basilio Lami Dozo, comandante en jefe de la Fuerza Aérea (debía asumir en enero), mientras Galtieri se preparaba a observar a la Junta de Calificaciones del arma, porque de allí saldría la nueva "cadena de mandos". En otras palabras: haría un Ejército a su medida y había dos generales de división que lo molestaban. Uno por su experiencia política (José Villarreal, jefe del Cuerpo V); otro por su imagen y don de mando (Antonio Bussi, jefe del Cuerpo I).[39] También, aunque en menor medida, lo enfadaba Reynaldo Benito Bignone.

"Ha estallado la cúpula militar porque los Martínez de Hoz van contra los Sigaut, los militares retirados van contra los que están en actividad. Los primeros van contra los segundos. Los argentinos no queremos más enfrentamientos. Estaremos de pie, enfrente, esperando que se vayan del poder", dijo Carlos Contín, el sucesor de Balbín.

"Las fuentes" decían que Viola estaba enfermo, pero se lo vio entrando al Hospital Militar, caminando y sonriente. Luego dejó la internación con el consejo de guardar "reposo" hasta el 23. ¿Qué va a pasar? Era la pregunta. "Dios dirá, la Junta decidirá" fue la respuesta de Galtieri. Mientras tanto, el general Martella, secretario general de la Presidencia, informó a los ministros del Gabinete que se abstuvieran de hacer declaraciones o tomar decisiones de fondo. Causó extrañeza porque quien debió anunciar el "silencio de radio" era el ministro del Interior, general Horacio Liendo, quien llevaba la coordinación de la gestión pública.

"Pasó por París y Bruselas un secretario de Estado quien contó que Viola dejaría interinamente el poder, para retomarlo en marzo: se basaba en que el golpe era inevitable y con esa artimaña de pasar por enfermo se ganaba tiempo. Aunque mi escepticismo es total, dudaba de que se animara a realizar una maniobra tan complicada, en un país que está al borde de la quiebra. [...] No obstante, un sábado me enteré por el *Times* de Londres que Liendo había asumido. Luego vino la noticia oficial, completada por abundantes partes médicos. En algún lugar leí que Viola sólo lee, por orden médica, revistas deportivas. Los galenos podrían haberse ahorrado la recomendación, pues Viola no debe haber leído otra cosa en su vida, y ahora, viejo y enfermo, no se va a poner a leer los clásicos. Seguirá con *El Gráfico* y alguna otra publicación que le cuente de Maradona, del próximo Mundial y temas por el estilo que son su único auténtico alimento espiritual. [...] Hablar de la 'segunda etapa Viola' es un tema casi pornográfico, así que me niego a contemplar esa posibilidad. [...] Viola no tiene las mínimas condiciones que se requieren para hacer funcional el gobierno. Toda su astucia de político estriba en no dar el perfil a los problemas. Uno de sus trucos favoritos es, cuando escucha algo que no entiende, acotar 'bueno, pero la cosa no es tan así', con la intención de dejarte dudas sobre sus conocimientos sobre el tema: ¿sabrá algo más, tendrá ideas totalmente diferentes a las que he expuesto? No, simplemente no sabe nada, pero quiere insinuar que sí conoce el tópico y tiene sus propias opiniones. [...] Cuando regresé a comienzos de julio, estaba convencido de que lo relevaría a Sigaut; me había dicho que no despertaba confianza. Te lo he contado meses atrás, pero insisto en el asunto, porque no alcanzo a comprender por qué no lo cambió, si es que sabía que su ministro no funcionaba. [...] Nadie en el gobierno estaba dispuesto a oír la menor crítica, aunque estuviese hecha con la mejor intención sobre lo que se hacía o dejaba de hacer. La inconsistencia era tan atroz que hablaban de fundar un movimiento político, con Viola o vaya a saber quién a la cabeza. Todos estaban en eso. Confieso que no pensé que la crisis se acelerara en tan poco tiempo. A ratos creía que seguirían flotando hasta 1984, pero el caos económico en que se sumergían día a día me hizo ver que era imposible que sobrevivieran mucho tiempo. En los primeros días del año pasado —Viola recién elegido— me fui a despedir de Massera. De entrada comentamos el forcejeo por la elección de Viola y me dijo que 'en noviembre del 81 ya habrá sido desalojado del poder. [...] Además, me aseguró, el Ejército no es como cree Viola-Liendo, el general Villarreal. Cuando entré a verlo a Massera, salía de su despacho Bussi con quien había almorzado. Afirmó que Bussi comandaría el Primer Cuerpo, y cuando comenté esto con los 'violistas' me dijeron que estaba muy mal informado."[40]

Se presentaba la particularidad que había tres poderes, algo similar a la crisis de 1820 cuando en un mismo día existían tres gobernadores de la provincia de Buenos Aires: Viola, Liendo y la Junta Militar. Viola mandó decir a la Junta, a través del cardiólogo, doctor Perosi, que se encontraba en "excelente estado", mientras los altos mando de las FFAA sostenían que su etapa estaba "agotada". En el medio, el ministro Horacio Tomás Liendo interinamente gestionaba, mostrando más eficiencia que el propio presidente. El problema era cómo terminar con Viola, ya que se negaba a renunciar "por motivos de salud" y además preparaba una contraofensiva.[41] Quería explicarle a la población las razones de su partida y lo cierto es que la población vivió esos días con gran apatía. Se le prohibió el acceso a la televisión. "El proceso no puede ser manchado" afirmó Galtieri. El 8, en horas de la noche se entrevistó con Viola en la residencia presidencial de Olivos. El 9 de diciembre, el dólar estaba a 10.550 pesos y Galtieri realizó cambios profundos en las jefaturas de cuerpo y brigadas. El 10, el almirante Jorge Anaya anunció la decisión de la Junta de remover al Presidente y pidió su renuncia lo más rápido posible: "Se han agotado los procedimientos y los tiempos para el tratamiento de la actual situación institucional". En su lugar, interinamente, se hizo cargo el vicealmirante Carlos Alberto Lacoste, conocido por haber organizado el Mundial 1978. Viola prefirió ser destituido. Liendo pidió el retiro y el canciller Camilión presentó su renuncia por escrito. Finalizaban 33 días de expectativas y rumores. El dólar tocaba 15.000 pesos por unidad. Graffigna adelantó el traspaso de la Fuerza Aérea a Basilio Lami Dozo (jueves 17 de diciembre) y la Armada aceptó que Galtieri ejerciera la presidencia y la comandancia al mismo tiempo. Todas las discusiones de los años anteriores por el "cuarto hombre" habían sido en vano. Un "golpe blanco", sin ruido, lo denominaron en el exterior. "La última oportunidad" fue el título de una larga columna que firmó Álvaro Alsogaray, en la que clamó por un cambio de política y "una apertura política que lleve a la constitución de un congreso a partir de 1984".[42]

Al margen de las gestiones militares, el 16 de diciembre los dirigentes más importantes de la Multipartidaria se reunieron en la Casa Radical para firmar la declaración "Antes de que sea tarde". Sus diecisiete carillas fueron rubricadas por Deolindo Bittel (PJ), Carlos Contín (UCR), Arturo Frondizi (MID), Oscar Alende (Intransigente) y Francisco Cerro (Demócrata Cristiano), y en ellas se realizó un fervoroso llamamiento "para encontrar el camino de la unión" y reclamó elecciones generales "sin proscripciones, gradualismos, ni condicionamientos de ninguna especie". Presentaron un balance de los seis años de gobierno militar y recordaron:

• "La etapa de la subversión deshumanizada y violenta ha concluido porque junto a la acción de las Fuerzas Armadas existió un firme rechazo de la conciencia moral del pueblo que supo ver en el terrorismo la expresión de la desmesura del elitismo, de la insensatez y el crimen."

• "Tras un ciclo de dolor y muerte para toda la familia argentina, diezmada por la violencia, resuena el profundo sentir por el desconocimiento de los derechos humanos en las acciones represivas y por la justicia nunca satisfecha de miles de desaparecidos cuyos destinos se ignoran. Esta lacerante situación hace necesaria un explicación oficial a los familiares y al país, así como es indispensable regularizar la situación de los presos sin proceso ni condena."[43]

Las "usinas" militares y civiles próximas al proceso trabajaron a destajo en esos días para imponer a sus hombres en el nuevo gabinete. Para Cancillería estaban ternados Nicanor Costa Méndez, Eduardo Roca y también Carlos Ortiz de Rozas. En Economía había un abanico: de Roberto Alemann a Dagnino Pastore.

Las condiciones para ser canciller las adelantó el secretario general del Ejército, Alfredo Saint Jean: "Deberá ser una persona que comparta 'la firmeza' de las Fuerzas Armadas sobre dos temas: el conflicto de límites con Chile y la recuperación de la soberanía argentina sobre las Islas Malvinas, actualmente en poder de Inglaterra".[44] También las fuentes militares, no identificadas, adelantaron que se buscaría un mayor acercamiento con los Estados Unidos y "es muy probable que Argentina se retire del Movimiento de Países No Alineados que lidera Fidel Castro". No era el único que observaba la ubicación de la Argentina de la misma forma.

El 22 de diciembre juró en el edificio del Congreso —sede de la Junta Militar— como presidente de la Nación. El bastón se lo dio el brigadier Basilio Lami Dozo, la banda Jorge Anaya. Luego fue hasta la Casa Rosada para presentar su gabinete. Como ministros más destacados juraron: Nicanor Costa Méndez, en la Cancillería; Roberto Alemann, Economía; Cayetano Licciardo, Educación; Amadeo Frúgoli, Defensa; Jaime Lennon, Justicia y el general Alfredo Saint Jean en Interior.

El 23 a la noche, Galtieri apareció hablando por primera vez al país como Presidente de la Nación. Pidió confianza a la población y reclamó austeridad a su gobierno. Y en política exterior señaló que la Argentina no adoptará "posiciones equivocadas o grises, susceptibles de debilitar nuestra raíz occidental".

Ese mismo día jueves, la Confederación General del Trabajo, en una declaración que tituló "Por una Navidad en paz", reclamó a Galtieri un gobierno de emergencia con la participación de "todos los sectores de la vida nacional", al estimar "el fracaso total y absoluto de la pretendida gestión gubernamental del llamado Proceso". El organización sindical que dirigía Saúl Ubaldini propuso "la movilización popular" con la intención de un "perentorio llamado a elecciones generales… y decretar el estado de emergencia social". Llama también a la "concordia" y "la unidad nacional".

También el 23, se sucedieron dos acontecimientos: Juan Pablo II exhortó a la Argentina y Chile a hacer todos los esfuerzos posibles para acordar una paz. Para esa época, la mediación ya había entregado sus conclusiones, que fueron rechazadas por la Junta Militar. Y los Estados Unidos aplicó sanciones económicas a Polonia, cuando su gobierno interrumpió el proceso de apertura que llevaba adelante "Solidaridad" con el respaldo del gremialismo.

Hubo un cambio de "atmósfera" en la Argentina a partir de la propia personalidad de Galtieri, a quien comparaban con el mítico George C. Patton, general norteamericano de la Segunda Guerra Mundial. Intentaba reflotar el Proceso pero nadie le creía. "El efímero gobierno de Viola dejó una herencia de dificultades económicas y prácticamente en el mismo lugar el proyecto de apertura política, no obstante los primeros esfuerzos concretos para colocarlo en sus carriles", dijo *O Globo* de Brasil. También afirmó: "Los signos de agotamiento del régimen discrecional saltan a la vista". Más contundente fue *Jornal do Brasil* al afirmar que el "ciclo de intervenciones militares se revela agotado".

"Esto se derrumba", palabras más, palabras menos, dijo un embajador de carrera.

"No se preocupe, el jefe tiene un plan", respondió el coronel Norberto Ferrero, el hombre de íntima confianza de Galtieri.

Héctor Villalón en Washington[45]

Encontrarse con Villalón tiene siempre un doble interés. Primero, dada su larga trayectoria al lado de Perón y como empresario, hay algo nuevo que aprender del pasado argentino. Luego, si uno quiere mantenerse informado, Villalón siempre tiene una gragea que lo distingue del resto. A fines del otoño del 81 llegó a Washington para hacer gestiones propias y ajenas. En esas horas había estado conversando con gente del Departamento de Estado. Eran los mismos que le habían dicho que "no veían ninguna alternativa en la Argentina para salir de la crisis". Queriendo redondear el concepto dijo: "La Argentina se encuentra en estado de liquidación, esa fue la frase [que usaron]". A esta afirmación, Villalón respondió que "la 'liquidación' era del poder de las Fuerzas Armadas", porque "el sindicalismo está entero y unido y que había que considerarlo como el reaseguro de males mayores".

Se le preguntó qué información tenía, en ese momento, de la visita de Galtieri a Washington y dijo que el comandante en jefe "había dejado entrever que la etapa de Viola estaba agotándose y que en un corto plazo (3 o 4 meses) había que pensar en un recambio".

Villalón se presentaba como empresario, pero en algunos momentos hablaba como un sindicalista. Fue cuando dijo que estaba gestionando una visita de dirigentes gremiales a Washington, para entregar un documento al más alto nivel. Villalón se mostró proclive a un gobierno de transición en la Argentina, y a un entendimiento con una figura militar, "porque ahora no puede haber elecciones inmediatamente. Pero nosotros pensamos que si vamos a dar un apoyo debemos participar en el gobierno".

Seguidamente, se le preguntó por Massera. "A Massera se le dijo hace tiempo: 'Usted pone la cara y nosotros hacemos el resto. Pero queremos que ponga la cara'."

Se le dijo entonces que en poco tiempo más Massera plantearía su enfrentamiento con el llamado "proyecto Galtieri" que según observadores sería la continuidad de Martínez de Hoz a través de [Carlos] García Martínez, o como se afirma en Washington con Krieger Vasena. Entonces dijo "a Massera no lo vamos a votar, lo vamos a respaldar, apoyar, en un proceso de transición. Para el caso de votar, nosotros tenemos nuestros propios candidatos. Si él quiere acelerar la salida, la negociación, que lo haga, para ello nos va a encontrar".

En otro momento volvió a sacar el tema de una negociación del Ejército con los sindicatos, "puenteando a todos": "(Nos hicieron llegar tres carpetas, a Bittel, Lorenzo Miguel y yo). El peronismo respondió que no y concretó su respuesta con la no ida a la Rosada (cuando fue invitado por el Ministerio del Interior) que inventaron que la había rechazado por presiones de Massera, y la movilización del sábado pasado en San Cayetano". La idea de ese acuerdo circula por algunas cabezas desde hace tiempo, en especial luego de aquella ceremonia en la CGT entre el teniente general Leandro Anaya y Segundo Palma (en 1975), le dijo el interlocutor. "Así es, pero la idea está presente en las oficinas del Ministerio del Interior."

¿Y Liendo?, se le preguntó. "A Liendo le tenemos simpatía porque no desarmó la estructura sindical. Imagino que por ahí se le cruza la idea de que él puede ser un candidato presidencial alternativo."

Sobre Isabel, en Madrid, comentó que se la pasaba comprando carteras y que hacía mal en no recibir a las autoridades del peronismo, la CGT y no decir nada de lo que está ocurriendo.

Se le dijo a Villalón que a lo mejor Isabel no hablaba porque no tenía nada que decir. Su respuesta fue: "No, ella quiere que la 'arreglen' los militares y después volver a la Argentina.

"Yo salí 48 días después del golpe, luego de estar repetidas veces con Viola, el 'turco' Reston y Dalla Tea. Salí escoltado por la Fuerza Aérea, en un avión de ellos hasta Río de Janeiro, gracias a [Omar] Graffigna".

La conversación saltaba de un tema a otro. Uno pensaba que había terminado, pero al poco rato se encontraba en el mismo punto. Volvió, entonces, al tema de Galtieri: "Lo veo todas las semanas en su casa a Gerardo Schamis con 'Niní'.[46] Cuando llegué la última vez le pregunté: ¿qué invitación acepto si Viola y Galtieri me invitan el mismo día y a la misma hora? La de Galtieri, me respondió". Expresó que Galtieri no podrá hacer mucho, "aunque será más útil que Viola, por lo menos no es un energúmeno... se puede conversar".[47]

En esos momentos, para Villalón la Multipartidaria era una "palanca de presión", una opción ante el derrumbe. Pero que tenía que "armar un plan para ganar credibilidad, tanto allí como acá [en Washington]".

Le interesaba mucho la cuestión centroamericana y dijo que había llegado a la capital de los Estados Unidos en representación del ex canciller alemán Willy Brandt. Dijo que la II Internacional veía complicada la situación nicaragüense y que por el momento se apoyaba al Frente Sandinista sobre la base del cumplimiento de cinco premisas: 1) Democracia; 2) Pluralismo; 3) Justicia: 4) Vigencia de los Derechos Humanos, y 5) No enrolamiento en el Bloque del Este. El interlocutor le respondió que los puntos 2, 3 y 4 se cumplían en un 40%, la democracia era a muy largo plazo y sobre el 5 había muchas dudas. "Pues si es así, la salida es cada día más militar."

Tras cuatro horas de diálogo, la conversación se sumergió de lleno en el pasado. Dada la cercanía que había tenido con Juan Domingo Perón, se le preguntó qué había pasado con el teniente general Pedro Eugenio Aramburu. Y respondió: "A Aramburu no lo mataron los montoneros". Para él, "Aramburu murió en un edificio del Cuerpo I de un ataque al corazón, pues debía viajar a París para encontrarse con Perón [...] negociación en la que participé. Por eso salió de su casa, sin hacer ningún esfuerzo por liberarse. La familia lo sabe porque conocen la autopsia verdadera donde consta que el balazo se lo dieron después de muerto. Luego, al cuerpo se lo dieron a Montoneros, que ellos inventaron porque nunca fueron peronistas".[48]

Años más tarde se conversó sobre el mismo tema con Villalón. Su respuesta fue casi idéntica: "Pocos días después de muerto o fallecido de un ataque de corazón en Campo de Mayo, la prensa publicó las denuncias de un oficial de la Armada, cooperador de él, denunciando la realidad de los hechos. No lo digo yo, lo denunció ese colaborador de él".

"La autopsia reveló que cuando el cuerpo recibió una o varias balas, el corazón ya estaba en diástole y no en sístole. El que entregó el cuerpo fue el general Imaz (ministro del Interior) a la banda de 'Montos' que era titularidad de ese sector militar, yo diría 'militar religioso'. La historia está mal escrita y el General [Perón] envió a [Vicente] Solano Lima y a mí a encontrarnos con [Juan Carlos] Onganía en su casa para certificar la verdad. Él escuchó el pedido, condicionó su declaración a la total confidencialidad, hizo un memo, se cerró el sobre, se lacró con nuestras firmas y se le entregó en manos al General, quien cerró el caso."[49] Dos días más tarde, en una nueva comunicación, Villalón agregó: "La reunión Onganía-Solano Lima-Villalón [por] 'Asunto Aramburu' fue en el domicilio de Luis María Campos 1192, Boulogne Sur Mer."[50]

"El terrorismo sigue buscando imponerse en otros terrenos y, no habiendo perdido su peligrosidad, nos obliga a mantenernos alerta", dijo el general Antonio Vaquero durante un acto realizado por el aniversario del Estado Mayor General del Ejército. En medio de la crisis que comenzaba a desatarse en la cima del poder, el Ejército llevó adelante su consigna de recordar en cada ocasión lo que representó la subversión en la Argentina. El 4 de noviembre, poco antes de las 10 de la mañana, una larga hilera de automóviles se detuvo frente al edificio de Institutos Militares en Campo de Mayo. De los autos bajaron más de una docena de dirigentes justicialistas. Una vez dentro de la unidad militar los recibió el general Reynaldo Bignone, quien les dio una conferencia sobre el fenómeno terrorista apoyado por mapas y diapositivas, y luego les mostraron las instalaciones del Museo donde podían verse banderas y maniquíes con uniformes de las organizaciones armadas. También se mostraban armas de fabricación casera o de los depósitos capturados al terrorismo.

Entre los asistentes, en esa reunión del 4, la prensa registró a Ángel Federico Robledo, Enrique Osella Muñoz, Alfredo Gómez Morales, Oscar Albrieu, Rodolfo Tecera del Franco, José Figuerola, Luis Rubeo, Humberto Romero, Juan Carlos Lorenzo, Alfredo Vázquez y Mario Serrano. No fue el primer encuentro con políticos en el Museo de la Subversión. Ya habían pasado, por el radicalismo, Carlos Contín, Fernando de la Rúa, Facundo Suárez, con su hijo "Facundito", Julio Colombo y Gustavo Soler. Y antes, otros políticos de diferentes orientaciones: José Antonio Romero Feris, Rafael Martínez Raymonda, Rogelio Frigerio, Jorge Paladino,

Américo Ghioldi, Juan Carlos Lynch, Manuel Ordoñez, Ismael Amit, Francisco Gabrielli y Gustavo Perramón Pearson.[51]

Entre el 16 de noviembre y el 4 de diciembre se realizó en la Escuela de Mecánica de la Armada (ESMA) un ciclo de conferencias, cuyos contenidos no salieron en los medios, pero que llamó la atención de los asistentes. Las conferencias se dieron todos los días hábiles, en el Salón Auditorio, entre las 17 y 19 horas. El ciclo llevó como título "Objetivos argentinos en el Atlántico Sur". Asistió lo más granado de la dirigencia argentina, entre otros: Ricardo Gutiérrez (Sociedad Rural Argentina); Miguel Roig (presidente de IDEA y funcionario de Bunge y Born); Julio Gómez (Cámara de Comercio); Jorge Aguado (ministro de Agricultura), funcionarios de otros ministerios y ejecutivos de bancos argentinos.

El representante del Ministerio de Comercio e Intereses Marítimos no fue a la primera reunión. Por esa razón, el martes 17 de noviembre fue despertado por la voz nerviosa de su jefe, Carlos García Martínez: "¿Por qué no fuiste al ciclo? Me llamaron de la Armada. No dejes de ir".

El funcionario sólo atinó a decirle: "Carlitos, vos sabés que estas cosas me aburren"; pero ante la orden no tuvo otra opción. Durante tres semanas estuvo escuchando a diferentes expositores. Almirantes en actividad y retirados; miembros de la Escuela de Inteligencia Nacional y hasta el mismo jefe de Operaciones Navales. Hablaron del desarrollo patagónico; la explotación petrolera y los recursos pesqueros (ahí escuchó por primera vez el significado de "caladeros"); la importancia de la Flota Mercante; el Atlántico Sur y su proyección geopolítica y sobre la importancia de "concientizar" a la sociedad sobre estas cuestiones. La verdad que el funcionario, en esos momentos, estaba con la cabeza en otras cosas. Por ejemplo, estaba asistiendo al derrumbe del gobierno, su equipo económico, las corridas bancarias y el valor del dólar. El último día se dio una recepción en la que se otorgaron pergaminos. Grande fue la sorpresa cuando vieron aparecer al almirante Jorge Isaac Anaya y su plana mayor; al almirante Benito Moya y al general Alfredo Saint Jean.

Anaya improvisó unas palabras en las que habló del valor de las Malvinas y los cambios que estaban, en el aire, por suceder.

"¿Qué le pareció?", le preguntó un oficial naval.

"Muy impetuoso", dijo el funcionario.

"Va a tener un futuro político importante", respondió el oficial naval mirándolo a Anaya.

Diálogo entre "conejos"

En 1981, el capitán de navío de Infantería de Marina Miguel "Conejo" Pita, infante de Marina y oficial de Inteligencia, era el agregado naval en La Paz, Bolivia. A través de uno de sus contactos diplomáticos con la embajada de los Estados Unidos en La Paz, se le sugiere que es necesario que la Argentina haga algo para "reparar" la interrupción del proceso institucional (para impedir que Hernán Siles Suazo llegara a la presidencia de la Nación, en el que habían participado elementos del Ejército Argentino), el 18 de julio de 1980. El pedido fue hecho como consecuencia de que la embajada norteamericana en Bolivia sabía que el canciller Oscar Camilión estaba por viajar a Washington para mantener un encuentro con Alexander Haig.

A través de un cable "secreto", Pita se comunicó con el Servicio de Inteligencia Naval (SIN) y se le ordenó venir a Buenos Aires a informar. Así lo hace y en compañía del contralmirante Eduardo Morris "el inglés" Girling (jefe del SIN) se entrevistó con el almirante Jorge Anaya. El comandante en jefe de la Armada le preguntó si él tenía algún nombre del que podía suceder a la Junta Militar que había desplazado García Meza. Como dijo que tenía un candidato, Anaya le pidió que conversara con funcionarios de la Cancillería.

Al salir del despacho de Anaya se encontró con el comandante de la Infantería de Marina, contralmirante Carlos Alberto "Conejo" Busser quien lo invitó a tomar un café. Cuando se sientan, Busser le descerrajó una pregunta: "¿Le gustaría ser el comandante de la Brigada de Infantería de Marina?".

Pita le respondió: "Hablemos entre 'conejos'. ¿Habla en serio? Es el sueño del pibe. Ahora, ¿cómo estamos hablando de esto, si todavía falta que se expida la Junta de Calificaciones?". Después de despedirse amablemente, se fue a encontrar con los funcionarios de Cancillería. La cita fue con los embajadores Gustavo

Figueroa y Arnoldo Manuel Listre, jefe de Gabinete del canciller Camilión, en el restaurante "Club del Retiro", de la calle Juncal. Hablaron de lo que estaba pasando en Bolivia y Pita dijo que había que sacar a la Junta Militar. Y que el mejor candidato era el jefe del Ejército, general Celso Torrelio Villa, un hombre honrado, cercano al Opus Dei. Según Pita, Torrelio Villa no tenía ambición de poder, tanto se negaba a aceptar suceder a la Junta Militar que su esposa tuvo que presionarlo. El sábado 29 de septiembre de 1981 llegó el canciller argentino a la capital de Estados Unidos y el lunes 31 se entrevistó con Haig. La "cuestión de Bolivia" fue uno de los tres temas de la agenda. El martes 4 de septiembre, la Junta fue sacada del poder y asumió Torrelio Villa.

En diciembre del mismo año, Pita recibió la comunicación de que el 10 de enero de 1982 debía presentarse a ejercer su nuevo destino en el comando de la Brigada de Infantería de la Armada, en Baterías, a 14 kilómetros de Puerto Belgrano. Llegó el viernes 8 de enero de 1982 a Buenos Aires y el lunes se presentó en el Edificio Libertad. Apenas lo vio Anaya, le preguntó y ordenó: "¿Qué hace usted acá? Vaya rápido a tomar comando". Así lo hace y el jueves 11 asumió la jefatura de la brigada, en una ceremonia presidida por Busser, como comandante de Infantería de Marina (COIN). Después se reunió con sus oficiales y les dijo que en pocos días va a visitar las unidades. Y mirándolo al capitán de fragata Weinstable, jefe del batallón II, le dice: "'Alemán', nada de protocolo. Quiero saber cómo estamos".

Volvió el fin de semana a Buenos Aires para arreglar sus cosas y el lunes 15 se presentó en su comando. Cuando llegó, su secretario le dice "Señor, el COIN [Busser] lo quiere ver apenas llegue". Apenas se encuentra con su jefe, Busser le dice "quiero avisarle que hay unos problemas en las Georgias. No hay que descartar una acción en Malvinas".

Pita sólo atinó a preguntar: "¿Quién va a ser el comandante de la fuerza de desembarco?".

BUSSER: Yo.

PITA: Yo soy el comandante porque las fuerzas son mías.

BUSSER: Dígame, 'Conejo', si usted estuviera en mi posición, ¿qué haría?

PITA: Lo mismo.

La discusión no era menor, se trataba del planeamiento y ejecución de una operación anfibia. Pita quedó como segundo comandante y jefe del Estado Mayor de la operación. Busser y Pita embarcaron rumbo a las Malvinas en Puerto Belgrano. Su buque fue el "San Antonio". Cuando los rumores de una posible invasión a las islas, en Londres, ya eran casi públicos, el "Colorado" Echagüe, delegado de la SIDE en Gran Bretaña, tomó un teléfono y medio en clave preguntó a un hombre de la Armada y le preguntó: "Decime, ¿dónde está el 'Conejo'?".

Del otro lado, el interlocutor sólo le dijo: "Creo que el 'Conejo' está embarcado". El hombre de la SIDE comprendió. Si el comandante de la brigada de Infantería de Marina estaba "embarcado" era porque en horas iba a haber novedades.

NOTAS

[1] Declaraciones de Galtieri al autor en 1982, publicadas en *Clarín* el 2 de abril de 1983.

[2] Estos detalles y los siguientes fueron volcados en un informe que recibieron varios embajadores argentinos con fecha 8 de octubre de 1980. Copia en el archivo del autor.

[3] Carta de un embajador de carrera, 15 de enero de 1981. Archivo del autor.

[4] Pasajes del libro aparecieron publicados en la columna que mantenía Jesús Iglesias Rouco en *La Prensa*. Fue en agosto de 1981, en el preciso momento en que Camilión iniciaba su visita a Washington.

[5] Los diplomáticos que convivieron con Viola en Washington, cuando éste estaba destinado en la Agregaduría militar, lo llamaban "faso Viola".

[6] De un observador a un embajador de carrera destinado en Europa, el 23 de marzo de 1981. Archivo del autor.

[7] *Clarín*, domingo 26 de abril de 1981.

[8] *Clarín*, domingo 26 de abril, páginas 2 y 3.

[9] *La Nación*, en su comentario político del 21 de junio de 1981, desarrolló extensamente el tratamiento y la designación de embajadores.

[10] En el invierno 81-82, *Foreign Policy* publicó un largo trabajo con el título "The Argentine pariah". Ejemplar en el archivo del autor.

[11] Notas de una conversación con el embajador Leopoldo Tettamanti del 8 de abril de 1981. Se refería a la intervención argentina en América Central.

[12] En Roma, el cardenal Samoré presionó a los negociadores para que liberaran a los presos y se abriera la frontera.

[13] Palabra recogida por el autor en aquella época en el Palacio San Martín.

[14] Agencia UPI, 9 de mayo de 1981.

[15] Archivo del autor, 7 de junio de 1981.

[16] *La Nación* del 23 de mayo de 1981.

[17] Escrito el 9 de junio de 1981. Archivo del autor.

[18] El semanario era producido por Latin American Newsletters. Y su director era el periodista Rodolfo Terragno.

[19] Associated Press, 7 de julio de 1981.

[20] *Jornal do Brasil*, 3 de junio de 1981. El día anterior se anunció una nueva devaluación de la moneda del 30%.

[21] Cable UPI, 7 de julio de 1981. Archivo del autor.

[22] Documentos de Intransigencia Peronista. Archivo del autor.

[23] Agencia AP, 11 de agosto de 1981.

[24] Agencia UPI, 21 de septiembre de 1981.

[25] 15 de septiembre de 1981.

[26] 22 y 23 de septiembre de 1981. Entre otros mandatarios, asistió Margaret Thatcher. En un aparte con la prensa, la primer ministro propuso la fórmula "Hong Kong" para las Islas Malvinas.

[27] Uno de los señalados por la filtración del mapa fue sacado de Roma y enviado a Frankfurt.

[28] *Última Clave*, 11 de agosto de 1981.

[29] Cables de la agencia AP, 16 de agosto de 1981.

[30] Foggy Bottom: estación del subterráneo de Washington en la que hay que descender para ir al Departamento de Estado.

[31] Influencia que no mantendría si el jefe de la Armada hubiera sido el vicealmirante Alberto Gabriel Vigo.

[32] *Memorias políticas*, Planeta, Buenos Aires, pág. 242.

[33] Latin American Newsletters (IP-81-10) del 11 de diciembre de 1881. Archivo del autor.

[34] Observación del autor, que desde hacía dos años vivía en Washington.

[35] Encuentros con Galtieri en julio, agosto y septiembre de 1982.

[36] El autor habló con el periodista en esos días. Apuntes del autor.

[37] Carta del autor a Marcelo Sánchez Sorondo del 5 de noviembre de 1981.

[38] El general Torrelio Villa era miembro de la Junta Militar que reemplazó a García Meza, el 4 de agosto de 1981. El general Añez llegó a ser jefe del Estado Mayor General y ayudó a generar la caída de García Meza. El coronel Faustino Rico Toro gobernó con García Meza como jefe de la Casa Militar y responsable de Seguridad. Posteriormente, en el gobierno de Jaime Paz Zamora, fue vetado por la Embajada de Estados Unidos de ejercer de zar antidrogas boliviano. Acusado de narcotraficante, en un arreglo judicial aceptó pasar 24 meses en una cárcel estadounidense antes que ir a juicio.

[39] Para estos y otros detalles que reflejan la "usina" del cambio de presidente, véase la columna del domingo 29 de noviembre de *La Prensa*, escrita con

el seudónimo "Observador". Seudónimo utilizado por varios, entre otros por el propio director del diario, Gainza Paz.

[40] Carta de un embajador destinado en Europa Occidental, 29 de noviembre de 1981. Archivo del autor.

[41] Crónica de la crisis, *Veja*, Brasil, 16 de diciembre de 1981. Archivo del autor.

[42] *La Prensa*, 13 de diciembre de 1981. Archivo del autor.

[43] El documento fue rechazado por la sociedad. Al año, el 16 de diciembre de 1982, la Multipartidaria realizó una gigantesca manifestación en Plaza de Mayo. Galtieri ya había sido derrocado y el proceso, presidido por Bignone, preparaba su retirada.

[44] UPI, Hernán Pereyra, 16 de diciembre de 1981.

[45] Diálogo del autor con Villalón el 13 de noviembre de 1981, en el Carlton Sheraton Hotel de Washington.

[46] Gerardo Schamis era el embajador argentino en París. "Niní" es su esposa.

[47] Quedaría claro, cinco meses más tarde, que la percepción de Villalón era errada.

[48] Con el paso de los años escuché que el periodista Rafael "Cacho" Perrotta sostenía lo mismo. En mis largas conversaciones con Manuel "Johnson" Rawson Paz surgía lo mismo. Y Ricardo Rojo me reconoció que él había sido correo entre Perón y Aramburu.

[49] Héctor Villalón. Mail al autor, 16 de mayo de 2007.

[50] Héctor Villalón. Mail al autor, 18 de mayo de 2007.

[51] Para más datos consultar *Somos* del 20 de noviembre de 1981, pág. 14.

7. Enero. El corto verano del '82

Nublado y cálido, con una máxima de 29°, transcurrió el sábado 2 de enero de 1982. La ciudad estaba vacía, triste. La gente había partido despreocupada de vacaciones; otros, los más, aún reparaban sus cuerpos de la fiesta de Año Nuevo. Las columnas sociales de los diarios, una vidriera empalagosa de la sociedad porteña, informaba que Diego Otamendi y Horacio Piñón Quesada, entre otros, habían partido para Punta del Este. De la misma forma que relataba al lector que Carlos Manuel Acuña Ramos Mejía, su esposa Marta Virasoro y sus hijos salieron para Chapadmalal. La lista de viajeros a Mar del Plata era la más extensa y comprendía a los apellidos más tradicionales que suelen verse en el "Ocean" o en el tradicional Golf.

En general la gente no hablaba en esas horas de economía, aunque los diarios del 2 de enero informaban que en 1981 hubo 2.712 quebrantos comerciales y civiles, contra 829 registrados en 1980. El vespertino *La Razón* se preguntaba en la tapa "¿Se logrará en 1982 desindexar la Economía?", mientras se dejaba trascender desde el Palacio de Hacienda la preocupación por "el costo político de la nueva etapa" que se iniciaba. "Nueva etapa", un término errado, era un capítulo más de un gobierno que había nacido el 24 de marzo de 1976 y que no lograba el despegue económico que había prometido. La etapa anterior había terminado menos de un mes antes, en medio de un desorden financiero mayúsculo, con un golpe de palacio que obligó al teniente general Roberto Eduardo Viola a enclaustrarse en su departamento de la calle Juncal. Como queriendo dar un mensaje diferente, el nuevo presidente

231

Leopoldo Fortunato Galtieri se hizo fotografiar cuando firmó su declaración de bienes en la Casa Rosada ante el escribano de gobierno José María Allende y el auditor general de las Fuerzas Armadas, general de justicia Carlos H. Cerdá. Al mismo tiempo se informaba que los militares en actividad, como en situación de retiro, deberían renunciar a sus cargos en empresas del Estado para ser reemplazados por civiles.

Las secciones internacionales de los matutinos focalizaron su atención al mensaje que había dado Juan Pablo II en la Plaza San Pedro el día anterior, a favor de movimiento sindical independiente polaco "Solidaridad". Con firmeza, el Santo Padre dijo que "'Solidarnosc' pertenece al patrimonio actual de los trabajadores de mi país, y me atrevería a decir, de otras naciones". En esas horas, el líder sindical polaco Lech Walesa estaba preso por las autoridades comunistas, pero el jefe de la filial Varsovia, Zbigniew Bujak, instó a los soldados a desafiar a sus jefes y expresó a los familiares de los dirigentes presos que "de su sufrimiento surgirá una Polonia sin prisiones". También los diarios de esos días informaron la llegada a Nueva York del peruano Javier Pérez de Cuéllar, el nuevo secretario general de las Naciones Unidas.

En la Argentina los sindicatos habían sido intervenidos, aunque ya comenzaban a realizarse elecciones internas autorizadas por el gobierno militar, y los partidos políticos suspendidos. Así se lo recordó el fiscal electoral, Oscar Mario "Bocha" Salvi, a un juez de San Juan que hizo lugar a un pedido de afiliaciones a una veintena de ciudadanos, integrantes del Partido de la Democracia Social del almirante (RE) Emilio Eduardo Massera.

"La calle está exhausta de confianza, de posibilidades, de todo", dijo al salir del Palacio San Martín el presidente del Partido Federal, Francisco Guillermo "Paco" Manrique. Cuando se le preguntó si en su encuentro con el canciller Nicanor Costa Méndez se le había ofrecido una embajada, respondió: "Yo no estoy para el reparto de las lentejas". La economía estaba en emergencia, la gente lo sabía. Una comisión debía en 10 días dictaminar una reducción de salarios al personal de los canales de televisión y radios en manos del Estado. Y el subsecretario de Seguridad Social, Santiago de Estrada, tuvo que anunciar que el reclamado aumento a los jubilados y pensionados había quedado postergado.

Las tres D de Leopoldo Fortunato Galtieri

La gestión del ministro de Economía, Roberto Alemann y su equipo, se caracterizó por su sobriedad y ascetismo. Primero, rebajaron el 10 por ciento el presupuesto para las Fuerzas Armadas. Logrado el "efecto demostración", impusieron las tres "D": "Desinflacionar, Desregular y Desestatizar".[1] Poco gasto, austeridad, parecían las consignas. Una de las primeras perjudicadas fue Mirtha Legrand, cuyo sueldo llegaba a 40.000 dólares mensuales y trabajaba en ATC. Para el entonces secretario de Hacienda, Manuel A. Solanet, "la situación de la economía a fines de 1981 era ciertamente angustiante.[2] La inflación apuntaba a superar el 130% anual y además era creciente. En esas circunstancias resultaba difícil encarar una política fiscal ordenada [...] el déficit presupuestario superaba el 8% del Producto Bruto Interno [...] como regla estricta, establecimos que si fuera necesario incorporar un nuevo gasto, debía reducirse otro o encontrarse un nuevo recurso. Hicimos creíble esa regla cuando a fines de febrero de 1982 debió decidirse un aumento salarial. Se resolvió creando un nuevo impuesto a los activos financieros que aportaría los recursos para pagar el aumento".

Aprovechando el período de duro invierno y el receso parlamentario en Washington, entre el martes 5 y el viernes 8 de enero, cuatro legisladores de los Estados Unidos visitaron Buenos Aires. Los que más se destacaban eran el ex gobernador y senador por Tennessee, Howard Baker, y Paul Laxalt del estado de Nevada. En conversaciones con Roberto Alemann y Costa Méndez, el influyente parlamentario pudo conocer en detalle los planes que tenía el equipo económico en el corto plazo. En el Palacio San Martín, el canciller le habló del Beagle y las Malvinas. El conflicto con Gran Bretaña ya estaba en pleno desarrollo. También Baker pudo escuchar el pensamiento político del gobierno: "Según la versión, los legisladores habrían oído que entre 1983 y 1984, los principales partidos políticos argentinos deberán convenir con el gobierno, una negociación abierta y pública, un candidato de compromiso para la presidencia del período que se iniciará en 1984. No se les dijo si tal período durará tres, cuatro o seis años. Como contrapartida, la vicepresidencia de la Nación quedaría en manos de un civil proveniente de la fuerza política más votada en comicios para cubrir cargos legislativos y gobernaciones".[3] Expresión de deseos, la Multipartidaria ya había proclamado que el gobierno militar estaba extenuado. Hasta el ex presidente de facto, teniente general Juan Carlos Onganía (1966-1970) había declarado que "el Proceso está agotado" y que la Junta Militar está tratando de eludir toda responsabilidad de los desastres del país". Una alternativa de "salida política" se había trabajado en 1977-78, en el grupo de colaboradores del general José Rogelio Villarreal y fue desechado por Jorge Rafael Videla y José Alfredo Martínez de Hoz. Por otra parte, Galtieri no parecía sincero. Meses más tarde dijo: "Yo tenía las banderas de los políticos, no les habría dejado ninguna".[4]

De todas maneras, Galtieri designó a varios civiles como gobernadores, siendo los más destacados Jorge Aguado (Buenos Aires), Leopoldo Bravo (San Juan) y Horacio Guzmán (Jujuy).[5] La gobernación de Mendoza cayó en manos de los demócratas, luego de un tironeo de candidaturas entre Amadeo Frúgoli y la dirigencia provincial, encabezada por Francisco "Pancho" Gabrieli. Los nombramientos fueron aconsejados por el titular de Interior, Alfredo Saint Jean, y su viceministro, coronel Bernardo Menéndez.

Desde diciembre de 1980, Saint Jean y Menéndez venían trabajando juntos al lado de Galtieri, en el tercer piso del Edificio Libertador, sobre la calle Azopardo. Uno como secretario general del Ejército, el segundo como jefe del Departamento Política. Por esas oficinas pasaron innumerables hombres de la política y el sindicalismo. De esos encuentros, tanto Saint Jean como Menéndez elaboraron varios borradores cuyas líneas principales establecían que se debía "reforzar el poder presidencial", algo que brotaba a todas luces con la experiencia del período de Roberto Viola. Además se consideraba que había que "terminar con el feudalismo militar" (en cargos del Estado) y "ensanchar la base de apoyo civil". Aconsejaban, también, dar una presencia a la mujer a través de una convocatoria. En otras palabras, dar otra imagen al Ejército y "sacar hacia delante al Proceso con medidas audaces".[6]

"Aquello lo veo muy complicado. Tengo la impresión que en

el gobierno no se dan cuenta de algo de fondo: creen que recién empiezan, pero llegaron hace seis años. Parece una perogrullada lo que te digo, sin embargo es el secreto de todo. De allí que se entretengan en 'crear la imagen de Galtieri', juegan con los partiditos provinciales, el 'Negro' [Massera] construye sus mosaicos. Es tarde para las especulaciones. Galtieri no entiende nada de lo que ocurre a su alrededor, así como Viola creía que el tiempo estaba en su favor, y lo perdió lastimosamente. No sé qué ocurrirá con [Roberto] Alemann. Es un técnico serio, sin sentido político alguno. Parece cuento, pero el gobierno ya está desgastado. Lo mismo que ocurrió con Viola", escribió un embajador en el exterior.[7]

Peleas por las gobernaciones. Héctor Villalón otra vez en Washington

El martes 12 de enero la Junta Militar terminó de analizar las próximas designaciones de gobernadores y embajadores. Los observadores tenían la vista puesta en dos provincias. Una, Córdoba, en la que se señalaba como futuro gobernador al general de división (RE) José Rogelio Villarreal, quien finalmente no fue designado por la aprensión que causaba su agudo sentido político, tan escaso en los estratos militares de ese momento. La otra era Mendoza, en la que el ministro de Defensa, Amadeo Frúgoli, encontraba serias resistencias para imponer su candidato en el seno del partido Demócrata. A decir verdad, Frúgoli no tenía el ascendiente de Francisco Moyano, Emilio Jofré y Carlos Aguinaga. Estos dos últimos especialmente no querían comprometerse con el gobierno de Galtieri. En San Juan, en un parte durante la ceremonia de asunción del gobernador Leopoldo Bravo, tuvo que mediar el subsecretario del Interior, coronel Bernardo Menéndez.

En el Hemisferio Norte la ola de frío fue mucho más intensa que el año anterior. Ni qué hablar en Washington, donde la temperatura llega a bajar a 20° bajo cero. A pesar del rigor del invierno, Héctor Villalón invitó a cenar a un amigo para conversar de todo, especialmente de cuestiones argentinas. La conversación con el mítico dirigente peronista siempre se convierte en un gran desafío: el diálogo se vuelve una suerte de competencia por ver quién está mejor informado sobre ciertos temas. En la "jugada corta", a lo mejor uno triunfa sobre el desafiante; en la mirada "larga" su contrincante es vencido abrumadoramente: Villalón tiene más años de trajinar y su bagaje es inacabable. La reunión se extendió entre las 21.30 y 02.30 de la madrugada en el "Carlton Sheraton Hotel" de la calle K, muy cerca de los centros del poder norteamericano. Decía que estaba en Washington para tratar entre otros asuntos de Medio Oriente. Como buen empresario, partía hacia Arabia Saudita luego de gestionar un crédito destinado a la construcción de un ferrocarril. Al tocar el tema de la guerra entre Irán e Irak, sostuvo que en los próximos 180 días Irán ganaría, empujando a las tropas enemigas hacia la frontera. Pero, aclaró, "allí se detendrán, no avanzarán más".

No pudo evitar referirse al conflicto en Centroamérica, ya que lo había analizado con los funcionarios del Departamento de Estado. Habló de la gravedad de la situación nicaragüense "cuyo gobierno es marxista-leninista". Al respecto, su interlocutor le preguntó si sabía algo de la visita a Washington del dirigente español Felipe González y le agregó que la Embajada de España había hecho un memorándum sobre la visita del líder socialista, con opiniones muy negativas sobre el gobierno socialista, emitidas a los diplomáticos. Villalón, entonces, afirmó que González había hablado con Willy Brandt y le dijo que él era muy pesimista sobre la evolución de Nicaragua y que él "no tenía soluciones o alternativas". Brandt le respondió que no tenía derecho a decirle eso: "Yo soy germano, por lo tanto puedo llegar a no entender qué sucede en Centroamérica, pero no usted que es hispano, a quien le hemos depositado la responsabilidad de una respuesta sobre el camino a seguir". Dijo que, en París, Gerardo Schamis le había dado el teléfono de Francisco "Pancho" Aguirre para que tratara el tema con él. "Don Pancho" era uno de los implicados en la denuncia que hizo el ministro sandinista Tomás Borge, como participante de una conspiración contra el gobierno nicaragüense, junto con algunos oficiales del Ejército Argentino —Valín y Davico— y de Venezuela, además de nicaragüenses de la oposición y exiliados. "Pancho se mueve mucho con la Embajada Argentina, le dijo el interlocutor, la primera semana de enero fue uno de los organizadores del almuerzo que el embajador argentino Esteban Takacs y el general Miguel Mallea Gil le ofrecieron al obispo de Nicaragua, monseñor Rivera Damas".

Pasando a las cuestiones argentinas, como buen peronista —y ortodoxo— Villalón también estaba en Washington organizando una visita de dirigentes sindicales. Llegarían "alrededor del 15 de febrero con (Saúl) Ubaldini, (Eleuterio) Cardoso y otros más. Primero irán a una reunión de la AFL-CIO y luego vendrán a Washington para mantener varias entrevistas. Entre otras con Edward Kennedy (para eso había hablado con su asesor Kaliky); también con Juan Ferreira, dirigente de la COPPPAL (Conferencia Permanente de Partidos Políticos de América Latina y el Caribe) y Larry Birns del COHA (Consejo de Asuntos Hemisféricos)".

"Don Héctor les va a presentar a todo el zurdaje" le dijo el interlocutor. "No", respondió, "también van a conversar con Robert Service del Departamento de Estado y (Alejandro) Orfila va a dar una mano. Durante sus encuentros en la capital norteamericana, los sindicalistas van a presentar tres documentos: sobre la situación económica, la política y el pensamiento del movimiento obrero sobre la situación actual de la Argentina".

Seguidamente, el interlocutor le comentó que en las últimas horas se le había informado que la Embajada norteamericana en Buenos Aires había mandado un cable al Departamento de Estado, donde se decía que se aconsejara a los futuros inversores norteamericanos que por el momento no realizaran ninguna operación en la Argentina, pues la situación aún no está definida y que había que esperar a que decantara.

Villalón, como anticipando el futuro, comentó que "la gente del Departamento de Estado sostiene que había sido un error de Richard Allen (jefe de asesores del presidente Reagan), el haberle dado tanta relevancia a la visita de Galtieri (la última), pues ellos opinaban que con respecto a la Argentina había que moverse con una mayor moderación. Que el trato dado a Galtieri había sido excesivo". Luego comentó que, según su información, había dos golpes en marcha en la Argentina. Uno con [Juan Carlos] Onganía a la cabeza y otro con generales de brigada[8] y que le veía mayores posibilidades a este último. Habló luego del problema de la corrupción en el Ejército y sostuvo que había que salvar a las FFAA de un mayor desgaste. "Se encuentran en una etapa de desintegración." También afirmó que Onganía en reuniones privadas sostiene que "si llega al gobierno habrá que fusilar a alguno que otro general." Comentó que había conversado telefónicamente con un coronel que estaba en Buenos Aires, y que éste le había demostrado su descontento ante la entrega de bastones de teniente general a los generales de división recientemente pasados a retiro, "un hecho sin precedentes".[9]

Recuperar prestigio. La visión del almirante Jorge Anaya

En la superficie todo parecía normal. Cómo sería que había clima de fiesta, de campaña electoral. El sábado 13 de febrero, en la feria agropecuaria de Victorica, La Pampa, el presidente Galtieri apareció exultante durante un asado en su honor al que asistieron 13.000 personas. Se festejaban los cien años del fin de la Conquista del Desierto. El nuevo presidente no dejaba de saludar, al estilo Winston Churchill, haciendo la "V" de la victoria. Al asado concurrieron muchos políticos que coincidían con la idea de generar una "unión cívico-militar".

Videla había imaginado "la cría del Proceso". Para ayudarlo estaban, entre otros, Guillermo Acuña Anzorena, Daniel Amit, Jorge Aguado y Jorge Pérez Izquierdo (Buenos Aires); Horacio Guzmán (Jujuy); Rubén Pellanda un médico "rotariano" (Córdoba); Juan Pita (Corrientes); Arnoldo Castillo (Catamarca), Guillermo Acuña Anzorena en Santa Fe y hasta se hablaba de la vuelta de Julio Romero, desde Paraguay. Ante estos juegos, Carlos Contín, presidente de la UCR, dijo que "la inseminación artificial no tiene vigencia en la política".[10] La mayoría fueron gobernadores, otros aliados políticos. Entre las mesas circulaba Rubén "Buscapié" Cardozo, un santafesino, dirigente del SMATA que comenzaba a levantar su cabeza. Y también otros dirigentes afines con el peronismo. Nunca se desmintió cuando se afirmó que los chorizos, morcillas y tiras de asado los había aportado el dirigente radical pampeano Antonio "Pacheco" Berhongaray.

"La Armada había llegado a la conclusión de que había que terminar con el gobierno militar", observó el ex canciller Oscar Camilión.[11] "El almirante Anaya estaba convencido de que la gestión del gobierno militar había llegado a un punto en que no tenía posibilidad de progreso, que había que buscarle una salida. Entendía al mismo tiempo que esa salida no tenía que producirse en las condiciones de 1973, que esto requería una mejora en la relación de fuerzas entre el gobierno militar y sociedad civil. Estaba convencido de que no había ninguna posibilidad de conseguir ese mejoramiento en una eventual negociación de salida por la vía de una mejor política económica y social del gobierno. Me dijo terminantemente que la política económica y social del gobierno había llegado también a un punto de agotamiento y que no creía que las autoridades del gobierno de facto estuvieran en condiciones de mejorar ni la política económica ni consecuentemente el lado social de los problemas. La única posibilidad que él veía para recuperar prestigio era una operación diplomática importante y que esa seguramente tenía que ser las Malvinas. Esto fue simplemente lo que en su oportunidad me transmitió el almirante Anaya para significar la importancia que él le daba a una gestión diplomática sobre Malvinas."[12]

"El caso de las islas del Atlántico Sur es un 'casus belli' y supongo que no hay nadie en la Argentina que piense distinto", dijo el almirante Anaya unas semanas antes del 2 de abril, durante un almuerzo de tipo social, en un departamento de la calle Montevideo.

Meses más tarde, tras la derrota, el almirante Jorge Isaac Anaya redactó un largo documento de 11 folios en el que describió su papel en el desarrollo de los acontecimientos y su visión del país cuando toma la conducción de la Armada. El documento es revelador aunque, está claro, se guardan enormes vacíos y silencios sobre situaciones que pudo modificar y no hizo. Por ejemplo en el aspecto político interno. En un documento secreto, escrito a fines de 1982, que lleva el número 3.1.057.10 (y que en otro documento es completado y corregido por el 3.1.057.12), titulado "Análisis Estratégico y Oportunidad de Recuperación", el jefe naval sostiene:

"Cuando asumí el Comando en jefe de la Armada,[13] la situación internacional e interna en ese fecha era la siguiente:

"En el capítulo 'marco regional', consideraba que la subversión 'en el aspecto político su incidencia era casi nula. Había incluso decrecido la propaganda exterior y sólo restaba ejecutar una gradual apertura política. En el aspecto militar había sido derrotada'.

"En cuanto a las relaciones con Chile, 'en el aspecto político se continuaba tratando de modificar la propuesta papal sobre el canal el Beagle para tratar de llevarla al cumplimiento del principio bioceánico y poder así finalizar el conflicto. Era necesario acelerar las negociaciones para poner en vigencia una política de mayor integración económica' y 'se contaba con un plan militar para afrontar cualquier contingencia'. En cuanto a las relaciones con Brasil, luego de los acuerdos logrados por Jorge Rafael Videla sobre los recursos naturales compartidos, 'no existía plan militar para una situación conflictiva de intereses contrapuestos. Si bien contar con un plan militar era imprescindible, la relación con el gobierno militar brasileño no lo hacía urgente'.

"El punto 1.4 analizaba las relaciones con Gran Bretaña y sostenía que 'la disputa sobre la soberanía de las islas Malvinas, Georgias y Sandwich del Sur había registrado variantes desde que las Naciones Unidas (1965) resolvieron la realización de negociaciones entre los dos gobiernos. Se había avanzado durante ese tiempo hasta 1968 donde se previó la transferencia de la soberanía lo que finalmente fracasó en el Parlamento. Aun así la Argentina estableció el enlace y asistencia a las Islas en 1971 pero nuevamente el Reino Unido llevó las relaciones bilaterales a un endurecimiento al enviar la Misión Shackleton de 1976. La subsiguiente instalación argentina en las islas Thule no influyó mayormente a la disputa al reconocérsele el carácter científico a la misma'."

En los párrafos siguientes, Anaya describe cómo a partir de 1968 la Falkland Islands Company y los kelpers comienzan a ganar espacio transformándose en un importante elemento de presión dentro de el "Parlamento para que se anule y abandone la negociación con la Argentina sobre el asunto de soberanía. [...] Esta presión tiene efectos definitorios en 1980 cuando el gobierno presentó en el Parlamento una solución de arriendo que fue rechazada, decidiéndose en cambio congelar la disputa de soberanía. […] Y en 1981 se intentó introducir a los isleños en la negociación como tercera parte y en contravención con los mandatos de la ONU. Por ese motivo fracasaron las negociaciones de febrero y marzo de ese año".

Luego de establecer que después de las elecciones (Costa Méndez puso en lápiz "septiembre de 1981") llegó al poder de las islas el "grupo más 'duro' de malvineros y que no deseaba negociar nada con nuestro país. […] Al mismo tiempo que se congelaron las negociaciones, la situación económica afectó a la Marina real que decidió retirar el HMS Endurance del Atlántico Sur. […] La negociación congelada por Gran Bretaña, aunque sin optar aún por fortificar las islas, hacía necesario *reactivarla*[14] para lograr una solución al centenario conflicto".

A continuación (punto 1.4.2), Anaya informa que "no existía un plan militar que diera respuesta alternativa a un agravamiento de la situación y/o cambio de situación que favoreciera las voces del Parlamento que ya pedían en 1981 la creación de una fortaleza o el entendimiento con otro país latinoamericano (Chile). […] El plan militar era imprescindible y urgente para reactivar la negociación con sentido positivo de obtención de resultados".

Los riesgos de conflicto a fin de 1981 eran, de acuerdo con su probabilidad, los siguientes:

1) Gran Bretaña.
2) Chile.
3) La subversión.
4) Brasil.

Luego agregó que "la ausencia de planes militares que sirvieran de alternativa a soluciones diplomáticas o reforzaran las mismas eran inexistentes en los casos de:[15]

• Gran Bretaña.
• Brasil".

En el punto 1.5.2 el almirante Anaya apuntó que "por la urgencia y prioridad de riesgo de conflicto se decidió generar primero el plan militar de alternativa para el conflicto con Gran Bretaña y luego realizar lo propio, más adelante, con el Brasil ya que el riesgo de conflicto era —en ese momento— menor con ese país".[16]

El capítulo 2 trata sobre "la situación estratégica mundial en relación con la Argentina" y comienza afirmando que "el aliado natural de los EE.UU. ante la estrategia de la URSS, era Gran Bretaña y el resto de los países de la OTAN. Existía un equilibrio nuclear entre las superpotencias".

"En América", afirmó Anaya, "a partir de 1980 el aliado de hecho de los EE.UU. ante la estrategia ofensiva de la URSS en América Latina —por primera vez en lo que va del siglo— era nuestro país (casos de América Central y Bolivia). [...] La Argentina también se hallaba, a partir de febrero de 1981, ayudando a solucionar junto con los EE.UU., los problemas de frontera peruano-ecuatorianos".

El capítulo 3 trata "sobre la situación interna argentina que hacía al marco internacional: la necesidad interna argentina a marzo de 1982 no era distinta ni peor que la registrada en 1978, 1973, 1936, 1910 o cualquier momento difícil que atravesara nuestra república. No era, en forma alguna, una excepción que mereciera especial preocupación. Por el contrario, el punto 1.1 (subversión) había sido superado y el país se hallaba en vías de un proceso democratizador".

El capítulo 4 analiza "la situación internacional argentina" y explica que "no era ni tensa ni sufría alteración mayor salvo en el área de Europa y solamente por el asunto de inflación del tema Derechos Humanos; lo que, sin embargo, parecía estar cambiando a partir del decrecimiento de incidentes subversivos y las mejores relaciones con los EE.UU. En el resto del mundo la Argentina no tenía conflicto alguno salvo con Chile y éste estaba bajo control y mediando el Santo Padre. [...] La situación más novedosa seguía siendo el que las relaciones argentino estadounidenses habían mejorado notablemente".

Costa Méndez vuelve al Palacio San Martín. "La condición"

Para Nicanor Costa Méndez, volver a la Cancillería, el 22 de diciembre de 1981, fue su gran revancha. Lo sintió como una reivindicación personal. Del Palacio San Martín había partido en 1969, después de la crisis del "cordobazo", en pleno gobierno de Juan Carlos Onganía. Nunca se explicó bien por qué Onganía lo relevó, porque estaba claro que los manifestantes durante los "incendios" en la Docta no pedían personalmente su cabeza. En todo caso, exigían el fin del gobierno militar o, cuanto menos, la inmediata salida de Adalbert Krieger Vasena, el titular de Economía. Onganía lo reemplazó por el empresario Juan B. Martin, que se había destacado por su gestión económica como embajador en Japón, tanto es así que sólo consideraba a las embajadas como puestos de promoción de venta de productos argentinos.

"Canoro" Costa Méndez nunca se alejó del mundillo diplomático y su simpatía personal lo mantuvo cerca de los ambientes de poder. También se dedicó a escribir sobre cuestiones internacionales, en las que puso su pluma para afirmar cosas que después no supo o no pudo concretar. Como editorialista, en el mensuario *Carta Política*, se convirtió en el más duro crítico de algunas posiciones de la política internacional argentina del Proceso de Reorganización Nacional. Por caso, las relaciones con Cuba y la pertenencia argentina, como miembro pleno, al bloque de Países No Alineados.

Era un hombre de muchas facetas, de vasta erudición, lo mismo podía hablar sobre los problemas en el bloque soviético con refinado conocimiento, como conversar con un joven sobre la importancia de Led Zeppelin o The Band en la música contemporánea. Tenía a su lado a Mercedes "Mecha" Robirosa, la mujer ideal.

Su retorno no fue problemático, lo problemático fue "la condición" para volver a ser canciller. Bastante tiempo después de la guerra de Malvinas, el hombre más importante del "establishment" argentino de esa época le preguntó: "Dígame Canoro, ¿cómo no los asesoró?" [a los militares]. La respuesta fue: "La condición [para aceptar] era entrar, tocar e irse" [de las Malvinas].[17] Una suerte de Pentrelli[18] jugando en un combinado de ciegos.

Al iniciar su gestión, Costa Méndez introdujo algunos cambios y enroques en la conducción del Palacio San Martín. El meticuloso embajador Enrique Juan Ros[19] continuó siendo subsecretario; Félix Peña, también, del área económica. Peña era un hombre que siempre se desenvolvió con soltura entre los presupuestos y pliegues de los organismos internacionales, casado con una Braun, hermana del influyente padre "Rafi" Braun (ex director de la revista católica *Criterio*); Gustavo Figueroa pasó de Washington a comandar la privada y jefatura de Gabinete; Federico "Pirincho" Erhart del Campo la dirección de Política; Arnoldo Manuel "Noli" Listre, la estratégica dirección de Organismos Internacionales; Carlos Lucas Blanco siguió en la Dirección Malvinas; Carlos "Kiko" Keller Sarmiento asumió en el departamento de Europa Occidental y el consejero Hernán Manzini Ezcurra tomó la dirección de Prensa. Elsa Kelly dejó la dirección de Legales pero se mantuvo cerca (e influyente) del canciller Costa Méndez. Se puede decir que introdujo muy pocos cambios en las embajadas. No podía. Su amigo Eduardo Roca fue a Naciones Unidas y Juan Carlos Beltramino a Austria. Carlos Ortiz de Rozas, que estaba de embajador en Londres, fue designado jefe de la delegación argentina ante la mediación del Papa en el conflicto del Beagle, en Roma, en reemplazo del jurista Guillermo Moncayo. Si ese iba a ser su destino, la Armada ambicionaba Londres para el almirante (RE) Rodolfo Luchetta, pero los ingleses hicieron llegar su inconformidad.[20] Por lo tanto, Ortiz de Rozas retuvo por un tiempo los dos destinos. Según fuentes diplomáticas de la época, Ortiz de Rozas fue desplazado de Londres para que no recibiera los laureles de una eventual solución favorable a los intereses argentinos.[21] Y París, finalmente, siguió quedando en manos de Gerardo Jorge Schamis.

A decir verdad, en las primeras semanas de su gestión Costa Méndez pareció concentrarse en el problema del Beagle. Un atril y un mapa de la zona, en su despacho, así lo demostraban.

De todas maneras, el 8 de enero el embajador Carlos Lucas Blanco envió el Memorándum "Secreto" N° 11, "Evolución cuestión Malvinas", de cuatro carillas, al subsecretario Enrique Juan Ros. En las primeras dos carillas el director de Antártida y Malvinas trazó una reseña de los últimos fracasos de las gestiones negociadoras con el Reino Unido de Gran Bretaña expuestas en la declaración de la Cancillería argentina del 27 de julio de 1981, en la que se formuló una exhortación "a impulsar resueltamente una negociación seria, profunda y de buena fe" sobre la cuestión de soberanía de las Islas Malvinas. Para el caso de no recibirse ninguna respuesta, Blanco opinó que: "Ello facilitaría la aceptación por la comunidad internacional de un eventual fait accompli [hecho consumado], que sería presentado como única vía abierta para obtener satisfacción al reclamo argentino, ante la actitud reacia del Reino Unido. Desde esa última posición podría hacerse un nuevo llamamiento a una negociación en términos esta vez más propicios para obtener los objetivos fijados". Entre otras medidas, el diplomático proponía uniformar las 200 millas alrededor de Malvinas "con todas las otras aguas argentinas de sus 200 millas". Blanco sostuvo que "no debe aceptarse la dicotomía del tratamiento actual, más cuando pesqueros extranjeros se están instalando en esas aguas con la autorización británica".

Además consideraba "llevar adelante las operaciones Davidoff y eventualmente Alfa" y "contemplar un posible enfoque más restrictivo de las medidas existentes sobre comunicaciones y las que se puedan imaginar en el futuro". También tenía en cuenta "medidas bilaterales (mensajes a autoridades británicas, medidas de orden restrictivo en lo económico, suspensión de viajes de funcionarios, etc.)" y "medidas multilaterales (de opinión pública, nacional e internacional en Naciones Unidas, etc.)".

Aprovechando la estadía de Ortiz de Rozas en Buenos Aires, Costa Méndez lo hizo dialogar con el Presidente. Durante la reunión (20 de enero a las 12.30 horas)[22] se conversó sobre el diferendo con Chile,[23] pero Galtieri se mostró más interesado en hablar de Malvinas. Años más tarde, Costa Méndez dirá que Ortiz de Rozas habló con el presidente sobre la situación interna del gobierno de Margaret Thatcher y de una eventual reacción británica si la Argentina invadía las Malvinas.

Para la historia, no hubo documentos escritos. Los hay orales. Hasta ese momento, la evaluación que hacía el embajador Ortiz de Rozas, sobre la respuesta británica, frente a la posibilidad de ocupar Malvinas era la siguiente:

- Ignorar el hecho.
- Protestar o retirar el embajador.
- Rompimiento de relaciones y sanciones diplomáticas.[24]

Los tobillos ingleses.
El testimonio del coronel Mohamed Alí Seineldín

"Entonces, ¿tampoco pudo existir una falla de apreciación por parte del embajador Carlos Ortiz de Rozas en Londres sobre cuál sería la reacción británica?"

GALTIERI: Con Ortiz de Rozas conversamos en dos o tres oportunidades. Me transmitió dos inquietudes, recuerdo. Una, que los ingleses recién estarían dispuestos a conversar seriamente sobre la soberanía alrededor del año 2000. El otro tema fue que, cuando le planteé la posibilidad de una invasión (aunque yo todavía no sabía la fecha porque esa charla data de febrero, cuando lo llamé para que se hiciera cargo de la negociación del Beagle), me dijo: "Hay que evitar que, durante la invasión, no se le tuerza siquiera un tobillo a un inglés. Que no muera nadie". De ahí, entonces, que estuvimos a punto de dar la orden de invadir con las armas descargadas.[25]

La cuestión del asesoramiento de Ortiz de Rozas, el autor se la hizo al ex presidente Galtieri porque días antes había estado con el ex embajador en Londres, en un diálogo en "off" (así lo consideró el autor), en el despacho del embajador Gustavo Figueroa.

Después de publicadas las declaraciones del ex presidente Galtieri en *Clarín*, Ortiz de Rozas desmintió que hubiera realizado tal asesoramiento (*La Prensa*, 5 de abril de 1982).[26] De todas formas, el ex canciller Costa Méndez en *Malvinas, ésta es la historia*,[27] confirmó el error de apreciación sobre la reacción británica que dio el embajador Ortiz de Rozas, tanto a él como al presidente Galtieri.

Según el ex secretario de Hacienda, Manuel A. Solanet, tiempo después de los episodios, "el general Galtieri me relató que en aquellos momentos de graves decisiones antes del 2 de abril, la Junta Militar consultó a una persona de nuestro cuerpo diplomático, bien informado sobre las cuestiones del gobierno inglés, su opinión sobre cuál sería la reacción británica luego de una ocupación argentina en las Islas Malvinas. La respuesta, según Galtieri, fue que si no había derramamiento de sangre inglesa o malvinense, el conflicto se resolvería finalmente por la vía diplomática. De ahí surgió la consigna estricta… que ningún defensor o habitante recibiera siquiera un rasguño".

En la segunda mitad de enero de 1982, el general de división Osvaldo Jorge García, comandante del Cuerpo V, visitó el Regimiento 25 de Infantería. Luego de algunas horas de inspección, le dijo a su jefe que quería hablar con él en Bahía Blanca. El 1° de febrero de 1982, durante un encuentro secreto en el Comando del Cuerpo V, el general de división García, en presencia del general de brigada Américo Daher (jefe de la IX Brigada de Infantería), le dijo al teniente coronel Mohamed Alí Seineldín, jefe del Regimiento 25 de Infantería: "He seleccionado a su regimiento, el 25 de Infantería, para recuperar a nuestras Islas Malvinas".

Seguidamente, García planteó condiciones: "Debo aclararle que esta operación se caracterizará por un aspecto muy importante, el que deberá ser tenido en cuenta de forma indefectible: ¡no deberán producirse bajas en las fuerzas inglesas ni en la población civil de las islas! Le repito, aunque nos las ocasionaran, se evitará producir bajas en el bando contrario. La intención del Alto Mando, con esta medida, es facilitar las acciones políticas posteriores. ¿Me entendió bien?".[28]

Esa misma orden, Seineldín se la dio a sus oficiales, suboficiales y soldados que participaron de la invasión. Esa misma orden, se la confirmó a Seineldín el contralmirante Carlos Busser a bordo del buque "San Antonio", el 28 de marzo de 1982. Seineldín, un devoto de la Virgen María, propuso —y se aceptó— que la maniobra militar de ocupación se denominara "Operativo Rosario".

"Entre el 5 y el 12 de enero de 1982, se dieron los primeros pasos para analizar la posibilidad de una recuperación armada de nuestras Islas Malvinas", dijo años más tarde el entonces secretario de Hacienda Manuel Solanet.[29] "Para el 12 de enero de 1982 se resolvió que los jefes de Estado Mayor de las Fuerzas Armadas y el señor canciller fueran oportunamente informados sobre la planificación militar", expresó el almirante Jorge Isaac Anaya en punto 5.1.2.3.2 de su documento "S" 3.1.057.10 ya citado. A renglón seguido expresó que "la exposición básica del primer esbozo del Plan Militar fue ordenado para mediados de marzo quedando fijada para el día 16 de marzo".

"Lo cierto es que antes y durante el conflicto de las Georgias, el canciller fue consultado sobre todos los aspectos diplomáticos que derivarían de la ocupación (de las Malvinas). El ministro de Economía no fue ni informado ni consultado. De más está decir que no sólo debían esperarse consecuencias de esa acción en la economía. Además, si se desembocaba en una guerra abierta, habría que asegurar los recursos económicos para mantenerla."[30]

"Además —continúa Anaya— de estas previsiones tanto en el área diplomática como en área militar, se trató de interesar, para ('que apoyara' apuntó Costa Méndez en lápiz en el documento) la solución de la centenaria disputa, a los EE.UU. teniendo en cuenta la mayor comunicación con ese país y el rol hegemónico que cumplía en nuestro hemisferio. Esto, sin embargo, no rindió mayores resultados en razón de la tradicional posición de ese país a favor de la neutralidad y abstención en los foros internacionales toda vez que se trataba el tema".

En el punto 5.1.2.5, el jefe naval expresó: "Finalmente, y con referencia a los planes de agosto de 1981 para el plan 'Alfa' referido a las islas Georgias del Sur recomendado por el entonces ministro de RREE (a través del director de la sección pertinente, embajador Blanco), se resolvió no llevarla a cabo con referencia a esas islas por el futuro previsible... El grupo 'Alfa' quedaría sin embargo enmarcado en la Campaña Antártica 1982 de la Armada, por lo que zarpó en el 'Bahía Paraíso' a esa región durante los meses estivales de 1982".

Los consejos del agregado militar en Washington

Desde Washington, el agregado militar, general Miguel Mallea Gil fue una pieza clave en la carrera de Galtieri hacia el poder. Ahora lo sería para su futuro inmediato.

El general Miguel Mallea Gil llegó a Washington en enero de 1981. "A Mallea lo saqué de la brigada en Corrientes, donde él había estado tan sólo un año, para mandarlo a Estados Unidos, aprovechando sus buenos contactos y antecedentes", expresó Galtieri después de finalizada la guerra de Malvinas.[31] Su designación no fue una casualidad, porque tenía todos los pergaminos para ocupar el cargo: había sido testigo y actor de los últimos veintisiete años de la historia argentina. Estudió en la Academia Militar de West Point, de la que egresó como subteniente y conocerá a varios de los personajes que, en 1981-1982, comandarían el Ejército de los Estados Unidos. Entre otros a su comandante, Edgard Meyer. En 1955, cuando Eduardo Lonardi contaba con muy pocos oficiales para defender la Escuela de Artillería de Córdoba, dando comienzo a la Revolución Libertadora contra el régimen de Juan Domingo Perón, Mallea Gil fue uno de los pocos subtenientes que se presentaron. Una foto de esos días, en los que aparecía con ropa de fajina, solía centrar la atención de los visitantes en su despacho en la Casa Rosada, como subsecretario de Asuntos de Asuntos Institucionales del presidente Videla. En los meses posteriores de la Libertadora, contó con la confianza del general Arturo Osorio Arana y lo apoyó cuando llegó la gran "purga" del Ejército durante la presidencia de Pedro Eugenio Aramburu. Años después fue premiado con un destino en Bélgica, donde cursó estudios. Nada se sabe de cuál fue su situación durante los enfrentamientos entre "azules y colorados" de 1962-1963. Años más tarde, como teniente coronel aparece en la Casa Rosada como subsecretario técnico del presidente Alejandro Agustín Lanusse. En 1975 Videla y Viola depositarán en él una tarea muy delicada: integrar el equipo de compatibilización de las tres Fuerzas Armadas, que prepararon los documentos del golpe del 24 de marzo de 1976. En aquella época era un engranaje más de la "línea" que integraban Viola, Villarreal, Liendo y Dalla Tea. Y poco tiempo más tarde aparece como un puente entre Videla y Martínez de Hoz. También los diplomáticos lo verán presente en las reuniones de las comisiones mixtas argentino-chilenas para solucionar el diferendo del Beagle. "Miguelito" o simplemente "Miguel", como lo llamaban sus amigos, contó con el apoyo de Jorge Videla para poder ascender a general en 1980. Tras un año como jefe de la Brigada VII de Infantería, en Corrientes, fue reemplazado por el general Ricardo Norberto Flouret.

Si se observa la medianía de la gestión del embajador en los Estados Unidos, es justo reconocer la importancia del papel de Mallea Gil en Washington. Por su residencia, frente al Mont Vernon College, pasaron los más importantes funcionarios de las administraciones de Carter y, especialmente, de Ronald Reagan. Le tocó a "Miguelito" preparar los dos viajes de Galtieri a Washington. En agosto, uno exploratorio, cuando el gobierno de Viola entraba en descomposición. En noviembre, cuando Galtieri viaja a los Estados Unidos casi como un "presidente electo".

Después de la asunción de Leopoldo Fortunato Galtieri, desde Washington, formuló el trabajo "Acciones a desarrollar en lo político. Año 1982"que dio pie a muchos de los lineamientos y análisis de política exterior de Galtieri y Costa Méndez. Muchos dirán que fue el que transmitió el "guiño de ojo" de los Estados Unidos para invadir Malvinas. Pero Mallea Gil conocía muy bien a los estadounidenses como para generar esa expectativa. En todo caso, sí se lo puede señalar como habiendo contribuido al estado de confusión de ese tiempo. Su trabajo, en definitiva, coincidió con el pensamiento medio del gobierno de Galtieri y su Cancillería. El plan de "acciones a desarrollar" contenía doce puntos.[32] Entre otros, sugería las siguientes medidas:

• Invitaciones al secretario de Defensa, Caspar Weinberger;[33] el secretario del Ejército, John Marsh, y a los miembros del Consejo Nacional de Seguridad, William Clark y Roger Fontaine, con la intención de promover "conocimientos personales en el más alto nivel a fin de poder concretar con mayor facilidad los objetivos políticos".

• Grupo de países No Alineados: "Iniciar un desplazamiento hacia la periferia a fin de desligarse y quedar solamente como observadores". La intención respondía a tratar de evitar "involucrarnos en situaciones o declaraciones que afecten negativamente nuestros intereses trascendentes". En el mismo documento, propone una mejor solución para el comunicado del grupo no alineado que en Naciones Unidas acusó "en forma nominal al gobierno norteamericano".

• Aconsejaba la contratación de un "lobby" en Washington para "influenciar favorablemente sobre las autoridades de Washington".

• Recomendaba "a la brevedad" el "bloqueo en Centroamérica a fin de impedir el accionar de Cuba y Nicaragua sobre El Salvador". Dentro de este esquema planteaba el estudio sobre la actitud que debería asumir la Argentina "en el caso que le fuera solicitada su colaboración". Para esto, aconsejaba "preparar situaciones que podrían presentarse" a fin de "evitar ciertas reacciones improvisadas".

• Además, el plan establecía las reducciones de las representaciones diplomáticas. Concretamente: "Efectivizar el retorno de los embajadores a nuestro país y no designar reemplazantes" en Cuba y Nicaragua. Medidas que fueron concretadas antes del 2 de abril de 1982, con los retornos de los embajadores Chuburu Lastra (Nicaragua) y Rafael Vázquez (Cuba).[34]

Entre el ensueño y la realidad

Mientras en los ámbitos más privados del Estado se realizaban todas estas especulaciones y planes políticos de mediano plazo, en la calle, en los medios periodísticos, el lenguaje era absolutamente distinto. Dos mundos diferentes:

—"Señor Hernández, hágame bien las cuentas… afine el lápiz", le dijo Galtieri, el 21 de enero, al director de la Biblioteca Nacional, al momento de retirarse de las obras de la avenida del Libertador y Austria, acompañado por el ministro de Educación, Cayetano Licciardo, Rodolfo Baltiérrez (secretario de Información), Julio César Gancedo (Cultura), general Héctor Iglesias (secretario general de la Presidencia) y el brigadier José Miret (Planeamiento). Dentro de la obra lo esperaban, entre otros intelectuales, Federico Leloir, Octavio Derisi, Ángel Battistesa, Roberto Tálice, Ulises Petit de Murat, León Benarós, Libero Badii, Ary Brizzi, Víctor Luis Funes y Jorge Oliver. Al finalizar la visita, el Presidente declaró que "en 24 meses, antes del término de mi gestión" se inauguraría la primera parte del edificio.[35]

–El sindicalista José Rodriguez (SMATA) emitió una declaración, el 21 de enero, en la que informó sobre la existencia de 1.600.000 desocupados. E invitó al gobierno "a reconocer con humildad su rotundo fracaso".

–El sábado 23 de enero, Carlos Alberto Reutemann salió segundo en Kyalami, el gran premio de Fórmula 1 de Sudáfrica, detrás de Alain Prost. En esos días, Boca, de la mano de Diego Armando Maradona, volvió a vencer a Japón poniendo fin a una exitosa gira por Oriente.

–"No se puede hacer nada políticamente por decreto", dijo el presidente cuando se le habló de la formación de una corriente política de apoyo al gobierno. "A mitad de año, la ley orgánica (de los partidos políticos) va a estar, y de ahí en más... va a estar abierta la carrera." Lo dijo en Río Santiago, el 24 de enero, mientras asistía a la botadura de la corbeta misilística "Espora".

–"'Hoy por hoy no es posible un diálogo entre el gobierno y la Multipartidaria, pero nadie sabe qué puede suceder dentro de un mes', aventuró un destacado hombre de gobierno. 'Lo importante es que los políticos no quiebren el principio, respetado hasta ahora, de no pedir revisiones en la lucha antisubversiva', simplificó un encumbrado militar. 'Si podemos conversar una solución democrática limpia, será mucho mejor para el futuro institucional del país', se ilusionó un notable dirigente político. Unos y otros saben que las polarizaciones terminan siempre por tumbar el equilibrio político", escribió Joaquín Morales Solá el 24 de enero, en su habitual columna dominical de *Clarín*.

–"Si aquí comienzan los estallidos sociales, como todos se empeñan en predecir, el problema será tanto de ellos (los militares) como de nosotros (los dirigentes gremiales). Si los moderados comenzamos a ser desbordados en nuestras organizaciones, habrá llegado el momento para que lamenten no habernos escuchado durante estos últimos años", le dijo un dirigente de la Comisión Nacional del Trabajo al periodista Oscar Raúl Cardoso.[36] "Trabajamos para evitar un estallido social", respondió a las pocas horas el ministro de Trabajo, brigadier Julio César Porcile.

–En esas mismas horas, la URSS declaró "sacrílegos" los últimos documentos del Partido Comunista Italiano, publicados en *L'Unità* que condenaban el golpe militar en Polonia y cuestionaba globalmente el modelo soviético. Según el PCI "el modelo soviético agotó su impulso revolucionario, lo cual está probado por su impotencia en resolver los problemas económicos, por su recurso a la supresión de las libertades y derechos humanos en la propia sociedad soviética y de los países que adoptaron el modelo.¿ Cómo se puede calificar de contrarrevolucionario al sindicato Solidaridad que apoyaron millones de trabajadores polacos, al que apoya la clase obrera, única que puede legitimar el poder socialista?". El comunismo italiano, dirigido por Enrico Berlinger, en 1982, era el partido más importante del mundo occidental. "Polonia es el único tema de la agenda de los EE.UU.", dijo Alexander M. Haig al llegar a Ginebra el 25 de enero para reunirse con Andrei Gromyko, ministro de Relaciones Exteriores de la URSS. El líder soviético respondió antes de la cumbre: "No tengo la menor intención de discutir cuestiones referentes a Polonia o a la situación interna de Polonia". Por supuesto el tema se tocó.

–"Las calles de Bucarest, oscurecidas por la falta de energía, estaban desbordando de soldados armados y policías. Mi esposa, al visitar los mercados locales, notó la ausencia casi total de verduras, con la excepción de unos pocos repollos mustios y cebollas y virtualmente nada de carne. Nicolae Ceaucescu, el líder rumano, por su tono y opiniones parecía notablemente un líder de una nación no alineada del tercer Mundo. Ceaucescu se refirió a la necesidad que tenía Rumania de mil millones de dólares de ayuda norteamericana. Mi contestación, al explicar la política crediticia del Congreso para otorgar ayuda al extranjero, no debe haberle resultado totalmente satisfactoria porque dijo, en un tono áspero, sacudiendo el dedo índice: 'Tenemos otras alternativas'",[37] contó años más tarde el entonces secretario de Estado de los EE.UU., Alexander M. Haig.[38]

El manto ideológico que gobernaba el Bloque del Este estaba resquebrajándose, aunque tardaría unos años más en desplomarse junto con el Muro de Berlín en noviembre de 1989. Luego de una extensa gira que lo llevó a Europa y Medio Oriente (para considerar en Israel y Egipto el problema palestino), el 29 de enero regresó a Washington el secretario de Estado de los EE.UU., tras informar en Londres a la primer ministro Margaret Thatcher los resultados de sus conversaciones. Un indicio, una señal, que parecía que los diplomáticos argentinos no tenían (o no tuvieron) en cuenta en esos días, esos meses venideros.

El 27 de febrero, en el matutino *Convicción*, de conocida vinculación con la Armada, y especialmente con el proyecto político de Massera, aparece un artículo en el que se concluye que la toma de las Malvinas ayudaría a resolver el problema del Beagle, dado que fortalecería la posición argentina. "Están dadas todas las condiciones: tenemos un presidente decidido y un excelente ministro de Relaciones Exteriores. Si después de ganar la guerra sobre el terrorismo, recuperamos las Malvinas, la historia olvidará las estupideces económicas. La Argentina estará viva, consciente de su vigor y dispuesta a tomar un lugar en el mundo."[39]

El viernes 29 de enero, Chile lamentó la denuncia argentina del tratado de 1972 y se reservó el "expresa reserva" del derecho a recurrir a la Corte de La Haya. El subsecretario chileno Ernesto Videla le comunicó al embajador argentino, general (RE) José Montes, que "Chile no aceptará una nueva propuesta y que ahora sólo resta empezar a trabajar sobre la base de lo que propuso el Papa". Al día siguiente, a las 9.40 de la mañana, muy sonriente y saludando a la gente, Leopoldo Fortunato Galtieri y su esposa Lucía "Lucy" Noemí Gentili caminaron por la avenida Santa Fe entre Callao y Cerrito, luego se reunió con Jorge Anaya y Costa Méndez para considerar la respuesta chilena.

Galtieri decía que pronto iba a promulgarse el Estatuto de los partidos políticos. Sin embargo, Ricardo "el colorado" Kirschbaum, uno de los periodistas más leídos de la Argentina, sostuvo que "un observador lúcido de la situación argentina sacaba cuentas: 'Si los partidos se renuevan recién a fines de 1983, nadie puede asegurar que en septiembre de ese año, de acuerdo con los estatutos del Proceso, la Junta no se reúna y decida elegir un nuevo presidente militar. Hoy por hoy, Galtieri piensa en esa reelección...'. Hay quienes han visto papeles de trabajo en la Armada con ideas de implementar un cronograma político para 1983 y 1984. Y se sostiene que Anaya insistiría en ese punto. ¿Tal vez elecciones con candidatos militares retirados? [...] En la Cancillería se admite que las relaciones con los países de Europa occidental no pasan por un buen momento y que es necesario articular una política para mejorarlas rápidamente. El jueves pasado, el difícil diálogo que se planteó entre el canciller Nicanor Costa Méndez y el nuevo embajador de Francia en Buenos Aires, Jean-Dominique Paolini, da una pauta de las dificultades existentes. [...] Con Gran Bretaña, el problema de las Malvinas sigue pendiente, aunque ya hay una fecha tentativa para que las negociaciones sean reanudadas. Será a fines de febrero, cuando los subsecretarios de Relaciones Exteriores de ambos países se encuentren en Ginebra. Para esa época el año político habrá alcanzado alta temperatura. Por lo que promete, será para ir alquilando balcones".[40]

"Altas temperaturas" fue el título de la columna dominical de *La Nación* del 31 de enero. En la misma se hace mención a la temperatura mercurial del miércoles 28 (35° 3, récord de la temporada) y política por "cierta publicación hecha por el diario londinense *The Financial Times* en el que Roberto Alemann adelantaba decisiones de su cartera, aún sin definir por el poder militar: privatización parcial del Banco de la Nación, la reforma del régimen de propiedad del subsuelo y otras que conllevan una similar carga emocional, no pueden merecer un tratamiento simplemente técnico; requieren antes que nada un delicado tratamiento político".

Escarceos diplomáticos

A fines de enero la Cancillería estaba concentrada en lo que iba a ser un eslabón vital en la escalada del conflicto de las Malvinas. Diseñaba el escenario de las conversaciones del mes próximo en Nueva York. Y con la intención de no perder tiempo e ir directamente al núcleo del problema, la cuestión de la soberanía de las islas, preparó un documento donde se exponían los fracasos de las negociaciones desde 1965 hasta 1981 para ser adelantado a las autoridades británicas. Luego, como resultó muy extenso, se excluyeron los antecedentes históricos y se centró la atención en la declaración pública del 27 de julio de 1981 que formuló el Palacio San Martín en tiempos de Oscar Camilión.

La propuesta no oficial, informal, denominada "bout de papier", lo que en inglés sería un "non paper", para ser respondida "a la brevedad posible, antes de o durante la reunión negociadora"[41] está encerrada en 17 párrafos, algunos de los cuales suenan a advertencia para los tiempos que vendrán. El texto relata hechos concretos, otros manifiestan hastío. Entre otras ideas, el documento explica "una vez más" que "es elemento angular de la posición argentina el reconocimiento británico de la soberanía sobre los archipiélagos" y que "sigue siendo un requisito 'sine qua non' para la solución de la disputa. En tanto esta cuestión no obtenga solución, la disputa persistirá y por consiguiente ella no debe ni puede ser ignorada, porque la República Argentina, por más tiempo que transcurra, no abandonará nunca su reclamación ni cejará en su empeño hasta que la misma sea satisfecha". Luego analiza entre otros puntos los "intereses de los isleños" y sostiene que la Argentina "no tiene intención de perturbar el estilo de vida de los isleños, siempre que exista adecuado equilibrio entre dichos intereses y la reivindicación de soberanía argentina". Al respecto, manifiesta conocer, de parte del gobierno británico, "cuáles son las salvaguardias que considera necesarias y conducentes a la preservación del estilo de vida y tradiciones de los isleños". Trata también las cuestiones de los "recursos naturales" y la "seguridad en el área del Atlántico Sur". El dato novedoso es la propuesta de establecer "una comisión permanente negociadora que deberá reunirse todas las primeras semanas de cada mes, alternativamente en cada capital, y que tendrá a su cargo mantener la continuidad e impulso de negociación, no quedando supeditada ésta a encuentros esporádicos, sin objetivos claros ni resultados concretos". El mecanismo es presentado con el interés de alcanzar una solución "pacífica, definitiva y rápidamente en interés de las partes en disputa y de todos los interesados en resolverla".

El "bout de papier" fue entregado por el embajador Enrique Ros al embajador Anthony Williams el 27 de enero de 1982, ocasión en que se produjo un diálogo revelador.[42] Luego de leerlo, el embajador británico comentó sus reparos "a título personal": si su gobierno aceptaba la propuesta "debería incluir isleños (en su delegación) que encontrarían difícil desplazarse mensualmente a las reuniones dejando sus obligaciones oficiales en las islas". También que el documento hablaba de la cuestión de soberanía sobre las islas Malvinas, Georgias y Sandwich del Sur "cuando tenía entendido que las negociaciones versaban solamente acerca de Malvinas". Con su característica frialdad, Ros le "señaló su error en cuanto a que Sandwich y Georgias estaban comprendidas en las negociaciones, indicándole antecedentes en tal sentido".

La respuesta británica "no oficial", en forma de "Speaking Note", fue entregada el lunes 8 de febrero por el embajador Williams a Ros, en presencia del embajador Carlos Lucas Blanco. En la misma el Reino Unido explicó que "las negociaciones hasta ahora se han realizado sobre la base de no prejuzgar sobre la posición de ambas partes en materia de soberanía y que sobre dicha base el gobierno británico está preparado para continuar el proceso negociador, de modo que los representantes británicos que participen en las 'conversaciones' de Nueva York estarán dispuestos a tratar en detalle la propuesta de establecer 'working groups to look at particular aspects of the dispute'" (grupos de trabajo para observar los aspectos particulares de la disputa). Sobre la respuesta de Anthony Williams se le preguntó si los "working groups" implicaban una diferencia semántica o de sustancia respecto a la "Comisión Permanente Negociadora" contemplada en la propuesta argentina. Williams expresó "no estar en condiciones de responder", pero prometió que consultaría con Londres "para determinar el alcance de la expresión". Como resultado de este diálogo, Blanco concluye que "en esencia, el documento británico reitera la posición del gobierno y sobre la base de la aplicación de un 'paraguas de soberanía', acepta la continuidad del proceso negociador, pero no da respuesta a la iniciativa argentina de establecimiento de una Comisión Permanente de Negociación".

En esas mismas horas, una fuente que quedó para la historia dijo que "cuando Raúl Quijano (embajador ante la OEA) estuvo en Buenos Aires, 7 u 8 de febrero de 1982, conversó con Nicanor Costa Méndez. El canciller le preguntó qué opinaba de una ocupación argentina en las Malvinas. Quijano respondió que si no era para quedarse, o sea hacer un acto de fuerza para demostrar la vulnerabilidad de las islas a los ingleses y luego negociar, sí podía hacerse. Costa Méndez dijo que era para quedarse. Entonces, Raúl respondió que Estados Unidos iba a condenar el operativo por considerarnos agresores. Y que Thatcher nos iba a mandar una fuerza para echarnos. 'Canoro' dijo que todo era para quedarse".[43]

Agenda diaria

El martes 2 de febrero llegó a Buenos Aires el embajador argentino en Cuba, Rafael "Chocho" Vázquez. Fue llamado para "informar" pero en realidad no iba a volver en el corto plazo a La Habana. Era la respuesta argentina a la ausencia del embajador cubano en Buenos Aires desde hacía un año. Manifestaba la frialdad que el gobierno de Galtieri quería imprimir a las relaciones con el régimen castrista. La decisión se tomó en momentos de recalentamiento de la situación en América Central, especialmente en El Salvador. El mismo día, ante el Comité de Relaciones Exteriores del Senado norteamericano, Alexander Haig solicitó triplicar la ayuda norteamericana a El Salvador para contrarrestar la amenaza de Cuba y Nicaragua en la región. Mientras se realizaba el encuentro en el Congreso de los EE.UU., tropas del Frente Farabundo Martí de Liberación Nacional ocuparon la población de Nueva Trinidad, en Chalatenango, a 120 kilómetros al noreste de la capital y cercana a la frontera con Guatemala. En los combates murieron cerca de 100 guerrilleros.

El martes 2 se conoció que la Marina brasileña estaba en negociaciones con Polonia para alquilar un rompehielos para realizar una expedición científica a la Antártica. Las mismas fuentes navales recordaron que existían contactos con Gran Bretaña para comprar el rompehielos "Endurance" con el mismo propósito.[44] Además, en Brasil se conoció que a Luis Inácio Lula da Silva se le prohibió presentarse a disputar la gobernación de San Pablo en representación del Partido de los Trabajadores en las próximas elecciones de noviembre. El mismo día, Lula viajó a los Estados Unidos en visita privada a Washington. Entre otros promovieron su viaje Larry Birns, director del Consejo de Asuntos Hemisféricos (COHA), una organización que en ese entonces era una tribuna para los opositores de los gobiernos militares del continente.

El miércoles 3 se informó que los EE.UU. habrían pedido tropas argentinas para intervenir en América Central porque la Administración Reagan "se resiste" a enviar marines. La poderosa cadena noticiosa ABC, a través de Sam Donaldson, informó como primicia que los EE.UU. estaban considerando con la Argentina un "plan global" para ayudar al gobierno de José Napoleón Duarte y enfrentar al comunismo en la región. Al día siguiente el vocero de Prensa del Palacio San Martín, Hernán Massini Ezcurra, negó tal solicitud y también rechazó las declaraciones del canciller nicaragüense Miguel D'Escoto, en el sentido que su país es víctima de maniobras internacionales en las que participaban militares argentinos. Entre otros detalles nombró al general Valín, jefe de la Inteligencia Militar argentina. La Cancillería argentina, llamó a su embajador en Managua, Marcelino Chuburu Lastra a "informar", un artilugio diplomático de "sin fecha de retorno" como prueba de malestar.

Primero aparecieron como unas declaraciones realizadas a título personal. Días más tarde trascendió que antes de formularlas, el ex jefe del Cuerpo I, ex jefe del Estado Mayor y ex titular de YPF, Carlos Guillermo Suárez Mason, las consultó con las autoridades de su Fuerza. "Creo que el futuro del Proceso va a comenzar este año" dijo el general de división (RE) Carlos Guillermo Suárez Mason. También aseguró que no había una lista de desaparecidos de la guerra contra la subversión. Era la respuesta a una declaración del almirante (RE) Eduardo Massera, en el sentido que debía darse la lista. Como resultado de estas declaraciones, Massera fue sancionado por Anaya con 10 días de arresto. En unas declaraciones que aparecían como descolgadas del contexto de la polémica, Suárez Masson contó en el programa "Nuevo Día", de radio Mitre, que "doy fe, porque lo he visto [a Massera]: se hizo presente con su gente en los hechos de importancia de la lucha contra la subversión. De modo que éste es un asunto un poco oscuro. Seguramente el almirante tendrá alguna lista". Días más tarde, Deolindo Felipe Bittel, titular del PJ, dijo que "ningún gobierno civil podrá asumir el poder si las Fuerzas Armadas no resuelven antes esta situación". En momentos de formular la declaración lo acompañaban Oscar Albrieu, Antonio Cafiero y Alberto Iribarne. Un cable de la agencia oficial TELAM adelantó que el costo de vida del mes de enero había subido 13%. Horas más tarde se conoció oficialmente el índice del 11,9% y 14% en los precios mayoristas. El miércoles 10, el ministro Roberto Alemann reconoció que el endeudamiento externo argentino era de 34 mil millones de dólares.

"Algunos signos de apertura en los últimos tiempos han servido para descubrir hasta qué punto llegó el oscurantismo de los años recientes. Vale consignar que sólo ahora puede actuar en su patria después de cuatro años, Mercedes Sosa, la más grande cantante argentina. O que películas mundialmente aplaudidas como 'Norma Rae' y 'La naranja mecánica' se pueden ver en la Argentina después de tres, cuatro o cinco años de su estreno", escribió Joaquín Morales Solá el 7 de abril. El listado de prohibiciones es más largo. Por ejemplo, la obra cumbre del conjunto británico Pink Floyd, "The Wall", también estuvo prohibida. Sin embargo, a diferencia de años anteriores, el gobierno norteamericano reconoció que la situación de los Derechos Humanos en la Argentina "siguió mejorando en 1981" y que "la cantidad de denuncias de violaciones de toda índole declinó dramáticamente en comparación con años anteriores". En los diarios se publicó que el presidente Galtieri envió un telegrama a su colega Ronald Reagan con motivo de cumplir 71 años de vida.

NOTAS

[1] Manuel A. Solanet, *Notas sobre la guerra de Malvinas*, Edición del autor, Buenos Aires, 2004.

[2] El alza de precios en 1981 fue de 131, 6%. *La Nación*, 8 de enero de 1982.

[3] Joaquín Morales Solá, *Clarín*, 10 de enero de 1982.

[4] Confesión al autor el 29 de julio de 1982.

[5] *La Nación*, 8 de enero de 1982.

[6] Fuente: un ex miembro de esos equipos, en conversación "en off" con el autor.

[7] Embajador Enrique Vieyra. Archivo del autor, 22 de febrero de 1982.

[8] Las dos conspiraciones, y otras más, se desarrollaron hasta en plena guerra de Malvinas.

[9] Minuta del diálogo del 12 de enero de 1982. Archivo del autor.

[10] *Clarín*, 22 de enero de 1982, pág. 6.

[11] Diálogo con el autor, 13 de marzo de 2007.

[12] Oscar Camilión, *Memorias políticas*, Planeta, Buenos Aies, 2000, págs. 253-254.

[13] El almirante Anaya asumió el 11 de septiembre de 1981. El documento fue "revisado" a mano, con anotaciones al margen, en lápiz, del ex canciller Nicanor Costa Méndez. Según Anaya, el informe, realizado en colaboración con Costa Méndez, fue elevado a su sucesor antes del 4 de enero de 1983. Aunque no

lo transcribió, lo cita en "Malvinas: La guerra injusta", punto 268 del Boletín Naval N° 766.

[14] La bastardilla es de Anaya.

[15] En este párrafo, Costa Méndez escribió "total" y tachó "inexistentes".

[16] Costa Méndez tachó "menor" y agregó "muy reducido".

[17] Importante confidente que voy a mantener en reserva.

[18] Luis Pentrelli, famoso por su consigna "toco y me voy". Integró la Selección argentina en los Juegos Panamericanos de México de 1955, en los que Ernesto Duchini era el técnico. Se sostiene que fue una de las mejores selecciones de fútbol que haya dado la Argentina. Aquel equipo fue medalla de oro y contaba en el plantel, entre otros, con Rogelio Domínguez, Oreste Corbatta, Humberto Maschio, Dante Lugo, Enrique Omar Sívori, José Francisco Sanfilippo y José Yudica. Varios de sus integrantes, en 1957, formaron la Selección mayor que ganó el Campeonato Sudamericano en Lima y más tarde repitió en 1959 en los Juegos Panamericanos de Chicago, Estados Unidos. Jugó en Gimnasia y Esgrima de La Plata y, repatriado de Italia, pasó a la fama por haber integrado en Racing "el equipo de José" (Pizzutti).

[19] Enrique Ros había estado destinado en Londres como consejero de embajada. En 1971 sucedió a Hugo Boatti Osorio como jefe del Departamento América Latina. En 1976 fue durante pocos meses asesor de Política Exterior del presidente Videla, pero fue bloqueado y desconocido por el canciller César Augusto Guzzetti y volvió al Palacio San Martín. Fue embajador en Israel y Naciones Unidas (1978-1981), y vicecanciller con Oscar Camilión y Costa Méndez. Luego fue embajador en España y durante el menemismo se ocupó de las relaciones con Taiwán. Era cuñado del embajador Hugo Juan Gobbi.

[20] La designación en Londres de Luchetta, ex gobernador en Santa Fe, había salido en los diarios, aun antes de presentar el placet de estilo.

[21] Apuntes de la época. Confesiones de un diplomático importante al autor.

[22] La fecha la reveló Ortiz de Rozas a NA el 4 de abril de 1983.

[23] El 22 de enero de 1982, la Argentina denunció el Tratado de Solución Judicial de Controversias de 1972 para evitar ser llevada a la Corte Internacional de Justicia de La Haya y confirmó a Ortiz de Rozas como jefe de la delegación argentina ante la mediación vaticana. El mismo día, se conocía en Chile el fallecimiento del ex presidente Eduardo Frei Montalva.

[24] Alta fuente diplomática argentina (23 de junio de 1982, apuntes del autor).

[25] La pregunta se la hizo el autor al teniente general Galtieri el 29 de julio de 1982. Y aparece en un largo reportaje con el ex presidente, en *Clarín* del 2 de abril de 1983. El autor estuvo con Galtieri después de la guerra en cuatro ocasiones. Al matutino *Clarín*, el autor sólo le dio los textos de los primeros tres encuentros. El cuarto se lo reservó.

[26] El autor no polemiza, sólo escribe lo que vio, escuchó o guarda en sus archivos. Y tiene un gran respeto por Ortiz de Rozas.

[27] *Malvinas, ésta es la historia*, Sudamericana, Buenos Aires, 1993, pág. 74.

[28] Mohamed Alí Seineldín, *Malvinas, un sentimiento*, Sudamericana, Buenos Aires, 2a. edición, 2004.

[29] Manuel Solanet, *op. cit.*

[30] Manuel Solanet, *op. cit.*

[31] Diálogo con el autor, el jueves 29 de julio de 1982.

[32] Plan en el archivo del autor.

[33] El secretario de Defensa es recordado como el opositor más severo a la Argentina, dentro del gabinete de Ronald Reagan, durante la guerra de Malvinas. Fue un defensor acérrimo de la Alianza Atlántica.

[34] A los pocos días de la invasión los embajadores volvieron a sus destinos y el cubano Emilio Aragonés Navarro retornó a Buenos Aires.

[35] El nuevo edificio de la Biblioteca Nacional fue inaugurado por el presidente Carlos Menem.

[36] *Clarín*, 25 de enero de 1982, pág. 10.

[37] Ceaucescu y su esposa Elena fueron depuestos y fusilados el 25 de diciembre de 1989.

[38] Alexander Haig, *Memorias*, Atlántida, Buenos Aires, 1984, pág. 295.

[39] El camino hacia la guerra, del contralmirante Eugenio L. Bezzola, *op. cit.*

[40] *Clarín*, 31 de enero de 1982.

[41] Memorándum interno del Departamento Malvinas del 8 de febrero de 1982.

[42] Detallado en el Memorándum interno del 8 de febrero de 1982.

[43] Alta fuente diplomática argentina (14 de junio de 1982, apuntes del autor). Y diálogo del autor con Raúl Quijano el 24 de febrero de 2006.

[44] Agencia UPI, *La Nación*, 3 de febrero de 1982, pág. 2.

8. Febrero de 1982. Preparando la cumbre de Nueva York.
Iglesias Rouco marca el ritmo

◆

Febrero comenzó con una protesta del Palacio San Martín ante el gobierno británico por una serie de sellos postales en los que el Reino Unido haría referencias a las Islas Malvinas como colonias del Imperio. Las estampillas serán dedicadas a las colonias y ex colonias, con el fin de agasajar los 21 años de la princesa de Gales (Diana Spencer) casada el año anterior con el príncipe Carlos. Al mismo tiempo trascendió que empresas petroleras trabajaban en el área de Malvinas, según explicó John Nott, titular de Defensa de Gran Bretaña en el Parlamento. Durante la misma intervención en el Parlamento, Nott tuvo que explicar la suerte que correría el buque "Endurance". Antes, el canciller lord Carrington había desaconsejado la venta del barco —supuestamente a Brasil— porque los habitantes de las islas tomarían dicha resolución como una prueba de desinterés de la metrópoli por "su" colonia.[1]

"Si Londres no se aviene a ceñirse a un cronograma, Buenos Aires se reservaría el derecho de emprender otras acciones. Ya adelantamos hace quince días que entre esas acciones no es descartable, ni mucho menos, la recuperación de las islas por medios militares." En su nota del 7 de febrero, Jesús Iglesias Rouco adelantó lo que se presentaría, apenas, casi dos meses más tarde. Estaba claro que tenía una muy buena "garganta profunda" en el Palacio San Martín. También, en su columna de tapa "El frente exterior", habló de la presentación de un "cronograma" de las futuras negociaciones (documento "bout de papier" presentado el 27 de enero). Si los ingleses no lo aceptaban, "Buenos Aires se reservaría el derecho de emprender otras acciones" (texto del comunicado que dio Costa Méndez el 2 de marzo, una vez que finalizaron las conversaciones en Nueva York). Además, hizo uso de todos los argumentos disponibles que acompañarían a la invasión, según la visión del gobierno militar. Entre otros que facilitaría una solución a la negociación del diferendo del Beagle y ofrecería "ventajas de orden doméstico" que son "simplemente adicionales, pero no por ello menos interesantes para quienes detentan el poder".

El jueves 11 de febrero, en el panorama político de *Clarín* se trazó una radiografía casi perfecta de la situación internacional del gobierno de Galtieri, que iba a contramano de los tantos documentos oficiales que años más tarde salieron a la luz. Lo escribió "el colorado" Kirschbaum, un joven periodista de origen tucumano de poco hablar. Más bien, y había que conocerlo mucho, se expresaba a través de sus ojos siempre inquietos. Ya por esa época, llevaba seis años caminando como pocos los pisos de mármol del cada vez más vetusto Palacio San Martín. En síntesis, Ricardo Kirschbaum escribió a los lectores del diario de Noble que:

• A pedido del mandatario boliviano Celso Torrelio, la Argentina transfirió a "las arcas vacías del Banco Central de La Paz" la suma de 30 millones de dólares, a pesar de la oposición del ministro Roberto Alemann. En aquel entonces, Bolivia mantenía una relación especial con la Argentina: le debía 700 millones de dólares y en su momento elementos militares argentinos habían intervenido en el golpe "cocalero" de Luis García Meza, con argumentos ideológicos, para interrumpir el proceso democrático que había bendecido Washington. "Hay quienes argumentan", dice Kirschbaum, "que 30 millones de dólares de adelanto (por fluido de gas) no constituyen un monto considerable. Desde esa óptica habrá que convenir que los 45 millones de esa moneda que durante 1982 prestará Washington a Buenos Aires, si el FMI finalmente se da por satisfecho, tampoco servirán para paliar la aguda anemia financiera del vecino país". Alemann se quejó, pero Costa Méndez, después de una reunión con el alto mando militar boliviano, se impuso argumentando razones "geopolíticas".

• "La crisis salvadoreña es un volcán que consume las mejores intenciones diplomáticas." Luego trata el incidente generado por las declaraciones públicas del canciller nicaragüense Miguel D'Escoto que habría sido superado, pero lo cierto es que fue retirado el embajador argentino y en su lugar trasladaron a Managua a Augusto Lértora, un funcionario de menor nivel. "No hay tropas argentinas en Nicaragua", le dijo una voz oficial al periodista. Falso, en los medios informados de Washington era una presencia sobrentendida la ayuda argentina a los "contras" desde Honduras.

• "El compromiso con el gobierno de El Salvador ha sido ratificado y se brinda ayuda a ese país, vibrando en la misma frecuencia que Estados Unidos." A continuación trata el retiro, o "llamado a informar", del embajador Rafael Vázquez de La Habana. En su lugar quedó el consejero Melchor Echagüe. El representante cubano en Buenos Aires, EmilioPérezAragonés, estaba ausente desde hacía ocho meses. Y donde no había cambios era con México, ya que el asilado Juan Manuel Abal Medina permanecía en la residencia del embajador en Buenos Aires desde abril de 1976, sin otorgársele el salvoconducto para salir del país.

• "La delicada cuestión centroamericana ocupará un espacio importante en dos reuniones que mantendrá, en breve, el canciller." Una sería con el titular de Itamaraty, Antonio Saraiva Guerrero y otra con el secretario adjunto de Asuntos Latinoamericanos, Thomas Enders.

Sesenta días más tarde, Malvinas haría volver a los embajadores argentinos en La Habana y Nicaragua. Emilio Navarro Aragonés retornaría sonriente a Buenos Aires y el canciller D'Escoto se convertiría en un "amigo" del régimen argentino. Poco más tarde, Costa Méndez viajaría a los No Alineados y se abrazaría con Fidel Castro. "Hacía falta que viniera la derecha para producir la revolución", le dijo sarcásticamente el embajador cubano Raúl Roa a un miembro de la delegación argentina. Asimismo, faltaba muy poco para esa pregunta, ya histórica, que Galtieri le formuló a su canciller en los días de la guerra: "¿Se da cuenta doctor? Se me quemaron los papeles. Yo lo traje al Gabinete para hacer una cosa y salimos haciendo otra totalmente diferente".[2]

A pesar de la solidez que intentaba demostrar el poder militar, la situación era tan frágil que unas simples declaraciones formuladas por el director técnico de la selección nacional de fútbol provocaron un escándalo mayúsculo. Cesar Luis Menotti sólo reflejó en palabras el enorme sentir de mucha gente. Lo que se hablaba en los bares, en las casas. Las hizo para la revista *La Semana*. Dijo, entre otras cosas, que quería "una Argentina como la que soñaron los hombres de Mayo" y que ambicionaba la vigencia de la Constitución Nacional. También lamentó no ver a la "Negra" Sosa por televisión y otras definiciones que, como bien aclaró "lo mismo que dije esta vez lo dijo nuestra Iglesia con otros términos y desde otra posición, pero en sustancia es lo mismo. Desearía la revisión de errores, o la solución de problemas que nos ahogan, que todos vemos".[3] Sus declaraciones fueron analizadas por la Junta Militar donde causaron "profundo malestar". También causaron "un profundo disgusto" en el presidente de la AFA, Julio Grondona. "Al fin y al cabo se trata de un empleado que cobra 15.000 millones de pesos viejos por mes", dijo "alguien" de la AFA. Como si su cargo en la dirección técnica de la selección lo obligara a no formular su visión de la Argentina del momento. Se dejó volar el rumor de que podría dejar su cargo. "Si se va Menotti, nos iremos varios" dijo el capitán de la selección, Daniel Passarella. También se sumó a la polémica Ramón "Palito" Ortega en unas declaraciones a *Revista 10*: "Antes de hablar, tendría que haber tenido un poco más de dignidad y renunciar a su patrón y después criticarlo. Una persona me decía que durante tres años [Menotti] estuvo cobrando quince mil dólares sin trabajar y después critica la situación económica; pero ¿pero qué aportó para mejorar esa situación económica?".[4] La cuestión también se mezcló con la revisión de los salarios de los artistas televisivos de los canales en manos del Estado. Entre otros, el sueldo de Mirtha Legrand en el canal 7. "El hecho de que accidentalmente la actividad televisiva esté manejada por el Estado no le da derecho al Estado a faltarle el respeto a un individuo como ciudadano y como profesional", dijo Gerardo Sofovich. El jueves 18 subió al escenario del teatro Ópera la cantante Mercedes Sosa. No cantaba en Buenos Aires desde 1978. El miércoles 25, en la habitual reunión del Gabinete presidencial el ministro Lacoste criticó ásperamente el clima opositor que se notaba en los recitales de la cantante. Tal comentario recibió como respuesta el alto contenido negativo que hubiera sido prohibir las presentaciones de la artista tucumana.[5]

El miércoles 17, las tapas de los matutinos argentinos anunciaron que el 26 se reanudarían en Nueva York las negociaciones con Gran Bretaña por las islas Malvinas, Georgias del Sur y Sandwich del Sur. Un vocero del Foreign Office adelantó que ningún acuerdo sobre las islas será concluido sin el consentimiento de sus habitantes. "Las Malvinas, una necesidad" fue el título de tapa de la columna premonitoria de Jesús Iglesias Rouco en la primera página de *La Prensa* del jueves 18 de febrero. "No resulta fácil saber" —escribió— "hasta qué punto el nuevo gobierno está dispuesto a actuar, con firmeza y decisión, en pro de la rápida recuperación de las Malvinas. [...] Lo menos que se les puede pedir a los gobiernos militares es que no vacilen ante ninguna eventualidad militar cuando se trata de cuestiones de soberanía."

Al hablar de "la medida de la necesidad argentina", el "gallego" Iglesias Rouco, en aquel momento con el auxilio de influyentes fuentes en el Palacio San Martín, hizo un escaneo de las razones que decidieron a los militares a tomar la decisión del 2 de abril: "1) El aislamiento que padece el país en lo que se refiere a los esquemas de concertación política y estratégica de Occidente, provocado por su errática política exterior de los últimos treinta años, su progresivo debilitamiento interior y más recientemente, los métodos empleados en la llamada guerra antisubversiva, que han colocado a la Argentina en una especie de ghetto internacional; 2) los resultados desfavorables del arbitraje sobre el Beagle, y ahora de la mediación papal, que supone una amenaza inminente para nuestra posición en el Atlántico Sur; 3) la penetración soviética en la zona, con la consiguiente preocupación norteamericana [...]. En síntesis: si la Argentina no obtiene inmediatamente un nuevo punto de apoyo en el Atlántico Sur corre el riesgo... de verse excluida de todo lo que allí se cocine".

"Las Fuerzas Armadas deben tirar el Proceso al canasto, porque está agotado, no sirve, ha fracasado y no hay una sola área del país real que les reclame otra cosa", afirmó con contundencia el radical Luis León. Confirmando su estilo más abierto hacia la gente y los medios, el presidente Galtieri visitó, en Mar del Plata, la concentración del seleccionado mayor de fútbol. Al caer la tarde, el Presidente se apersonó y confundió en un abrazo con el director técnico César Luis Menotti, dando por terminado el entredicho de los días pasados. Con ironía, uno de los porteros de la Villa Marista comentó al periodismo: "No hay nadie en el interior, excepto Galtieri, Menotti y Maradona". Antes de concluir la visita, mirando a Diego Armando Maradona, el presidente dijo: "el triunfo está en vos, pibe". La foto del abrazo fue tapa de los matutinos porteños. A pocos kilómetros de Mar del Plata, una familia argentina celebraba el centenario de "El Cardal", la estancia donde había nacido "Gato" y "Mancha" dos altos exponentes de la raza de caballos criollos, que cumplieron la proeza de unir Buenos Aires con Nueva York en 1925. El evento fue cubierto por *La Nación* del 22 de febrero y retrató al médico Manuel "Manolo" Solanet rodeado por su esposa, hijos e innumerables nietos. El mismo día, a miles de kilómetros de allí, un embajador argentino destinado en Europa escribía a mano una carta en la que sostenía: "Tengo la impresión de que en el gobierno no se dan cuenta de algo de fondo: creen que recién empiezan, pero llegaron hace seis años. Parece una perogrullada lo que te digo, sin embargo es el secreto de todo. De allí que se entretengan en 'crear la imagen de Galtieri' y jueguen con los partiditos provinciales. Galtieri no entiende nada de lo que ocurre a su alrededor, así como Viola creía que el tiempo estaba a su favor, y lo perdía lastimosamente... Parece cuento pero el gobierno ya está desgastado".[6]

El miércoles 24, mientras faltaban pocos días para que las delegaciones de la Argentina y Gran Bretaña se reunieran en Nueva York, para considerar la cuestión de Malvinas y otros puntos referidos al mismo tema, un incidente en el Sur volvió a palidecer las relaciones con Chile. El buque "Gurruchaga", un aviso artillado de la Armada argentina fue conminado a retirarse de las cercanías de la isla Deceit por un buque de guerra de la armada chilena por encontrarse en sus aguas jurisdiccionales. El incidente generó notas de protestas entre las cancillerías. La isla Deceit estaba comprendida dentro de la disputa del Beagle y comprendida en la mediación papal.

Los diarios del mismo día, los diarios informaron la visita del coronel Rafael Flores Lima, jefe del Estado Mayor del Ejército salvadoreño. No era una presencia cualquiera porque ya la Argentina tenía oficiales en América Central. Durante su estadía se reunió con Galtieri, Vaquero y otros oficiales del Estado Mayor. Visitó a los otros miembros de la Junta Militar, el Estado Mayor Conjunto, el Batallón de Inteligencia y fue llevado al Museo de la Subversión. Y por la noche se lo condecoró en una ceremonia realizada en el Edificio Libertador. Al día siguiente, el presidente Galtieri visitó la Cancillería y en este contexto conversó a solas con Costa Méndez y luego saludó al personal diplomático. *La Nación* especuló que había tratado con el canciller la cuestión interna en El Salvador. El mismo día que Flores Lima retornó a su país, desde el Vaticano, Juan Pablo II condenó por primera vez "la injerencia externa" en la guerra civil del país centroamericano. Y rezó por el fin de la matanza "en el único país del mundo que lleva el santo nombre de Jesús, Hijo de Dios y Salvador del hombre". También se unió a una declaración de los obispos salvadoreños, atacando a las "grandes potencias" por inmiscuirse en el conflicto y respaldo al presidente demócrata cristiano José Napoleón Duarte. "Las armas viene del exterior, ha exclamado el administrador apostólico de El Salvador, monseñor [Arturo] Rivera y Damas, pero los muertos son todos de nuestra gente", exclamó el Papa. El 17 de febrero anterior, los obispos salvadoreños declararon en *L'Osservatore Romano* que "comprobamos que el conflicto, que tiene causas internas, se ha internacionalizado de tal manera que las decisiones sobre la forma de resolverlo están fuera de las manos de los salvadoreños. Es un hecho que las grandes potencias contribuyen a mantener el conflicto". Guatemala es "el próximo objetivo de la subversión [comunista] en Centroamérica... pronto será un caso paralelo al de El Salvador" afirmó en Washington el mismo día Alexander Haig.[7] Mientras el secretario de Estado norteamericano sostenía esto, en Buenos Aires el general John McEmery, titular de la Junta Interamericana de Defensa, se entrevistaba con Galtieri y los otros miembros de la Junta Militar, y declaraba que los Estados Unidos "no está metido todavía en América Central", al tiempo que reconoció que hablaría en su paso por la Argentina de la guerra en América Central.

Cita en Manhattan. Instrucciones secretas del canciller Nicanor Costa Méndez a los diplomáticos de la delegación argentina en las reuniones con los británicos, del 25 al 27 de febrero, en Nueva York

Instrucción del canciller Costa Méndez a los negociadores que presidían la delegación argentina a las reuniones con los británicos, del 25 y 27 de febrero, en Nueva York:

La delegación "tendrá permanentemente el hecho que es objetivo nacional y permanente de la República, el reconocimiento por parte de Gran Bretaña de la soberanía argentina sobre las islas Malvinas, Georgias del Sur y Sandwich del Sur, y que por lo tanto es crucial para el desarrollo exitoso del proceso negociador que las tratativas versen de manera esencial sobre dicho tema".[8] Previamente, el 27 de enero, el gobierno argentino le había entregado al embajador británico un "bout de papier", "para transmitirle la propuesta argentina sobre establecimiento de un nuevo mecanismo de negociación".[9]

Respecto de "la voluntad política del gobierno argentino de encontrar una solución pacífica y negociada a la disputa [...]. Dejará bien en claro que esa voluntad no puede mantenerse indefinidamente y sin que se concreten progresos sustanciales en la negociación y en su caso transmitirá a la delegación británica que se aproxima un momento de seria crisis en el proceso, precisamente por esa falta de progresos, que puede provocar la quiebra de dicha voluntad política. [...] La delegación argentina tratará durante la reunión de lograr de la contraparte una definición respecto a su voluntad política de negociar seria y profundamente sobre el tema de la soberanía y respecto a la iniciativa argentina adelantada al embajador británico el 27 de enero".

La delegación argentina estuvo integrada por los embajadores Enrique Juan Ros, Carlos Ortiz de Rozas y Carlos Lucas Blanco; el ministro Atilio Molteni; el secretario Domingo Cullen y el asesor de la Dirección Antártica y Malvinas de la Cancillería, coronel (RE) Luis González Balcarce. La británica fue presidida por el ministro de Estado, Richard Napier Luce; el embajador británico en Buenos Aires, Anthony; el jefe del Departamento América del Sur, Robert Fearn y los funcionarios del Foreign Office, Colin Bright, John Anthony Penny y Jeremy Creeswell. También fueron integrados a la delegación del Reino Unido los kelpers Lionel G. Blake y John Edgard Check. Las sesiones formales se realizaron los días 26 y 27 en las sedes de ambos países ante las Naciones Unidas y dos almuerzos de trabajo.

Las conversaciones demandaron horas y fueron volcadas en un informe escrito de 36 carillas. Los temas volvían a reiterarse de otras reuniones y volvían a tratarse en todas esas horas. La cuestión de la soberanía de las islas debía ser el corazón del encuentro diplomático. Otro era el papel de los isleños en las tratativas, sobre si debían considerarse sus "deseos" (posición británica) o sus "intereses" (posición argentina).

En un momento (26 de febrero a las 10 horas), Luce dijo que "los deseos de los isleños tiene prioridad absoluta". Una condición inaceptable para los argentinos, ya que sólo deberían tenerse en cuenta "los intereses" de los isleños. Tal la letra escrita de la resolución 2065 de Naciones Unidas que dio origen a las negociaciones en la década del sesenta (presidencia de Arturo Illia). Los términos de los diálogos daban a entender la difícil posibilidad de un entendimiento.

LUCE: Los deseos de los isleños son de absoluta prioridad para nosotros. No debe haber cambios sin el consentimiento de ellos y el Parlamento […] no tienen dudas sobre la soberanía británica.

ROS: La Argentina no tiene duda alguna sobre sus derechos de soberanía. En el futuro debemos llegar a un "común entendimiento". […] Es esencial el elemento del reconocimiento de nuestra soberanía. Debemos tener en cuenta que dicho problema subsistirá mientras no se alcance una solución. En Argentina existe una presión cada vez mayor al respecto […] y nada debe interpretarse en Buenos Aires que pueda llevar a inferir que se deja de lado la disputa sobre soberanía.

LUCE: No creo que no nos estemos comprendiendo. Entiendo la sensibilidad especial pero también existe en nuestro Parlamento. Nuestro objetivo común es trabajar hacia la solución.

ORTIZ DE ROZAS: No subestimo la sensibilidad de vuestro Parlamento, pero está más agudizado en la Argentina.

273

También se habló otros puntos contenidos del "bout de papier" presentado por la Argentina un mes atrás, sobre los que la delegación británica presentó dudas. Entre otras, lugar de reunión (de las próximas negociaciones), nivel (de las delegaciones), periodicidad de los encuentros (la Argentina proponía citas mensuales) y el plazo para alcanzar una solución dentro de las negociaciones (un año pretendía la Argentina). Además consideraba muy especialmente la cuestión de "confidencialidad" de los temas tratados. "¿Cuánto les tomará una respuesta?", preguntó Enrique Ros.

LUCE: Yo volveré a Londres y recomendaré a mi gobierno, al señor secretario de Estado y a mis colegas ministeriales. Nos gustaría hacerlo lo antes posible.

ROS: ¿Cuál es vuestra idea sobre un período de duración de un año?

LUCE: La primera impresión es que si nos fijamos un tiempo preciso podría ser contraproducente.

ROS: Hemos comenzado a negociar hace 16 años y hemos realizado poco progreso. Si en un año no conseguimos puntos comunes, qué sentido hay de continuar.

ROS: Toda solución que pueda ignorar nuestra posición tradicional no será aceptable.

LUCE: Debe ser tan comprensiva como se pueda.

El 1° de marzo las delegaciones emitieron un comunicado conjunto en el que admiten que "las dos partes reafirmaron su decisión de hallar una solución a la disputa de soberanía y consideraron en detalle una propuesta argentina sobre procedimientos para lograr mayores progresos en este sentido". En un momento de las conversaciones, el viernes 26 a las 16.10, el embajador Ros dijo: "El canciller Costa Méndez desearía el 1° de abril para su inicio" (de la comisión). Y el ministro Richard Napier Luce, jefe de la delegación británica respondió: "1° de abril es 'April Fool's Day' (Día de los Inocentes). De todas maneras debo consultar con lord Carrington y a mis colegas. Contestaremos lo antes posible...".

El embajador Enrique Ros, jefe de la delegación negociadora, informó al canciller Costa Méndez, después de las negociaciones: "La importancia de esta rueda de negociaciones está dada por el hecho de que por primera vez la delegación británica aceptó a su nivel el establecimiento de una Comisión Permanente Negociadora. [...] Las razones que habrían llevado a los británicos a aceptar el nuevo procedimiento de negociación propuesto se relacionan con el aumento de la presión diplomática argentina, su interés de que el conflicto no se agrave por la interrupción de los contactos entre ambos gobiernos. [...] Debe finalmente indicarse que la delegación [argentina] ha obtenido los objetivos fijados en las instrucciones en cuanto a que la propuesta argentina ha sido aceptada en los siguientes aspectos: Constitución de una comisión negociadora permanente cuyas reuniones tendrán la suficiente periodicidad para negociar la disputa de soberanía...". Horas más tarde, el canciller dejó colgado de un pincel al subsecretario Ros al levantar la confidencialidad tan reclamada de los ingleses. Años después, Margaret Thatcher diría que el gobierno argentino "violó los procedimientos acordados durante la reunión" a través del comunicado de Costa Méndez.[10]

"El único punto favorable que se obtuvo en la reunión de Nueva York fue el tácito reconocimiento inglés de que 'la cuestión' Malvinas incluía a las islas Malvinas, Georgias del Sur y Sandwich del Sur", escribió meses más tarde en su informe secreto el almirante Jorge Isaac Anaya.[11]

Luces amarillas. Parece que nadie leía los diarios

"La inteligencia alemana obtiene su información en un 80 por ciento a través de medios públicos, la restante proviene de 'medios propios'", confesó en una ocasión un oficial de la BND (Bundesnachrichtendienst) al autor. Si esa fuera una norma observable en los restantes servicios de inteligencia, está claro que ninguno advirtió el cambio de política del gobierno de Leopoldo Fortunato Galtieri. No sólo por lo que decían sus funcionarios sino también por lo que escribían los periodistas argentinos con buen acceso a fuentes directas. Contrariamente, si lo advirtieron era muy difícil dar crédito a las amenazas que acechaban en el ambiente.

El 2 de marzo, el canciller Costa Méndez dobló la apuesta: después de consultar a la Junta Militar, emitió un comunicado sosteniendo que "el nuevo sistema constituye un paso eficaz para la pronta solución de esa disputa (soberanía). Por lo demás, si eso no ocurriera, la Argentina mantiene el derecho de poner término al funcionamiento de ese mecanismo y de elegir libremente el procedimiento que mejor consulte a sus intereses".

El mismo día, el comandante en jefe del Ejército mantuvo un encuentro con el jefe de Operaciones del Estado Mayor, general Mario Benjamín Menéndez. En la reunión, Galtieri le comunicó que la Junta Militar está preparando la ocupación militar de las Malvinas y que la operación dependía de cómo evolucionen las negociaciones diplomáticas con Gran Bretaña. De llevarse a cabo la ocupación argentina, él sería designado gobernador de las islas. "Fue algo completamente inesperado, una gran sorpresa y me sentí profundamente emocionado... Si la ocupación militar se realizaba... sería gobernador... no comandante militar, porque el gobierno no preveía la posibilidad de ninguna operación militar importante."[12]

Hasta aquí, sobre los términos empleados por Galtieri y Menéndez, sobrevuela el condicional. Los periodistas Cardoso, Kirschbaum y Van der Kooy emplean términos más precisos cuando aluden a ese encuentro:

GALTIERI: Dígame, Menéndez, ¿cómo anda su inglés?

MENÉNDEZ: Más o menos, señor. Igual que cuando lo acompañé en su viaje a los Estados Unidos.

GALTIERI: Bueno, repáselo. Le hará falta.

MENÉNDEZ: ¿Por qué?

GALTIERI: Hemos tomado la decisión de recuperar militarmente las Malvinas y la Junta aprobó mi propuesta de que usted se haga cargo de la gobernación militar de las islas.

Sorprendido por la noticia, el jefe de Operaciones, entre otras cuestiones preguntó: "Después que recuperemos las islas, ¿cuál cree que será la reacción británica?".

Como toda respuesta, Galtieri respondió: "Ese no es problema suyo".[13]

–Cuando tomó conocimiento de los comentarios periodísticos y los informes de Williams desde Buenos Aires, Margaret

Thatcher, el 3 de marzo, consignó en un cable a Buenos Aires: "Debemos adoptar planes de emergencia". Sin embargo, dijo años más tarde, "a pesar de mi inquietud, no esperaba nada parecido a una invasión, pensamiento coincidente con la evaluación más reciente de nuestra inteligencia". Desde Londres, el embajador Richard Napier Luce logró hablar con el subsecretario Enders que en pocos días más emprendería una visita a la Argentina y Chile. En la conversación, el funcionario británico le solicitó que durante sus entrevistas en Buenos Aires transmitiera un mensaje de tranquilidad en torno a la cuestión de Malvinas.

–"El problema del Beagle nos ha sacudido y angustiado, pero también las Malvinas, las Georgias del Sur y Sandwich del Sur son la cadena de bases terrestres que permitirán el control del mar Argentino hacia el este hasta más de 2.500 kilómetros de costa patagónica", dijo el contralmirante Laurio H. Destéfani, jefe del Departamento de Estudios Históricos Navales, en una ceremonia que presidió el almirante Jorge Anaya.[14]

En sintonía con el discurso naval, desde Washington, Ary Moleón, el jefe de la Mesa Latinoamericana de Associated Press, periodista argentino (bahiense) de amplios contactos con las embajadas y agregadurías militares en la capital norteamericana, escribió una nota que no dejó de llamar la atención. Entre otras aseveraciones expuso:

"Los medios diplomáticos locales están tratando de determinar si el renovado esfuerzo de la Argentina para recuperar la posición de las Islas Malvinas está relacionado con la creciente internacionalización de la situación continental latinoamericana. […] Ello ha coincidido con el inesperado y vigoroso esfuerzo de la Argentina para una pronta resolución en torno de la posesión del archipiélago que controla las rutas australes. Los ingleses han estado allí durante más de un siglo, pero su flota se ha ido contrayendo por los pesados problemas fiscales del reino. […] Los medios diplomáticos señalan que a esos elementos se agrega lo que ellos perciben como una floreciente relación militar argentino-norteamericana. Si bien se reconoce que Washington trató siempre de sustraerse de la cuestión Malvinas, las nuevas circunstancias pudieran llevarlo a una revisión de su posición, o, al menos, podrían alentar a la Argentina a forzar el cambio."

"De lo que no se duda es que Washington coloca la cuestión de la defensa de sus aliados continentales en la perspectiva global que podría llevarlo a persuadir a Gran Bretaña a resolver el irritante tema austral con uno de sus aliados claves. La impresión de los medios diplomáticos es que si bien no hay elementos formales para establecer qué es lo que está pasando, algo puede estar pasando. Ni la Argentina ni los Estados Unidos están quietos, y más aún, se están moviendo en tándem, observan."[15]

El jueves 4 de marzo, en visita oficial de dos días, Costa Méndez viajó a Brasilia. Al pie del avión lo aguardaba el embajador argentino Hugo Caminos, un hombre especializado en cuestiones jurídicas internacionales. Era la primera vez que Costa Méndez y Ramiro Saraiva Guerrero iban a conversar de canciller a canciller. El incidente en las islas Georgias amenazaba con escalar. El canciller argentino no llevó ningún discurso escrito para pronunciar en la comida que le ofreció el titular de Itamaraty. Improvisó y fue allí que le salió de adentro lo que pensaba desde hacía muchos años: "La Argentina no pertenece al Tercer Mundo". A diferencia de los argentinos, los anfitriones tenían todo preparado, hasta la entrega del discurso de su canciller en lengua española.[16] También declaró en Brasilia que "si el enfrentamiento Este-Oeste se diera en tierra americana y constituyera una amenaza o ataque a la paz o a la seguridad del hemisferio, la Argentina no permanecerá ajena a él". Brasil no estaba en la misma sintonía: "En una crítica que llegó a ser interpretada como 'un recado' a su huésped, el canciller brasileño condenó 'el vicio de la transferencia de las tensiones globales hacia escenarios regionales'", publicó *La Prensa* de Buenos Aires el 5 de marzo. En esos momentos, Alexander Haig hacía público que un oficial nicaragüense que combatía junto a las guerrillas izquierdistas había sido capturado en El Salvador. Y luego apuntó a Nicaragua, en la misma exposición ante la Subcomisión de Operaciones Exteriores de la Cámara de Representantes: "Hay por lo menos 2.000 asesores militares cubanos en Nicaragua y por primera vez mencionó la presencia de 70 asesores militares soviéticos y otros 30 de Corea del Norte, Bulgaria y Alemania Oriental".[17] En la misma edición, Costa Méndez dijo que "no estamos satisfechos con las negociaciones llevadas a cabo hasta hoy" en la cuestión de las Malvinas. Y, también en la misma edición, bajo el título "Críticas militares", Jesús Iglesias Rouco informó que "prácticamente todos los mandos (del Ejército) expresan su creencia de que la posición de firmeza adoptada por el gobierno frente a Gran Bretaña es correcta, y algunos agregan que la recuperación de las islas, sea por medios diplomáticos o militares, fortalecerá el proceso".

–Desde Londres, las autoridades del Foreign Office le aconsejan a Williams tomar contacto con el canciller argentino. Una duda los asaltaba: no tenían claro si la Junta Militar estaba estimulando un clima de tensión o buscaba apaciguarla. El 5 de marzo, el canciller Costa Méndez conversó durante una hora y media con el embajador británico, Anthony Williams, para considerar la declaración unilateral del Palacio San Martín del martes 2, en el que pronunció su insatisfacción por los resultados de la ronda de negociaciones de Nueva York. El día anterior, despachos de Londres informaban que "un funcionario del Foreign Office volvió a reiterar ante la cámara baja que no habrá traspaso de soberanía de las Islas Malvinas sin consultar a los habitantes del archipiélago o sin el consentimiento parlamentario".

–En su extensa y floreada columna dominical, Joaquín Morales Solá expuso dos datos de la realidad: 1) Según parece flotar en el ámbito del Ejército, el presidente Galtieri intentará postergar su retiro de fin de año, y retener el mando de la Fuerza hasta marzo de1984, en el que termina su período presidencial para que ambos mandatos concluyan simultáneamente. "Las opiniones coinciden en que Galtieri contará con el apoyo del Ejército cuando se lo reclame, pero se duda sobre la reacción en las otras dos fuerzas." 2) Al analizar un recrudecimiento de la subversión, observó "un rebrote de la literatura subversiva, por la documentación guerrillera que reciben los políticos", el periodista trazó un análisis de la relación de la guerrilla izquierdista con la sociedad argentina: "La historia nacional demuestra que la sociedad argentina es democrática y que por propia reacción dejó aislada siempre a la guerrilla. [...] Los dirigentes políticos han anunciado que ellos mismos se pondrán al frente, si es necesario, de una campaña contra cualquier resurgimiento subversivo, aunque éste sea sólo panfletario. Hombres realistas, saben que al fin y al cabo la efervescencia guerrillera termina de todos modos con la dureza militar, en una ciclotimia que la miopía extremista no advertirá jamás".

En un inusual gesto de dureza, el sindicalista de los plásticos, Jorge Triacca, aparece en *La Nación* expresando que se han agotado la paciencia y todas las instancias posibles para obtener una satisfacción a los afanes reivindicatorios de los trabajadores. "Hemos declarado la guerra a la gestión económica."[18]

–El comandante del Cuerpo II, general de división Juan Carlos Trimarco, dijo el 17 de marzo en Corrientes que el gobierno nacional está dispuesto a lograr la soberanía sobre las Islas Malvinas "de todas formas posibles". Explicó que conoce la nueva tónica impresa a la política exterior en ese sentido y aclaró que ella trata de alcanzar el objetivo lo más rápido posible. "Lo que tenemos que hacer es poner, en algún momento, punto final al asunto de las islas. Nosotros decimos que son nuestras y que las devuelvan. Que los ingleses decidan."[19]

–"¿Por qué medios pacíficos cree que se podrá rescatar todo el problema de la región austral, incluyendo al Beagle?"

"Usted está tocando una de las fibras más íntimas de un ministro de Relaciones Exteriores. ¿No le parece que un canciller debe creer en los medios pacíficos?", respondió Costa Méndez, el viernes 19 de marzo, ante la pregunta periodística formulada en la Sala de Prensa de la Casa Rosada. También confirmó que el gobierno argentino le vendería armas al gobierno "legítimo" de El Salvador. El mismo día se conoció que la empresa Ford había despedido 3.000 operarios. Y la CGT convocó para el 30 de mayo a una marcha de protesta contra el gobierno militar en la Plaza de Mayo. Jacques Hirsch, titular de la Unión Industrial Argentina, definió el momento económico recesivo, como "el período más largo que ha atravesado la industria".

La visión de Thomas Enders

El lunes 8 de marzo, Thomas Enders, subsecretario de Asuntos Latinoamericanos del Departamento de Estado, se entrevistó con el canciller Costa Méndez y altos funcionarios del Palacio San Martín. Más tarde, durante el mediodía, en la Casa Rosada, dialogó 90 minutos con el presidente Galtieri. Si los argentinos en aquel momento hubieran conocido las prioridades de la agenda de "Tom" Enders es muy seguro que no solamente se hubieran desilusionado, sino también irritado. De los 22 puntos que tenía en la lista, Malvinas ocupaba el número 17. Antes, le preocupaban otras cuestiones: situación política de la Argentina; la economía; la relación sobre cuestiones de seguridad; la disputa del canal de Beagle; la actitud argentina ante el problema de Polonia; ventas de granos a Polonia y la URSS; la Argentina y los Derechos Humanos; las cuestiones nucleares; el Tratado de Tlatelolco; las relaciones económicas bilaterales; el proyecto argentino-paraguayo de Yacyretá; las discusiones en el seno de la Conferencia del Derecho del Mar y los contactos bilaterales en 1982.[20] En cuanto al problema de Malvinas la posición americana era una sola: "Los Estados Unidos mantienen en esta cuestión una estricta posición de neutralidad entre Gran Bretaña y la Argentina...y ambos países deben continuar resolviendo sus diferencias a través de negociaciones diplomáticas." A pesar del desinterés del Departamento de Estado, tanto Costa Méndez como el presidente Galtieri prestaron especial atención sobre la cuestión y con mayor profundidad lo hizo Enrique Ros, durante una exposición en el Salón Verde de la Cancillería. Sin embargo, el diálogo no terminó en esos encuentros. Por la noche del 8 de marzo, durante una cena que ofreció el embajador Schlaudeman en su residencia, Costa Méndez volvió a reiterar el problema. Cómo habrán sido los interrogantes que invadieron a Enders que atinó a preguntar:

ENDERS: Por tanto, ¿no habrá guerra?
COSTA MÉNDEZ: No habrá guerra.
ENDERS: ¿Seguro?
COSTA MÉNDEZ: Absolutamente seguro.[21]

El largo informe que el Departamento de Estado le preparó a Enders, para su visita a Buenos Aires, tenía cinco objetivos muy claros:

1) El apoyo argentino en Centroamérica, debía "ser continuo y complementario".

2) Mayor respaldo argentino "en las discusiones Este-Oeste".

3) Continua cooperación (argentina) sobre Bolivia.

4) Obtener una "notoria mejoría en cuanto al tema de los Derechos Humanos".

5) Reducción de tensiones sobre el Beagle y progreso esperado para su solución.

Seguidamente fijaba un "marco", o radiografía de la Argentina: "El gobierno de Galtieri se encuentra enfrentando casi insuperables dificultades económicas, documentados antecedentes que contribuyen a alimentar un fermento político en crecimiento. Los mayores progresos [que se observan] en el mejoramiento de las relaciones bilaterales entre EE.UU. y Argentina, permiten ofrecer cierto número de beneficios reales o potenciales. Más importante aún es el realce de la respetabilidad que señala esa calificación. Y esto podría disminuir los temores de los militares argentinos de los forzosos reclamos de sus propios conciudadanos".

"En Bolivia el gobierno argentino (GOA) se percató de que 'comía más de lo que podía masticar' y ahora parece querer deshacerse de gran parte de esa carga. En las discusiones territoriales el GOA quiere finalmente nuestra neutralidad en el Beagle e incluso hasta un vuelco (o participación) favorable con respecto a Malvinas (Falkland). Militarmente y estratégicamente el GOA busca (y quiere) estrechar sus relaciones con los EE.UU., apoyándonos a fin de compensar la creciente superioridad de Brasil (un cambio de roles de los más grandes de esta centuria). Económicamente el GOA quiere incrementar el comercio bilateral y las inversiones y probablemente esté esperando la aparición de una causa común (en cuanto a relaciones comerciales y negocios) con la Comunidad Europea. Aunque el gobierno de Galtieri esté ahora más preocupado que su predecesor por las relaciones con los EE.UU., hay coacciones (o constreñimientos) sustanciales, históricos y políticos en cuanto hasta dónde puede llegar o cuán lejos puede ir. Enrique Ros (que sigue siendo el segundo hombre en el Ministerio de RREE), como [Oscar] Camilión, representa la tradicional preferencia de la Argentina por el No Alineamiento y contrapone ambos superpoderes. Probablemente el Ministerio de RREE preguntará por el establecimiento de un arreglo consultivo (mecanismo de consulta) permanente, como el que tenemos con los brasileños y con algunos otros países. Usted probablemente quiera desalentar (esta postura) señalando tal vez que las consultas regulares (tan necesarias o necesariamente) funcionan mejor. Aunque hasta ahora más militares que civiles hayamos realizados extensos viajes hacia atrás y hacia adelante el último año (ver documentos anteriores en el listado), hemos esclarecido nuestros intereses consultando y discutiendo de cerca, como en los casos de Bolivia y América Central."

Polonia: Argentina ha sido renuente en apoyarnos respecto de Polonia, tampoco en nuestros esfuerzos iniciales de tener a Polonia inscripta como un ítem separado de la Agenda o los subsecuentes esfuerzos para asegurarla....

Objetivo 4 - Más mejoras en Derechos Humanos

El GOA ha hecho considerables esfuerzos en los últimos 18 meses para eliminar los peores abusos a los DDHH. Continúan sucediendo serios incidentes ocasionales, pero ello debe obedecer a tareas de elementos de seguridad que objetan la política de moderación. A causa del mejoramiento y del particular énfasis volcado por el GOA en cuanto a liberar prisioneros de interés para el Congreso de los EE.UU., nosotros no prevemos un mayor debate cuando vamos adelante con la certificación (del Departamento de Estado) pese al hecho de que no ha habido ningún progreso en cuanto a desapariciones de personas.

Puntos a conversar (en caso de preguntas):

- La sensibilidad de su gobierno en lo que concierne a los DDHH ha sido el principal factor en cuanto a permitir un rápido mejoramiento en nuestra relación bilateral.
- Nosotros esperamos ir (lo más rápido) más allá con la certificación para pedir revocar la enmienda Humphrey-Kennedy.
- Los DDHH continuarán siendo un factor importante en nuestras relaciones y yo espero que esa tendencia continúe.

Derechos Humanos en la Argentina

En contraste con los horrores pronosticados por grupos políticos y de DDHH en cuanto a que la "línea dura" del régimen de Galtieri iba a ser represiva, hasta ahora ha continuado y expandido las tendencias liberales comenzadas alrededor de un año atrás. Si es desafiado nuevamente por grupos políticos o laborales, el gobierno podría conculcar otra vez las libertades civiles, aunque un retorno a las violaciones masivas de los DDHH parece extremadamente improbable.

Desaparecidos: No existen señales de que el GOA tenga en cuenta las desapariciones. El puede publicar un listado breve de personas que se sabe que murieron en enfrentamientos con fuerzas de seguridad. Las desapariciones han virtualmente cesado. El único caso reportado este año en el cual una mujer fue posteriormente encontrada muerta, ha creado una conmoción en la prensa y en el público. Virtualmente, nadie en la Argentina cree que Galtieri y su gobierno hayan autorizado ese crimen. Están profundamente avergonzados (por los hechos ocurridos).

Detenciones: Alrededor de 650 personas están detenidas por la Autoridad Ejecutiva en razón del Estado de Sitio. Unas 500 personas fueron liberadas en 1981, alrededor de la mitad bajo el régimen de libertad vigilada. El ministro del Interior, Saint Jean, anunció el 3 de febrero que otras cien serían liberadas pronto. En más de un año no se han registrado nuevas detenciones del PEN. El sistema de Justicia Militar está revisando condenas, por considerar que se trata de sentencias excesivas o injustificadas. [...] Sin embargo, el gobierno va a dejar a disposición del PEN solamente a los presos que crea que son terroristas y no los liberará bajo ninguna circunstancia. No tenemos una estimación certera sobre cuántas personas pueden estas involucradas.

Actividades de partidos y uniones políticas: La mayoría de los partidos y uniones políticas se muestran crecientemente francos y agresivos al atacar al gobierno y sus programas, pero el GOA aún no ha usado sus armas legales para reprimirlos. Incluso ha permitido a la proscripta Confederación General de los Trabajadores tener (o sostener) una sesión plenaria para movilizar la oposición al gobierno. Las leyes de seguridad están siendo usadas solamente contra el pequeño Partido Comunista. El GOA ha quedado públicamente comprometido para elaborar le ley de un partido político este año y para la eventual restauración de reglas ciudadanas.

Las Cortes: La Suprema Corte y otras cortes permiten incrementar los desafíos a las decisiones del gobierno, con escasas quejas por parte de los militares. Algunos prisioneros del PEN han sido liberados ordenadamente. Las cortes han sido también sancionadas en cuanto al uso político de la tortura en casos criminales ordinarios, trastornando a causa de ello algunas convicciones.

Derechos Humanos en la Argentina (Preguntas y Respuestas)

Pregunta: ¿Tienen los EE.UU. algún interés sobre la situación de los DDHH en la Argentina?
Respuesta: Interesarse por los DDHH es un elemento importante en la política exterior de la Administración Reagan. Nosotros entendemos lo que la Argentina atravesó cuando fue asaltada por el terrorismo y nosotros estamos enterados de lo que sucedió más tarde. También reconocemos cómo ha mejorado la situación observando los DDHH. Nuestras relaciones con la Argentina reflejan nuestra comprensión y el reconocimiento de estas tendencias.
Si se pregunta:
P.: ¿Qué hay acerca del hecho de que no ha habido información por la situación de cientos de personas desaparecidas?
R.: Yo le he hecho referencia a usted acerca de nuestro reciente informe de los DDHH al Congreso de los EE.UU., observando esta difícil controversia.
P.: ¿Ha sido discutida con Galtieri, durante sus conversaciones, la situación de los DDHH en la Argentina?
R.: Nosotros intercambiamos puntos de vista en un amplio alcance de debates y salidas, incluyendo tendencias (o cursos de acción) domésticas, para ambos países.
Días más tarde, el Ministerio del Interior, ante las crecientes demandas por el destino de desaparecidos, aceptó dar información a sus familiares directos. La información no se iba a dar públicamente, sino de manera reservada.

Años más tarde, el ex embajador y ex canciller (1962) Bonifacio "Fafo" del Carril contó que entre el 9 y 10 de marzo de 1982 —es decir, horas más tarde de los encuentros del canciller con Enders— mantuvo una entrevista con Costa Méndez en su despacho. Lo sorprendió ver tantos mapas de los mares del sur desplegados. Luego de dialogar sobre el tema que lo había llevado hasta ahí y cuando se estaba despidiendo el canciller le dijo: "Con todos los líos que tengo, ahora se viene el de los chatarreros".

—¿Qué chatarreros? —preguntó Del Carril.

—Unos que van a las Georgias —respondió su amigo el canciller. Y luego de unos segundos, en voz baja, agregó: "Dentro de un mes tomamos las Malvinas".[22]

En esos días estaba próximo a inaugurarse el primer hipermercado en la Argentina. Lo terminaba de construir la empresa Carrefour, próximo a la Panamericana, cerca de Boulogne. Una de las películas más vista era "En la laguna dorada" protagonizada por Katharine Hepburn, Henry Fonda y su hija Jane y los canales de televisión presentan sus nuevos programas, y salvo Tato Bores,[23] entre las excepciones, todos los artistas aceptan las nuevas pautas salariales impuestas por las autoridades militares. El lunes 15 comienza el año lectivo.

A principios de marzo escribió el almirante Anaya: "Las circunstancias hacen que el 9 de marzo se ratifique la necesidad o urgencia de contar con un planeamiento actualizado que comprendiera las distintas alternativas de utilización de los diferentes instrumentos que conforman el Poder Nacional. Es así que, en la reunión de la Junta Militar del día 9 de marzo, se da intervención al organismo idóneo para ello, el Estado Mayor Conjunto, por intermedio de su jefe de Estado Mayor que es, a la vez, secretario del Comité Militar (COMIL). Luego en la reunión de la Junta Militar del día 16 de marzo,[24] el jefe del estado Mayor Conjunto expuso los lineamientos del planeamiento a efectuar, basado en el documento preparado por el grupo de trabajo especial. Su enfoque fue el de confeccionar la Directiva Estratégica Nacional (DENAC)... la fecha estimada en que estarían redactados para su aprobación estos documentos, incluyendo la alternativa militar se fijó para el último cuatrimestre del año 1982".[25]

–En los medios políticos argentinos tuvieron una amplia repercusión unas declaraciones del secretario de Estado norteamericano aceptando "la ayuda castrense argentina en El Salvador
[...] el gobierno argentino, al parecer, quería mantener en secreto
tales vínculos políticos con la estrategia norteamericana en el Caribe". Un lúcido exponente de la raza política argentina apuntaba el viernes 12 de marzo de 1982: "Estados Unidos sostuvo
durante 60 años a todos los regímenes dictatoriales de Centroamérica, lo que forzosamente tenía que terminar en esta clase de
extremismo. No es posible que ahora nos pidan ayuda para salvar sus propios errores. No es posible que nos pidan hacer lo que
ellos no pueden hacer. [...] Todos estos temas —Centroamérica, la
subversión, la restauración democrática, la destartalada economía nacional, la política en fin— pasaron el jueves (11 de marzo)
por la notoria mesa tendida en la casa del abogado Ricardo Yofre,
ex subsecretario general de la Presidencia, en un almuerzo de homenaje a Alejandro Orfila, secretario general de la OEA, el argentino con los contactos más calificados en Washington. Al ágape
asistieron Deolindo Bittel, Carlos Contín, Arturo Frondizi, Rogelio Frigerio, Eduardo Angeloz, el socialista Walter Constanza, Rafael Martínez Raymonda, Emilio Hardoy y Francisco Cerro. No
fue éste el único encuentro político que merezca destacarse de esa
semana. El martes 9, el presidente Galtieri mantuvo un prolongado encuentro con el dirigente justicialista Raúl Matera en la Casa
Rosada".[26]

El lunes 15 se conocieron los datos oficiales de la economía
argentina: durante 1981, el PBI cayó un 6,1%; la inversión fue un
21,9% menor con respecto al año anterior y la industria manufac-
turera presentó un índice de -20%. Ese día, el dólar llegó a 13.000
pesos. También se informó que la deuda de la petrolera nacional
YPF sumaba 4.600 millones de dólares. "Ya existe un estallido social en el país", declaró en Rosario el líder sindical Saúl Ubaldini.
El miércoles 17 La Nación publicó, como uno de los títulos de
tapa, que había prosperado el pedido de habeas corpus para un
detenido desde el 12 de enero de 1976, por adulteración del documento de identidad. Lo libró el juez Fernando Zabalía y el bene-
ficiado era Francisco Javier Provenzano a quien se le pedía la opción para salir del país. Siete años más tarde, Provenzano fue uno

de los atacantes del regimiento de La Tablada a órdenes del ex dirigente del PRT-ERP, Enrique "Pelado" o "Ricardo" Gorriarán Merlo, en pleno gobierno constitucional del presidente Raúl Ricardo Alfonsín.

Una síntesis del inicio del conflicto armado[27]

Desde 1955, la Armada tenía un proyecto de invasión de las Islas Malvinas. Claro, se iba reactualizando de tiempo en tiempo. Era una obsesión que se agrandó cuando la Argentina instaló un observatorio científico en la Isla Morrell del grupo Thule del Sur (1976) y los británicos no reaccionaron. Con el tiempo, en 1981 al vicealmirante Juan José Lombardo, comandante de Operaciones Navales, se le ocurrió repetir la experiencia de Thule, en la isla San Pedro de las islas Georgias del Sur. Es decir, un observatorio similar que marcara otra presencia argentina y que, con la vista puesta en las Malvinas, ayudara a revalidar títulos en función del reclamo histórico. El proyecto de 1981 es enviado al Estado Mayor y lo toma bajo su cargo el vicealmirante Rodolfo Suárez del Cerro, jefe de Operaciones Navales. La cuestión era un secreto y estaba en su caja fuerte. Ya en esa época, a la operación la denominaron "Alfa", un operativo del que sólo participarían civiles.

A fin de enero de 1982, la operación de la isla San Pedro era un poco más conocida. Se la había sacado de la caja fuerte, en previsión de que fracasaran las negociaciones diplomáticas con los ingleses que se iban a realizar en febrero en la ciudad de Nueva York. A su vez, los británicos tenían preparada la "Operación Trident" que en contados días movilizaban la flota de mar, como para mandarla a las Malvinas.

El almirante Jorge Anaya asumió en septiembre de 1981 porque el almirante Armando Lambruschini vuelve a la concepción de la vieja marina: cada 2 o 3 años debía renovarse el Comando en Jefe de la Armada. No hay que olvidar que Massera estuvo entre 1973 y 1978. Lambruschini entre 1978 y 1981. Bajo la comandancia de Anaya, el almirante Lombardo —el que había propuesto un operativo en San Pedro— es el comandante de Operaciones Navales (COP).

Jorge Rafael Videla, Orlando Ramón Agosti y Emilio Eduardo Massera, integrantes de la Junta Militar que derrocó a la presidenta María Estela Martínez de Perón el 24 de marzo de 1976. (AGN)

Foto oficial del presidente de la Nación Jorge Rafael Videla en el Salón Blanco de la Casa de Gobierno. (AGN)

El presidente Videla se despide de los oficiales que prestaban servicio en la custodia presidencial en 1976. De izquierda a derecha: teniente primero Lucero, teniente primero Julio Robbio Campos, teniente primero Roberto Bendini, teniente primero Martini (fallecido), teniente primero Valentino (estrecha su mano), capitán Miguel Pietrobelli (fallecido), mayor Rubén Fiorda. (AGN)

Instantes previos al almuerzo que Videla ofreció a ex cancilleres argentinos. De izquierda a derecha: general José Rogelio Villarreal (secretario general de la Presidencia), Miguel Ángel Zabala Ortiz (Illia), Luis María de Pablo Pardo (Levingston y Lanusse), Videla, Oscar Camilión (vicecanciller de Frondizi) e Hipólito Paz (Perón). (AGN)

18 de mayo de 1978: el presidente Videla invitó a almorzar a hombres de las letras a la Casa de Gobierno. De izquierda a derecha: Horacio Esteban Ratti (presidente de la Sociedad Argentina de Escritores), Videla, Jorge Luis Borges, Ernesto Sabato, el padre Leonardo Castellani y el general José Rogelio Villarreal (secretario general de la Presidencia). (AGN)

Videla y el presidente de los EE.UU. James Earl Carter pasean sonrientes por el Jardín de las Rosas de la Casa Blanca, septiembre de 1977. (AGN)

Los presidentes de la Argentina y Chile, Jorge Rafael Videla y Augusto Pinochet Ugarte, durante una de las dos entrevistas que mantuvieron en enero de 1978 para tratar la cuestión del Canal de Beagle. (AGN)

El rey Juan Carlos I recibe a Videla, con motivo de la recepción ofrecida en su homenaje, en la sede de la Embajada de España durante su visita a Buenos Aires en 1978. (AGN)

Videla, acompañado por el ministro de Agricultura y Ganadería Mario Cadenas Madariaga, hace su entrada en la pista central de la Sociedad Rural Argentina de Palermo. (AGN)

El director técnico de la Selección nacional de fútbol campeona del mundo, César Luis Menotti, concurre a la Casa Rosada a saludar al presidente Videla. (AGN)

El tenista Guillermo Vilas saluda a Videla en la Casa de Gobierno. (AGN)

Carlos Monzón es recibido por Videla tras una pelea en la que retuvo el título de campeón del mundo en la categoría mediano. (AGN)

El presidente Videla recibe en su despacho a los integrantes del grupo Los Chalchaleros. (AGN)

El presidente Jorge Rafael Videla en uno de sus habituales encuentros con los periodistas acreditados en la Casa de Gobierno. En la ocasión el diálogo se realizó en la sala de prensa. (AGN)

Una foto poco conocida del ex presidente Roberto Eduardo Viola, en ese momento jefe del Estado Mayor General del Ejército. (AGN)

El embajador de los Estados Unidos, Robert Hill, saluda los integrantes de la Junta Militar en el Salón Blanco de la Casa de Gobierno en ocasión del 25 de Mayo de 1976. (AGN)

Visita oficial a la Argentina del presidente de Bolivia, Hugo Banzer Suárez, en 1976. Tuvo la particularidad de verse obligado a condecorar a los tres integrantes de la Junta Militar y no solamente al presidente Videla, como era su intención. (AGN)

Sumergido entre la multitud en Plaza de Mayo y luego saludando desde el balcón de la Casa Rosada, el presidente Videla festeja junto a la gente la victoria argentina en el campeonato mundial juvenil en Japón, septiembre de 1979. (AGN)

La Junta Militar que decidió la invasión de las Islas Malvinas en abril de 1982: el almirante Jorge Anaya, el teniente general Leopoldo Fortunato Galtieri y el brigadier Basilio Lami Dozo. (AGN)

El presidente Galtieri responde a los vítores de la gente en la puerta de la Casa de Gobierno, tras la invasión de las Islas Malvinas en 1982. (AGN)

General de brigada Ricardo Norberto Flouret, pasado a retiro tras cuestionar la improvisación de todo el Operativo Malvinas. Mantuvo una fuerte ascendencia intelectual sobre la oficialidad del Ejército y amplios contactos políticos. Años más tarde, el presidente Raúl Alfonsín lo nombró integrante del Consejo de Consolidación de la Democracia. (Archivo del autor)

Hacia fines de 1981, entre el 15 y 20 de diciembre, cerca de Navidad, Anaya se reunió a los almirantes del Estado Mayor y Lombardo instruyó que "deberá" prepararse una operación en forma "preventiva" a un fracaso a las negociaciones diplomáticas en las Naciones Unidas. Los planes deberán ser hechos sin fecha de ejecución. Se lo dice a un grupo reducido de almirantes.

En medio de todo esto se mezcló otro asunto: en 1979 el empresario Constantino Davidoff —que había sido estudiante, apenas un año, en la Escuela de Suboficiales de la Fuerza Aérea y que la abandona por problemas económicos en la familia— hizo un contrato de compra de 30 toneladas de chatarra por 115.000 libras (en esa época se ganaba siete millones de libras) en tres apostaderos, o bases logísticas de barcos balleneros. Para llegar a formalizar ese contrato tuvo que pasar el filtro de las autoridades inglesas, que al principio mostraron cierta reticencia. Con el contrato firmado pide al buque inglés "Endurance" para transportar la mercadería, pero el gobierno inglés se lo negó. Davidoff estimaba que sus tareas terminaban en 1984. En la Cancillería argentina se interesan por el proyecto y hablaron con la Armada.

En los días finales de la presidencia de Jorge Rafael Videla, el 3 de febrero de 1981, siendo canciller Carlos Washington Pastor, el embajador Ángel María Olivieri López, director general de Antártica y Malvinas, firmó el Memorándum N° 53 comunicando que "en el día de la fecha esta Dirección General fue informada, a través de una llamada telefónica del señor Olima, ex funcionario de esta Cancillería y actual gerente del Banco Juncal, que el señor Constantino Davidoff solicitó de esa entidad financiera la extensión de un crédito, destinado a la adquisición de todo el material abandonado por la ex Compañía Argentina de Pesca en las islas Georgias del Sur". Además, informaba que Davidoff es uno de los directivos de "una empresa constituida íntegramente con capitales argentinos, dedicada a la compra de chatarra, la que en este caso comprendería los galpones y el dique seco abandonados, a la vez que una serie de barcos hundidos en las cercanía de tales instalaciones".

En el punto 3°, Olivieri López relató que "la entidad vendedora sería la Christian Salvesen Ltd de Inglaterra y copia del contrato respectivo" le fue "remitido al gobernador de Malvinas, señor Hunt". Finalmente, expresó que Olima "informó haber recabado la opinión de la embajada británica, la que expresó, por intermedio del secretario Gozney, que puesto que entiende que se trata de una operación comercial privada, no es asunto de su competencia".

Davidoff quería ir a las Georgias por un bajo precio a reconocer el material. La Armada lo sigue atentamente: del Comando de Operaciones Navales dependía el Comando de Operación Naval Antártico y de éste el transporte. Aprovechando el viaje del buque "Almirante Irízar" con seis civiles, inspecciona, y se vuelve (diciembre de 1981). El 11 de marzo de 1982, "43 personas, el material para el sostén logístico y los medios materiales para trabajar —en total 80 toneladas— fueron embarcados en el ARA 'Bahía Buen Suceso', buque perteneciente a la línea 'Costa Sur' de Transportes Navales... con destino, como primer puesto, a la isla de San Pedro, en Georgias del Sur".[28] Un día, el embajador Blanco invitó a almorzar a su casa a los contralmirantes Eduardo Morris "el inglés" Girling (Servicio de Inteligencia Naval) y Edgardo Otero (Operación Naval Antártica). Estaban cerca los días de las negociaciones en Naciones Unidas. Sacó el tema pero no se le dijo nada. No creía que podía haber una "operación", sólo buscaba información de Davidoff. La operación "Alfa B", es decir acoplar efectivos navales a los chatarreros, fue cuidadosamente meditada por la Armada.

A grandes rasgos, la planificación de la "operación" para ocupar las Malvinas, el Reino Unido la conocía. Tanto es así que en 1977 ellos arman un plan preventivo de recuperación de las islas.

Cuando la situación comienza a descomponerse, se incorporan el Cuerpo V (Osvaldo García) y la Fuerza Aérea (Plessel). El Teatro de Operaciones Malvinas (TOM) lo preside el general García y en los detalles finales tuvieron participación directa, entre otros muy pocos: Lombardo, Américo Daher (comandante de la Fuerza Terrestre), Plessel, Gualter Allara (comandante de la Fuerza de Tareas Anfibias) y Carlos Busser (comandante de la Fuerza de Desembarco).

En medio de la planificación, se formula una pregunta: ¿Qué pasa si hay reacción inglesa contra civiles argentinos? Entonces aparece el grupo "Alfa B", integrado por militares, que operaría en una "medida preventiva". El grupo se embarca en Ushuaia hacia las islas Georgias en el "Bahía Buen Suceso". Cuando se descompone todo, Lombardo pide que paren la operación "Alfa B", pero ya estaban ahí. Entonces ordena que se queden preventivamente. Al entender de la fuente, el envío del buque "Endurance" manifestó el primer gesto bélico de Gran Bretaña. El embajador Williams dijo que iban 22 "marines" a sacarlos. El "Bahía Buen Suceso" estaba en las islas Orcadas, con los 14 marinos: 2 oficiales, médico y personal táctico y comandos. Cuando los van a sacar por la fuerza se le ordena al "Bahía Buen Suceso" que llegue antes a Puerto San Pedro. Antes que el "Endurance" se entiende. La primera fuerza que la Argentina destaca es en isla San Pedro. Por esos días, el comandante en jefe de la Armada inglesa se va a Gibraltar para presenciar un ejercicio. Y le dice a Woodward que prepare preventivamente una flota. El 29 de marzo, Thatcher autoriza que 3 submarinos nucleares se desplacen al Sur ("Trident", "Spartan" y "Conqueror").

Londres queda a 11.000 millas de Malvinas. La isla Ascensión a 6.000 millas. Sin la base de los Estados Unidos en Ascensión la recuperación inglesa de Malvinas habría resultado muy costosa. Inglaterra tenía un "plan de contingencia" (no sólo para Malvinas, sino también para necesidades de la OTAN o la Comunidad Económica Europea). Sólo así se comprende cómo se formó una Fuerza de Tareas británica en tan poco tiempo. Ese plan era importante, porque "impedir" costaba menos que "recuperar".

De "invasión" recién se hablaba para mayo. Y la Fuerza Aérea en septiembre. La Armada iba a contar con 6 Super Etendard y 3 aviones Orion más, antes de mayo del '82. Durante los enfrentamientos armados, los aviones argentinos llegaban a los blancos pero no les quedaba más autonomía para atacar otros objetivos. Por eso, al almirante Woodward, el comandante de la flota que operó en Malvinas, lo llamaban (los marinos argentinos) "el africano". Estaba más cerca de África que de Malvinas. Dirigió todo desde 200 millas atrás de Malvinas, donde los pilotos argentinos no podían llegar.

Con el paso de los años y el conocimiento de muchos documentos secretos e intimidades, se pudo dilucidar, puntualmente,

291

la larga cadena de decisiones que condujeron a los enfrentamientos en el Atlántico Sur. Grupos "Alfa" y "Alfa B"; planeamientos en la Armada Argentina; resoluciones en el seno de la Junta Militar; confidencias de los protagonistas e instrucciones dadas en voz muy baja, ante la descomposición del frente interno, político y social, argentino.

A pesar de eso, el almirante Anaya explicó que "el 19 de marzo desembarcaron en el puerto de Leith, islas Georgias del Sur, los trabajadores de la Compañía Georgias del Sur SA del señor Davidoff. Gran Bretaña, los días 20 y 21 inició una escalada del incidente lo cual resultó inexplicable en la Argentina por cuanto no era la primera vez que estos viajaban a las islas; no había ningún contingente militar entre los trabajadores (como lo vuelve a ratificar incluso el informe Franks en 1983); se estaba cumpliendo con el contrato anglo-argentino en regla; y se había informado, el día 9 de marzo, a la embajada británica en Buenos Aires, que el 11 de marzo el buque partía rumbo a Leith. Asimismo, los trabajadores estaban munidos de la documentación necesaria especificada en los acuerdos de 1971. [...] Todo ello refuerza la impresión de que el incidente Davidoff es creado y magnificado por Gran Bretaña para justificar la no negociación y refuerzo de las Islas Malvinas. Esto quedó comprobado por el envío, el día 20 de marzo, del buque "Endurance" a echar por la fuerza a los obreros de Davidoff.

Todo este incidente fue analizado por la Junta Militar el 23 de marzo, resolviéndose, como medida de emergencia, el envío del "Bahía Paraíso" a las Georgias del Sur para lo cual se desviaría de la misión que cumplía en la campaña antártica. El "Bahía Paraíso" cumpliría con evitar la forzada evacuación de los trabajadores argentinos por el "Endurance" que se encontraba allí a partir del 21-22 de marzo con un contingente de marinos a bordo, además de sus armamentos convencionales. En dicha reunión, así como en las reuniones de los días 24 y 26 de marzo se continuó analizando la situación planteada por el incidente Davidoff a la luz de la centenaria disputa con Gran Bretaña por la soberanía de las Islas Malvinas, Georgias del Sur y Sandwich del Sur.[29]

Ante el incidente en las islas Georgias del Sur, el sábado 20, el canciller apuntó que "nadie en la Cancillería esperaba este episodio".[30] En los años siguientes, la opinión se desplomaría ante las evidencias aportadas por testimonios de los protagonistas y circunstanciales testigos.

"El operativo de las Georgias fue preparado con mucha antelación. Yo lo sé porque el barco que transportó a los chatarreros también llevaba gente del Comando Antártico, para la segunda escala del viaje. El capitán del barco, cuando zarpó, recibió dos sobres cerrados: Uno con la orden de cortar el contacto de radio (en determinado día); otro en el que se instruía dirigir el barco primero a las Georgias. Todo el operativo fue realizado sobre la base de que los ingleses no responderían. Existió una gran improvisación, en todos los órdenes."[31]

El martes 23 de marzo, la cuestión que se estaba desarrollando en las islas Georgias del Sur saltó a las tapas de los matutinos. "Fue rechazada una protesta británica" tituló *La Nación*, que además hablaba de "desmanes en las Malvinas" y que "la Cancillería desestimó el reclamo del Foreign Office que consideró violada la soberanía que Gran Bretaña se atribuye en las islas Georgias del Sur". "Simbólica ocupación de las Georgias del Sur" tituló *Clarín* a cuatro columnas, además de relatar que "un grupo de argentinos izó la bandera argentina y cantó el Himno Nacional, tras lo cual se retiró. Protesta británica. Malvinenses atacaron las oficinas de LADE (Líneas Aéreas del Estado) en el archipiélago".

"Alrededor del 22 o 23 de marzo, cuando se preparaba una nota de respuesta al gobierno británico, Enrique Ros dijo 'endurezcan las condiciones a ver si los ingleses aceptan y nos arruinan la operación' (invasión). Pretendían que Gran Bretaña reconociera públicamente que los obreros argentinos en las Georgias del Sur estaban sin problemas, sin el contralor requerido por los británicos, y dos o tres puntos más que resultaban inaceptables. En esa reunión participaron Federico Erhart del Campo, Guillermo González, Marcelo Huergo, Enrique Candiotti (consejero legal) y dos o tres funcionarios mas. Cuando el embajador Williams vio la respuesta, dijo: 'Señor embajador, esto es la guerra' y Ros respondió: 'Es la guerra'."[32]

Nuevo aniversario del inicio del Proceso. Habló "El gallego"

De Jesús Iglesias Rouco se pueden decir —y se dijeron— muchas cosas. Fue visto como una suerte de fantasma apocalíptico por muchos funcionarios militares y varios cancilleres. A veces, si el olfato le fallaba, podía comprar "carne podrida",[33] pero era frontal, incisivo hasta la persecución del "personaje" del momento y mordaz. En 1982, era el columnista estrella de *La Prensa* de la familia Gainza, cuya redacción quedaba en el legendario edificio de Avenida de Mayo, a metros de la Plaza. "El gallego" era un antiperonista rabioso y un observador muy crítico del gobierno militar, a pesar de que nunca estuvo "afuera" del "sistema" que los militares supieron formar. Como en otros ámbitos, dentro de ese "sistema" había periodistas de todo pelaje y color. Unos participaron del juego, otros decían lo que se podía y otros fueron más allá, especialmente cuando el régimen militar comenzó a desmoronarse. "El gallego" era uno de estos. Total ¿qué se le podía reprochar, escribiendo desde *La Prensa* y siendo un insospechado profesional que nunca tuvo contactos con el fenómeno subversivo de ultraizquierda? En 1985, en su etapa final en la Argentina, fundó *El Informador Público*, un semanario que alcanzó gran repercusión y ventas cuando la crisis militar de Semana Santa (1987). La columna "Años inconcebibles",[34] escrita para recordar el sexto año del 24 de marzo de 1976, es digna de mención. Expresaba el pensamiento medio de gran parte de la clase media argentina de aquellos años:

"Junto con las diversas dictaduras peronistas, estos seis años de 'proceso' serán recordados como una de las etapas inconcebibles de la historia argentina. Salvo sus enunciados o supuestos objetivos, que nunca se cumplieron —y que quizás nunca se quisieron cumplir— y la decisión de no seguir negociando con el terrorismo sino de hacer de frente con las armas en la mano —con las armas, pero no con la ley, ni siquiera con la administración de la ley, lo cual condujo a la destrucción del principio jurídico del Estado, y hasta el desmantelamiento del Estado mismo, y a un drama de sangre y vacío de responsabilidad cuyas secuelas estrangulan hoy la conciencia de muchos argentinos y el porvenir político de la república—, el resto de lo hecho y no hecho desde

1976 sólo puede inscribirse, o casi, en los anales de la parodia, la falacia, la corrupción intelectual y moral, el simple latrocinio, la ruina, el ridículo, la locura o la comedia de enredo, según los casos. Y aun así mañana, con la devastación a la vista, quienes ahora detentan el poder van a celebrar el inicio de semejante estado de cosas. Parece, en verdad, demasiado. También resultaría excesivo cargar exclusivamente este saldo en la cuenta de los jefes de las Fuerzas Armadas, o en las Fuerzas Armadas mismas. Lo más grave de la situación actual es que por acciones u omisiones sistemáticas, la mayor parte de la ciudadanía argentina, incluida la más ilustrada, también tiene algo que pagar a su historia; y que todavía no acepta tal obligación, o no la comprende. Pero, como suele decirse, la vida continúa, hasta para quienes se empeñan en ver nacimientos donde sólo deberían ver funerales."

"Tenemos conciencia de la gravedad que alcanzan algunos problemas sectoriales y particulares en el marco de la situación económica general y sabemos que no existen soluciones milagrosas capaces de resolver simultáneamente todas las dificultades. No obstante pretendemos avanzar prudentemente en la solución de esos problemas, tratando de no generar, con paliativos de efímera eficacia, nuevos desequilibrios que afecten al proceso de recuperación emprendido", leyó el contralmirante Joaquín Gómez en nombre de la Junta Militar en el acto central del 24 de marzo, realizado frente a la iglesia Stella Maris. La Junta también estableció en su mensaje que habría "límites para el disenso" y que a mitad de año se daría el Estatuto de los Partidos Políticos. La situación en las islas Georgias continuó en las tapas de los matutinos y se informó de la reunión del Comité Militar.

"Entiendo que la decisión de desembarco se adoptó en Buenos Aires el 26 de marzo y esto llegó inmediatamente a conocimiento de los americanos e ingleses."[35] Lo mismo dijo el almirante Carlos Alberto Busser ante el Consejo Supremo de las FF.AA. *La Nación* del sábado 27 relató que el presidente Galtieri estuvo reunido con el Comité Militar, en la sede del Comando en Jefe del Ejército, y retornó a la Casa Rosada poco antes de la medianoche. Al llegar fue sorprendido por el periodismo que aún permanecía en la sede de gobierno y reconoció que se había escuchado una larga exposición del canciller. Galtieri no contó, en esos momentos, que el Comité Militar había aprobado, con las presencias de Costa Méndez y Menéndez, el documento N° 4 en las que se disponía la recuperación de las Islas Malvinas el jueves 1°, el viernes 2 o el sábado 3 de abril, según sean las condiciones en el escenario del conflicto... las comunicaciones con la fuerza de desembarco quedarían interrumpidas a las 18 horas del miércoles 31 de marzo.[36] Posteriormente, Anaya reconoció que "el día 25 de marzo se recibió información de inteligencia proveniente de Londres acerca de la voluntad británica de no buscar una salida negociada y del envío de fuerzas británicas al área de Malvinas y Georgias del Sur. En vista de eso, el Comité Militar ordenó el 26 de marzo poner en marcha la operación de recuperación de las Islas Malvinas".

Ese viernes 26, el ministro de Economía, Roberto Alemann, viajó a Cartagena, Colombia, donde se desarrollaría la asamblea anual del Banco Interamericano de Desarrollo (BID). Y según Solanet, ignoraba todo, absolutamente todo lo que estaba por venir. Un hecho sorprendente, si fuera así, porque el ministro Sergio Martini estaba al tanto de algunos detalles alrededor de la cuestión Malvinas, que tenían una fuerte incidencia económica. A través del Memorando "S" N° 122/82 del 23 de febrero, la dirección general de Antártida y Malvinas, le envió al subsecretario Enrique Ros un trabajo del Ministerio de Obras y Servicios Públicos que ya había pasado por las manos de Costa Méndez a comienzo del mes.[37] Era una ayuda memoria que básicamente proponía "una especie de 'vaciamiento' de Malvinas, mediante el arbitrio de facilitar la partida de los habitantes isleños, mediante la adquisición de sus bienes inmuebles, el pago de los gastos de transporte de sus pertenencias a un nuevo lugar de residencia, como así también los de reinstalación".

"Los sucesos que tienen lugar en la isla San Pedro de las Georgias del Sur, son seguidos por mi gobierno con preocupada atención" y "me ha movido a enviar este mensaje, con el propósito de disipar cualquier equívoco acerca de los motivos que inspiran a mi gobierno", le escribió Costa Méndez al canciller británico lord Peter Alexander Rupert Carington, el domingo 28 de marzo. Después de una corta explicación sobre las actividades de los argentinos desembarcados en Leith, el canciller argentino le aclaró que "esos territorios son considerados por la República Argentina como suyos y que la disputa de soberanía sobre ellos ha sido reconocida por las Naciones Unidas en sus resoluciones pertinentes. El Gobierno de Vuestra Excelencia ha aceptado la existencia de esta disputa de soberanía". Y tras reprochar la "respuesta desproporcionada y provocativa, que se ve agravada por haber recibido una amplia difusión periodística", Costa Méndez le recordó a Carrington que la situación a la que se ha llegado es consecuencia de "la actitud negativa del Gobierno de Vuestra Excelencia a lo largo de muchos años de negociaciones... que hoy exceden los tres lustros". La carta fue entregada por el canciller argentino al embajador Williams a las 9.30. Después de 43 minutos, el representante británico se retiró del Palacio San Martín llevando el documento en un maletín oscuro.

En la tarde del mismo domingo, a pesar de los trámites diplomáticos, en pleno desarrollo, salía de Puerto Belgrano la flota que transportaba las tropas que ocuparían las Islas Malvinas. Horas antes, Margaret Thatcher se comunicó telefónicamente con lord Carrington para expresarle su ansiedad por la situación. El ministro le cuenta que le envió un mensaje al secretario de Estado de los EE.UU. solicitando su intervención como mediador.

Al día siguiente, Costa Méndez y Bonifacio del Carril volvieron a conversar. En esta ocasión, el canciller le informó a su amigo sobre los cursos de acción que se estaban estudiando frente a la intimación que el gobierno británico hizo al argentino para que retirase a los chatarreros de las Georgias. "Si la decisión de aprovechar el incidente de los chatarreros para tomar las Malvinas era definitiva (como le había anticipado el canciller a principios de mes), lo más conveniente para la Argentina es dejar que los británicos los saquen por la fuerza. Pues lo importante es contar con un hecho de fuerza ejecutado por los ingleses como acto inicial y no como una simple amenaza." Al mismo tiempo, le llamó la atención a Costa Méndez que "la superioridad militar inglesa es abrumadora y que en el campo económico Gran Bretaña podría ejercer fuerte acción contra la Argentina, porque a pesar de la decadencia del imperio, Inglaterra sigue siendo uno de los centros financieros más importantes del mundo".

La respuesta de "Canoro" no se hizo esperar: "Es muy difícil que Inglaterra se decida a actuar militarmente por el elevado costo de la operación". Además, dijo que "las Fuerzas Armadas tienen todos los planes previstos para neutralizar cualquier intento y que de todas maneras dispone de tres semanas antes de que los ingleses lleguen al lugar".

Posteriormente, "Fafo" del Carril evaluó que "el acto de fuerza que se prepara a ejecutar el gobierno va a ser contraproducente. Y me doy cuenta de algo peor: que cuando se haga el acto de fuerza se va a producir en la población un golpe emocional favorable a las Fuerzas Armadas y que va a ser muy difícil, en realidad negativo, pronunciarse contra la ocupación una vez producida".

"Aserrín, aserrán que se vaya el alemán." Una puesta en escena sindical de utilería

El martes 30 de marzo fue un día de clima templado. Las tapas de los matutinos tenían como títulos principales la designación de Guillermo del Cioppo[38] en la intendencia de la Ciudad de Buenos Aires y el nombramiento de monseñor José Miguel Medina como vicario castrense en reemplazo de Adolfo Tortolo. También se pronunció la extraña palabra "desestancar" la economía, en boca de Jacques Hirsch, presidente de la UIA, luego de finalizar una reunión con el presidente Galtieri. "Desestancar" pretendía completar el juego de las tres "D" del equipo económico (desinflacionar, desregular y desestatizar). El trasbordador Columbia debió retrasar su aterrizaje en Nuevo México, Estados Unidos, por el mal tiempo. Los diarios reseñaban una gran expectativa por una definición británica sobre lo que estaba sucediendo en el archipiélago Georgias del Sur, a pesar de que todavía no se sabía que una fuerza naval con infantes de Marina y miembros del Regimiento de Infantería 25 marchaba a ocupar las Malvinas. La cuestión sobre una presunta reacción inglesa preocupaba en todos los niveles. El sábado anterior había sido tema de conversación en una fiesta que dio el brigadier Basilio Lami Dozo, con motivo del casamiento de uno de sus hijos. En ese ágape estuvieron las principales figuras del gobierno y las Fuerzas Armadas y fue llamativo por la opulencia reinante en medio de un cuadro de serias restricciones. A la salida varios de los presentes (entre otros Francisco Cerro y Martín Dip) salieron abrumados por las informaciones que habían recogido de los incidentes que se estaban desarrollando en el Atlántico Sur (la fuerza de ocupación, en el mayor de los secretos, había salido a invadir las Islas Malvinas).

Mientras el conflicto se hallaba en plena escalada, en otros lugares de Buenos Aires, desde semanas antes, se discutía la interna sindical. Con el derrumbe de Viola y el "violismo" muchos de los dirigentes sindicales que habían mantenido diálogos y posiciones moderadas frente al proceso militar, especialmente los reunidos en la CGT Azopardo, cayeron en lo que dio en llamarse "la bolsa de los piojos". Había llegado la hora de la CGT Brasil, pero tenía que mostrar algo. Para mostrar ese algo, desde días antes se hallaban muy activos el coronel Bernardo José Menéndez y el sindicalista de la carne Lesio Romero. Desde que había asumido la comandancia en jefe del Ejército, el coronel Menéndez se encontraba cerca de Galtieri, abriéndole surcos con la dirigencia argentina. Después fue nombrado en el Ministerio del Interior, como subsecretario de Asuntos Institucionales e imaginaba "la pata social" del gobierno; Romero un dirigente sindical del peronismo había estado preso en el barco tras la caída de Isabel Perón, recordado por haber sido un asiduo visitante de los dirigentes trasladados al penal de Magdalena durante mucho tiempo. Pero Romero, aunque nunca lo decía, tenía un hermano oficial naval con el que mantenía contactos en las sombras. Es decir, estaba enfrentado con el régimen militar… pero conversaba.

También lo hacía el metalúrgico Lorenzo Miguel: junto con otros gremialistas (como Miguel Unamuno y Roberto García) se reunía con asesores militares de Galtieri en un departamento de la calle Carlos Pellegrini. Uno de ellos recordó años más tarde: "los sindicalistas sabían que la situación social era muy difícil —explosiva decían algunos— y nosotros también lo observábamos. Esa caldera debía producir un escape, una salida, para que no se agravara la situación. Al mismo tiempo, ellos tenían que presentar sus bases para después sentarnos a dialogar. Había que evitar el deterioro de la situación. No nos convenía a nosotros y no les convenía a ellos. Así siempre lo hablamos con Miguel, Saúl Ubaldini y Lesio Romero, entre tantos".[39]

"En el Ejército muchos no entendieron este planteo. El domingo 28 de marzo, a la mañana, se realizó una reunión presidida por Galtieri en el Comando en Jefe del Ejército para analizar la situación. Entre otros, asistieron Antonio Vaquero (Jefe del Estado Mayor), Cristino Nicolaides (comandante del Cuerpo I) y Alfredo Saint Jean (ministro del Interior). Se presentaron dos posiciones. Una sostenía que el acto sindical había que verlo políticamente, porque estaba armado como un acto político, entonces había que permitirlo. Observábamos, repito, que había que autorizar a que se produjera un escape y obtener un respiro. Que la caldera no explote. Una segunda, con Vaquero y Nicolaides a la cabeza, consideraba que el acto sindical había que tomarlo como un 'acto subversivo'. Por lo tanto enfrentarlo como a la subversión, con severidad y violencia. Galtieri, presionado, optó por esta segunda visión.[40] Fue dramático. Luego del acto, que fue seriamente reprimido, iban llamando los gobernadores para informarnos lo que sucedía en sus provincias, donde el Ejército puso bajo su mando operacional a las policías provinciales. En varias provincias se realizaron serios desmanes, con mucha represión. Casualmente, en una de esas reuniones previas al 30 de marzo, más precisamente el 27, Lorenzo Miguel me preguntó: '¿Qué está pasando en las Malvinas?' No sé, respondí."

En trazo grueso, se armó una interna en la que los díscolos debían ganar la calle, demostrar su poder de movilización, para luego aparecer como interlocutores válidos con Galtieri. Eso acordaron muchos mientras otros ignoraron la trama que se estaba formando. El viernes 26, Saúl Ubaldini recibió públicos apoyos de otros gremios y partidos políticos (intransigentes, socialistas y democratacristianos) en reclamo del retorno "a la normalización institucional" y por "la justicia social". Hasta el almirante Massera y su partido por la Democracia Social bajaron la orden "todos a Plaza de Mayo". "Si la revolución no se hace desde el poder se hará desde la calle", escribió el ex miembro de la Junta Militar.[41] La consigna cegetista fue "Paz, Pan y Trabajo" y se pedía el cambio de la conducción y la política económica.

La columna principal con sus dirigentes a la cabeza salió de Brasil 1482. Se veía a Ubaldini, Lorenzo Miguel, Ricardo Pérez, José Rodríguez, Manuel Pedreira, Roberto García, Ramón Valle, Carlos Ruckauf, José Zanola, Fernando Donaires, Manuel Diz Rey, Alfonso Millán, Juan José Taccone y Lesio Romero. El microcentro, cerca de la Plaza de Mayo, parecía una "ciudad ocupada", al decir del radical Antonio Tróccoli, por las numerosas fuerzas policiales. Corridas, enfrentamientos, detenciones, gases y agua fueron el fruto de la jornada. Entre los 400 detenidos hubo muchos dirigentes sindicales y políticos. Entre otros Carlos Saúl Menem que fue liberado poco después. No se entendía cómo un gobierno que estaba en camino de una ocupación militar a las Malvinas mostraba un frente interno tan resquebrajado. Falta de coordinación y desorden, características que le fueron imputadas al propio subsecretario Menéndez tras los hechos, ya que horas más tarde debió llamar a los mismos dirigentes para pedirles solidaridad frente al conflicto internacional en ciernes. Una frase quedó flotando en el ambiente. Se la adjudicaron a Lorenzo Miguel, cuando fue interceptado por un grupo policial: "Mire que Galtieri se va a enojar si me detiene". En la Casa Rosada se pensó en abortar el día D para Malvinas, pero ya no se podía. La flota se había embarcado el 28 de marzo y se encontraba navegando rumbo a su destino. El 31 de marzo cortó las comunicaciones. Fue en esas horas que llegó a una de las máquinas del subsuelo del Palacio San Martín, un mensaje en clave desde Ginebra. El embajador Gabriel Martínez informó de la imagen distorsionada y "falsa de la realidad" que se proyectaba de la Argentina a través de los corresponsales extranjeros.[42]

El martes 30 de marzo, considerando que el conflicto en las islas Georgias amenazaba con escalar, el secretario de Hacienda (que todavía no había sido informado) se comunicó con Egidio Ianella, presidente del Banco Central, y le pidió que analizara la situación de las reservas argentinas colocadas en el mercado de Londres. En realidad, la preocupación de Manuel Solanet fue la misma que tenía, en esas horas, el encargado de Negocios argentino en Londres, ministro Atilio Molteni. Fue él quien dispuso sacar los fondos argentinos disponibles (llegaban a cerca de 2.000 millones de dólares) a través de la sucursal del Banco de la Nación, en las primeras horas del 2 de abril.[43] Antes hubiera delatado una situación sospechosa (precisamente, uno de los reproches que hace el Informe Franks es no haber frenado la remesa de divisas argentinas). Con ese dinero que fue salvado de la incautación o el congelamiento, se pagó gran parte del "esfuerzo de guerra". Lo sorprendente fue que ni el gobierno de Galtieri, ni la conducción de la Cancillería, hubieran reparado en ese detalle. El 3 de abril, el gobierno inglés anunció el congelamiento de las cuentas del Estado argentino. "Banco Central ha informado importe alcanzaría a 123 millones de dólares depositados a interés de plazo fijo. Banco Provincia retiró todos sus fondos. Otros fondos depositados fueron movilizados por Banco Central durante últimos días."[44]

30 de marzo: Tras los incidentes en las islas Georgias del Sur, el canciller convocó en el Salón Verde del Palacio San Martín a la primera línea de la Cancillería. Luego de tomarles juramento de mantener el secreto, expuso sobre la situación en Malvinas; recordó las distintas etapas de las negociaciones en los últimos años; recordó las magníficas relaciones con Sudáfrica; mencionó las excelentes relaciones con los Estados Unidos "grandes defensores de los pueblos jóvenes contra los colonizadores y su rol en el mundo contra el comunismo"; mencionó la decadencia del Reino Unido y del gobierno de la señora Margaret Thatcher (quien seguramente perdería las próximas elecciones); la difícil situación económica de su país que lo llevaría a vender su único portaaviones y otros barcos de guerra por no poder mantenerlos y finalmente, de que alguien tenía que tener el coraje de hacer algo por la recuperación de las Malvinas y no olvidó decir que todo esto facilitaría la difícil situación política con Chile.[45] Luego de hablar formuló una pregunta: "Señores, ¿hay alguna pregunta?". El embajador Keller Sarmiento, jefe del Departamento Europa Occidental, pidió hacer unos comentarios, los que no fueron grabados. Aunque lo que pensaba lo volcó en un memorando de cuatro carillas al canciller.[46]

"Parto de la base —escribió Keller Sarmiento— que llevar el conflicto a un enfrentamiento militar de resultado dudoso para la Argentina es nuestra peor opción. (Total aislamiento, riesgo de una humillación, graves consecuencias económicas, institucionales y políticas, destrucción parcial o total de nuestra Fuerza Aérea, flota y efectivos militares, probable caída del gobierno, disminución de la capacidad para negociar con el Reino Unido el futuro status de las Islas, probable creciente intervención de Brasil o Chile como fuerza de paz y pérdida de credibilidad y prestigio en el ámbito internacional).

"De acuerdo a lo conocido hasta el momento, en un enfrentamiento militar es muy difícil contar con la victoria total argentina. En caso de victoria parcial se enardecerían los ánimos, podría sobrevenir un probable bloqueo de puertos, subsistirían las medidas de agresión económica por parte de la CEE que podría extenderse a otros países e incremento creciente de la opción URSS para nuestro país. Estimo que ésta debería evitarse."

31 de marzo, se le envió un largo cable "S" al embajador Eduardo Roca, instruyéndolo a solicitar el 1° de abril, "en hora que será determinada a vuestra excelencia telefónicamente", "a fin de llamar la atención del Consejo de Seguridad la situación de grave tensión existente entre la República Argentina y el Reino Unido de Gran Bretaña e Irlanda del Norte". En otro cable "S", "Muy Urgente", se le ordena a Roca que "simultáneamente con presentación nota a Consejo de Seguridad, sugiérese a V.E. entrevistar a representantes permanentes de China y de Unión Soviética fin de imponerlos situación. V.E. les señalará que Argentina confía en seguir contando con tradicional apoyo sus países sobre cuestión Malvinas…".

NOTAS

[1] Agencia EFE, 2 de febrero de 1982.

[2] Diálogo del ex presidente Galtieri con el autor, el 29 de julio de 1982. *Clarín*, 2 de abril de 1983.

[3] *Clarín*, 11 de febrero de 1982, pág. 6.

[4] *La Nación*, 24 de febrero.

[5] *La Nación* 28 de febrero.

[6] Febrero 22 de 1982. Archivo del autor.

[7] *Clarín*, 1° de marzo de 1982.

[8] Punto número 1.

[9] Copia en el archivo del autor.

[10] Margaret Thatcher, *Los años de Downing Street*, Sudamericana, Santiago de Chile, 1993.

[11] Informe citado 3.1.057.10, corregido por Costa Méndez, pág. 5.

[12] *Revista Militar* N° 742, pág. 27.

[13] *Malvinas, la trama secreta*, Sudamericana, Buenos Aires, 1983, pág. 65.

[14] *La Nación*, 4 de marzo de 1982.

[15] *La Nación*, 4 de mayo de 1982, pág. 2. Está claro que es un mensaje plantado "para quien corresponda". El autor vivía desde hacía más de 2 años en Washington, recorría los "ambientes diplomáticos" y no encontró que las "autoridades" norteamericanas, hasta ese momento, le otorgaran envergadura y atención especial al problema de las Islas Malvinas. Sin ánimo descalificador para con Moleón, a quien he tratado, el influyente periodista de Bahía Blanca siempre tuvo un trato especial y ameno con la Agregaduría Naval argentina en Washington. Moleón fue, además, un buen amigo del ex ministro de Economía de Cámpora y Perón, José Ber Gelbard. En su refugio de los militares en Washington murió en el hotel Fairfax. Cuando tuvo el ataque fatal, a su lado estaba la esposa de Moleón.

[16] Conversación con el embajador en Brasilia, Hugo Caminos. Apuntes del autor, 30 de julio de 1982.

[17] Apuntes del autor. Los primeros asesores de la Inteligencia sandinista fueron miembros del PRT-ERP. Luego los montoneros hicieron un relevamiento de la capital nicaragüense en previsión de incidentes sociales. A renglón seguido llegaron a poner "orden y profesionalismo" los cubanos, alemanes y búlgaros. Informado al autor en Managua por una fuente de la Inteligencia del Frente Sandinista que deseaba abandonar el país. Enero de 1983.

[18] *La Nación*, 8 de marzo.

[19] *Clarín*, 18 de marzo de 1982, pág. 8.

[20] Memorando desclasificado por el Departamento de Estado. Título: "Viaje del Embajador Enders a la Argentina y Chile. Marzo 6-10, 1982. Lista de contenidos".

[21] Costa Méndez, *Malvinas, ésta es la historia*, Sudamericana, 1993, pág. 100.

[22] "Cómo se perdió la paz", Bonifacio del Carril, *La Nación*, 4 de abril de 1999.

[23] Tato Bores optó por hacer teatro cómico musical con Nélida Lobato (Haydée Nélida Menta), casada con el coreógrafo Heber Lobato en el Maipo.

[24] En los diarios de ese día se informó, solamente, que la Junta Militar analizaría la designación del intendente de la Ciudad de Buenos Aires.

[25] Memorandos 3.1.057.10 y 3.1.057.12

[26] Crónicas dominicales de *La Nación* y *Clarín* del domingo 14 de marzo de 1982.

[27] Testimonio de un alto jefe naval que participó en la planificación y que solicitó no ser identificado.

[28] Información extraída del cable 616, del 24 marzo de 1982. También figura la lista del personal. Enviado a Londres y Naciones Unidas.

[29] Documento 3.1.057.10, pág. 6.

[30] Costa Méndez, *op. cit.*, pág. 107

[31] Coronel Sullivan, director del Comando Antártico. Apuntes del autor, 16 de agosto de 1982.

[32] Diálogo íntimo con uno de los asistentes el 10 de junio de 1982.

[33] Término de la jerga periodística que manifiesta información falsa o dirigida por la fuente para perjudicar a alguien.

[34] *La Prensa*, 23 de marzo de 1982.

[35] Fuente diplomática argentina.

[36] *La Nación* del 9 de abril de 1992, pág. 8. Relato escrito por José Claudio Escribano.

[37] De la privada del canciller, el trabajo salió el 4 de febrero de 1982.

[38] Se impuso a Norberto Peruzzotti, titular de ADEBA.

[39] Diálogo "off the record" con un íntimo asesor militar de Galtieri.

[40] El ministro Saint Jean declaró el 1° de abril que el acto había constituido una "gimnasia subversiva". *Clarín*, 2 de abril, pág. 12.

[41] *La Razón*, 30 de marzo de 1982.

[42] Cable "S" 903, 31 de marzo de 1982.

[43] Cable "S" 833, 3 de abril de 1982.

[44] Cable "S" N° 753, desde la Representación en Naciones Unidas al canciller Costa Méndez.

[45] Memorias del embajador Carlos Keller Sarmiento, Grupo Editor Latinoamericano, Buenos Aires 2001.

[46] 14 de abril de 1982. Memorando: tema Malvinas.

9. LA DECISIÓN DE MALVINAS. PRIMER TRASPIÉ DIPLOMÁTICO EN LAS NACIONES UNIDAS

◆

Alrededor del 30 de marzo, un funcionario del servicio de Inteligencia británico ofreció, concretamente, que el secretario de Estado (segundo del Foreign Office) estaba dispuesto a reunirse en cualquier momento con el embajador Enrique Ros para tratar la situación. El ofrecimiento no fue aceptado.[1] El 1° de abril el encargado de Negocios en Londres informó que, según la BBC1, "el Foreign Office había ofrecido enviar emisario a Buenos Aires pero el gobierno argentino lo rechazó".

Por esas horas, un alto funcionario de la Cancillería argentina llamó al ministro Atilio Molteni para decirle que "el departamento que andabas buscando se va a desocupar". Eso quería decir que se iba a producir la invasión y que iba a tener que dejar Londres.

Los británicos y los norteamericanos detectaron los movimientos de los barcos de la flota argentina de ocupación; sin embargo esa información no fue comunicada (o ignorada) por el gobierno a los parlamentarios durante el debate del 1° de abril.

Ante la inminencia, una de las primeras decisiones de Margaret Thatcher fue enviarle un mensaje a su amigo Ronald Reagan para que intentara convencer a Galtieri de que no invadiera las islas. Es decir, la iniciativa fue de la primer ministro. Ante la inminencia de un ataque, Gran Bretaña pidió una urgente reunión del Consejo de Seguridad de las Naciones Unidas. Al mismo tiempo, la Cancillería instruyó al embajador Roca a presentar una nota fijando su posición, al tiempo que sugería "entrevistas a los representantes permanentes (dentro del Consejo de Seguridad) de China y Unión Soviética a fin de imponerlos de la situación. Vuestra Excelencia les señalará que Argentina confía en seguir contando con tradicional apoyo sus países sobre cuestión Malvinas en caso cuestión se presente en el Consejo de Seguridad".[2]

El presidente de los Estados Unidos, durante el jueves 1° de abril, hizo esfuerzos por comunicarse con Galtieri, pero el presidente argentino demoró la llamada. A las 22.30 Galtieri levantó el tubo y conversó con Reagan,[3] en presencia del consejero Roberto García Moritán que ofició de traductor. Los documentos revelan que presenció la conversación el contralmirante Roberto Benito Moya (jefe de la Casa Militar), porque hay una transcripción del diálogo hecha a mano y firmada por el jefe naval.[4] Durante la conversación, Reagan ofreció mediar en el conflicto.

REAGAN: Sé que ha habido dificultades entre nuestros países, mi predecesor no manejó bien nuestra relación con Argentina, situación que he tratado de cambiar. Si usted procede en su ataque mañana y Gran Bretaña resiste con fuerza, como sé que lo hará, no podrá evitar que mis conciudadanos no posibiliten el mantenimiento de nuestras relaciones. Le pediría a mi vicepresidente que viaje y trate de arreglar esta situación, pero por favor eviten el conflicto.

GALTIERI: Le agradezco pero es tarde, los hechos están lanzados.

REAGAN: ¿Eso quiere decir que siguen adelante con el desembarco?

GALTIERI: Eso quiere decir que la Argentina es una Nación soberana y tiene la libertad de decidir la utilización de sus medios diplomáticos o la fuerza.

REAGAN: Si hay desembarco, habrá resistencia y la violencia continuará.

GALTIERI: Si esta noche Gran Bretaña reconoce nuestra soberanía, el gobierno argentino tiene muy buena voluntad para efectuar la transferencia durante el año 1982.

REAGAN: Lamento mucho esto, vamos a ver un conflicto armado. Le ofrezco mis buenos oficios en Naciones Unidas o donde ustedes lo deseen. Creo que será una trágica situación de guerra en el Hemisferio Sud.

Al finalizar el diálogo, Ronald Reagan le envió un mensaje a la "Dama de Hierro":[5] "Querida Margaret. Acabo de hablar en extenso con el general Galtieri. Le trasmití mi preocupación por la posibilidad de una invasión argentina. Le advertí que el inicio de las operaciones militares comprometería de manera seria las relaciones entre los Estados Unidos y la Argentina. [...] El general escuchó mi mensaje, pero no asumió ningún compromiso. [...] No seremos neutrales si los argentinos apelan al uso de la fuerza".

Viernes 2 de abril: Por la mañana, el canciller Costa Méndez llamó al encargado de Negocios en Londres y por "Carola"[6] le informó que las tropas argentinas habían desembarcado exitosamente en las Islas Malvinas. Ya tenía sobre su mesa de trabajo los adelantos de las ediciones de los matutinos porteños del día: "Tropas argentinas desembarcaron en las Malvinas" y "Preocupa a EE.UU. el conflicto", eran los títulos de *Clarín*.

El mismo 2 de abril, el encargado de Negocios en Londres, Atilio Molteni, fue citado a concurrir al Foreign Office a las 17. Cuando llegó observó que estaban en la entrada del edificio las cámaras de las cadenas de televisión y el periodismo escrito. Se hizo llevar en un Mini Cooper con el que pasó desapercibido y entró por una puerta del costado. Lo hicieron esperar cerca de media hora en la sala de ceremonias, un salón con escasa luz adornado de cuadros que reflejaban glorias del pasado del Reino Unido. Cuando fue invitado a pasar, el secretario del Foreign Office le comunicó la ruptura de relaciones diplomáticas (y consulares).[7] El alto funcionario le dijo que la medida se había decidido porque la Argentina había invadido suelo británico. Molteni respondió que la Argentina sólo había vuelto a lo que era de ella. El funcionario respondió que la cuestión se iba a discutir en las Naciones Unidas y "elsewhere" (otro lugar). El otro lugar era el campo de batalla. Los asuntos británicos a partir de ese momento fueron representados por Suiza. Según se desprende del cable "S" 824, del 2 de abril, Molteni no sabía qué país iba a llevar los temas argentinos en Londres, ya que pide instrucciones. La respuesta desde Buenos Aires fue Brasil. Los entretelones nunca dijeron que en esas horas se pensó en dejar a Molteni en Londres, pero finalmente se resolvió que fuera el consejero Juan Fleming y la central de información periodística se trasladó a Ginebra, a cargo del embajador Gabriel Martínez. Molteni volvió a Buenos Aires para trabajar al lado de Listre en Organismos Internacionales que, en aquel entonces, tenía sus oficinas en el petit hotel de la calle Maipú, frente a la Galería del Este.[8]

Mientras se producía este diálogo (7 horas de la mañana en la Argentina), en la Casa Rosada se realizó la reunión del gabinete nacional en la que Leopoldo Galtieri, con la grandilocuencia que tenía reservada, informó a sus ministros la ocupación militar de las Malvinas y su diálogo con Ronald Reagan. Ya las fuerzas conjuntas habían tomado la casa del gobernador Rex Hunt, después de tres horas de intercambio de disparos. En los hechos cayó herido el capitán de fragata de Infantería de Marina Pedro Giacchino, jefe de los buzos tácticos y comandos anfibios. Murió desangrado al no poder atendérselo. Para llegar a él había que tirar a matar y la orden que tenían los argentinos no era esa.

El 2 de abril a la mañana, las radios comenzaron a leer el comunicado que informó: "La Junta Militar, como Órgano Supremo del Estado comunica al pueblo de la Nación Argentina que hoy a las 07.00, la República, por intermedio de sus Fuerzas Armadas, mediante la concreción exitosa de una operación conjunta ha recuperado las Islas Malvinas y Sandwich del Sur para el patrimonio nacional". En toda la Argentina se alzó un clima de triunfalismo poco común. Dudar del acierto de la decisión era traición. Por la tarde, Galtieri pronunció un discurso por lo medios explicando el hecho bélico y al atardecer, junto con algunos ministros (Alemann entre otros) caminó hacia el centro de la Plaza de Mayo para arriar el pabellón nacional. Cientos de personas lo vitorearon.

La Plaza de Mayo, cuyos alrededores habían sido el campo de enfrentamientos 48 horas antes, se convirtió en un Cabildo Abierto del que participaron todos, incluidos los políticos que hasta poco antes se oponían tenazmente al gobierno militar. Todos, salvo contadas excepciones, llenaron la plaza el 10 de abril y formularon declaraciones de adhesión. Basta observar en la edición de *Clarín* del mismo 2 de abril las opiniones de apoyo a la decisión de Ítalo Argentino Luder, Francisco Cerro, Mario Amadeo,

Martín Dip, Emilio Hardoy, Jorge Triacca y Manuel Aráuz Castex. "En materia de soberanía, no puede haber dos actitudes, sino la plena solidaridad nacional. Y cuando se trata del tema de las Malvinas, eso se fortalece con el indiscutible derecho de la Argentina a integrar su territorio nacional, por lo que recomiendo que, en la circunstancia, se proceda con extremado dinamismo y sin pérdida de tiempo", dijo el dirigente metalúrgico Lorenzo Miguel.

En la intimidad, las opiniones se hacían más realistas y sinceras. Por caso, el dirigente desarrollista Rogelio Frigerio consideró que la invasión iba a ser tomada como un acto de "piratería" que la comunidad internacional no podía consentir. "Un plan siniestro, ¿qué piensan, que los Estados Unidos van a apoyarnos?", le dijo a un reducido grupo de amigos que fueron a buscarlo al Aeroparque Metropolitano. Precisamente, en la madrugada del 2 de abril (cerca de las 02.00), el director de Personal del Palacio San Martín le preguntó respetuosamente a Costa Méndez:

—¿Usted está seguro que esto va a salir bien?

—¿Y por qué va a salir mal? —fue toda la respuesta.

"El arreglo diplomático va a ser muy difícil. Los Estados Unidos anunciaron su neutralidad, no juegan con la Argentina", comentó con aire más realista Arnoldo Manuel Listre, director de Organismos Internacionales de la Cancillería.[9] Su opinión coincidió con un gesto que algunos tomaron en cuenta: el almirante Thomas Hayward, jefe de Operaciones Navales de la Armada de los EE.UU., "anticipó su partida de Buenos Aires hacia Brasil en un día. Gesto tiene contenido político en razón [de] toma Islas Malvinas e impone al Brasil un día extra y no previsto de visita", informó por cable secreto la Subsecretaría de Relaciones Exteriores a las embajadas en Brasilia, Washington, Nueva York y Londres.[10]

La tendencia se vería reflejada con el paso de los días. El frente interno norteamericano no quería saber nada con el gobierno de Galtieri: "El examen de las principales tendencias de la prensa local hasta hoy domingo, permite formular siguientes apreciaciones", escribió el embajador Esteban Takacs, "la mayoría de los análisis han comenzado a cuestionar [la] razonabilidad de [la] posición equidistante asumida por la administración Reagan en la crisis. Comentarios enfatizan por un lado 'dictadura militar' con 'deplorable record de Derechos Humanos', que ha mantenido históricamente posiciones hostiles respecto de Estados Unidos, que no se plegó al embargo cerealero en [el] caso Afganistán y que continúa siendo principal abastecedor [de] granos de la Unión Soviética. A dichas imputaciones contraponen [el] caso del Reino Unido al que califican de país democrático, aliado histórico de Estados Unidos en situaciones críticas y pilar de la OTAN".

Seguidamente, la embajada argentina tomó nota cuando "diversos columnistas y comentaristas de televisión han cuestionado [la] participación [de] altos funcionarios del Departamento de Estado en comida [ofrecida por Takacs] del 2 del corriente en honor de la embajadora Kirkpatrick. Dichos comentaristas han pretendido que la presencia de los mismos en sede representación argentina constituyó un virtual 'aval' [para] toma de las islas". El embajador tuvo que aclarar a la prensa norteamericana que la cena había sido programada con anterioridad, lo que era cierto. Takacs también puso de relieve que para los medios locales, la ocupación de las Malvinas respondió "a circunstancias de orden interno, tales como dificultades políticas y económicas".[11] Similar análisis se difundieron en Londres en la prensa local, cuando "se recalca en despachos [de prensa] que el gobierno argentino busca sólo distraer la atención [de] sus graves problemas internos". A renglón seguido, Takacs hizo una especial mención a las "presuntas divergencias" dentro del gobierno de Reagan "para que la Casa Blanca defina más nítidamente su alineamiento junto al Reino Unido, superando [su] actual ambigüedad".

El sábado 3 de abril, Costa Méndez partió a Nueva York para participar en la reunión del Consejo de Seguridad de las Naciones Unidas. Viajó acompañado por los embajadores Erhart del Campo y Figueroa, más el secretario Julio Freyre. Durante el debate, se aprobó la resolución 502, que manifestaba la primera derrota diplomática argentina. Exigía "la cesación inmediata de las hostilidades; la retirada inmediata de todas las fuerzas argentinas de las islas Falkland y exhorta a los gobiernos de Argentina y el Reino Unido a que procuren una solución diplomática a sus diferencias y que respeten plenamente los propósitos y principios de la carta de las Naciones Unidas". El voto favorable a la resolución fue acompañado por diez países sobre los quince que integran el Consejo (uno más del mínimo necesario). Panamá votó a favor de la Argentina. La Unión Soviética (de quien se esperaba un veto que favorecería a la Argentina), España, Polonia y China se abstuvieron.

El diplomático Antonio "Tato" Pini consideró que el resultado obtenido en el Consejo de Seguridad fue un "fiasco". "La gestión argentina en las Naciones Unidas con un embajador recién llegado en ese momento crucial —el doctor Eduardo Roca— y en medio de nuestros conflictos con los países socialistas, por la participación argentina en las tareas de desestabilización de Nicaragua, sin haber hecho sondeos previos y en base a estimaciones erróneas, fue una de las más deslucidas actuaciones de nuestra diplomacia en toda su historia."[12]

"En la tarde de día 2 de abril nos alentó una posibilidad que luego resultó falsa: uno de los funcionarios de la delegación de Jordania nos anticipó el voto favorable de los No Alineados, es decir de Jordania, Panamá, Uganda, Togo, Zaire (Guyana siempre fue contraria). Ello nos iba a dar los votos necesarios si los sumábamos a la URSS, China, España y Polonia, cuya oposición al proyecto británico descontábamos. En base a esta información surgieron dos acciones concretas: preparamos una reunión de Costa Méndez con el bloque de No Alineados del Consejo de Seguridad, a desarrollarse en la mañana del 3 de abril antes de la reunión del Consejo. [...] En realidad, el jordano amigo no estaba confundido sino que en el ínterin Parsons, el embajador británico en la ONU, llamó a Londres y la señora Thatcher habló con el Rey Hussein y en cosa de minutos nuestra esperanza quedó disipada. Lo supimos mucho después. En la reunión previa celebrada en una salita cercana a la del Consejo, los No Alineados se mostraron peligrosamente cautos, escucharon impasibles la propuesta de resolución de Costa Méndez y partieron para la reunión. Cuando ésta se inició, en las votaciones de procedimiento fuimos advirtiendo que los votos de los No Alineados, salvo Panamá, eran adversos, de modo que nada podíamos esperar de ellos. La gran duda era el voto de la Unión Soviética. No conocíamos si se había solicitado en Moscú su veto. En Nueva York a veces creíamos que podía ser un apoyo gratuito, otorgado para perjudicar a los Estados Unidos y al Reino Unido, y de paso comprometer un país como la Argentina, que podía ser marginado de esa manera del área occidental. Pero lo único que nos respondieron los representantes moscovitas fue que ese veto sólo podía ser dispuesto por 'the highest authorities' (altas autoridades) de su país. Como las de China y Polonia, la misión del embajador Troianovski se abstuvo. Anoticiado de ello, el de España también lo hizo. Por eso, sólo Panamá rechazó el proyecto. Verdaderamente, una noche triste."[13]

Con la Resolución 502 en la mano, Margaret Thatcher ordenó la movilización del contingente naval que recuperaría las Malvinas tras la "humillación".[14] El mismo día, en un avión de la Fuerza Aérea argentina, el gobernador Hunt y los "marines" fueron trasladados a Montevideo. Francia volvió a reiterar su apoyo a Gran Bretaña, tras una conversación telefónica mantenida entre Thatcher y François Mitterrand. La respuesta de Galtieri fue una sola: enviar más soldados y armamento a las islas. "No se dará ningún paso atrás a la decisión adoptada", declaró el ministro del Interior, general Alfredo Saint Jean. Desde su departamento de la calle Galileo, el ex canciller radical, Miguel Ángel Zabala Ortiz, se sumó al coro oficial: "Cualquiera fuese el sacrificio, [las islas] no deberán ni podrán ser entregadas". El lunes 5, después de largos y ásperos debates en el Parlamento, el jefe de la bancada conservadora Francis Pym fue designado canciller en reemplazo de Lord Carrington.

El 5 de abril, tras haber ocupado las Islas Malvinas, el general Laidlaw, embajador argentino en Asunción y su segundo José García Ghirelli, conversaron con el presidente Alfredo Stroessner, en la residencia presidencial. Fue en presencia de unos muy pocos testigos. Después de escuchar las palabras del representante argentino, el veterano de la guerra del Chaco y caudillo del Partido Colorado, con afecto, recomendó: "Embajador, entre nosotros, salgan de ahí. Salgan, los ingleses los van a sacar a los verijazos". El presidente paraguayo "estaba muy afligido porque se ponía en peligro la estabilidad del sistema internacional".[15]

En Buenos Aires trece presidentes de los partidos políticos fueron convocados a la planta baja de la Casa Rosada. Estaban todos para escuchar las exposiciones de Saint Jean, el viceministro

Menéndez y el jefe del Cuerpo V y jefe del Teatro de Operaciones, general de división Osvaldo García. Todos expresaron "su apoyo irrestricto a la operación militar que posibilitó la recuperación de las Islas Malvinas, y varios de ellos expusieron que la unidad nacional se fortalecerá con un cambio en la política económica y hechos concretos para la pronta institucionalización del país". La Multipartidaria suspendió sus actividades y la CGT pasó a un cuarto intermedio: "Desensillar hasta que aclare", dijo un sindicalista, rememorando una vieja consigna de Perón, pronunciada en 1966, tras el golpe militar de Juan Carlos Onganía. Doce ex cancilleres, reunidos en la sede del Consejo Argentino para las Relaciones Internacionales (CARI), expresaron su solidaridad con la recuperación militar de las islas. Como hecho diplomático, en la sede de la OEA Costa Méndez amenazó con convocar una reunión del Tratado Interamericano de Asistencia Recíproca (TIAR) ante la amenaza de un ataque de un país "extracontinental".

El martes 6 por la tarde apareció un día antes en los kioscos la revista *Gente*. En su tapa se publicaron las fotos de soldados argentinos apuntando con sus armas a "marines" ingleses, con las manos en alto, en señal de rendición o tirados boca a bajo en el pavimento. "No los subestimamos, pero pueden pasar el papelón del siglo", dijo una fuente naval argentina, cuando comentó el envío de la flota británica a las Malvinas. Más tarde, el coronel Ramón J. Camps dijo que la flota inglesa estaba integrada de "chatarra". "Un solo submarino atómico está en condiciones de hacer papilla a toda la flota argentina", pareció responder una fuente de la inteligencia británica desde Londres.[16] Desde Washington, Ronald Reagan anunció la mediación de su país en el conflicto del Atlántico Sur.

En la Capital Federal, mientras tanto, la vida se desenvuelve sin sobresaltos. Como anticipando el destape, en la Feria del Libro El Cid Editor ofrece títulos de su colección "libros para la democracia" que alcanzan niveles de best seller, por ejemplo *El caldero de Yacyretá*, de Helvio Botana, o *Historia argentina con drama y humor*, de Salvador Ferla. En televisión los acontecimientos eran seguidos al mediodía en "Informe Uno", de ATC, con Augusto "Nene" Bonardo, Liliana López Foresi, Leo Vanés, Mauro Viale y Mónica Gutiérrez. Por la tarde el más visto era "Buenas Noches, Argentina" con la conducción de Daniel Mendoza y Roberto Maidana, además de Sergio Villarruel, Eglis Giovanelli y Guillermo Aronín.

El general Mario Benjamín Menéndez asumió como gobernador de las Malvinas, Georgias del Sur y Sandwich del Sur, acompañado por el ex presidente Jorge Rafael Videla y dirigentes políticos, sindicales y empresarios

Cinco días más tarde de la invasión, Menéndez asumió como gobernador durante una ceremonia que fue transmitida por cadena nacional de televisión y radio, aunque las imágenes no se vieron y sólo se escuchó el audio. Luego de entonarse el Himno Nacional se leyó el decreto constituyendo la gobernación de las islas Malvinas, Georgias del Sur y Sandwich del Sur. El juramento se lo tomó el comandante del Teatro de Operaciones, general García, sobre una Biblia dedicada por monseñor Desiderio Collino, obispo de Lomas de Zamora. Para estar presentes en la ceremonia, por la mañana, desde el sector militar del Aeroparque Metropolitano, salió un avión de la Fuerza Aérea transportando a los invitados especiales. Entre otros al ex presidente Jorge Rafael Videla, Saúl Ubaldini (CGT), Jorge Triacca (CNT-20), Ramón Baldassini (sindicalista), Carlos Contín (radical), Rufino Inda (socialista popular), Francisco Cerro (demócrata cristiano), Julio Amoedo (conservador popular), Américo García (desarrollista), Horacio Gutiérrez (Sociedad Rural), Manuel Solanet, René Favaloro, Jacques Hirsch (Unión Industrial Argentina), Federico Zorraquín (Asociación de Bancos Argentinos) y Eduardo L. García (Cámara Argentina de Comercio). Por recomendación de la Cancillería no fueron los ex presidentes Arturo Frondizi y Arturo Illia. El ex presidente Illia, además, escuchó la opinión de Raúl Ricardo Alfonsín para que no fuera. Todos se pronunciaron en esos días, algunos con cierta ironía o un dejo de escepticismo. "La madre de Napoleón Bonaparte cuando era interrogada acerca del extraordinario éxito de sus hijos, el emperador y los reyes, solía contestar: 'Con tal que dure, con tal que dure'. Yo digo lo mismo con respecto a las Malvinas: ¡Con tal que dure! ¡Ojalá!".[17]

La opinión pública británica se pronunció a favor de la guerra en un sondeo de la televisión estatal: 79% estaba de acuerdo con la declaración de guerra; 82% a su vez, opinó que el gobierno de Thatcher manejó mal el problema con la Argentina; 70% estimó que debe permitirse a la población de las islas ejercer la autodeterminación y 20% sostenía que debían usarse armamentos nucleares contra la Argentina.[18]

Se hablaba en voz muy baja todavía. No era el momento de enfrentar la ola de euforia que había brotado entre todos. De allí que las mentes más frías comenzaron a tejer opciones sobre el futuro del conflicto. El miércoles 7 de abril, Bernardo Grinspun mostraba un menú de cuatro panoramas: "1) Argentina no retira las tropas de las Malvinas; 2) Establece una administración civil; 3) O intervienen los 'cascos azules' de las Naciones Unidas y 4) Gran Bretaña nos echa".[19]

También el 7, desde Londres, Molteni informó que ese día habría un debate sobre Malvinas en el Parlamento y que a través de una interpósita persona el parlamentario Hdykes "me aseguró que estaba tratando de organizar (un) grupo de unos 25 parlamentarios que insistirán (sobre) utilización (de) medios diplomáticos para llegar a una solución y oponerse (a) utilización fuerza. Al mismo tiempo se me solicitó que como contrapartida del liderazgo estaba tomando esta acción, me comprometiera a oportunamente gestionar ante nuestro gobierno (la) libertad de Margarita Hobson actualmente condenada por tribunal militar. Atento importancia esta cuestión le expresé que yo asumía personalmente obligación de hacer oportunamente todos los esfuerzos posibles para obtener tal resultado".[20] Mientras tanto, el gobierno inglés seguía desplegando su ofensiva diplomática (impedir que sus aliados de la OTAN exportaran armas a la Argentina) y militar. El 7, Gran Bretaña declaró que "las naves de guerra argentinas que se encuentran dentro de las 200 millas náuticas de las Islas Malvinas, después de las 04.00 GMT del lunes 12 de abril, corren el serio riesgo de ser atacadas". El bloqueo se ponía en marcha. Ante esa medida, la Argentina estableció un comando especial en el Atlántico Sur, con el objeto de tomar medidas de defensa propia. Al mediodía de ese miércoles, el embajador Anthony Williams y gran parte de sus funcionarios, con sus esposas e hijos, partieron de Buenos Aires en un vuelo de Swissair. También lo haría el embajador de Canadá, tras recibir una severa nota de protesta por la decisión del gobierno de su país de prohibir las exportaciones argentinas "y el otorgamiento de nuevos créditos de exportación por considerarlo poco amistoso".[21]

El jueves 8, el secretario de Estado Alexander Haig llegó a Londres, dando comienzo a su gestión mediadora. Habló con Margaret Thatcher cerca de cinco horas. Luego, entre otros conceptos, dijo que se había quedado "impresionado con la firme determinación del gobierno británico" de recuperar las Malvinas. La primer ministro, además de su firme posición expresada a través de su vocabulario, se manejó también con el lenguaje de los símbolos que llamaron la atención de Haig. Estando en un salón del 10 de Downing Street (su residencia) le mostró los cuadros de Nelson y Wellington.[22]

En síntesis, en un memorándum para el presidente Reagan, fechado el 9 de abril, informó que "la primer ministro está convencida de que ella caerá si (nos) concede cualquiera de los tres puntos básicos que envió al parlamento:

• Inmediata retirada de las fuerzas argentinas.
• Restauración de la administración británica en las islas.
• Preservar la posición de que los isleños puedan estar capacitados para ejercer la autodeterminación".

Haig enfocó una propuesta de solución a través de tres elementos: a) retiro de las fuerzas argentinas; b) en el ínterin un arreglo involucrando a una presencia internacional (por ejemplo Canadá, Estados Unidos y dos países latinoamericanos) a fin de proporcionar un paraguas para la restauración de la administración británica, y c) rápida reanudación de las negociaciones.

"Los principales problemas que surgieron estaban radicados en el punto b). Ella quiere al gobierno británico detrás de ella y rechaza cualquier pensamiento (o reflexión o concepto) que signifique cualquier presencia argentina, aunque no sea militar, incluso bajo un paraguas internacional. Ella no insiste en cuanto a que la soberanía británica sea aceptada —ella dice simplemente que la soberanía británica no ha sido afectada por la agresión— pero ella no admite (y excluye) ninguna cosa que pudiera ser inconsistente con su propia determinación."

"Las Malvinas son argentinas", declaró en Washington el Premio Nobel de la Paz, Adolfo Pérez Esquivel. Mientras, el mismo día, Costa Méndez llegó a Buenos Aires procedente de los Estados Unidos y por la tarde se reunió con el Comité Militar.

Rumbo de colisión. La Plaza de todos

Mientras Costa Méndez aparecía atosigado por la prensa y vitoreado por los transeúntes en cada una de sus salidas, su conducción recibió de parte de los aliados británicos en la Comunidad Económica Europea (CEE) algunas negativas decisiones de alto impacto político. Mientras en Buenos Aires los voceros oficiales dejaban trascender que las maniobras militares del Reino Unido eran un "bluff"[23] para negociar con mayores posibilidades de réditos, en Washington los embajadores de los 10 países de la CEE pidieron el retiro de las tropas argentinas de las Malvinas: "Unánime y calurosamente apoyaron la necesidad de una completa e inmediata implementación de la resolución 502 del Consejo de Seguridad de las Naciones Unidas, requiriendo el retiro de las fuerzas argentinas". También conoció en esos días decisiones que llevaban a perjudicar su posición económica (restricciones financieras y en su comercio exterior) y militar (corte de ventas de armas) en la comunidad internacional. Una de las respuestas argentinas no parecía alcanzar, ni era creíble: con un amplio despliegue periodístico, el canciller interino, general Saint Jean, firmó una prórroga, hasta 1985, al "Convenio de Suministro de Maquinarias y Equipos de la Unión Soviética a la República Argentina". Previamente, el almirante Castro Madero había firmado un acuerdo de provisión de agua pesada para las centrales nucleares soviéticas.

En una decisión que ampliaba los preceptos soberanos de la Argentina en las islas, y antes de que llegara el mediador Haig, a partir del jueves 8 los comerciantes de las Malvinas fueron obliga-

dos a recibir moneda argentina. Hasta ese momento la libra malvinense o el dólar eran las únicas formas de pago en los negocios.
"Las autoridades argentinas solicitaron a los comerciantes que re-
ciban el dinero argentino, al cambio del momento."[24] En Buenos
Aires, los propios argentinos no sabían cuál era el cambio del
"momento".

"Victoria. ¿Y ahora qué?" se preguntaba en la tapa el semanario *Somos*, uno de los medios que había nacido para apoyar al Proceso y representaba el pensamiento más conservador del gobierno
y de la Editorial Atlántida. La pregunta era acompañada por una
foto que mostraba a "marines" británicos con las manos detrás de
la nuca. La respuesta al interrogante fue un mayor desplazamiento de tropas argentinas hacia las Malvinas y el litoral atlántico. Si
se concreta el bloqueo naval anunciado "vamos a presentar batalla" dijo Galtieri, para completar que "estamos dispuestos a rechazar cualquier ataque si fracasan las negociaciones". Paralelamen-
te, después de la reunión del Comité Militar, trascendió que "en
las negociaciones que se mantendrán con Haig, se negociará todo,
menos la soberanía sobre las islas recuperadas". El canciller Costa
Méndez tenía una condición de acero. El secretario Haig llegó el
viernes 9 por la noche a Buenos Aires. A las pocas horas, después
de meses de ausencia, volvió Emilio Aragonés Navarro, el embajador de Cuba, portando una carta de Fidel Castro.

El 9 de abril, antes de entrevistarse con Alexander Haig, el
cable "S" 1034, muy urgente, llegaba a las 11.10 de la mañana desde Ginebra, firmado por Gabriel Martínez. Decía que "una persona del entorno del secretario general de las Naciones Unidas, de la
mayor confiabilidad para nuestro país, me ha hecho saber que las
informaciones que acaba de recibir desde Londres [el] señor Pérez
de Cuéllar de funcionarios del Departamento de Estado con quienes conversó señalan que, luego contactos señor Haig con señora
Thatcher, no puede esperarse sino endurecimiento del conflicto,
con posibilidad de que a partir del lunes próximo puedan producirse enfrentamientos y acciones navales por parte británica. Que
posición [de] extrema dureza señora Thatcher que califica al señor
Haig de 'amigo' de posición británica, insiste en retiro inmediato
tropas argentinas ocupantes... Haig coincidiría con posición que

responda [al] cumplimiento resolución aprobada por Consejo de Seguridad".

En las horas previas a la llegada de Haig, Leopoldo Fortunato Galtieri caminó las tres cuadras que separan la Casa Rosada del Estado Mayor Conjunto. Se lo veía alegre. No recibía más que muestras de afecto de la gente que rodeaba la sede presidencial y de muchos que ya se preparaban para participar de la enorme concentración en la Plaza de Mayo del día siguiente. *La Nación* lo retrató ensayando una suerte de paso de baile con un joven que calzaba un jardinero claro.[25] Todos eran citados a la concentración por Radio Rivadavia, desde el programa de Fernando Bravo, y con la Marcha de San Lorenzo, Jorge Talamoni, presidente del directorio, dijo que era "una iniciativa para defender la soberanía argentina en las Malvinas..." y ayudados por la intendencia de la Ciudad de Buenos Aires, con Guillermo del Cioppo a la cabeza y sus colaboradores "Tito" Anchieri y Daniel Vítolo. A Rivadavia la siguieron otras, además de numerosas entidades gremiales, políticas, profesionales, económicas y culturales.

Cuando Galtieri salió al balcón, el 10 de abril, después de su primer encuentro con Haig, un mar de gente agitó sus banderas y carteles. Muchos habían llegado desde el interior, otros del Gran Buenos Aires, en colectivos gratis. Estaban las caras del momento. Del pasado y el presente argentino. Carlos Menem, Saúl Ubaldini, Lorenzo Miguel, Néstor Carrasco y Rogelio Papagno salieron fotografiados juntos.[26] Tampoco faltaron los empresarios, políticos afines con el gobierno, miembros de la Multipartidaria, Juventud Peronista y Comunista. Frente a las exigencias de la multitud, a las respuestas a sus frases cortas, Galtieri atizó el conflicto: "Si quieren venir que vengan, les presentaremos batalla. En esto tenemos la solidaridad de varios pueblos americanos que están decididos a dar batalla con los argentinos".

"La concentración realizada ayer en Plaza de Mayo a instancias del gobierno ha constituido, entretanto, uno de los más graves errores cometidos aquí desde que se inició el conflicto. De nuevo nuestros gobernantes han puesto al desnudo el aislamiento internacional en que viven, que lamentablemente es también el de una gran parte de la nación." Fue la conclusión más valiente de la columna de Jesús Iglesias Rouco. El periodista dijo que podía ser comparable con la que realizó Mussolini en 1936, en Plaza Venecia, luego de conquistar Abisinia, para anunciar la Declaración del Imperio. El periodista retrocedió varias décadas, Haig la comparó con las que concentraba el Ayatollah Khomeini.

Al margen de la fiesta popular, un vocero de un servicio de Inteligencia argentino, que no fue individualizado, dijo en la tapa de *La Nación* que "las debilidades del poder aeronaval británico para realizar y sostener operaciones de desembarco aéreo-marítimo son enormes, diría suicidas, teniendo en cuenta la capacidad militar conjunta, alto grado de alistamiento y absoluta convicción de los efectivos argentinos respecto de la justicia por la cual han luchado y se disponen a luchar".[27] Como si el desvarío no estuviera claro, el general de división (RE) Luciano Benjamín Menéndez, ex comandante del Cuerpo III, declaró sin hesitarse que "los ingleses no pueden intentar ninguna acción de guerra en el Atlántico Sur y si lo hacen van al más estruendoso fracaso militar". Así como el general argentino Carlos von der Becke explicó en 1944, durante una extensa conferencia, cómo las fuerzas aliadas no podían desembarcar en las playas de Normandía, Menéndez, para la historia, no se quiso quedar atrás: "Para tomar las islas que ahora ocupamos con nuestras fuerzas de aproximadamente cinco mil hombres, las estadísticas de guerra enseñan que una operación de esas características, es decir de barcos hacia tierra, que es la más difícil, se necesitaría la superioridad de cinco atacantes por cada defensor. Esto quiere decir que los ingleses necesitarían unos treinta mil hombres para intentar la empresa".[28] Está claro que el general ignoraba el valor del "salto tecnológico" y el "profesionalismo" de las poderosas Fuerzas Armadas del Reino Unido.

Previsiones y contradicciones argentinas.
La agenda de Alexander Haig

Horas antes a la llegada del mediador norteamericano, el Palacio San Martín elaboró un borrador de tres carillas titulado "Gestión de 'asistencia' de los Estados Unidos", en el que se destacaban varias opiniones sobre cómo llevar adelante una negociación con el secretario de Estado.

"El interés fundamental de los Estados Unidos en preservar sus relaciones privilegiadas con Gran Bretaña, su aliado natural y principal colaborador en el marco defensivo de la OTAN y en especial con el actual gobierno conservador. La importancia asignada al Cono Sur latinoamericano, a pesar de que la crisis centroamericana lo aumenta, no tiene el mismo nivel."

La idea no coincide claramente con lo que pensaba el almirante Jorge Isaac Anaya: "Se intentó desde siempre interesar a los EE.UU. en la procura de una solución pacífica de la disputa sin haber obtenido mayor éxito. Sin embargo, se consideró que si bien los EE.UU. quizás no interviniesen activamente en la solución de la disputa, sí serían neutrales frente a los dos adversarios tanto en el plano diplomático (como lo habían sido en los últimos 17 años) como en el campo militar llegado el caso".[29]

"Insistentes versiones indicarían que los EE.UU. compartirían la interpretación británica de la Resolución [del Consejo de Seguridad de las Naciones Unidas], en el sentido de que su cumplimiento es exigible primordialmente a la Argentina."

Para Anaya, según los análisis realizados en la Armada sobre el comportamiento británico de los últimos treinta años —caso de Suez y caída del gobierno de Eden de por medio— "llevaba a que la primer ministro Thatcher probablemente no arriesgara una fuerza total y de consecuencia y mucho menos al tener en cuenta que el objetivo Malvinas era para Gran Bretaña no sólo secundario sino ignorado en las prioridades de ese país. Se previó una reacción armada limitada británica, pero además atenuada por la forma de recuperación (incruenta) y la inmediata voluntad-iniciativa argentina de negociar la disputa sin llegar al enfrentamiento armado y sin privar a los malvineros de su libertad".

La respuesta de fondo a la visión de Anaya la dio el mismo Alexander Haig, cuando relató que "las Malvinas no eran un problema aislado. Entre otras cosas, involucraba también la credibilidad de las ya tirantes relaciones de la alianza occidental; la supervivencia o el fracaso de un gobierno británico que era un leal amigo de los Estados Unidos; el futuro de las relaciones y políticas norteamericanas en el hemisferio occidental así como en Europa; la posibilidad de otra peligrosa incursión estratégica de la Unión

Soviética en Sudamérica y, lo más importante, una irrefutable prueba de la confianza norteamericana en el imperio de la ley".[30]

"La Argentina debe dejar bien en claro que la Resolución del Consejo de Seguridad es un texto unitario, que debe ser interpretado en forma integral, de modo que la distensión militar sea el resultado de actitudes recíprocas y no, como pretendería el Reino Unido, de un retiro unilateral de las fuerzas argentinas." Dicha interpretación, afirma el trabajo, debe tener máxima difusión "comenzando por su presentación ante el Consejo de Seguridad, para afianzar nuestras bases de negociación frente a un 'asistente' presumiblemente dispuesto a acompañar los intereses británicos."

La mirada de Alexander Haig, antes de iniciar sus encuentros en Buenos Aires, sobre Galtieri, sus colaboradores, su régimen y la Argentina era algo que, a la distancia, tiene mayor valor y ayuda a comprender lo que habría de suceder. En pocas palabras, el mediador entendía que el presidente argentino se encontraba en una posición difícil que trataba de solucionar una situación que él no había creado. "La aventura de las Malvinas era una operación eminentemente naval, concebida e impuesta a la Junta." Una operación planificada secretamente, tal es así que "cuatro de los cinco comandantes del Ejército no estaban en antecedentes de la inminente invasión".[31] Esta información se la dio al general Vernon Walters, una de sus fuentes habituales.

"Cuando Galtieri se encontró ante el hecho consumado, y una situación imposible de mantener, trató de preservar el honor y la seguridad de su país, cuidando al mismo tiempo de salvar su propia situación para no perder el poder y caer en desgracia... carecía de autoridad. [...] A pesar de su actitud arrogante no era un hombre libre, ni política ni diplomáticamente."

El 11 de abril de 1982 al mediodía Galtieri se encontró con Haig para hablar de general a general, "puesto que hay una hermandad entre los hombres de armas y muchos valores en común que hacen que la conversación franca sea más fácil entre nosotros", dijo Galtieri. Luego adelantó una advertencia: "Le diré sólo una vez y luego no volveré a repetirlo. En cuanto a la Argentina concierne, no existe ninguna duda con respecto a nuestra soberanía en las islas. Estamos dispuestos a negociar sobre cualquier otro punto", dijo Galtieri.

La respuesta fue que si insistía en la permanencia de un gobernador argentino en las Malvinas, habría guerra. Y que en ese caso los británicos "poseían una fuerza mayor que la de los argentinos y que lograrían una victoria en caso de desatarse las hostilidades". Para aclararle, aun más, cuáles eran los condicionantes internos que lo presionaban, Haig fue lo más preciso posible. "Debo serle franco, en los Estados Unidos hay un sentimiento generalizado de apoyo a Gran Bretaña. En el mundo liberal el sentimiento es el mismo y seguirá siendo así en caso de una confrontación." La respuesta de Galtieri fue llevarlo a uno de los ventanales de la Casa Rosada y mostrarle la multitud. Y, como si no alcanzara, lo invitó al balcón para escuchar el discurso que había de pronunciar. Es decir, parecía no entender absolutamente nada.

Venían de universos distintos a pesar de tener prácticamente la misma edad. Haig había nacido en 1925 y cuando pisó suelo argentino tenía 57 años. El mandatario argentino había nacido el 15 de julio de 1926. Galtieri pertenecía la promoción 74 que ingresó al Colegio Militar el 1° de febrero de 1943, de la que egresó con el orden 81 sobre 201 subtenientes, el 14 de diciembre de 1945.[32] Desde aquel entonces, hasta el 11 de abril de 1982, había atravesado todos los devaneos políticos argentinos. La revolución de 1943; las elecciones de 1946, que llevaron a Perón a su primera presidencia, y desde allí hasta la asunción del Proceso de Reorganización Nacional de 1976.

Alexander Haig venía de transitar sus últimas dos décadas al lado de altos funcionarios de los Estados Unidos. Uno de sus primeros puestos fue integrar la administración de Douglas MacArthur en Japón tras la Segunda Guerra Mundial. Los años de la administración Kennedy lo encontraron trabajando en el Pentágono. Fue parte de la intimidad de Nixon tras el escándalo de Watergate. Traía en su bagaje haber sido segundo de Henry Kissinger, en el Consejo Nacional de Seguridad y el Departamento de Estado. Y, a diferencia de Galtieri, había tenido experiencia de combate en Vietnam. Era considerado dentro del Departamento de Estado un "atlantista". ¿Cómo podía no serlo si durante poco menos de un lustro fue el comandante de la OTAN?

Las negociaciones se desarrollaron a partir de un documento que elaboró el Departamento de Estado al iniciar su gestión de buenos oficios o mediación. Lo medular, en resumen, consistía en:[33]

1) A partir de firmado el acuerdo, y "hasta que se logre un arreglo definitivo", la Argentina y Gran Bretaña "no introducirán ni desplegarán fuerzas dentro de las zonas definidas por un círculo de 150 millas náuticas".

2) "El Reino Unido suspenderá la aplicación de su 'zona de exclusión', y la República Argentina suspenderá operaciones en la misma área."

3) "Dentro de las 24 horas después de la fecha del presente Acuerdo, la República Argentina y el Reino Unido comenzarán a retirar sus fuerzas.

4) Ambos países "nombrarán un representante, y los Estados Unidos han manifestado su anuencia a nombrar otro, para constituir una Autoridad Especial Interina". "Hasta que se llegue a una solución definitiva, todas las decisiones, leyes y reglamentos adoptados a partir de ahora por la administración local sobre las islas se someterán a la Autoridad."

5) El punto siguiente trataba sobre "las personas, los viajes, el transporte" y todo lo que "se relacione con ello", como "la residencia y la propiedad y enajenación de la propiedad, las comunicaciones y el comercio entre la tierra firme y las islas, se promoverán y facilitarán sobre una base no discriminatoria".

6) "El 31 de diciembre de 1982 concluirá el período provisional durante el cual los dos gobiernos habrán completado las negociaciones sobre la retirada de las islas de la lista de Territorios No Autónomos con arreglo al Capítulo XI de la Carta de las Naciones Unidas y sobre las condiciones mutuamente acordadas para su condición definitiva, incluida la debida consideración a los derechos de los habitantes y al principio de integridad territorial, de conformidad con los objetivos y principios de la Carta de las Naciones Unidas, y a la luz de las resoluciones pertinentes de la Asamblea General de las Naciones Unidas. Las negociaciones antedichas comenzarán dentro de los quince días siguientes a la firma del presente Acuerdo."

7) Para llegar a un acuerdo el 31 de diciembre de 1982, "la Autoridad" (Estados Unidos) debía presentar "propuestas y recomendaciones" en torno a las siguientes cuestiones: A) "la manera en que se tomarán en consideración los deseos e intereses de los habitantes de las islas"; B) "Cuestiones relativas a la explotación de los recursos de las islas, incluidas las oportunidades de cooperación conjunta y el papel de la Falkland Island Company."; C) Otras cuestiones, "incluidos los posibles arreglos para compensar a los habitantes de las islas…".

8) "Si los gobiernos no pudieran concluir las negociaciones para el 31 de diciembre de 1982, los Estados Unidos han indicado que, a solicitud de ambos gobiernos, en aquel momento estarían preparados para tratar de resolver la controversia dentro de los seis meses siguientes."

Junto con el texto del proyecto de Acuerdo se acompañaba un "Protocolo por el que se constituye la Autoridad Especial Interina en virtud del Memorando de Acuerdo" que establecía su composición (cada una de las partes), su lugar de trabajo (las islas), su personal y sus gastos (US$ 250.000 deberían aportar cada una de las partes).

Estaba claro que los puntos centrales fueron el 6° y 7°. Para la Argentina, la resolución 502 del Consejo de Seguridad era un todo único, por lo tanto si retiraba sus tropas Gran Bretaña debería frenar a su flota. Y para Margaret Thatcher nada podía sentarla a negociar si las islas estaban ocupadas y además, "ab initio", reconocer la soberanía argentina de las islas. El punto 7° parece una cuestión semántica pero es de fondo. No es lo mismo decir "intereses" de los isleños (como afirmaba la Argentina) que sostener los "deseos" de los isleños (como quería Gran Bretaña). El debate no es menor, llega hasta hoy. Luego de numerosas horas de reuniones, Alexander Haig dejó Buenos Aires el domingo 11, luego de escuchar misa en la iglesia del Santísimo Sacramento. Viajó a Londres para considerar con el gabinete británico los puntos conversados. Costa Méndez y su equipo realizaron reuniones de evaluación y entrevistas. Por su parte, Galtieri continuó trabajando con su estilo tan poco usual: "Tenía horarios insólitos. Daba citas a la medianoche, 01 de la madrugada, total después dormía una buena siesta. Cuando trabajaba a solas me pedía que le pusiera discos de Julio Sosa".[34]

La marea. Alexander Haig retornó a Buenos Aires y después de una gestión de Jesse Helms, Ronald Reagan volvió a hablar con Galtieri

El lunes 12 de abril de 1982 Gran Bretaña inició el bloqueo naval anunciado a las islas. Y en la Argentina, según la opinión en voz baja de un observador militar, "los dirigentes políticos se 'fufetizan',[35] apoyando desbocadamente al gobierno, mientras les hablan de un falso gabinete de unidad nacional, sin saber hacia dónde se quiere ir, ni qué sucede. Postergan sus reclamos sobre el tratamiento del prometido llamado a una convocatoria política y minimizan el drama económico".[36]

Así, por iniciativa del Ministerio del Interior, comienza a conocerse que varios ex funcionarios, dirigentes políticos, sindicales y empresariales saldrán alegremente por el mundo para "concientizar", acerca de los derechos argentinos en las Malvinas: Martínez Raymonda y Francisco Cerro a Roma. Los dirigentes Alfonso Millán, Juan José Taccone, Lesio Romero y Fernando Donaires viajaban a Estados Unidos, Colombia, México y Venezuela. Antes de partir hacia Europa, Ricardo Pérez (camioneros), José Rodríguez (mecánicos) y Roberto García (taxistas) fueron despedidos en Ezeiza por Lorenzo Miguel y Saúl Ubaldini. También los dirigentes de la CNT viajaban a los Estados Unidos. "No somos embajadores, no podemos ser embajadores del gobierno", dijo uno de los viajeros. Entre los políticos, y a diferentes puntos cardinales, salieron Antonio Cafiero, Fernando de la Rúa, Ricardo Guardo, Carlos Corach, Vicente Saadi, Jorge Vázquez Agodino,[37] Víctor García Costa, Walter Constanza, Francisco Manrique, José Antonio Allende, Carlos Manuel Muñiz, Arturo Mathov, Carlos Perette, Hilario "Pin" Muruzabal, Carlos Ure y María Cristina Guzmán.[38] Frente a estos, Jorge Luis Borges en un giro inusitado criticó al gobierno militar afirmando que "nos han privado de nuestra libertad y nuestra riqueza y ahora nos van a privar de nuestro honor".[39]

Luego de su paso por Londres, Haig llegó a Washington el martes 13 y desde allí conversó telefónicamente con el canciller Costa Méndez, quien lo informó de la presentación argentina en el Consejo de Seguridad, considerando que el bloqueo contradice el "cese de hostilidades" decretado por la Resolución 502. El mismo día, Haig le escribió una corta misiva a Costa Méndez en la que le confiesa que hará todos los esfuerzos "para evitar la tragedia". "No hay progresos en las negociaciones" dijo Costa Méndez al final del miércoles 14. En esas horas, el periodista Carl Bernstein, a través de "ABC News" informó a la audiencia que los Estados Unidos estaban brindando información satelital de inteligencia a la flota británica. "¿Podrá Alexander Haig continuar con su gestión de 'buenos oficios'?", se preguntó el periodista. Ante esta filtración, el secretario de Estado de Asuntos Latinoamericanos, Thomas Enders, lo llamó al embajador Esteban Takacs para negar la noticia y explicarle que "desde el comienzo de la situación planteada en las Malvinas se habían dado instrucciones en el sentido de no proporcionar ningún tipo de datos a la inteligencia militar de Gran Bretaña... si hubiese sido así, independientemente de la acción interna, se darían seguridades de inmediato a nuestro gobierno de que ello no volvería a suceder". En el mismo diálogo se le informó al embajador argentino que Vernon Walters llamaría al presidente Galtieri "para dar iguales seguridades".[40]

A las 23.40 de Washington fue emitido un cable secreto hacia Buenos Aires "para conocimiento exclusivo del canciller".[41] Faltaban apenas unas horas para que arribara por última vez el secretario de Estado. El texto del mensaje escrito por Takacs informa que siguiendo instrucciones de Costa Méndez, mantuvo un encuentro con el senador de Carolina del Norte, Jesse Helms y sus asesores. "Durante las conversaciones mencionaron las dificultades que plantean para la gestión del secretario Haig las influencias de personas y grupos, a los que me referiré por otra vía,[42] uno de los cuales manifestó ante distintas personalidades que en caso de conflicto Estados Unidos debe ponerse del lado británico.[43] Asimismo expresaron que el presidente Reagan está siendo influido por una creciente campaña que objeta la gestión amistosa hacia la Argentina."

Luego, Takacs dice que Helms y sus asesores "sugieren que a más tardar hoy 14 de abril, antes del viaje del secretario Haig o mañana durante su presencia en Buenos Aires, el presidente Galtieri se comunique con el presidente Reagan. El aspecto central de la conversación sería comunicar la predisposición argentina a encontrar una solución al diferendo alrededor de los términos de la Resolución 502, ratificando su disposición para buscar una solución pacífica. También [debería] incorporar todo elemento que se considere conveniente, reiterando lo referente a eventuales fórmulas destacando que el fin del colonialismo en América, iniciado por [los] americanos en 1776 se termina en el extremo sur del continente americano el 2 de abril". El objetivo de los consejos de Helms y sus asesores se debía a que Reagan debía dar un "nuevo impulso a la gestión del secretario Haig para contrarrestar a los sectores de influencia negativa ya mencionados". Además del mensaje de Helms se debe recordar que en esas horas la flota británica había pasado la isla de Ascensión, distante 6.000 millas de las Malvinas.

La conversación entre Galtieri y Reagan no se puede entender sin tener en cuenta el texto del cable de Esteban Takacs a Costa Méndez con los consejos de Jesse Helms. Entonces, es bueno decir, que el senador por Carolina del Norte siempre fue un "amigo" de los regímenes militares del Cono Sur. Especialmente de sus sectores más conservadores. Fue presidente de la importante Subcomisión Parlamentaria de Asuntos del Hemisferio Occidental y desde allí condenó con furia al gobierno sandinista de Nicaragua, la Cuba de Castro y los avances de la guerrilla marxista del Frente Farabundo Martí de Liberación Nacional de El Salvador. Estuvo siempre al tanto, detalladamente, de las operaciones de los "contras" que operaban desde Honduras contra la Junta sandinista. No desconocía el trabajo de los asesores militares argentinos en América Central y, en virtud de ello, llegó a comunicarse en varias ocasiones con el jefe del grupo en Tegucigalpa.[44]

A las 19 horas del jueves 15 Galtieri estableció contacto telefónico con su colega norteamericano. Luego de una corta introducción, el presidente argentino expresó su deseo de impedir que continúe "un mayor deterioro de esta situación… y buscar una solución aceptable dentro de la Resolución 502 de las Naciones Unidas y teniendo en cuenta antecedentes existentes sobre este problema, ya sea en forma bilateral, desde hace 150 años, como así también todo lo tratado al respecto a través de las Naciones Unidas durante los últimos 17 años en lo que a descolonización en el mundo se refiere. [...] Existe la mejor buena voluntad del gobierno argentino, pero yo deseo también interprete que el avance de la flota y los medios ingleses hacia el océano Atlántico Sur no sólo están poniendo cada vez más en peligro la situación en el Atlántico Sur... sino que tiene el peligro de envolver a otras naciones en este tema que no quisiera que fuera interferido por otros intereses. Las relaciones establecidas entre ambos gobiernos, acentuadas en estos últimos tiempos entre nuestras dos administraciones son tan estrechas; es firme deseo nuestro de continuarla en todos los aspectos de la vida internacional y temo que si las hostilidades inglesas continúan hacia el Atlántico Sur se puede ir de las manos y de nuestro control transformándose en un tema en extremo delicado en todo el mundo".

Reagan contestó: "[...] Yo concuerdo que una guerra en este hemisferio entre dos naciones amigas de EE.UU. es cosa impensable, sería una tragedia, un desastre para el mundo occidental... la única parte que podría beneficiarse en este tipo de conflicto sería la Unión Soviética y sus aliados esclavos".

Fue una extensa conversación, en la que Galtieri tenía un formato preparado por los consejos de Helms a Costa Méndez. No hay duda. De parte del presidente de los Estados Unidos, su preocupación era impedir cualquier influencia de Moscú en el conflicto; desvirtuar posibles "fisuras" en la relación con Argentina (a partir de las filtraciones sobre ayuda de inteligencia al Reino Unido) y reafirmar el papel del mediador Haig en las negociaciones. "Yo personalmente he sido centro de críticas porque nuestra administración ha mantenido esta línea de neutralidad, pero mi intención es continuar en esta neutralidad a medida que proceden las negociaciones del caso", afirmó Reagan.

Antes de finalizar, Galtieri, volviendo al formato aconsejado, expresó que "el pueblo norteamericano, en 1776, allá en el norte del hemisferio comenzó la lucha contra el colonialismo y logró su independencia. Nosotros, acá en el sur, también en el siglo pasado, más tarde que ustedes, hicimos lo mismo, logramos la independencia parcialmente y el 2 de abril, recién en 1982 tratamos de completarla, un poco más tarde que los Estados Unidos, deseo que el señor Presidente comprenda ese sentimiento del pueblo argentino".[45]

Los últimos esfuerzos diplomáticos para evitar la colisión armada

El 14 de abril, pocas horas antes de iniciar su segunda visita a Buenos Aires, Haig le escribió un informe al presidente Ronald Reagan, en el que deja traslucir su visión y el escenario del conflicto, tras haberse cumplido 12 días de la ocupación de las Islas Malvinas. Del trabajo se destacan las siguientes ideas:

• El objetivo es "encontrar un camino que le permita a Galtieri retirarse con honor. Las claves para la solución son el carácter de las normas provisorias (interinas) y el alerta entre la demanda argentina de soberanía y la insistencia británica de la autodeterminación (de los isleños) para la negociación de un acuerdo final".

• "Estoy convencido de que la señora Thatcher desea una solución pacífica y que estaría complacida de darle a Galtieri 'una hoja de parra' con tal de que (o a condición de que) ella no tenga que violar ninguna promesa hecha al Parlamento, es decir: retirada-restauración de la Administración Británica-y protección del Derecho de Autodeterminación (de los isleños). […] Sólo la diplomacia en combinación con las amenazas podría tener éxito. […] Hasta dónde ella (Thatcher) puede conceder antes de poner en peligro su gobierno."

• "El problema que enfrenta Galtieri es que la población argentina está tan entusiasmada que él mismo se ha dejado poco espacio para maniobrar. Se encuentra obligado a mostrar algo que justifique la invasión (sobre la cual muchos argentinos, pese al entusiasmo, piensan que es una metida de pata o si no será barrido por la ignominia). Pero si Galtieri es humillado militarmente el resultado será el mismo, aunque se encuentre pactando con una mejor situación doméstica volátil que la señora Thatcher."[46]

Cuando el jueves 15, cerca de las 22.30, Haig volvió a pisar tierra argentina el ambiente, según lo notó, era otro. "La prensa había adoptado un tono más notoriamente sombrío y belicoso". "Había un clima menos optimista"... todo estaba "oscurecido por el fervor patriótico". Según el secretario de Estado, traía una propuesta que había sido aprobada en Londres que "pedía el retiro de los argentinos de las islas; la detención de la flota británica a una distancia de 1.000 millas de las Malvinas; una administración interina mixta argentino-británica con los Estados Unidos también presentes en las islas, y el cese total de las sanciones económicas y financieras, y que garantizaba completar la negociación sobre la cuestión de soberanía para el último día del año 1982".

Cerca de la medianoche, Costa Méndez se trasladó al hotel Sheraton, en Retiro, y le entregó una respuesta de la Junta Militar: rechazaba sus términos y proponía el control administrativo compartido de las islas y "además de condiciones para un arreglo final que automáticamente produjera el reconocimiento de la soberanía argentina". La sorpresa y la desazón se reflejaron en la cara de Haig, entonces Costa Méndez le sugirió hablar directamente con la Junta.

Ese mismo día, después de un largo encuentro en la embajada italiana, la Multipartidaria declaró que no sólo apoyaba a las Fuerzas Armadas en cuanto a la recuperación de las Malvinas y asumía solidariamente sus consecuencias, sino que garantizaba que el próximo gobierno constitucional convalidaría la reparación histórica emprendida y asegurando el respeto a la soberanía reconquistada en las islas. En la reunión con el embajador de Italia y miembros de la Confederación Internacional de Organizaciones Sindicales Libres, participaron Bittel (peronismo), Frondizi (desarrollismo), Contín (radicales), Alende (intransigentes) y Dip (demócrata cristiano).

"Esta no es, de ninguna manera, una economía de guerra", declaró Roberto Alemann al ser reporteado en el programa "Tiempo Nuevo" que conducía Bernardo Neustadt. De todas maneras, se vivían tiempos bien distintos: "Un consorcio italiano, otro francés y un grupo holandés fueron excluidos de la precalificación para la construcción de un gasoducto entre San Jerónimo (Santa

Fe) y General Rodríguez (Buenos Aires)", anunció el ministro de Obras y Servicios Públicos, Sergio Martini.[47]

Mientras Haig permanecía en la Argentina, desde Washington llegaron unas declaraciones de su colega el secretario de Defensa. Según Caspar Weinberger la Unión Soviética apoyaba "de manera muy firme" al gobierno argentino. Cubriendo todas las noticias, con aire marcial y no menos triunfal, ATC tenía en el aire todos los días a las 21, el programa "60 Minutos". Lo conducía José Gómez Fuentes y participaban: la ex modelo María Larreta, Oscar Otranto, Silvia Fernández Barrios y el novel Leonardo Shocrón. Todos, con el tiempo, serían prolijamente fumigados después de la contienda que se avecinaba.

Previa conversación con Galtieri, el secretario de Estado se reunió con la Junta Militar en la mañana del sábado 17. El encuentro fue vano para el mediador y se retiró con la sensación de un nuevo fracaso.

Tras las reuniones, Haig le escribió un corto mensaje a Francis Pym en el que le detallaba todas las entrevistas que mantuvo. "A las 10.40 pm (hora local) recibimos una muy desalentadora respuesta, y he solicitado discutirla mañana con la Junta y el Presidente".[48]

Pero nuevamente fue invitado a reunirse a las 2 de la tarde del domingo en la Sala de Situación de la Casa Rosada. En la ocasión, tras diez horas de discusiones, Haig vio crudamente que la Junta también carecía de poder, ya que cada decisión debía ser aprobada por cada comandante de Cuerpo y sus equivalentes en la Armada y la Fuerza Aérea. "Si cedo demasiado no estaré más en este puesto" le dijo Galtieri en un momento a solas. "Le pregunté cuánto tiempo pensaba que sobreviviría si perdía una guerra con los británicos."

A las 2.40 de la madrugada del 19 se logró cristalizar un último borrador, en el que se establecía un cese inmediato de las hostilidades y el retiro de las fuerzas; una presencia argentina en las islas, bajo garantía de los Estados Unidos, y negociaciones destinadas a solucionar el conflicto para el 31 de diciembre de 1982. Con ese papel en la mano, Haig tomó la decisión de volver a Washington. Cerca de las 16, cuando estaba a punto de abordar, el canciller argentino le dijo que la Junta había vetado uno de los puntos centrales que había negociado en esas horas. Si bien había convenido que se debía llegar a un acuerdo el 31 de diciembre de 1982, el gobierno militar había aceptado que en esa cláusula no se hablaba de la fórmula condicionante del traspaso de la soberanía, el nuevo mensaje establecía que si para esa fecha todavía no se había logrado un acuerdo, el gobierno argentino se reservaba el derecho a designar la jefatura y la administración de las Malvinas. La respuesta dejaba al mediador sin espacio para negociar en Londres. Además, también le anunció que la Argentina denunciaría el Tratado Interamericano de Asistencia Recíproca en la OEA; un arma al que Washington pensaba echar mano si se descontrolaba la situación en América Central. A pesar de los modestos resultados, el vespertino *La Razón*, vinculado con el Ejército, tituló el 19: "Hay un documento conciliatorio. Estamos cerca de la solución del conflicto. Lo lleva Haig y parece tener buena acogida en Londres: Instalación en Malvinas de una administración argentino-británica hasta fin de año".

Ratificando la posición de la Junta Militar, el miércoles 21, Nicanor Costa Méndez le escribió a Haig: "Sabe usted también que el parágrafo 8 del papel elaborado aquí, u otra disposición similar, cualquiera sea su redacción, en el sentido de que la negociación habrá de concluir con un resultado el 31 de diciembre de 1982, es absolutamente indispensable y condición *sine qua non*. Como tantas veces lo hemos hecho notar, ese resultado debe incluir un reconocimiento de la soberanía argentina sobre las islas. Aunque no sea dicho expresamente con estas mismas palabras, el principio y el concepto deben surgir clara e inequívocamente del acuerdo".

Al finalizar su nueva estadía en Buenos Aires, Haig le envió a Francis Pym un borrador con las cuestiones tratadas con los argentinos, a los que agregó comentarios personales. "Al irme de acá, me negaré a caracterizar el texto, y sólo diré que ha terminado esta etapa de mi esfuerzo, y que regreso a Washington para informar al presidente."

"La cadena de mandos". El primer llamado de atención que hizo el Movimiento de Integración y Desarrollo

"Francis, no sé si se les puede sacar más a los argentinos. No está claro quién manda acá. Tanto como 50 personas, incluyendo comandantes de tropas, pueden estar ejerciendo vetos. Ciertamente, no puedo conseguir nada mejor en este momento", le escribió Haig a su colega británico Francis Pym. Realmente, no decía nada nuevo. Los argentinos lo sabíamos desde hacía tiempo.

Precisamente, mientras el secretario de Estado permaneció en Buenos Aires, los días 17 y 18 de abril, la cúpula del Ejército, salvo aquellos jefes superiores que se encontraban en el Teatro de Operaciones (Osvaldo García, Mario B. Menéndez y Américo Daher), se reunió para escuchar un cuadro de situación. La exposición principal la realizó el jefe del EMGE, general José Vaquero, y también intervinieron los jefes de Inteligencia (Mario Sotera) y Operaciones (en reemplazo de Menéndez). Se analizó el "marco militar y el futuro desarrollo operacional". El domingo 18, la exposición estuvo a cargo del secretario general de la Presidencia, general Iglesias, contándose con la presencia de Galtieri, quien intervino aportando observaciones. En un momento, el comandante en jefe comentó, cuando se analizaba el papel de la Unión Soviética, que "los Estados Unidos se aliaron a la Unión Soviética durante la Segunda Guerra Mundial sin que ello significara que vendiera el alma al diablo".

Cuatro horas duraron las exposiciones y los intercambios de opiniones. Entre otros conceptos se dijo que había que prepararse "para intervenir en el conflicto, que podía desarrollarse en dos frentes". Según los expositores, los chilenos han movilizado la totalidad de la flota que ya se encuentra en el Sur. Además, el ejército de Chile ha desplazado tropas a lo largo de la frontera, lo que de por sí es "preocupante". Sin embargo, a través de "canales técnicos", los chilenos han hecho llegar el mensaje que tales movimientos estaban previstos con mucha anterioridad y no debían constituir una preocupación. A pesar de ello, se dijo que la inteligencia argentina había detectado la presencia de oficiales del Estado Mayor británico en la ciudad de Punta Arenas.

Ante la posibilidad de tener que actuarse en dos frentes, se analizó como hipótesis de máxima el traslado de siete brigadas al sur.

Con respecto al papel del secretario de Estado, Galtieri contó que en el primer día de su segunda estadía en Buenos Aires lo había hecho conversar con la Junta Militar. Ello fue así para que Haig comprobara que no existen disidencias de opinión entre los tres comandantes. Galtieri dijo que en esa reunión, él prácticamente no habló. Luego expresó su sorpresa por la permanencia de Haig en la Argentina, luego de la primera reunión con la Junta que fue "dura". Según el presidente, Haig se mostraba "sensible" a todas las inquietudes de la primer ministro Thatcher, hecho que molestaba a las autoridades argentinas.

No se habló de economía en ninguna de las reuniones. Sólo surgieron algunas referencias al tema, entre los presentes, durante los paréntesis que se realizaban. Estas referencias estaban relacionadas con la confiscación de los capitales británicos en el país, y con la intervención de la banca inglesa, pero nada cierto surgió de los expositores. También entre los generales se habló de no pagar la deuda externa en caso de que se presentara una fuerte presión financiera. En una palabra, caer en la "moratoria".

El tema político fue tocado "superficialmente". Ante la pregunta de un general, de carácter global, sobre la colaboración de la dirigencia política, Galtieri le cedió la palabra al ministro del Interior [Saint Jean], quien dijo que "los políticos recibirán mucho menos de lo que esperan".

Galtieri sorprendió a la audiencia con una frase que fue calificada como 'poco clara'. Dijo que en los próximos 5 días la situación estaba en condiciones de "estabilizarse o desestabilizarse" definitivamente.

El tema de la eventual aplicación del TIAR fue asumido en la exposición. Se habló de la "no viabilidad" de la aplicación del artículo 8 (que determina el uso de la fuerza), por la dificultad de lograr un consenso entre los 21 países latinoamericanos.

Si bien entre el generalato existían críticas a la gestión de la conducción de la Cancillería, el general Galtieri ponderó la actuación del canciller Costa Méndez.[49]

"Situación de las tropas destacadas en las Malvinas: muchos casos de colitis y falta de comida caliente."[50]

"Enrique Ros (subsecretario de Relaciones Exteriores) y otros funcionarios creen que Gran Bretaña no aceptará la propuesta que se llevó Haig. El documento argentino es duro y no creo que se acepte. Existe una fecha fija (31 de diciembre de 1982) y era imposible, por el frente interno, no ponerla. Haig ofreció no ponerla con el compromiso de que él haría ceder posiciones a los ingleses: 'Yo me comprometo antes de fin de año a conseguir de los ingleses la transferencia de la soberanía'. Se presionó hasta último momento para no convocar al TIAR. Incluso tuve una discusión ayer con Moya (almirante). El TIAR es un revolver de un solo tiro. La presión fue enorme para poner en movimiento el TIAR.

"Haig se quedó tanto tiempo porque pensaba que podíamos aflojar y además él no podía volver a Washington con las manos vacías. Chile desplazó tropas porque nosotros lo hicimos antes. Entonces nos dijeron que ellos también desplazarían tropas para evitar sus propias presiones internas. Como contrapartida.

"Culpó a la gente de la presidencia sobre la campaña de acción psicológica lanzada en los medios. [Rodolfo] Baltiérrez (secretario de Medios) propuso una campaña contra Chile y Uruguay. Nosotros aconsejamos no hacer tanto escándalo con la ocupación de las islas. La proclama la hice yo y era serena y sobria. En presidencia la mecharon con párrafos de ellos. Es muy difícil negociar con el frente interno que tenemos."[51]

El martes 20 a la mañana, en el Salón de los Escudos del Ministerio del Interior, la totalidad de la dirigencia política concurrió a escuchar una exposición del general Alfredo Saint Jean. Al finalizar, el viceministro Menéndez expresó la satisfacción del gobierno "por el resultado de la reunión y la solidaridad manifestada por los líderes políticos". El radical Carlos Contín dijo al salir que "hemos venido a manifestar al Gobierno que en el aspecto de la soberanía no se debe ceder". El jueves 22, el canciller Francis Pym llegó a Washington:

"Pym va a Washington para dar la imagen de que Gran Bretaña no rompe la negociación. La situación es dura y yo preveo un enfrentamiento. Convocatoria del órgano consultivo del TIAR: se pidió una reunión de cancilleres en la OEA para el lunes con la intención de dejar pasar el tiempo (para otra negociación) y si se produce un enfrentamiento vamos a requerir el apoyo más decidido de los países. Por el momento se prevé una declaración de apoyo a la causa reivindicatoria argentina, aconsejándose, exhortándose, a las partes a no tomar medidas violentas. Toda posibilidad de golpe, o su posibilidad, esta frenada por la negociación. Si hubiera un golpe, los que lo dieran, podrían ser responsables del fracaso de las negociaciones."[52]

Reunión entre el almirante Guillermo "Mito" Arguedas y Bernardo Grinspun: "Arguedas le mostró a Bernardo para que opine sobre un plan económico de la Armada. El plan consta de unas 20 carillas y en ellas están fijadas las pautas hasta ahora conocidas, control de cambios, control de precios, etc. Arguedas dijo que dicho plan se lo presentarán a Galtieri el viernes 23. La respuesta de Bernardo fue que 'por supuesto esto no lo puede implementar el ministro Alemann'. Arguedas preguntó: '¿Por qué no ustedes?' 'Porque ello también implica una decisión política y ustedes no tienen respuesta para ello' dijo Bernardo. 'Si Galtieri no lo acepta se atendrá a las consecuencias' dijo Arguedas".[53]

"A la soberana inglesa le vamos a dar 'caldo a la reina', ese que se hace con dos huevos." "¡Resistiremos!", fueron los títulos de tapa del diario popular *Crónica* del 21 de abril.

El jueves 22 la Argentina dio un paso más en su camino de los hechos consumados. Por decreto N° 757 se dio a conocer que la capital de las Malvinas ya no será más Puerto Stanley y pasó a denominarse, por iniciativa de la Secretaría de Cultura de la Presidencia, Puerto Argentino. Y Leopoldo Fortunato Galtieri visitó Malvinas, recorriendo los diferentes destacamentos militares apostados en las islas.

Jesse Helms, considerado uno de los senadores más cercanos a Ronald Reagan dijo en Washington que "la historia parece estar del lado de la Argentina en la disputa sobre la soberanía". También recordó que "ambos países son aliados de Estados Unidos" y "valiosos para el mundo libre". Y propuso un plan con propuestas que ya a esa altura eran inaceptables para Londres. Por ejemplo que "la Argentina ejercería la soberanía sobre las Malvinas con el reconocimiento de Gran Bretaña" y consideraba que los isleños podrían tener "pasaportes duales".

"Un muy informado político que se ha desempeñado en el gobierno militar y generalmente lo ha apoyado, especula que 'si se produjera un incidente más grave con gran cantidad de muertos argentinos, la reacción del pueblo será incontenible, dijo, y entre sus blancos estaría la embajada de los EE.UU.'", informó la embajada americana en Buenos Aires el 22 de abril.

El 23, el Movimiento de Integración y Desarrollo (MID) hizo público su pensamiento través de un documento que conmovió a la clase dirigente. Planteaba serios interrogantes sobre lo que se estaba viviendo. Un shock de realismo en medio de tanto ensueño. "Es falso que cuando hay un conflicto internacional haya que callar las discrepancias con el gobierno que puso en movimiento esa acción, aun las que suscite ese mismo conflicto. [...] Hay interrogantes cuyo solo planteo esclarece aspectos de la decisión política tomada para poner en marcha el operativo y conducir las negociaciones diplomáticas, y sí el gobierno no se las planteó a sí mismo, es preciso hacerlo ahora, para que encontremos el mejor camino. ¿Se evaluó la relación de fuerzas internacionales, no sólo las militares, sino las políticas y diplomáticas? ¿Se evaluaron las consecuencias económico-sociales del conflicto, no sólo en costo operativo sino en orden a las represalias y medidas de diversos países? ¿Se consideró el efecto debilitante en la posición del país, de la crisis económica en que ya nos encontrábamos? ¿Se reflexionó sobre los riesgos de romper la coherencia entre la posición estratégica del país en el campo occidental y la táctica respecto del conflicto particular que nos involucra?"

Esteban Takacs: "Estamos internacionalmente muy solos"

Esteban Takacs llegó a Washington como embajador de Roberto Eduardo Viola en octubre de 1981. Sucedió al abogado Jorge Aja Espil, ambos embajadores políticos. Venía de ejercer idénticas funciones en Canadá y llegó a la capital de los Estados Unidos con su obsesión de la defensa de la política de derechos humanos del gobierno. Junto con él llegó un señor Jantus que llevaba reservadamente esta cuestión, al margen de los diplomáticos. Takacs había trabajado gran parte de su vida en el mundo de la industria maderera. A diferencia de su antecesor, Takacs tenía un trato afable y así pudo generar, al menos, en la colectividad argentina, la comprensión de sus tareas. No pertenecía al mundo íntimo de Costa Méndez, pero había trabajado al lado del embajador Gustavo Figueroa, convertido en esos momentos en el hombre de confianza de "Canoro" Costa Méndez. El 24 de abril, horas antes de que llegara el canciller argentino para participar en la reunión del Tratado Interamericano de Asistencia Recíproca, mantuvo un diálogo en "off" que devuelve el clima de la época. Los reparos, la confianza, las enormes dudas:

• "A las 12 estuvo con Krieger Vasena quien le dio un informe sobre sus gestiones en los bancos de Nueva York. El problema que hay es refinanciar la deuda en estas condiciones. Me decía Krieger que el problema no es tanto con los bancos grandes sino con los chicos, porque están muy preocupados, indecisos, y pueden provocar una disparada."

• "Los militares nos han dejado sin alternativas diplomáticas con todos los gestos asumidos en las islas (nombrar gobernador, cambiar el nombre de la capital, etc.). Pym me parece más dúctil, más negociador que lord Carrington. Está buscando alternativas nuevas para parar la guerra, me dijo Haig."

• "Lo que ocurrió con 'Paco' Manrique fue un disparate. Ayer tuvo una entrevista con John Ure, el jefe de gabinete de Pym y le dijo que 'cuando comience la guerra, Galtieri y Thatcher no existan, usted y yo podemos ser un canal de arreglo del problema'. El inglés le preguntó quién era él y Francisco Manrique le dijo 'soy el presidente de uno de los cinco partidos políticos más importantes de la Argentina'."

• Se mostró quejoso. "La Cancillería ha dado indicaciones a Raúl Quijano (embajador ante la OEA) de ocuparse de todo, como si se quisiera canalizar todo a través de la OEA, olvidándose que Haig es el mediador. Costa Méndez no tenía previsto verlo. Yo lo obligué a que lo hiciera".

• "El tiempo corre a favor nuestro porque Gran Bretaña se desgasta día a día. Si hubiera una nueva votación en las Naciones Unidas tendríamos más votos."

• "Haig se está portando muy bien con nosotros. En Buenos Aires tienen una idea equivocada y creen que trabaja para Londres y no es así. Pero él me dijo, desde el primer día, que los ingleses son imparables."

• "Estamos internacionalmente muy solos."

• "Yo no dejo de prever que si hay enfrentamiento, Estados Unidos va a inclinarse por Gran Bretaña. Por eso tengo las valijas preparadas en previsión de un congelamiento de relaciones, retiros de embajadores u otras decisiones."[54]

El sábado 26 llegó a Washington la delegación argentina que participaría en la reunión de la OEA. La encabezaba Costa Méndez y estaba integrada por su jefe de gabinete, embajador Gustavo Figueroa; el director de Política, embajador Federico Erhard del Campo y el director de Organismos, embajador Arnoldo Manuel Listre. También, en representación de las FF.AA. y en calidad de "custodios de la pureza" de las gestiones, los que se dieron en llamar, entre los periodistas, "los tres chiflados". Ellos fueron el almirante Roberto Benito Moya, el general Héctor Iglesias y el brigadier José Miret. Tenían personalidades bien marcadas. Miret, más dado con algunos periodistas, parecía un empresario de una empresa mediana, un degustador de habanos, comprador compulsivo en medio de una guerra; Moya, el delegado de Anaya, tenía una personalidad más distante, hablaba poco, como buen oficial de Inteligencia, y se caracterizaba por su permanente cara de culo, mientras que Iglesias no lograba disimular su escasa preparación cultural para los ambientes en los que debía moverse.

Parecía un sueño, un mal sueño todo lo anterior. La Argentina tomaba un discurso "latinoamericanista" después de seis años de olvido. Desde 1976 hasta 1981 se había peleado con Brasil y Paraguay; casi llegó a la guerra con Chile en 1978; a Bolivia le había interrumpido su proceso democrático, impidiendo la asunción de Hernán Siles Suazo, apoyando a Luis Meza, un hombre ligado con el narcotráfico; con Nicaragua sus relaciones eran más que frías, ya que había oficiales argentinos apoyando a los "contras" desde Honduras; con Cuba prácticamente no tenía relaciones; con México mantenía el problema de los asilados (sin olvidar la "excursión punitiva" de militares argentinos a la capital mexicana para liquidar a la conducción montonera) y Uruguay era visto con desconfianza tras la invasión de las Malvinas. Sólo contaban, hasta ese momento, con la generosa adhesión de Perú y Venezuela (sin olvidar el secuestro y muerte del embajador argentino en Caracas Héctor Hidalgo Sola en plena calle de Buenos Aires). Durante las horas de debates y negociaciones en el marco del TIAR, el panameño Jorge Illueca dijo: "América Latina vuelve hoy sus ojos a la Argentina, como es seguro que la Argentina vuelve sus ojos a América Latina".

El caso de Juan Manuel Abal Medina

Juan Manuel Abal Medina, otrora secretario general del Movimiento Nacional Justicialista, designado por Perón, se asiló en la embajada de México el 29 abril de 1976. Los militares le achacaban infinidad de pecados: desde sus contactos con la organización Montoneros (su hermano Fernando había sido uno de los fundadores) hasta de ser el gestor de la "noche negra" de la liberación de los guerrilleros (25 de mayo de 1973), antes de que se promulgara una ley de amnistía en el congreso. Juan Manuel Abal Medina, testigo y actor de muchos acontecimientos políticos en los años 70, sólo reconocía su militancia nacionalista y católica, además de excelentes contactos con un sector de la dirigencia gremial que encabezaba el metalúrgico Lorenzo Miguel. Los militares, tan laxos en ocasiones, no reconocían matices cuando hablaban de Abal Medina. Sólo lo hicieron muchos años más tarde, cuando precisaron la solidaridad de México (en mayo de 1982, en plena guerra de las Malvinas).

En esos días previos a la guerra en el Atlántico Sur, y para no interferir las relaciones bilaterales, la Junta Militar abrió la mano para que saliera del país. "Él no quiere ser motivo de obstáculo entre los dos países, más cuando su permanencia en la embajada puede malquistar el apoyo de México. No desea irse del país, pero si se va a su casa Juan Manuel debe tener un 'fiador', una garantía de su seguridad física. Como hombre de profundas convicciones religiosas se pensó en el papa Juan Pablo II, y uno de sus representantes en la Argentina era nada menos que su tío, el vicario castrense, monseñor José Miguel Medina."[55] La Junta Militar lo quería afuera y aceptó la "opción" de viajar a México. No fue fácil. El embajador Emilio Calderón Puig no estaba en Buenos Aires y no se sabía cuándo retornaría. Los tramos finales de la gestión los llevó el encargado de negocios Luis Franco Todoberto. "Espero que nos enteremos nosotros primero que la prensa" dijo el diplomático mexicano. Con su habitual frialdad, el vicecanciller Enrique Juan Ros respondió que "no es un tema nuestro". Después de muchas dilaciones y mientras la sociedad atendía el creciente conflicto en el Atlántico Sur, a fines de mayo, Juan Manuel Abal Medina viajó a México.

La batalla en la OEA. El TIAR.
La hora de los "espontáneos" argentinos.
Todos quieren aparecer

La mañana del domingo 25, los muy pocos argentinos que leyeron *Convicción*[56] encontraron en su tapa el comunicado 26 de la Junta Militar que informaba que se había recibido a través de la Embajada suiza "una nota donde se informa la decisión del gobierno británico de atacar cualquier aeronave, buque o submarino argentino, que afecte el cumplimiento de la misión de la flota británica en el Atlántico Sur, haciendo extensiva esta amenaza a los aviones comerciales". Además, pocas horas más tarde se informó que se "combatía" denodadamente en las islas Georgias, y que los defensores argentinos resistirían "hasta agotar su capacidad defensiva".[57] Lo cierto es que Alfredo Astiz, después de romper "los pacos" (la comunicación con el continente) a las dos horas se rindió junto con sus comandos "los lagartos". Mientras la Junta Militar emitía comunicados expresando que se combatía denodadamente, desde Londres se informó el mismo día que los 180 efectivos detenidos serían devueltos a la Argentina.

El 27, la embajada americana en Londres mandó un cable cifrado a Washington observando que "con las Georgias del Sur retomadas, el gobierno de Su Majestad estaría estudiando la posibilidad de adoptar etapas militares adicionales. [...] Nosotros creemos que Su Majestad considera que un nuevo asalto a las Falklands sería un último recurso. Para poder mantener la presión sobre Argentina, el gobierno británico podría continuar manteniendo el éxito logrado en Georgias mediante una serie de acciones militares, incluyendo uno o más de los siguientes ítems: a) una guerra no convencional y b) blancos oportunos, tal vez la creación de un área de exclusión aérea,[58] como el marítimo ahora en vigencia en que los británicos tienen la capacidad de atacar a naves argentinas en la zona de exclusión… Nosotros sospechamos que los británicos tienen la esperanza de que los argentinos ofrezcan dichos blancos 'de oportunidad' en alrededor de pocos días más". Sin decirlo, estaban hablando del crucero "Belgrano".

Con este escenario, Nicanor Costa Méndez se sentó en su banca y miró a todos los cancilleres latinoamericanos. De la gran mayoría recibió grandes muestras de afecto y solidaridad. El gran salón de la OEA estaba atestado de funcionarios internacionales, embajadores, miembros de las delegaciones, periodistas y público en general. En una suerte de "tinellización"[59] del drama que se vivía, el sector argentino estaba encabezado por la empresaria Amalia de Fortabat y su amigo-novio, coronel (RE) Luis Prémoli, además de innumerables políticos e "influyentes" que circulaban por Washington, haciendo gestiones inútiles. Todos, o casi todos, terminaban en el despacho de Alejandro Orfila, pidiendo contactos con quienes hablar y simultáneamente, traductores porque no sabían inglés. "Hace más declaraciones Luis, más declaraciones", le decía "Amalita" a Prémoli. Claro, el coronel no sabía que estaba hablando para el grabador de "una radio del interior", un medio inexistente, y un periodista incierto al que todos reputaban como "agente de un servicio de inteligencia". Todo este espectáculo era seguido con sorna por el "núcleo duro" del periodismo argentino. Hasta uno se permitió la ironía de informar que el "mariscal Popov habría de condecorar al teniente general Leopoldo Fortunato Galtieri por haber dinamitado el TIAR". Mientras otro, en la madrugada del 28, en la larga espera de información de las gestiones reservadas, en las escaleras del edificio de la OEA, teatralizó una transmisión televisiva de la asunción presidencial de Raúl Ricardo Alfonsín. Y decía a Roberto Maidana, allí presente, "aquí Villarruel, a ver Maidana qué ve en su puesto de la Plaza de Mayo", y el supuesto Maidana respondía: "Estoy observando la caravana que trae a Alfonsín desde el Congreso de la Nación. Ya está aproximándose a la Casa Rosada". El supuesto "vidente" recibía las carcajadas e ironías de los presentes. Uno de ellos terminó siendo el vocero presidencial de Alfonsín al año siguiente.

El TIAR, en escasas palabras, era un tratado firmado por los países latinoamericanos en 1947, pergeñado por la Administración Harry Truman para defender al continente de toda injerencia extracontinental. Era un producto de la "guerra fría" y tenía sus ojos puestos en la Unión Soviética. Su zona de seguridad incluía a todo el continente hasta las islas Malvinas, Georgias del Sur y Sandwich del Sur.[60] Su artículo 3° establecía que los Estados miembros consideraban que un ataque (extracontinental) contra uno de sus integrantes sería considerado un ataque contra todos, por lo tanto se comprometían a "ayudar a hacer frente al ataque". Las sanciones a aplicar por el Tratado iban en orden creciente, desde la ruptura de relaciones diplomáticas y consulares con la potencia "extranjera" hasta el uso de la fuerza. Para acordar cada una de las sanciones, se necesitaba el voto de los dos tercios de los países ratificantes.

En medio de los debates, la delegación argentina atendía otra propuesta de negociación acercada por Haig, pero como todas las anteriores cayeron en saco roto. Saltaron por el aire las disidencias dentro de la delegación. Los "tres chiflados", encabezados por el almirante Moya, exigían dar por terminadas las negociaciones, rechazar la propuesta "y hablar de otra cosa". Los diplomáticos eran más sutiles, propugnaban considerar "inaceptable" la propuesta pero no rechazar la mediación de Haig.[61]

En las primeras horas del 28, el órgano consultivo del TIAR aprobó por 14 votos y cuatro abstenciones (Estados Unidos, Colombia, Chile y Trinidad Tobago) una resolución de nueve puntos que urgía a Gran Bretaña a cesar inmediatamente "las hostilidades" y a la Argentina a frenar todo tipo de actos que "puedan agravar la situación". Llamaba a retomar las gestiones pacíficas para solucionar el diferendo y "tomaba nota" de las gestiones realizadas por el secretario de Estado. En sus considerandos reconocía la soberanía argentina sobre las islas y mantenía "abierta la

Vigésima Reunión de Consulta" para "velar" por el cumplimiento de lo aprobado y "tomar las medidas adicionales que estime necesarias".

A su término, entre otros conceptos, Costa Méndez dijo que "la Argentina negocia, negocia y negocia, menos la soberanía que ha sido ratificada por toda América". Además que "la estrategia argentina no excluye recurrir a la ONU, a la OEA o a la guerra si nos obligan".

El mismo miércoles 28, con la resolución del TIAR en su bagaje, Costa Méndez se entrevistó por última vez con el secretario de Estado Alexander Haig. Lo acompañó su jefe de gabinete Gustavo Figueroa, después de desestimar la compañía de Esteban Takacs. La entrevista fue "dura". Y Haig no entendía que la Junta Militar volviera a rechazar otra vía de negociación. Y volvió a explicar que "los países de la Organización del Atlántico Norte son los aliados naturales de los Estados Unidos y que la 'Argentina debe retirarse de las Malvinas'".

"La respuesta norteamericana es justa y razonable. De ser necesario la haremos pública y dejaremos que el mundo juzgue el motivo por el cual estas negociaciones no produjeron resultados", dijo Haig.[62]

En un momento, Costa Méndez hizo un juego de palabras insinuando un posible pedido de ayuda argentina a la Unión Soviética: "No nos obliguen a buscar otros aliados".

La respuesta de Haig a la sugerencia fue terminante: "Si usted está pensando en la Unión Soviética ('forget it, in this side of the world') olvídese, en esta parte del mundo, los rusos no le van a dar nada".[63] Había funcionado el teléfono rojo entre Washington y Moscú y el Acuerdo de Yalta, de 1945, todavía estaba vigente.[64] Después del encuentro, los argentinos no dijeron que estaban terminadas las gestiones del Haig: "La Argentina no considera unilateralmente terminada la misión Haig y comunicará mañana sus ideas sobre la propuesta". Cosa que hizo oficialmente Takacs a Enders el 29 de abril, pero además recibió una nota del Departamento de Estado que anticipaba la última decisión del Consejo de Seguridad de los Estados Unidos: daba por terminada la "misión Haig" y aplicaba sanciones a la Argentina. En el encuentro, Takacs presentó una larga carta del canciller donde se decía que no se podía aceptar la última propuesta porque no se dan respuestas claras a la Argentina sobre la cuestión de soberanía y el régimen de administración provisorio.

La "alternativa" soviética. "Saltar el cerco". Tigres de papel

Extraña paradoja la del Proceso de Reorganización Nacional. Cuando nació el 24 de marzo de 1976, declamó que había llegado para inscribir a la Argentina, de manera clara, en el mundo Occidental y Cristiano.[65] En el inicio, las relaciones bilaterales entre Moscú y Buenos Aires no guardaron la calidez de la época del ministro José Ber Gelbard, y con Cuba, su estado satélite —donde habían sido entrenados todos los jefes de las organizaciones especiales terroristas[66] y donde se había refugiado la conducción de Montoneros a partir de 1978— las relaciones eran distantes pero no se rompieron (como ocurrió entre Cuba y el gobierno chileno de Augusto Pinochet Ugarte). El "yo sé que vos sabés" fue una norma que flotó siempre entre La Habana y Buenos Aires. Con altibajos pronunciados, Buenos Aires no denunciaba a Cuba como violador de los derechos humanos y cuando en los organismos internacionales se analizaba la situación de esos derechos en la Argentina, el régimen castrista se hacía el distraído.[67] Lo mismo hizo el régimen soviético. Cuando llegó Galtieri al poder prometió terminar con las "zonas grises" que habían dominado las principales decisiones del Palacio San Martín. Por esa razón, además de sentirse parte de un proceso internacional que no comprendía y lo superaba, colaboró activamente con Washington en el conflicto de Centroamérica. De los Estados Unidos, Galtieri esperaba, al planificar la ocupación de Malvinas, una decisión de apoyo firme, por no decir "adhesión" y cuanto menos de "prescindencia". Comenzado el conflicto, Estados Unidos con el paso de los días se vio obligado a inclinarse hacia su aliado histórico y estratégico. Fue en esos momentos cuando desde la Casa Rosada surgían conceptos amenazadores, extorsivos, para Washington. Frases lanzadas al aire, "saltar el cerco"; "no me aprieten, sino…"; "buscar aliados no tradicionales", eran vertidas con una simpleza que llamaba la atención. Por esa época, la segunda semana de abril, la Cancillería elaboró un papel de trabajo titulado "Alternativa soviética."

Mientras en el primer encuentro con Galtieri, Haig escuchó del presidente argentino que "no puedo dejar de expresarle que he recibido ofertas de aviones, pilotos y armamento de países que no pertenecen al mundo occidental", el Palacio San Martín sostenía que "la alternativa soviética en las actuales circunstancias no parece aconsejable como estrategia principal. [...] Importaría una hipoteca política de tal peso que no podría ser asumida, sin poner en peligro la identidad nacional". Además, consideraba que "este altísimo riesgo no garantizaría el efectivo apoyo soviético, ya que nuestro poder de negociación podría ser fácilmente neutralizado por ofrecimientos más interesantes provenientes de Gran Bretaña o de los Estados Unidos".

Luego de un corto análisis sobre las "zonas de influencia" americano-soviéticas de ese momento, el documento resaltó la falta de un "apoyo decisivo" soviético al régimen marxista de Salvador Allende Gossens. Sin embargo, a renglón seguido, en abierta contradicción, el papel de trabajo consideraba que la alternativa "no debe ser descartada ni desalentada pues constituye un interesante contrapeso ante posibles presiones estadounidenses y británicas. [...] El mantenimiento de la tensión en el área facilitaría la penetración soviética en la región. Las recientes declaraciones de la Unión Soviética confirmarían a los ojos de Washington la existencia de este riesgo". A pesar de estos conceptos, en ningún momento se aludió a la falta del veto ruso a la Resolución 502 del Consejo de Seguridad, pero se consideró que dicha "alternativa" podía "afianzar nuestras bases de negociación frente a un 'asistente' presumiblemente dispuesto a acompañar los intereses británicos".

El miércoles 28 de abril, dentro del Departamento de Estado se hizo un paréntesis para escribir un "briefing paper" que ponía blanco sobre negro el pensamiento que primaba en Foggy Bottom. En síntesis informaba que "a pesar del contacto directo del presidente Reagan con el presidente Galtieri, la Argentina ocupó las Falklands el 2 de abril. Los Estados Unidos tienen un interés muy especial en la resolución pacífica de esta crisis. Uno de nuestros aliados más importantes, el Reino Unido, juega un rol vital en las relaciones Este-Oeste a través de su participación en la NATO. El Reino Unido, comprometido en su prolongada crisis en el Atlántico Sur, tendrá que desviar importantes recursos defensivos lejos de Europa y del Hemisferio Norte. En el caso de Argentina nuestras relaciones han mejorado contribuyendo así a la estabilidad de la región como un todo, en pos de la promesa de una futura vida en común como sociedad, compartiendo una gran variedad de importantes temas comunes. Además nosotros queremos evitar que se provoquen daños en el sistema interamericano. [...] Por directivas del presidente Reagan, el secretario Haig ha visitado Londres y Buenos Aires en dos ocasiones. [...] El conflicto amenaza empeorar. Estamos muy preocupados, porque si el conflicto se profundiza, la Junta argentina buscará otros apoyos donde pueda hallarlos. Aunque el régimen es anticomunista, lo mismo puede virar hacia la Unión Soviética en busca de ayuda militar, económica o política. [...] El desarrollo de tal posibilidad provocaría serias consecuencias para la Argentina y para la Seguridad Estratégica del Hemisferio".

El 30 de abril, el embajador Schlaudeman informó al Departamento de Estado que pidió conversar con el presidente Galtieri y que fue recibido a medianoche (29 de abril). En la ocasión, el embajador norteamericano fue acompañado por el agregado militar y que "ambos insistimos hasta el cansancio sobre la absoluta necesidad para la Argentina de no llevar adelante la primera acción ofensiva. Galtieri nos dijo que él había estado listo para detener dichas acciones tres veces en los últimos días, pero puntualizó que él no iba a poder sostener esa actitud mucho tiempo más. Y señaló (como todos sabemos) que la Armada estaba hambrienta de acción".[68]

Galtieri, escribió Schlaudeman, tomó notas de la conversación "pero nuevamente manifestó que, como lo había hecho varias veces antes, las decisiones no las tomaba uno solo. [...] Tanto a mí como al agregado militar nos pareció que Galtieri aparecía ansioso por encontrar un camino dentro del estrecho círculo de coacciones en el cual opera". Finalizado el diálogo convinieron en volverse a encontrar en la mañana siguiente para recibir una respuesta.

"Volví a ver a Galtieri esta mañana", volvió a informar

Schlaudeman. "Me dijo que había estado pensando sobre mi sugerencia de una retirada unilateral (de las fuerzas argentinas) y lo había discutido temprano telefónicamente con los otros dos miembros de la Junta. La conclusión de éstos fue que la Argentina no podía adoptar tal paso unilateralmente porque aparecía como cediendo a la presión de los Estados Unidos. Galtieri me señaló los titulares del diario *Convicción*, donde se leía: "Reagan opta por Mrs. Thatcher. En respuesta a mi pregunta, confirmó que ello refleja la postura de la Armada". A renglón seguido, Galtieri dijo que "estaría muy complacido de poder anunciar una retirada de las tropas argentinas de las Malvinas si se pudiera obtener simultáneamente algo de la otra parte. A él no se le ocurría qué podía ser, pero pensaba en que podría ser una declaración de Londres señalando una actitud que emparejara su movida. Le contesté que ello me parecía improbable. No me quedó duda de que Galtieri quiere la paz. Tampoco me quedó dudas de que se encuentra sujeto a una extrema presión de la Armada".[69]

La situación llegaba a su punto final. Un callejón sin salida: la Argentina no podía obtener el reconocimiento británico de su soberanía sobre las islas en disputa. Tampoco que se estableciera una administración civil conjunta en las Malvinas para administrar el traspaso. Y Gran Bretaña, "humillada", no convenció a nadie de que las fuerzas militares argentinas, antes de cualquier decisión, debían retirarse de las islas. Tras estos ítems, además, faltaba discutir la "autodeterminación" de los kelpers a decidir su futuro, según ambicionaba Margaret Thatcher. Las dos partes, en caso de ceder, veían amenazados la permanencia en el poder. Y los Estados Unidos sentían que habían fracasado en su gestión mediadora.

El 30 de abril a la noche, el grupo duro del periodismo argentino volvía de comer en Little Italy, cuando se encontró en la puerta del One United Nations Plaza Hotel con el brigadier Miret, uno de los "tres chiflados". Era tarde y Miret estaba fumando un habano. "Los americanos se corren" dijo con voz trémula. Los periodistas sólo confirmaron lo que todos sospechaban. Luego, tomándolo de un brazo a Carlos "Charly" Fernández, secretario de redacción de *Convicción*, hizo un aparte para decirle que los Estados Unidos habían entregado una nota a Takacs de cuyo texto surgía que las negociaciones habían caído en una situación de "sin salida". Se pedían garantías para los ciudadanos norteamericanos en la Argentina y quedaba implícito en su texto que los Estados Unidos se aliarían con Gran Bretaña.[70]

A las 10 de la mañana, dentro de la Misión Argentina ante las Naciones Unidas, entremezclados diplomáticos, periodistas y "espontáneos" pudieron ver a Alexander Haig decir por televisión que, a pesar de los esfuerzos diplomáticos, no se había llegado a una solución. Reveló la última propuesta de solución presentada por Washington y que fracasó ante la posición argentina. "Argentina no se ha dado cuenta de la importancia de la oferta en el largo plazo sobre la soberanía", dijo Haig. Anunció la suspensión de la ayuda militar americana y otras medidas punitivas de carácter económico. El secretario de Estado recordó que la Argentina "ha prometido garantías a los ciudadanos norteamericanos que viven en el país". Y que "Estados Unidos responderá positivamente a peticiones de suministros de material para las fuerzas británicas. Desde luego no habrá participación militar directa de Estados Unidos". Casi al unísono, Ronald Reagan calificó a la Argentina de país "agresor". Ante los anuncios, Costa Méndez declaró que la Argentina no había rechazado la propuesta americana, sino que sólo la había objetado: "Toda negociación deberá tener en cuenta la cuestión de soberanía, todo lo demás es negociable dentro de los términos de la Resolución de las Naciones Unidas". En esas horas de incertidumbre, el canciller expresó que no sabía si retornaba a Buenos Aires.[71] Poco después emprendió viaje a Buenos Aires. Chile se declaró "neutral" y la Cancillería llamó a "informar" a Raúl Medina Muñoz, su embajador en Bogotá. Colombia había votado contra la resolución aprobada en el TIAR y su canciller Carlos Lemos Simmonds había censurado la ocupación militar de las Malvinas.

NOTAS

[1] Fuente diplomática.

[2] Cable "S" 697 del 31 de marzo de 1982. Los embajadores de China y la URSS en Buenos Aires también fueron informados.

[3] Reagan habló en dos ocasiones con Galtieri. La segunda fue el 15 de abril a las 19 horas.

[4] Coinciden la letra de las notas y la firma. El autor transcribe algunos momentos del diálogo.

[5] Según Rodolfo Terragno, la expresión "Dama de Hierro" (Iron Lady) fue empleada por primera vez en 1976 por el diario soviético *Pravda*, referida a Margaret Thatcher. *Malvinas*, Ediciones de la Flor, Buenos Aires 2004.

[6] "Carola": teléfono cifrado. Dicho aparato es solamente para consultas muy puntuales. Según los especialistas la conversación no debía durar más de 2 minutos, porque al cabo de ese tiempo el diálogo podía ser descifrado. Los argentinos llegaban a hablar más de 20 minutos a pesar de haber sido advertidos.

[7] Esta decisión recién se conoció el 6. Cable "S" 872, 6 de abril de 1982.

[8] Ese petit hotel fue usado unos años antes por un funcionario del gobierno de Isabel Perón a quien se le adjudicaban íntimos contactos con la ultraderecha peronista.

[9] Apuntes del autor. 2 de abril de 1982.

[10] Cable "S" 720, 2 de abril de 1982.

[11] Cable "S" 977, 11 de abril de 1982, exclusivo para el canciller.

[12] Carta enviada al ex canciller Costa Méndez el 8 de agosto de 1983. Archivo del autor.

[13] Informe del embajador Eduardo Roca, reproducido en *Notas sobre la guerra de Malvinas*, Manuel Solanet, 2004, pág. 36

[14] Margaret Thatcher calificó de "afrenta humillante a este país" la invasión de las Malvinas.

[15] Confidencia de un testigo al autor. Apuntes del 9 de agosto de 1982.

[16] *Clarín*, 7 de abril de 1982, pág. 19.

[17] *La Nación*, 8 de abril de 1982, pág. 5.

[18] Cable 864 de la embajada en Londres, 3 de abril de 1982.

[19] Apuntes del autor.

[20] Cable "S" 892, 7 de abril de 1982.

[21] Nota con fecha 14 de abril

[22] Este detalle lo describió en su libro *Memorias* y en cable "S" para Bud McFarlane el 9 de abril de 1982.

[23] *La Nación*, Luis Mario Bello desde Londres, 9 de abril de 1982.

[24] Agencia TELAM, 8 de abril de 1982.

[25] *La Nación*, 10 de abril de 1982, pág. 4

[26] *Clarín*, 11 de abril de 1982, pág. 6

[27] *La Nación*, 10 de abril de 1982.

[28] *Crónica*, 10 de abril de 1982, pág. 6

[29] Documento citado 3.1.057.10, pág. 7

[30] Memorias, ibidem, pág. 304.

[31] Conceptos extraídos de las *Memorias* de Haig, Editorial Atlántida. También la ignoraban la casi totalidad de sus ministros, lo mismo que colaboradores que organizaban el entramado político de Galtieri, según pudo advertirlo el autor.

[32] "Promociones Egresadas del CMN", 1873-2000, coronel (RE) Abelardo Martín Figueroa, pág. 279

[33] Extracto del proyecto de Acuerdo presentado por Haig.

[34] Confesión de un asistente habitual.

[35] Término que viene de FUFEPO, las fuerzas políticas provinciales afines al gobierno militar.

[36] Apuntes del autor, 14 de abril de 1982.

[37] La inclusión de Jorge Vázquez fue solicitada por Deolindo Bittel para "blanquearlo".

[38] *La Nación*, 13 de abril de 1982, pág. 12

[39] Cable 1064, del 12 de abril de 1982. Frase contenida en el resumen de la prensa británica que recibía el Palacio San Martín desde Ginebra.

[40] Cable "S" 1010, del 14 de abril de 1982.

[41] Cable "S" 1023 del 14 de abril de 1982.

[42] "Carola", teléfono cifrado.

[43] Aunque sin nombrarlo, está claro que Takacs se refería a Caspar Weinberger, el influyente secretario de Defensa.

[44] Confesiones al autor del propio jefe de la misión militar.

[45] Párrafos de una trascripción taquigráfica de cuatro carillas.

[46] Memorándum para el Presidente, 14 de abril de 1982.

[47] *Clarín*, 16 de abril de 1982, pág. 20.

[48] Flash "S" 6702 de Haig a Londres. Publicado en *La Nación*.

[49] Minuta de la reunión en el archivo del autor.

[50] Apuntes del autor del 19 de abril de 1982. Para ese entonces se hablaba de 6.000 efectivos en las Islas.

[51] Apuntes personales de la conversación con el embajador Federico Erhart del Campo, director general de política, el 19 de abril de 1982.

[52] Apuntes del autor. Conversación en Cancillería, el 20 de abril de 1982.

[53] Apuntes del autor. Bernardo Grinspun, 20 de abril de 1982.

[54] Apuntes del autor del 24 de abril de 1982.

[55] Apuntes del autor. Conversación con el embajador Mario Cámpora, 5 de abril de 1982.

[56] *Convicción* era a la Armada y a un sector del gobierno militar, lo que *Página/12*, actualmente en 2007, es a un sector importante del gobierno y la "progresía" argentina.

[57] La Junta Militar informó a la población sobre los enfrentamientos en las Georgias a través de varios comunicados (27 a 34). El proceso de intoxicación informativa funcionaba a toda marcha.

[58] Londres impuso el bloqueo aéreo a las Malvinas a partir del 30 de abril.

[59] El exitoso empresario televisivo Marcelo Tinelli aún no había salido de Bolívar, Buenos Aires.

[60] Su inclusión fue un mérito del gobierno peronista.

[61] Apuntes del autor, presente en los debates, 28 y 29 de abril de 1982.

[62] *Memorias*. Ibid., pág 332.

[63] Conversación con el embajador Gustavo Figueroa, abril 2007.

[64] El subsecretario del Departamento de Estado, Walter Stoessel ya había hablado con Dobrinyn, el embajador soviético en Washington.

[65] "Bases para la intervención de las FFAA en el Proceso Nacional."

[66] Todos, absolutamente todos, los informes de inteligencia de la época abundan en detalles sobre la intromisión soviética en la Argentina a través de Cuba.

[67] En las conferencias de DDHH, en Ginebra, cuando la Argentina exponía que había luchado y ganado contra la subversión terrorista (castro-comunista), curiosamente los países occidentales le cerraban las puertas, mientras con el silencio se las abrían los países del bloque soviético.

[68] Cable "S" 2640, del 30 de abril de 1982.

[69] Cable "S" 2658 del 30 de abril de 1982.

[70] La nota fue llevada a Costa Méndez a Nueva York por un funcionario de la embajada argentina. Apuntes del autor, 30 de abril de 1982.

[71] Apuntes de la época del autor.

10. MAYO. CONFUSIÓN. VOCES DESESPERADAS. LA ÚLTIMA GESTIÓN, LUEGO LA GUERRA

◆

Ala vuelta de Estados Unidos, adonde lo llevó Adolfo Bioy Casares para que no hiciera declaraciones durante la guerra, Jorge Luis Borges dijo: "No sé cómo es que los militares se lanzaron a invadir las Malvinas sin consultar a un abogado…".

"Francis Pym llegó a Nueva York antes de una operación británica masiva sobre Malvinas. Mientras, se desarrollaban acciones aisladas. Si no hay una respuesta diplomática argentina para el lunes 3, entonces podría comenzar una operación mayor. [Eduardo] Roca dice que no tiene instrucciones de Buenos Aires. Ya se han producido dos bombardeos de los ingleses a las islas."[1] "La misión ante la OEA no tiene instrucciones a qué atenerse."[2]

Sábado 2 de mayo: "Se estuvo a punto de llegar a un arreglo sobre la última propuesta de los Estados Unidos. El almirante Anaya empujó para endurecer la posición argentina. El gobierno no desea convocar al TIAR, nuevamente, porque teme que se produzca un enfrentamiento entre Latinoamérica y los Estados Unidos. Galtieri está muy dubitativo sobre qué camino tomar. Considera a los Estados Unidos un país amigo. Costa Méndez cree que la futura negociación diplomática contará con la participación de los Estados Unidos. Yo dije que eso nos mantendría desarmados y con los brazos caídos. Para Galtieri es muy difícil la posición, pues los americanos eran los amigos de ayer. Se habla de la posibilidad del retiro de Takacs".[3]

Eduardo Roca se fue al cine a ver "El tambor de hojalata", una película alemana basada en una novela de Günter Grass. Estaba perdido, a los tumbos. "Imaginate, vino para hacer migas con los americanos y ahora va a tener que andar corriendo negros por los pasillos. No está preparado anímicamente para eso. Anoche se presentó una nota en las Naciones Unidas denunciando la agresión británica. Si no hay muchas víctimas será más fácil negociar. Por el momento los ingleses están realizando ataques tácticos, pequeños. Hay una posibilidad de una iniciativa diplomática. Se habla de posibles cambios en la Junta Militar. Los pilotos británicos tienen orden de bombardear puntos militares, no tropas. Podría haber en las próximas horas un sutil mensaje, por la puerta de atrás, de los americanos, para tratar de alcanzar una negociación diplomática."[4]

El tembladeral de Takacs: 21.20 horas del 2 de mayo de 1982. "La Argentina presentó una nota de protesta a los Estados Unidos. Todo esto dejará profundas huellas en la relación argentino-norteamericana. Esteban Takacs contaba hoy que no hubo comunicación con las autoridades norteamericanas. 'Los canales están cortados, no hay comunicación' dijo hablando por teléfono. No entendía la posición de Washington. Está sorprendido: '¿A qué juega la Armada? No estoy muy claro. No he recibido instrucciones'. Desconocía el plan de actividades para 1982 escrito por el general Miguel Mallea Gil. ¡Cómo lo puentean! Otras fuentes contaban que 'Canoro' no lo quiere a Takacs, que no es hombre de él. Contaron que Costa Méndez, en su último viaje, se fue a la National Gallery en el auto privado de Alberto Solá, dejándolo colgado al embajador. Takacs no participa de las decisiones, sólo transmite órdenes. Alberto Solá lo ha criticado mucho. Da la impresión que está consciente de su situación y que piensa que su cabeza está en juego, se gane o se pierda. El general Iglesias y el almirante Moya viajaron a Lima, para explicar la posición argentina ante las autoridades peruanas que presentaron una propuesta."[5]

"Hoy, dos de mayo, a 18.05 horas fui citado por el señor canciller quien me relató resumidamente las negociaciones cumplidas por el presidente Belaúnde, el ministro Ulloa y el canciller Arias Stella con el Excelentísimo Señor Presidente Galtieri y Vuestra Excelencia, haciéndome entrega de la propuesta que —díjome— estaba en consideración de la Junta Militar", informó el embajador argentino en Lima, contralmirante (RE) Luis Pedro Sánchez Moreno.[6]

La propuesta peruana establecía:

1) Cesación inmediata de las hostilidades.

2) Retiro mutuo de fuerzas.

3) Presencia de representantes ajenos a las dos partes involucradas en el conflicto para administrar temporalmente las islas.

4) Los dos gobiernos reconocen la existencia de reclamaciones discrepantes y conflictivas sobre la situación de las islas.

5) Los dos gobiernos reconocen que las aspiraciones y los intereses de los habitantes locales tienen que ser tomados en cuenta en la solución definitiva del problema.

6) El grupo de contacto que intervendría de inmediato en las negociaciones para implementar este convenio estaría compuesto por varios países a designarse de común acuerdo.

7) Antes del 30 de abril de 1983 se habrá llegado a un acuerdo definitivo, bajo la responsabilidad del grupo de países antes mencionados."

GALTIERI: Se lo agradezco mucho, doctor Belaúnde Terry, realmente es un gesto más del Perú para con la República Argentina y la América.

BELAÚNDE: Sí pues, bastaría con decir que las condiciones allí expuestas serían aceptables, y ya sobre esa base se podría trabajar y al día siguiente irían nuestras delegaciones.

GALTIERI: Con un gran placer he recibido su comunicación, doctor Belaúnde Terry.

BELAÚNDE: Es de mi deber decirle que he creído ver en el secretario de Estado una honda preocupación por una cierta intransigencia del otro lado, ¿no?

GALTIERI: Y, lo que pasa, doctor, es que nosotros no vamos a cambiar. Ustedes votaron [la resolución] el TIAR. Nosotros no vamos a cambiar la soberanía por nada, doctor, eh. [...] Mire doctor, en Argentina después de 150 años, un año o dos no le preocupa. Lo que me preocupa es que no sea un año sino 150 años más.[7]

Hasta aquí llegaba una de las últimas gestiones de paz antes del conflicto. Está claro, por la trascripción del diálogo telefónico, que el mandatario argentino ignoraba que Belaúnde era arquitecto, no doctor. Si no estaba al tanto de eso, tampoco podía saber que, como arquitecto, "Don Fernando" siempre soñó, desde la década del 50, con su proyecto de la Carretera Marginal de la Selva, un proyecto faraónico para la época, que uniría los centros marginales del Perú.

Presentada la propuesta, pasaron las horas en Buenos Aires, con la Junta sin decidirse a definir nada. Finalmente fue Costa Méndez el que llevó adelante la negociación. En ese lapso mantuvo varias comunicaciones con Lima. Nuevamente se levantaba una valla infranqueable: los británicos no hablaban de "intereses" sino de "deseos" de los pobladores y los argentinos no aceptaban. Crecía la sensación del peligro inminente, de la guerra abierta. Para los argentinos, Gran Bretaña estaba ganando tiempo, mientras que en Buenos Aires, Anaya consideraba que no había más que hablar. "Mire que me han dicho que algo puede suceder", comentó en un momento el presidente peruano al canciller.

Pero Costa Méndez hizo un último esfuerzo: "Que quede bien claro, le dijo el canciller argentino al primer ministro peruano, Manuel Ulloa, que los puntos de vista son respecto de los intereses de la población. Nosotros, hemos venido 17 años luchando por este tema en Naciones Unidas. [...] Vos te das cuenta que nosotros no podemos dejar librada la determinación de la soberanía sobre las islas al voto de habitantes que han sido impuestos, que han sido empleados de la compañía, que la podemos comprar mañana y se acabó el asunto".

Mientras se intentaba crear un espacio de negociación, el 2 de mayo, tras treinta horas de persecución, el submarino nuclear "Conqueror" hundió al crucero "Belgrano". Con una tripulación de 1.042 tripulantes, la acción provocó la muerte de 323 tripulantes. Se vivía una situación de conflicto armado pero fue hundido fuera de la zona de exclusión. "No estaba en capacidad para participar en operaciones de guerra", observará el contralmirante (RE) Horacio Mayorga.[8] Muchos oficiales, en reserva, rechazan el tomar como argumento para condenar la acción británica que el navío fue hundido fuera de la zona de exclusión. Así se deslegitima el sacrificio y se convierte en inútil.

El mismo día también es atacado el aviso "Alférez Sobral", muriendo su capitán y siete tripulantes. Tras el hecho, la flota argentina volvió a sus bases y ya no saldría por temor a ser hundida. Permaneció en aguas poco profundas para dificultar la cercanía de los submarinos nucleares. "La ofensiva británica intentó profundizarse con el fin de aflojar a la Junta Militar, o provocar la renuncia del almirante Anaya. El portaviones 25 de Mayo es una tumba flotante", dijo un oficial de inteligencia norteamericana."

La noticia fue conmocionante: "La Armada se retira de la negociación. Nos hundieron el 'Belgrano'", dijo Anaya al canciller, teniendo como testigos a Galtieri y Lami Dozo.[9] El presidente Galtieri le dijo a Belaúnde, el 3 de mayo, a la madrugada: "Todo esto, señor Presidente, se ha visto tremendamente afectado y trastocado por la actitud británica al torpedear el crucero "General Belgrano", para nosotros fuera de las 200 millas que, además, no aceptamos del Reino Unido, y evidentemente esta situación particular no solamente no favorece sino que el gobierno argentino no está dispuesto, ante esta presión militar, preferimos morir de pie que vivir arrodillados a aceptar ninguna negociación relacionada con la paz en el Atlántico Sur en estas condiciones".[10]

El 4 de mayo, la respuesta naval argentina llegó a través de sus aviones equipados con misiles franceses Exocet, al hundir al destructor "Sheffield". Mientras no había quedado totalmente descartada la gestión de Fernando Belaunde, desde Nueva York, otro peruano, el secretario general de las Naciones Unidas, Javier Pérez de Cuéllar, ofreció una gestión de buenos oficios que es aceptada por la Argentina y el Reino Unido. "A fin de participar en las negociaciones, el jueves 6 de mayo, viajan a Nueva York el subsecretario Enrique Ros y el secretario (Roberto) García Moritán."[11] El secretario general de las Naciones Unidas propuso, como un paso previo para el comienzo de las negociaciones, el retiro de las fuerzas de ambos países del archipiélago: al día siguiente, viernes 7, Gran Bretaña amplió el bloqueo naval a 12 millas del litoral marítimo argentino, y tomó la decisión de trasladar las fuerzas de infantería que estaban en la isla Ascensión al frente de guerra. Era un claro mensaje de que se pensaba en un desembarco.

En Buenos Aires, ese mismo jueves, en horas de la tarde, un diplomático argentino de la "línea", cercano a Ros, comentó que se esperaba un nuevo ataque británico para los próximos días. "Incluso al continente". Luego relató que "el lunes pasado (al día siguiente del hundimiento del crucero 'General Belgrano'), Schlaudeman se entrevistó con Anaya, como consecuencia de la campaña de prensa contra los Estados Unidos. Así lo consideraba el embajador norteamericano. Dijo Schlaudeman que, de persistir dicha campaña, él tendría que irse de la Argentina. Anaya le respondió que le garantizaba un vuelo para que se fuera. Todo esto es consecuencia de un artículo de Jorge Lozano en el *Diario Popular* contra EE.UU."[12] Luego confirmó lo que se sabía: "Anaya llevó la presión a fondo para que no se aceptara la propuesta de Perú, después del hundimiento del Belgrano. Algunos asesores del vicecanciller Ros dicen que Costa Méndez no le cuenta a la Junta toda la información que sus asesores le proveen. Que con esta conducta los endurece, llevándolos a un enfrentamiento a fondo con Gran Bretaña".

El Palacio San Martín era un hervidero. Los estados de ánimo cambiaban de despacho en despacho. Así, el mismo viernes 7, en un despacho cercano, un diplomático de clara vinculación desarrollista afirmó que "vamos hacia el Apocalipsis; no podemos ganarle a Gran Bretaña-Estados Unidos y la OTAN juntos. Es tarde para aceptar la paz, ahora no la quiere Gran Bretaña. Han extendido la zona de exclusión a 12 millas del continente y no se descarta un ataque al continente. Todo este 'castigo' cuenta con el visto bueno de la URSS. Hay varios golpes militares en marcha: encabezados por Onganía, Viola, Massera".

En coincidencia con la fuente diplomática, el almirante Jorge Anaya dijo que "el 5 de mayo de 1982, el Servicio de Inteligencia Naval, detectó que un grupo de generales de división tramaba la caída de Galtieri".[13]

También los disparates estaban a la orden del día. O lo que se llama la acción psicológica. Muy cómodamente sentado en una mesa de la confitería Florida Garden, comiendo una medialuna de manteca, "Vito Nervio" o "Bendazzi", un hombre que en ese tiempo era vocero de un sector de la Armada, sostenía que "esta flota británica, a no ser que sea reforzada por los Estados Unidos, no tiene posibilidades de triunfar. Es una flota que por su componente técnico es antisubmarina y no tiene aviones de largo alcance, ni barcos para apoyo de desembarco. Sus aviones Harrier no tienen autonomía".[14]

Las gestiones del senador Helms. Rumbo al desastre

Frente a los funcionarios que consideraban un apoyo irrestricto norteamericano a Gran Bretaña, a los que se denominó "atlantistas", otros se alzaron para advertir el serio riesgo que presentaba el apoyo a Londres en la política de Reagan destinada a frenar el avance de la influencia cubana en América Central. Las líneas generales de esa política fueron establecidas en mayo de 1980, en lo que se llamó el "Documento de Santa Fe", con la activa participación de L. Francis Bouchey, Roger Fontaine, David C. Jordan, y el general Gordon Summer, Jr.

El senador Jesse Helms nunca fue ajeno a esta cuestión. Es más, era un elemento esencial en las cercanías del Presidente de los Estados Unidos y dentro del Congreso. Esta visión apocalíptica llamaba la atención sobre el avance de la subversión marxista-leninista en Centroamérica. La ecuación, lineal y sencilla, consideraba el peligro de Nicaragua, su apoyo a las fuerzas del Frente Farabundo Martí en El Salvador y, una vez triunfador, el próximo paso era Honduras y Guatemala. Alcanzados estos objetivos, el objetivo siguiente de las fuerzas revolucionarias era México, dadas sus condiciones económicas y sociales. En los días de la transición (enero de 1981), el equipo que preparaba las próximas políticas de Ronald Reagan, elaboró un documento que preveía la posibilidad de que, dadas estas circunstancias, México podría convertirse en "un nuevo Irán" en las puertas de los Estados Unidos.

Durante la tarde del 6 de mayo, Esteban Takacs visitó nuevamente al senador Jesse Helms. El representante de Carolina del Norte lo esperaba con cuatro asesores. El embajador tuvo, en la ocasión, la certeza de encontrar serias diferencias del lado norteamericano. Helms le preguntó si "las negociaciones mantenidas por el gobierno argentino sobre Malvinas había sido conducidas exclusivamente a través del secretario Haig. Le respondí que sí". Helms dijo que "no veía ya al secretario de Estado como un interlocutor válido para la Argentina y especuló sobre la posibilidad de que la embajadora Kirkpatrick pudiera en algún momento constituirse en un mejor canal de comunicación".

El representante argentino comentó que "lo más importante era que el presidente Reagan estuviera bien informado a través de otros conductos, además del Departamento de Estado. Y que tenía la sensación de que Jeane Kirkpatrick estaba sometida a una gran presión de funcionarios pro británicos de la Administración". A partir de este encuentro, "el senador Helms ofreció su disposición a viajar a Buenos Aires si ello podía ser útil para ayudar a solucionar el conflicto, agregando que se daba cuenta el daño manifiesto a la política hemisférica (de Reagan) que significaba la posición adoptada por el gobierno al apoyar a Gran Bretaña".[15]

En aquellas horas ya se conocía la nota de protesta de Costa Méndez a Haig por las sanciones aplicadas a la Argentina, una vez que Haig dio por terminadas las negociaciones. "La Argentina no rechazó las propuestas del gobierno de los Estados Unidos. El propio secretario de Estado, en la entrevista que mantuvimos, reconoció que no se nos exigía su aceptación integral y que podíamos agregar nuevos comentarios."

A los pocos días del encuentro con Esteban Takacs, el senador Helms envió a Buenos Aires a Kirakoff, uno de sus asesores, para husmear la profundidad del clima antinorteamericano y buscar argumentos con los que reforzar sus argumentos. Quedó claro cuando conversó con la conducción de la Armada y funcionarios de la Cancillería, que Haig parecía no haber informado a Reagan con la precisión necesaria. De todas maneras, a pesar de los esfuerzos de Helms y Kirkpatrick, Reagan tomó la decisión de apoyar a Margaret Thatcher, y una vez finalizado el conflicto, separó a Haig del Departamento de Estado.[16] El contingente de oficiales argentinos que asesoraban a los "contras" desde Honduras nunca se retiró y permaneció allí durante gran parte de 1983.

"Las negociaciones necesariamente deben tomar algún tiempo; pero debo poner en claro que el hecho de que estemos negociando no impide el uso de ninguna alternativa militar. [...] Debemos decir claramente a los argentinos que no tienen que llegar a la mesa de negociaciones con la esperanza, o con las condiciones, de que finalmente les sea cedida la soberanía sobre las Islas; hay ciertos principios respecto de los cuales no podemos doblegarnos", dijo Margaret Thatcher en los acalorados debates en la Cámara de los Comunes.

La guerra escalaba, mientras los diplomáticos continuaban analizando la propuesta de las Naciones Unidas y presentando notas ante el Consejo de Seguridad. Así, por ejemplo, tras la ampliación británica de la zona de bloqueo, el 7 de mayo la Argentina presentó una nota de protesta por la actitud inglesa, al Consejo de Seguridad (ONU) y el Órgano de Consulta del TIAR. También se presentó una nota informando sobre las circunstancias del ataque al "Alférez Sobral" y las bajas sufridas. El 8 se realizó una reunión en el domicilio particular de Pérez de Cuéllar con los representantes argentinos, mientras Gran Bretaña, a través de una nota al Consejo de Seguridad, justificaba la extensión del bloqueo. Nota que mereció una respuesta argentina. El domingo 9, mientras seguían las negociaciones en Nueva York, las fuerzas británicas iniciaron un nuevo ataque contra Puerto Argentino, y en Buenos Aires se confirma el hundimiento del navío "Isla de los Estados" y el ataque al pesquero "Narwal". Nueva nota británica explicando el ataque al "Narwal".

"Al silencio en los mares del Sur se contrapone una ópera en Buenos Aires. Más precisamente 'Príncipe Igor', una ópera rusa que era plácidamente escuchada, la noche del 29 pasado, en la residencia de una destacada figura política argentina, antiguo ministro del régimen militar. Por qué justamente aquella ópera, en estos momentos. El ex ministro bromeaba con sus invitados: 'Resolví colocar una pieza rusa en su equipo de música para irme acostumbrando al idioma'", relató un corresponsal brasileño.[17]

En Buenos Aires la confusión no era menor. Tras el apoyo de los Estados Unidos a Gran Bretaña, Francisco Manrique se entrevistó, el 8, con Galtieri en la Casa de Gobierno. A la salida explicó que las acciones argentinas por la cuestión de las Malvinas se estaban desarrollando "dentro del mundo occidental" y que "nadie debe, ni puede, suponer el alejamiento de sus valores tradicionales… nada apartará al país de su ubicación geográfica e ideológica en el mundo". En sintonía, aunque con mayor margen de sutileza, Costa Méndez apuntó que los Estados Unidos "se alió con el enemigo… y espero que se rectifique y revise su actuación respecto a América latina". Y, desde los Estados Unidos, Ronald Reagan sostenía que la crisis "no afectó" el interés norteamericano por mantener "relaciones íntimas con los países de América del Sur".[18] Las declaraciones más comentadas las formuló el ex canciller Miguel Ángel Zabala Ortiz: "Si la Unión Soviética o China, por ejemplo, nos dan su ayuda y quieren contribuir a la defensa de nuestro país, no obstante las diferencias ideológicas, no podremos dudar".[19]

Los partidos políticos tampoco eran ajenos: en los días previos al 9, la Multipartidaria ofreció viajar a los Estados Unidos para ratificar todo lo hecho por el gobierno militar al ocupar Malvinas, y en Mar del Plata 50.000 personas participaron en un acto en el Estadio Ciudad de Mar del Plata donde juraron públicamente fidelidad a la bandera, bajo los sones marciales de la banda de la Agrupación de Artillería de Defensa 601. Los medios gráficos argentinos estaban atiborrados de fotos de soldados en las trincheras, aviones, barcos y declaraciones públicas. Entre estas últimas, no faltaron las que realizaron al *Diario Popular*, el 11 de mayo, Moria Casán, Silvia Pérez, Graciela Alfano, Libertad Leblanc y Luisina Brando. Todas criticaban a la Thatcher por "inescrupulosa, resentida, belicista, loca, bruja" y otros epítetos. También, en esas mismas horas, se conocía la muerte de la gran vedette Nélida Lobato. Buenos Aires oscureció, como despidiendo a su estrella, pero en realidad habían comenzado las restricciones de electricidad. Las marquesinas y los carteles de la Avenida 9 de Julio se apagaron. Y el fútbol continuaba su actividad normalmente. Estudiantes, dirigido por Carlos Bilardo, le ganó a Rosario Central con un gol marcado por Rubén Galletti. El miércoles 12 el seleccionado argentino que se preparaba para participar en el Mundial de España enfrentó a Rumania con la incorporación de Jorge Valdano (criticado por Leopoldo Jacinto Luque). Ese día, a la mañana, una radio sacó al aire al embajador Gustavo Figueroa quien, entre otras cosas, dijo que le parecía una contradicción que en medio del conflicto armado se ofrecieran estos espectáculos. Minutos más tarde, el ministro de Acción Social, almirante Carlos Alberto Lacoste, llamó telefónicamente para quejarse. El papa Juan Pablo II inició una visita a Fátima, Portugal, para agradecerle a la Virgen haberle salvado la vida durante el atentado en la Plaza de San Pedro. Desde el Santuario hizo un llamado a poner fin a las acciones militares en las Malvinas.

Confesiones en voz baja.
La reunión del gabinete presidencial del 12 de mayo

"'Los argentinos hablaron tanto en estas últimas semanas que no entendemos más nada', dijo Francis Pym antes de embarcarse nuevamente a Nueva York… el canciller británico se confesaba particularmente atrapado en saber quién habla en nombre de quién en la Argentina de hoy: 'Hay un presidente Galtieri, hay un señor Costa Méndez, hay una junta, hay generales, hay almirantes…', publicó el semanario brasileño *Veja*."[20]

"Hay una ofensiva británica sobre la persona del almirante Anaya, haciéndolo aparecer como que no consulta las decisiones de guerra con el Almirantazgo. Gran Bretaña da la imagen como queriendo aparecer dominando la zona de guerra por aire y agua. Esto se desvanece en la medida que no logran desembarcar en las islas. Tenemos problemas de conjunto: la Fuerza Aérea quiere dirigir sola la lucha aérea y a los aviones de la Armada los han retirado a Río Grande. Hay que recordar que cada escuadrilla de Fuerza Aérea debería contar con un avión guía naval. Debe pensarse ya en la salida política, es la posición de Anaya, dijo a un reducido grupo de periodistas de Buenos Aires, el capitán de navío Héctor de Pirro, el oficial encargado de las relaciones con los medios de la Armada.[21] En contradicción con el pensamiento de Anaya, en otro lugar de Buenos Aires, el general de división Juan Carlos Trimarco le confiaba al economista radical Bernardo Grinspun que "Galtieri intentaría seguir adelante con su plan político de perdurar en el poder hasta 1984 y lograr elegirse electoralmente en 1989, todo esto, además, sin dejar la comandancia del Ejército. Trimarco sostuvo que nadie se opondría dentro de la Fuerza."[22]

Un diplomático se encontraba perturbado el miércoles 12 por la tarde. Confesó que "los militares del Estado Mayor Conjunto sostienen que la Argentina perderá diplomáticamente la guerra. Tratan mal a la Cancillería, como si ella fuera la responsable de la invasión y de la falta de una decisión militar. Esto se habló ayer durante una reunión en la que estaba el vicealmirante Leopoldo Suárez del Cerro, jefe del Estado Mayor Conjunto, y les dije que ellos tenían miedo y buscaban un 'chivo emisario'. Me preguntaron por qué decía eso y les respondí que ellos militarmente estaban menos cero, o se sentían derrotados, porque Gran Bretaña estaba dispuesta a enviar todo el material que hiciere falta para derrotarlos. 'No va a ser fácil', contestaron. El diplomático, entonces, les dijo que es cierto que a Gran Bretaña le va a costar, pero que finalmente lo hará, aunque en esto tenga que intervenir los Estados Unidos.

"Observó a Enrique Ros como un 'duro' que dice que a él no lo van a culpar de blando, además sostiene que para llegar a un arreglo con el Reino Unido es necesaria una definición militar. Es un 'halcón'. Brasil está preocupado sobre cuál será la decisión política que podría adoptar una Argentina derrotada. Podría desestabilizar todo el Cono Sur, esta es una de las preocupaciones que llevó el presidente Figueiredo a Washington para conversar con Reagan. Sorprendido, dijo que Anaya no quiere recibir a los almirantes para evitar presiones. De esta manera tiene libertad de decisión.[23]

"En otro despacho del Palacio, el mismo día 12, un diplomático, de origen desarrollista, sostenía que 'esto anda mal porque nadie desea firmar una concesión, un paso atrás. El problema es explicar esto en el frente interno. Ellos son prisioneros de su propaganda, inventada entre otros por el 'gordo' Baltiérrez. Ahora los 'militaristas' le tiran a los moderados y los acusan de proyanquis, como a Oscar Camilión. Los americanos saben que sus viejos aliados internos no pueden garantizar nada (Roca, Martínez de Hoz, etc.). Por eso van a buscar negociar con hombres como Oscar Camilión, a quien conocen bien Haig y Vernon Walters. El almirante Anaya se ha encerrado en el comando y no quiere recibir a nadie. Galtieri tuvo que ir a verlo al Edificio Libertad".

Otro diplomático al que le decían "Buda" contaba, también el

12, que venía de hablar con los oficiales de la intimidad de Anaya y relató "cómo Gran Bretaña intentará establecer una cabeza de playa, hacerse fuerte, izar la 'Union Jack' y después negociar. 'Siento el aliento de la flota inglesa' parece que confesó Anaya, y agregó 'tenemos pocas municiones'. Esta Junta Militar no tiene para mucho tiempo, opinó el asesor de Anaya. Uno de los asesores del jefe naval le dijo que una de las motivaciones que tuvieron para la ocupación había sido el blanquear los errores cometidos en los seis años de gobierno. Cuando esto termine, los partidos políticos van a tener el Estatuto, pero antes deberán responder sobre unos 20 temas (energía, economía, Derechos Humanos)".[24]

El 11, el presidente de Brasil, general João Baptista de Figueiredo llegó en visita oficial a Washington, pero decidió acortarla teniendo en cuenta el conflicto armado que se vivía en el Atlántico Sur. Fuentes de la delegación comentaron al periodismo brasileño que tanto Reagan como Haig explicaron la posición asumida por los Estados Unidos. Condenaron "la medida de fuerza" tomada por la Argentina, al ocupar militarmente las islas… y Haig resaltó la imposibilidad de encontrar en Buenos Aires una fórmula para la paz, relatando severas quejas a los diplomáticos argentinos. Según Haig, varias veces la fórmula fue aprobada a la noche para ser "completamente deshecha la mañana siguiente." Haig expuso, asimismo, la "complejidad del sistema de comando" dentro del gobierno argentino. Pero "la gota de agua que rebalsó el vaso" fue el clima de animosidad de la prensa y la opinión pública norteamericana contra los argentinos. "Se supo que Figueiredo escuchó con atención la explicación norteamericana, pero también se preocupó en detallar los fundamentos de la posición de su país: para Brasil, siempre fue esencial obtener a cualquier precio la paz en las Malvinas, a fin de evitar que Argentina salga del conflicto en una situación político-económica inviable. Brasil teme una crisis que liquide de una hora para otra el gobierno de Galtieri, no sólo colocando en serias dificultades a un país vecino estratégico, sino que al mismo tiempo podría dificultar el cuadro político brasileño. Porque se podía suponer que los militares brasileños se sentirían directamente amenazados si esto ocurriera en la Argentina."[25]

"Nada en la ONU" fue el título de la nota de tapa de Jesús Iglesias Rouco, donde relata cómo los "atlantistas" norteamericanos están buscando una "salida indirecta para el conflicto, que a su juicio se presentaría con un cambio de régimen en Buenos Aires". Iglesias Rouco dice detectar varias reuniones del embajador Schlaudeman con miembros de la Multipartidaria y gremialistas. "También las que últimamente habría mantenido con el señor Camilión y otros personajes pertenecientes al denominado grupo Viola-Liendo-Fraga, u otros ligados al proceso y a militares que en su momento no habrían sido consultados sobre la conveniencia de la recuperación de las Malvinas. Curiosamente, estos sectores, que nunca se caracterizaron por su entusiasmo pronorteamericano —tampoco nunca fueron vistos en los Estados Unidos como sus mejores aliados en la Argentina— se están convirtiendo hoy en los campeones de un rápido regreso a las tesis norteamericanas, incluidas las relativas a Malvinas, y hasta hablan de la posibilidad de un 'plan Marshall' para la Argentina, si Buenos Aires acepta retirarse del archipiélago de acuerdo con el proyecto del señor Haig".[26]

"Lenta y ardua negociación en las Naciones Unidas" y "Obstáculos en la gestión de Pérez de Cuéllar" eran los títulos de los dos matutinos más importantes de Buenos Aires, *Clarín* y *La Nación*, el miércoles 12 de mayo, día en que Galtieri se reunió con su gabinete. Abrió la reunión el Presidente: "Se está llegando al momento de mayor confrontación de voluntades. No habrá imposición total de una voluntad. El resultado no será diez a cero, eso es imposible ni de uno ni de otro lado. No habrá aniquilamiento. Luego de un gran enfrentamiento bélico, aún mayor que el que hoy tenemos, se alcanzará una solución negociada". Luego el canciller expuso a sus colegas las tres fases de las negociaciones. La primera, con la mediación del secretario de Estado, Alexander Haig, que fracasó por la imposibilidad de convenir dos cuestiones exigidas por Gran Bretaña: 1) el respeto a la autodeterminación de los isleños y 2) el sistema de retiro de las tropas. El segundo intento fue el que realizó Fernando Belaúnde Terry. Si bien hubo acercamientos notables, se discutió sobre la palabra "deseos" exigida por los británicos e "intereses" aceptada por los argentinos. En medio de las negociaciones Gran Bretaña hundió el crucero "General Belgrano" y se suspendieron las gestiones. La tercera fase era la que se estaba llevando a cabo en las Naciones Unidas. El canciller explicó la agenda propuesta por Pérez de Cuéllar e informó que en la mayoría de sus condiciones no existía ningún acuerdo. Finalmente, el canciller comentó: "Anoche Ros estaba pesimista". Para luego agregar que "si hay un ataque británico importante antes del 17 de mayo, algunos países cambiarán, por ejemplo Italia y Alemania". Luego, el presidente Galtieri cerró la reunión pidiendo que se analizara la confiscación de todos los bienes muebles e inmuebles de propiedad británica en la Argentina.[27]

Flotaba, en la Sala de Situación de Casa Rosada, "la sensación de que tanto el Presidente como el canciller sobreestimaban las posibilidades argentinas en el plano militar y, consiguientemente, en el diplomático", opinó posteriormente Manuel Solanet en su poco conocido, pero no menos importante, libro *Notas sobre la guerra de Malvinas*.

El semanario *Somos* preguntó: "¿Y si hay desembarco?".

El ex canciller Mario Amadeo expresó: "Algo muy elemental dice que para tener éxito la fuerza de ataque tiene que ser más fuerte y numerosa que la defensa. Según se dice, los ingleses traerán dos o tres mil hombres de desembarco, una cifra inferior a los efectivos argentinos que habría en Malvinas. Por eso los términos de aquella ecuación están invertidos, y las posiciones nos favorecen".[28]

A las 23 horas del 13 de mayo, el comandante de la Brigada de Infantería de Corrientes, general Ricardo Norberto Flouret, comentó la última visita realizada por el general Antonio Vaquero, jefe del Estado Mayor del Ejército a las tropas en el Sur. "Le dije que no quería hacer el ridículo, ni provocar una carnicería. Que había que transitar la franja del medio. Vaquero dijo conocer que había problemas internos en la Junta Militar."[29]

Mientras se realizaba la reunión de gabinete en la Casa de Gobierno, sobre el mediodía, casi en las puertas de la Cancillería, fueron secuestrados cuatro periodistas; tres británicos y un norteamericano del Canal 15 de Nueva York. Todos fueron abandonados desnudos pocas horas más tarde. No faltaron las explicaciones, ridículas, intentando disminuir los daños a la alicaída imagen del gobierno en el exterior. "A los periodistas se los 'levantó' la Armada para endurecer a Galtieri, derrumbando su imagen externa. Otros opinan que fue el sector 'violista' para perjudicar al Presidente. Dicen que [el general] Martela y el 601 no juegan para su comandante en Jefe." Un comisario que se presentó en el Florida Garden intentó explicar que los periodistas ingleses pueden haber sido secuestrados por el servicio de inteligencia británico. "Se esperó a que [Juan] De Onis, de *The New York Times*, se fuera el sábado para decretar la expulsión de Jansen."[30] En realidad, Juan De Onis se fue en un momento providencial. Desde hacía semanas era puntillosamente observado por la Policía Federal porque usaba una máquina "rara" para transmitir información al exterior. La tenía en la habitación del hotel "República". Era una laptop, con conexión telefónica que ya en esa época usaba *The New York Times*.[31]

Entre el 15 y el 17 fueron suspendidas las negociaciones en las Naciones Unidas. El embajador británico "Tony" Parsons viajó a Londres para realizar consultas —y se lo incorporó al "gabinete de guerra"— y el embajador Arnoldo "Noli" Manuel Listre reemplazó a Ros. El 15, embarcaciones británicas destruyeron con cañones tres Pucará estacionados en la isla Borbón. Aviones Harrier hunden el barco interisleño "Isla de los Estados". Luego son averiados los barcos mercantes argentinos "Río Carcarañá" y "Bahía Buen Suceso". El 17 se reanudan las negociaciones sobre la base de un documento británico con "modificaciones cosméticas", según la Cancillería argentina. La Argentina hace, con el paso de las horas, una corrección que no es aceptada por Gran Bretaña. Y el 18, por una semana más, se renuevan las sanciones de la Comunidad Económica Europea.

"Existe una sensación de debacle económica en la Argentina. Hoy hubo una reunión de banqueros en el Banco Central de la Nación Argentina: US$ 2.000 millones de reservas disponibles. Hay serios problemas con el embajador Schlaudeman y King por sus contactos políticos, que el gobierno entiende que debilita el frente interno. Se propuso pedir al segundo de la embajada de los

Estados Unidos que se fuera del país, pero Costa Méndez se opuso."[32] "Este gobierno está muerto políticamente."[33] "Le mandé al general Flouret equipos que tenía en el Comando Antártico porque carecía de elementos necesarios. Flouret me dijo que no tenía soldados sino 'partisanos'. Dijo que al final de todo esto deberá haber tribunales militares para juzgar a los que nos metieron en este lío."[34]

"No hay agua potable en las islas. Están buscando bolsas de plástico grueso para tirarles a las tropas desde los helicópteros con agua que hay en Puerto Argentino. Los soldados tienen carpas de verano y las cocinas son a leña, en un lugar donde no hay árboles."[35]

Con el paso de las horas, trascendieron detalles de la visita secreta a Buenos Aires, en la segunda semana de mayo, del ex subdirector de la CIA y embajador itinerante Vernon "Dick" Walters. Según los mismos, Walters se entrevistó separadamente con los miembros de la Junta Militar. Llegó con el conocimiento del agregado militar en Washington, general Miguel Mallea Gil. En sus encuentros, el funcionario norteamericano intentó convencer a los argentinos de la necesidad de continuar negociando. Además, anidaba en las cabezas del gobierno de Washington algo que, con alguna frecuencia, había dicho Galtieri en la intimidad: que si la situación lo forzaba pediría ayuda a los soviéticos y los cubanos. En otras palabras, era la teoría de "romper el cerco". Se le adjudicaba a Galtieri haber dicho a Haig que "el primer deber de cualquier militar, acorralado, es romper el cerco, y la Argentina no dudará en dar ese paso".

"Era importante tratar de disuadirlo de esta acción, si es que la estaba contemplando seriamente", comentó años más tarde Alexander Haig. El brigadier Basilio Lami Dozo le dijo al enviado norteamericano que los soviéticos "ofrecían equipos militares y asistencia a precios moderados, pero el dinero es sólo parte del precio y la Argentina jamás pagará ese precio". Anaya por su parte fue más contundente: "No importa lo que suceda; nunca, repito, nunca volvería hacia la Unión Soviética. Traicionaría todos los sentimientos que mantuve durante toda mi vida".

Al mismo tiempo, los jefes militares le informaron a Walters la presunción de que el gobierno de Reagan intentaba desestabili-

zar al gobierno militar. Entre otras pruebas se le impuso un listado de contactos del embajador Schlaudeman con políticos argentinos, ya a esa altura críticos con el desarrollo de los acontecimientos. Una vez en Washington, Walters calificó al gobierno de
Galtieri como "el más prooccidental" de todos los tiempos.[36] En el
Día de la Armada, Jorge Anaya le respondió: "Adherimos a Occidente, sí, pero a un Occidente que quiere replantear sus pautas,
para que la conducta de sus pueblos vuelvan a ser regidas por au-
ténticos principios de libertad, enmarcados en la filosofía cristiana y no distorsionados por espurios intereses económicos".

"Durante la semana pasada, mientras la Argentina tentaba en
vano una solución ecuánime ante el secretario general de las Naciones Unidas, asomó en el 'frente interno' una llamada 'propuesta política para la posguerra'", relató Jorge Lozano desde su columna de *El Popular*, haciendo referencia al paso de Vernon
Walters por Buenos Aires. Y advertía: "Más vale que algunos tripulantes no abandonen el barco en medio de la tormenta. Porque
el pueblo siempre repudia a los cobardes y a los traidores. Aunque
esta guerra se pierda".

En Santiago del Estero, momentos antes de poner en su cargo
al gobernador Carlos Jensen Viano, el ministro del Interior informó a la prensa que el 30 de junio se conocería el nuevo Estatuto de
los Partidos Políticos.

Mirando encuestas.
La opinión de la población de Buenos Aires

Entre el sábado 15 y el domingo 16 de mayo, 25 encuestado-
res adiestrados en encuestas domiciliarias del Instituto Gallup de
la Argentina, miembro de la conocida Gallup Internacional, realizaron una encuesta de 537 casos.[37] "Los resultados de dicha compulsa reflejan el pensamiento de los ciudadanos ante el conflicto
con Gran Bretaña por las Islas Malvinas", se afirma en la primera
página de la carpeta de tapa dura color azul verdoso. El trabajo de
36 páginas que fue llevado al canciller Nicanor Costa Méndez informaba los siguientes resultados:

• De acuerdo a lo que usted sabe, ¿cuál de los dos países está en una situación más conciliadora y abierta para una negociación, Argentina o Gran Bretaña?

1. Argentina 94,97%
2. Gran Bretaña 0,74%
3. Los dos por igual 3,54%

• Dada la situación actual, ¿considera usted que se llegará a un conflicto armado total o cree que todavía hay una buena posibilidad para una negociación?

1. Conflicto armado total 25,32%
2. Negociación 61,08%
3. Otras respuestas 8,57%

• A su juicio, ¿cuál de los dos países saldrá ganando en este conflicto?

1. Argentina 84,92%
2. Gran Bretaña 2,61%
3. No sabe, no contesta 12,47%

• ¿Cuál es el grado de confianza que usted tiene en la diplomacia argentina en el logro pacífico de la solución del conflicto?

1. Mucha confianza 80,07%
2. Más o menos confianza 13,97%
3. Poca confianza 3,54%
4. Nada de confianza 1,68%

• ¿Cómo evaluaría usted la gestión del canciller Costa Méndez hasta el momento?

1. Muy eficiente 71,88%
2. Eficiente 23,28%
3. Más o menos eficiente 2,42%
4. Poco eficiente 1,30%
5. Nada eficiente 0,37%

• [...] La Argentina dejaría de lado la precondición del reconocimiento de su soberanía como paso previo para sentarse a la mesa de las negociaciones con los británicos. ¿Qué opina usted con respecto a la postura argentina en este sentido?

1. Muy de acuerdo 6,89%
2. De acuerdo 21,42%
3. Más o menos de acuerdo 11,73%
4. Poco de acuerdo 9,31%
5. En desacuerdo 43,76
6. No sabe, no contesta 6,89%

• En cuanto a los efectos de este conflicto en la política nacional, ¿qué cree usted que ocurrirá?
1. El gobierno seguirá como hasta ahora 20,48%
2. El gobierno no llamará a elecciones, pero gobernará con el apoyo de un gran movimiento de civiles. 28,49%
3. Actuarán todos los partidos políticos y habrá elecciones 37,80%
4. No sabe. No contesta. 13,22%

La guerra contra Gran Bretaña generó una sensación tan especial en las autoridades y la sociedad que, con el transcurso de los días, dejó de pasarse por las radios música en inglés y, tras un lustro de grandes reservas y olvidos por parte del régimen militar, salió a la superficie el rock en español, la música contemporánea argentina, pionera en América Latina. El domingo 17 de mayo, con una presencia de 80.000 jóvenes, durante cuatro horas, se realizó en el estadio Obras Sanitarias el Festival de Solidaridad Americana que fue televisado al exterior. Llovía pero la gente se mantuvo incólumne. Para darle un marco más continental, la Cancillería invitó a los hijos de los diplomáticos latinoamericanos acreditados en Buenos Aires. La entrada se pagaba con una donación para las tropas en las Malvinas (cigarrillos, mantas, alimentos, chocolates, papel para cartas, lapiceras, etc.) que fueron retiradas en grandes bolsas de plástico y donadas al Fondo Patriótico Islas Malvinas. Subieron al escenario los más representativos músicos de una generación: Litto Nebbia, Charly García, León Gieco, Piero, Antonio Tarragó Ros, Ricardo Soulé con Edelmiro Molinari (que había partido en 1974 a los Estados Unidos), Nito Mestre, Luis Alberto Spinetta con "Jade" y el uruguayo Rubén Rada. Mientras unos volvían, otros partían para siempre. El mismo domingo, a las 7.30 de la mañana, moría Nené Cascallar, la guionista de programas radiales y televisivos que habían logrado conmover a la sociedad argentina. Con "El amor tiene cara de mujer" había ganado el premio Argentores, en 1965. ¿Quién en esos años no recordaba "Cuatro hombres para Eva"? Con sus obras, lanzó a la fama al "poker de ases", integrado por Rodolfo Bebán, Jorge Barreiro, Eduardo Rudy y José María Langlais. Entre sus actrices preferidas se contaron Thelma Biral, Iris Lainez, Claudia Lapacó, Soledad Silveyra, Bárbara Mujica, Evangelina Salazar y Dora Baret.

El fin de las negociaciones en las Naciones Unidas. Gestiones paralelas del secretario general de Naciones Unidas. Fuerzas británicas desembarcan en Malvinas

El martes 18 la Argentina presentó un proyecto de acuerdo al secretario general de las Naciones Unidas. El documento volvía a insistir en que "los tres párrafos de la Resolución 502 son indivisibles en su tratamiento y por lo tanto el retiro de tropas es parte de las negociaciones y no condición previa para negociar". A renglón seguido consideraba que "el ámbito geográfico dentro del cual deberá cumplirse el retiro de tropas abarca las Islas Malvinas, Georgias del Sur y Sandwich del Sur". El tercer punto del preámbulo era: "El retiro de las fuerzas de ambas partes deberá ser gradual y simultáneo. En un plazo máximo de treinta días todas las fuerzas armadas deberán hallarse en sus bases y áreas normales de operación".

"Pesimismo por las gestiones en la UN", tituló *La Nación* el mismo martes. Y Carlos W. Otero en su columna de tapa se hizo eco de una opinión de Pérez de Cuéllar: "El tiempo no está del lado de la paz".[38] La CEE renovó por una semana las sanciones comerciales a la Argentina, pero esta vez no adhirieron Italia e Irlanda.

"Después del conflicto se deberá retornar al cumplimiento del plan económico, elaborado por Roberto Alemann. De lo contrario algunos funcionarios quedarán de sobra. Mucha gente quiere que se quede el ministro de Economía, pero no el plan. Y eso no es posible", confesó en la intimidad Jorge Eduardo Bustamante, integrante del equipo económico.[39]

Durante una conversación, en presencia de Leopoldo Moreau, en el hotel céntrico donde habitualmente paraba cuando estaba en la Capital Federal, el ex presidente Arturo Illia dijo que "si yo fuera presidente retiraría las tropas de las islas, porque el objetivo ya lo ganamos, está cumplido. Aunque conmigo no se hubiera invadido". Además consideró que existía "mucha improvisación en el gobierno".[40]

El 19 de mayo, Alberto Grimoldi, entonces director del Banco Central, fue llamado por Irene Philippi, una ex funcionaria suya y en esos momentos esposa de Álvaro de Soto, un estrecho colaborador de Javier Pérez de Cuéllar. Durante la comunicación le dijo que su esposo quería hablar con él, en nombre del secretario general de Naciones Unidas. Por la tarde, Grimoldi y Álvaro de Soto establecieron contacto telefónico y el funcionario peruano de Naciones Unidas le dijo que en ese instante le estaban enviado a la Cancillería argentina una propuesta que había encontrado receptividad en la señora Thatcher y que era "sumamente satisfactoria" para la Argentina. Álvaro de Soto se quejó por el estilo negociador del embajador Enrique Ros y pidió abrir, a través de él, "un camino alternativo". "Pérez de Cuéllar temía que el presidente Galtieri no fuera bien informado de la propuesta", relató años más tarde Manuel Solanet, testigo de esta gestión. A partir de ese momento se realizaron ingentes conversaciones en la Casa Rosada y en el Palacio San Martín. En un momento, Grimaldi hablaba con Álvaro de Soto en la Cancillería y, en paralelo, Costa Méndez hizo lo propio con Pérez de Cuéllar. El canciller argentino se comprometió a responder a las 22 horas (de Nueva York). La respuesta nunca llegaría, y esa misma noche, en una conferencia de prensa organizada por Rodolfo Baltiérrez, Costa Méndez se expresó con un fuerte tono belicista. Según Solanet, desde Nueva York, Eduardo Roca explicó que "el 17 de mayo recibimos la conocida propuesta británica", casi "un ultimátum" y que "sólo podía alcanzar modificaciones cosméticas". Lo que no sabía Solanet, ni contaba Roca, era que entre el 17 y 20 de mayo se realizaron otras negociaciones paralelas que incluyeron al empresario Wenceslao Bunge y el brigadier Lami Dozo; y análisis de la propuesta británica en la residencia de la embajadora Kirkpatrick, con los embajadores Enrique Ros y Roca (ocasión en la que Kirkpatrick opinó reservadamente que la impacientaba la manera minuciosa y lenta de negociar del vicecanciller Ros). Fueron tan extenuantes esas horas que en plena negociación, en la residencia de la embajadora norteamericana en Naciones Unidas, Eduardo Roca se quedó dormido. En esas mismas horas, Pérez de Cuéllar habló telefónicamente con Margaret Thatcher y Galtieri. En la intimidad comentó que cuando habló con el presidente argentino se dio cuenta que de no estaba "sobrio".

El jueves 20, Javier Pérez de Cuéllar anunció el fracaso de su gestión mediadora. Y el Reino Unido, a través de sus canales diplomáticos notificó extraoficialmente al secretario general de Naciones Unidas que no había más razones para seguir negociando.

El mismo 20, a las 22.40, varios autos diplomáticos y policiales de la División de Asuntos Extranjeros llegaron al aeropuerto internacional de Ezeiza. El auto principal, un Mercedes Benz, entró directamente a la pista y se estacionó al lado de la nave de Aerolíneas Argentinas, vuelo 1324, que partía a Miami. Del mismo bajaron el embajador mexicano Emilio Calderón Puig, su esposa Margarita y Juan Manuel Abal Medina. El ex secretario general del Movimiento Nacional Justicialista, finalmente, fue autorizado a salir del país, tras seis años de encierro en la embajada de México. Para allanar las gestiones, acompañaron a los viajeros los embajadores Luis "Bebe" Clarasó de la Vega, director de América Central y Caribe, y el director Nacional de Ceremonial, Andrés Ceustermans.

El jueves 20, el Consejo de Seguridad de las Naciones Unidas mantuvo un encuentro informal, porque Gran Bretaña se opuso a la realización de una reunión formal. En la ocasión, Estados Unidos sugirió la conveniencia de invitar a la Argentina a una reunión informal. La Argentina rechazó el convite y Panamá pidió que se realizara una convocatoria formal al Consejo de Seguridad, que fue aprobada.

En Buenos Aires, desde donde la guerra era observada a la distancia, a través de los diarios, las enloquecedoras audiciones de radio, plagadas de "especialistas y analistas" en cuestiones bélicas, para un país que no había vivido algo similar en los últimos cien años, y los extenuantes programas y noticieros televisivos, el viernes 21 de mayo amaneció con un buen clima otoñal. La tapa de los diarios mostraba como única foto a un Costa Méndez gesticulante, mientras acusaba a "la señora No", Margaret Thatcher, de romper la negociación. La información general trataba sobre la imposibilidad, en la jornada anterior, del secretario general de Naciones Unidas de avanzar hacia un acuerdo.

Más cercano a la realidad, en su columna "Un intento que no sirvió", Oscar Raúl Cardoso, opinó que "más adecuado parece concluir que la negociación estaba ya fenecida —aunque nadie aceptara reconocerlo— el lunes último" (17 de mayo). Los matutinos también informaban que el ministro de Economía había declarado que los gastos de guerra se cubrirían con más impuestos y negó que estuviera por renunciar. Raúl Alfonsín hace pública su preferencia por Arturo Illia como presidente del radicalismo, mientras que Felipe Bittel presentó dudas sobre un "gobierno de coalición" del que tanto se hablaba en esas horas.

Los políticos ya tomaban distancia, mientras se hablaba de un gobierno de "notables" para enfrentar el conflicto. Bittel opinó: "El gobierno de las Fuerzas Armadas tiene que convertirse en un gobierno de transición y de ahí en más señalar una fecha cierta para las elecciones. Nada de transiciones de otra naturaleza". Otro peronista, Antonio Cafiero, en un sorpresivo rapto de sinceridad, analizó que "los argentinos somos erráticos; un buen día decimos que somos los abanderados de la integración latinoamericana y otro día decimos que no somos América Latina y que somos Europa, y hay que terminar con estos vaivenes y tener una política coherente". Y luego continuó: "Un día estamos en el mundo No Alineado y al otro día decimos que no nos interesa; un día somos aliados incondicionales de los Estados Unidos y al otro día queremos ir a la guerra con ellos".

En esas ediciones del 21, se informaba que el día anterior había fallecido el ex canciller Miguel Ángel Zavala Ortiz, el mismo que había obtenido en su gestión la Resolución 2065 de Naciones Unidas, que obligaba a la Argentina y el Reino Unido a negociar la cuestión de soberanía de las Malvinas (1965). Faltaban 23 días para el comienzo del Mundial de Fútbol.

Ese 21 de mayo de 1982 Gran Bretaña inició el desembarco de tropas en el Estrecho de San Carlos, y los combates se extendieron a otros puntos de las Malvinas. En la madrugada de ese día, entró al Palacio San Martín el cable "S" 1.517, desde Washington, que resumía la última conversación que había mantenido Esteban Takacs con la embajadora Jeane Kirkpatrick. El texto tenía cinco puntos, en el 4° se registraba el siguiente diálogo:

Takacs preguntó si "tenía alguna duda sobre nuestra capacidad militar para responder un ataque británico de mayor escala".

Kirkpatrick respondió que "no descartaba que pudiéramos responder con éxito, pero que veía que aun así, y a pesar del costo de vidas, las condiciones mejorarían[41] por cuanto la escalada de acciones bélicas británica posterior podría ser gravísima". Takacs, en el mismo texto, aclaró que la embajadora Kirkpatrick solicitó que su opinión le fuera transmitida al presidente Leopoldo Fortunato Galtieri.

Mientras se desarrollaban encarnizados combates en las islas, por la noche, los próximos pasos de la Cancillería argentina apuntaban a:

• Viaje de Costa Méndez a Nueva York para participar en la reunión del Consejo de Seguridad. "Se piensa que no habrá ningún saldo importante."

• Viaje de Costa Méndez a Washington para participar de la reunión del Órgano de Consulta del TIAR. Se solicitará "decisiones más efectivas; Venezuela piensa en ruptura de relaciones con Gran Bretaña de toda América Latina".[42]

"Canoro dice que si fuera por él se iría del gabinete."[43]

"¿Qué pasa si renuncio?" preguntó Costa Méndez en una ocasión. "Te fusilan, dirán que se perdió por tu culpa", respondió su jefe de Gabinete.[44]

El 22, el director nacional de Ceremonial, Andrés Ceustermans, convocó al embajador de Canadá y le expresó que era el deseo del gobierno argentino de que abandone el territorio nacional. La razón que se le expuso fue que pasado el tiempo necesario para considerar el pedido de placet del brigadier Mariani,"o de cualquier otra solicitud" hasta que terminara el conflicto de Malvinas, su presencia se hacía innecesaria.[45] Cuarenta y ocho horas más tarde, el embajador solicitó una nueva audiencia con el embajador Ceustermans. En la oportunidad, el diplomático canadiense se retractó de sus palabras y comunico que el placet para el brigadier Mariani "no había sido rechazado y que por el contrario sería concedido cuando la faz más aguda de la crisis malvinense fuera superada, ya que en estos momentos su gobierno contaba con fuertes presiones parlamentarias y de prensa".[46]

Títulos de los diarios del 22. *La Nación*: "Fuertes pérdidas del enemigo en los combates librados ayer"; *Clarín*: "Tropas argentinas enfrentan a la fuerza invasora"; *El Popular*: "¡Victoria! Fracasó el nuevo intento de invasión inglés. 8 de sus fragatas quedaron fuera de combate, 2 presumiblemente hundidas y otras 2 con muy severos daños..."; *La Razón*: "Contúvose la invasión" y *Convicción*: "Los 'marines' inmovilizados en San Carlos, esperan su 'Dunkerque'".

En Londres se informó que 5.000 soldados británicos habían desembarcado. No encontraron resistencia y la cabeza de playa en San Carlos estaba consolidada, y reconocieron el hundimiento de la fragata "Ardent".[47]

El 23 al mediodía llegó Costa Méndez al frente de la delegación argentina. Entre otros, lo acompañaban los embajadores Figueroa, Erhart del Campo, el ministro Atilio Molteni y el secretario Julio Freyre. Al lado del canciller, siempre al lado, estaban Moya, Iglesias y Miret. Uno de los temas principales a considerar en el Consejo era la propuesta de Irlanda. El proyecto establecía: a) un cese de hostilidades por 72 horas; b) dar participación a Pérez de Cuéllar a intentar una nueva gestión mediadora, conducente a entablar negociaciones; c) durante esas 72, horas las tropas deberían permanecer en los lugares en que se encuentran y no se permitía a ambos bandos reforzar sus posiciones. Desde Londres, Margaret Thatcher rechazó el alto el fuego. A esa altura, las fuerzas británicas tenían muertos, barcos hundidos o averiados y varios aviones de combate de última generación derribados. Como una vez apuntó la primer ministro, recordando a Federico el Grande, "la diplomacia sin armas es como la música sin instrumentos".

Contradicciones

Durante todo el transcurso de la guerra de las Malvinas, la oficina de enlace entre el Ejército argentino y el norteamericano, instalada en el propio Edificio Libertador, siguió funcionando normalmente. Es decir, los oficiales de los Estados Unidos estaban al tanto de lo que hablaban sus colegas argentinos a pesar del apoyo de Washington a Gran Bretaña. Sin embargo, "el presidente Galtieri, el viernes 21, propuso romper relaciones con los Estados Unidos pero Costa Méndez lo paró con el argumento de no agravar más la situación. Además, 'Canoro' sigue pensando en que Estados Unidos tendrá un papel importante en la futura negociación con Londres.

Pasos estudiados para un congelamiento de relaciones con Estados Unidos:

1) Retiro del representante argentino ante la Junta Interamericana de Defensa.

2) Retiro de los oficiales argentinos que se están instruyendo en los centros militares de los Estados Unidos (Panamá, por ejemplo).

3) Retiro de los agregados militares en Washington.

4) Retiro del embajador ante la Casa Blanca (Esteban Takacs), dejando un encargado de Negocios (Eduardo Airaldi).[48]

5) La Armada cancelaría su participación en el próximo operativo UNITAS.

24 de mayo: el Estado Mayor Conjunto, en su comunicado 86, reconoció que las fuerzas británicas consolidaron la cabeza de playa de 10 km de profundidad y 15 km de frente en la isla Soledad. Tras un ataque aéreo, resultaron dañados varios barcos británicos que apoyaban a las fuerzas de desembarco. Uno de ellos, la fragata HSM "Antelope", estalló. El embajador uruguayo en Naciones Unidas, Jorge Azar Gómez, reconoció que Gran Bretaña extendió la zona de exclusión a la desembocadura del Río de la Plata. Costa Méndez informó a los medios que la Argentina retiró a su personal de la Junta Interamericana de Defensa con sede en Washington. Y que "no descarta" viajar a La Habana el próximo 29, para

participar en la Cumbre de Países No Alineados. El 25, durante un ataque masivo de aviones argentinos, fueron averiados varios barcos de guerra británicos. Los otros fueron el destructor "Coventry" (gemelo del "Sheffield") y el portacontenedores "Atlantic Conveyor".

El 25 de mayo de 1982 en Nueva York, a las 02 de la madrugada

"Los que menos pelean son los más intransigentes" (la Armada). Miret cree que debe producirse un cambio político en el país, pero piensa que el Ejército no habrá de darse cuenta de esa necesidad. Él cree que Galtieri debe renunciar a la Presidencia y quedar él como comandante en jefe del Ejército. Roberto Alemann tampoco debe continuar. Pregunta: '¿Usted cree que yo puedo ser ministro con una economía de guerra?'. Miret cree que habrá realineamientos internos en las Fuerzas Armadas, pero no sabe cómo van a resultar, hacia dónde se va. Hay una gestión militar para posibilitar una entrevista Reagan con Galtieri."[49]

"Costa Méndez me dice que él piensa que mañana puede aprobarse la propuesta de Irlanda (proyecto de resolución). Y que además cree que Gran Bretaña puede no vetarla. Contrariamente, el embajador Listre sostiene que Gran Bretaña va a vetar cualquier proyecto de resolución. A su vez, Gastón Prat Gay (segundo en la Misión Argentina ante la OEA e íntimo amigo de Costa Méndez) me dice que la Argentina cuenta con 8 de los 9 votos necesarios para aprobar la iniciativa irlandesa. Hay negociaciones tendientes a alcanzar un cese del fuego. Raúl Quijano llamó al general Iglesias para contarle que un vocero del Departamento de Estado dijo que Haig transmitió a Pym que Gran Bretaña no infringiera una derrota militar total a la Argentina. ¿Cuánto más podemos pelear? ¿Qué hay de la posibilidad de que viaje un enviado norteamericano a Buenos Aires, para intentar una última solución? ¿Será William Clark?"[50]

El 26 de mayo, el presidente Galtieri recibió al enviado de Juan Pablo II, monseñor Achille Silvestrini, un colaborador directo del cardenal Agostino Casaroli, el secretario de Estado del Vaticano. Silvestrini, quien poco después llegaría a cardenal, era "un diplomático de 'nivel mundial', era el delegado de Casaroli a cargo de asuntos internacionales, el ministro de asuntos exteriores de facto del Vaticano".[51] Tras el encuentro se anunció que el Santo Padre visitaría la Argentina el 11 y 12 de junio. La decisión fue muy analizada en las esferas del Vaticano. Desde varios meses atrás, Juan Pablo II había acordado con el gobierno de Margaret Thatcher una visita oficial a Londres el 27 de mayo. Y tras el estallido de la guerra de las Malvinas, la Secretaría de Estado consideró oportuno no dejar en la soledad, sin visitar, a uno de los países católicos más importantes de América Latina.

En realidad, la visita a Londres iba a estar precedida por un encuentro en el Vaticano entre Juan Pablo II y el presidente Ronald Reagan. Allí, como se conoció años más tarde, entre los dos (a los que hay que sumar a Margaret Thatcher), se terminó de concretar un pensamiento y acción común sobre distintos asuntos que les preocupaban. En especial el destino de los países de Europa Oriental sojuzgados por el comunismo y el avance comunista en América Central. El 26, el embajador argentino en Naciones Unidas retornó a Buenos Aires. Se dijo que afectado por un cuadro de hipertensión: "Lo enfermaron".[52] En realidad, su gestión había sido intervenida desde varios días antes. En su lugar se nombró al embajador Arnoldo Manuel Listre, director de Organismos Internacionales del Palacio San Martín.

"Hay una pelea interna en el gobierno de Ronald Reagan. Miret se encontró con la embajadora Jeane Kirkpatrick y le dijo que tenía problemas en el Departamento de Estado. Que los argentinos confiaran en Bush y Clark. Evaluación: Kirkpatrick tiene problemas con Haig, proclive a Europa.[53] Parece chiste que nos distraigan con estas cosas. Lo cierto es que el embajador soviético Trobianovsky le dijo a 'Noli' [Listre] que con esta guerra, Gran Bretaña está llevando adelante el proceso de desarme."[54]

Tras largas sesiones de debates en el Palacio de Cristal, el Consejo de Seguridad, el miércoles 26 de mayo, emitió la resolución 505/82 autorizando a Pérez de Cuéllar renovar una misión de buenos oficios por el término de una semana. La decisión fue aprobada por los 15 miembros del Consejo, una señal de que era poco lo que se podía hacer: Convocaba a las partes a "cooperar" con el mediador y pide al secretario de la ONU ponerse en contacto con "las partes con el propósito de negociar términos mutuamente aceptables para la cesación del fuego". La resolución no fue determinante porque Gran Bretaña se negó a aceptar un alto el fuego, lo mismo que a ordenar el retiro de sus tropas de las Malvinas. Además, las reuniones del Consejo de Seguridad se aplazaron "sin fecha", para dejar en libertad de acción a Pérez de Cuéllar. Al término de la jornada, el canciller argentino públicamente calificó de "tolerable" la resolución.

Privadamente, el brigadier Miret hacía una reflexión bien diferente: "Le veo pocas posibilidades de éxito a la gestión de Pérez de Cuéllar, [el embajador británico] Parsons dijo que 'no podemos aceptar ahora que la retirada de las fuerzas argentinas esté relacionada de ninguna forma a una retirada paralela de las fuerzas británicas'. Esta condición torna inaceptable todo comienzo de negociación, y coloca en una difícil situación no sólo a Pérez de Cuéllar, sino a todo el Consejo de Seguridad, al verse burlado en su buena fe, por una treta británica, que primero vota afirmativamente una negociación, basada en un consentimiento mutuo del cede del fuego, e inmediatamente después la condiciona a algo que es inaceptable para la otra parte. Tuvimos que aceptarla, no teníamos otra posibilidad. Ni voz ni voto".[55]

El Órgano de Consulta del TIAR se volvió a reunir el 27, con la presencia de casi todos los cancilleres (faltaron Chile y Colombia). El clima que envolvía a la nueva cita estaba signado por una "presión" norteamericana y británica a cada uno de los gobiernos latinoamericanos para que no convinieran medidas punitivas que agravaran aun más el conflicto bélico. Al mismo tiempo, los medios nacionales y extranjeros informaban del aprovisionamiento de los Estados Unidos al Reino Unido con misiles y otras armas. Como era de esperar, Washington rechazó la información. Sin embargo, la agencia española EFE decía desde Panamá que siete aviones C-5 Galaxy de las fuerzas armadas norteamericanas volaron hacia la isla Ascensión con material bélico de todo tipo. Desde misiles Sidewinder 9L, usados por los Harrier, hasta planchas de acero perforadas para utilizarse en la construcción de pistas de aterrizaje en las Malvinas. "Son sólo versiones, rumores", expresó Caspar Weinberger, secretario de Estado de Defensa.

El viernes 28, en las islas se peleaba denodadamente por la posesión de Puerto Darwin. "Nos va muy bien", informó el ministro de Defensa, Amadeo Frúgoli. En Londres, Ian McDonald, vocero de Defensa, dijo: "Acabamos de enterarnos que los paracaidistas tomaron Puerto Darwin y Ganso Verde [...]" y agregó que los paracaidistas o "boinas rojas" iniciaron el avance hacia el Este con el objetivo de alcanzar Puerto Argentino. "La batalla va bien para nosotros", había dicho Lami Dozo horas antes.[56]

Era notable, hasta irritante, observar los noticieros norteamericanos con corresponsales en Buenos Aires y Londres y observar lo que sostenían e informaban los medios argentinos sobre el desarrollo del conflicto. "Estamos ganando" fue el título de un semanario que quedó clavado en la memoria.

"¿A su juicio, no fueron excesivamente triunfalistas los comunicados que emitía el Estado Mayor Conjunto?" Galtieri: "Es cierto, coincido, mi mujer me lo hizo notar. Yo mismo quedé sorprendido cuando recibí la noticia de la caída de Puerto Argentino. Yo imaginaba que se podía luchar más. No que íbamos a triunfar; sí que opondríamos mayor resistencia".[57]

En la madrugada del 29, el Órgano de Consulta del TIAR, aprobó por 17 votos a favor, ninguno en contra y cuatro abstenciones (Estados Unidos, Chile, Colombia y Trinidad y Tobago), una resolución más declamativa que resolutoria en la que:

• Se condenaba a Gran Bretaña por "el injustificado y desproporcionado ataque armado" a las Islas Malvinas.
• Reiteraba al Reino Unido a que "cese de inmediato las acciones bélicas que lleva a cabo contra la Argentina, y para que disponga el retiro de su flota de guerra a sus apostaderos habituales, así como de la totalidad de sus fuerzas armadas allí destacadas".
• "Instar al gobierno de los Estados Unidos de Norteamérica a que disponga el inmediato levantamiento de las medidas coercitivas aplicadas a la Argentina, y que se abstenga de prestar asis-

tencia material al Reino Unido, en observancia al principio de solidaridad continental consagrado por el TIAR."

Durante las horas de espera de la decisión del TIAR, algunos miembros de la delegación argentina leyeron un documento sobre la "situación estratégica de Argentina e Inglaterra en el conflicto de las Malvinas", cuyas conclusiones establecían que:

• "Inglaterra se ha propuesto recuperar las islas cualquiera sea el costo, con el apoyo de los Estados Unidos. La flota inglesa no puede volver derrotada después de semejante esfuerzo, pues podría provocar serios problemas al gobierno inglés y en los Estados Unidos;

• A medida que se incrementa el poderío inglés disminuye la capacidad de respuesta argentina. ¿Qué puede hacer la Argentina? La Argentina tiene tres opciones: a) retirarse de las islas por un acuerdo y seguir la lucha por lo menos diplomáticamente. De ser esa la solución, el tema de la soberanía no debe ser puesta en la mesa de negociaciones porque conduciría al fracaso de las mismas; b) seguir una lucha que lleve a la destrucción de todas las fuerzas acantonadas en la isla y a la destrucción de la Fuerza Aérea de combate argentina. De seguir este camino, el conflicto bélico se extendería a no mas de 45 días; c) hacer una alianza con un país más poderoso y las implicancias de esta alianza escapan fuera del alcance de este análisis. Pero en una gruesa aproximación podría suceder:

1) Que las Malvinas se conviertan en un segundo Vietnam.
2) Arreglo diplomático que lleve a Estados Unidos a un problema muy serio por la implicancia del acuerdo argentino con otros países.
3) La posición americana e inglesa se mantiene en grave peligro de una guerra total."[58]

En un paso más de la esquizofrenia de algunos personajes argentinos del momento, el general Héctor Iglesias, a pesar de acompañar a Costa Méndez en todas sus gestiones en el exterior y en especial durante la reunión del TIAR, dijo que "no hay pruebas de la ayuda norteamericana a Gran Bretaña. De ser cierto, no cambiará el rumbo bélico de la crisis del Atlántico Sur". Preguntado sobre las deliberaciones y resolución en el TIAR, muy suelto de cuerpo consideró que "muchas veces estas argumentaciones se usan en un sentido político". Con un sentido político diferente, Galtieri dijo que Fuerzas Armadas latinoamericanas "y si fuera necesario de otras latitudes del mundo" podrían combatir contra Gran Bretaña al lado de la Argentina.

En la ceremonia central del Día del Ejército, rodeado de ex presidentes y generales, criticó "la incomprensible actitud de ciertos gobiernos que, subordinando sus declamados principios a oscuros intereses y dudosos compromisos, justifican o asisten al agresor con una decisión prácticamente inédita desde el fin de la Segunda Guerra Mundial". Estaba claro, a pesar de lo afirmado por Iglesias, que Galtieri se refirió al gobierno de los Estados Unidos de Norteamérica.

Tras la reunión del TIAR, en Washington, Costa Méndez retornó a Buenos Aires, para informar a la Junta Militar y prepararse a participar en la Sexta Reunión de Países No Alineados en La Habana, Cuba. En los días previos viajaron a Cuba los funcionarios que asesorarían al canciller: José Sanchís Muñoz, Luis Cappagli, Raúl Alberto Ricardes, Enrique de la Torre y José María Otegui. A pesar de que los más altos niveles del gobierno no adelantaban nada, en el submundo de la política ya se comenzaba a hablar de una salida "concertada", con políticos, o independientes respetados por los partidos políticos. Mientras, Galtieri prometía a los sindicalistas que viajaban a la OIT que "a la vuelta los recibiría de 9 a 13 horas, en mangas de camisa, para escucharlos y considerar, dentro del contexto de la sociedad, sus aspiraciones. También les dije que comeríamos unos sandwiches. Yo tenía las banderas de los políticos, no les habría dejado ni una."[59] Seguramente, conmovido por estas palabras, el sindicalista Rubén "Buscapié" Cardozo le regaló al Presidente, antes de abandonar el despacho, una Biblia y un proyecto de escudo de las Malvinas.

El clima creado ese día en del despacho presidencial, más algunos trascendidos, hacían ver que Galtieri quería emular a Juan Domingo Perón. De allí que, con la ironía que lo caracterizaba, Jorge Luis Borges supo decir: "¡Caramba! Es imposible imaginarse una aspiración más modesta".

Conversaciones en México. A la deriva.
Las prevenciones de Washington.
Las confesiones de Esteban Righi

El lunes 31 de mayo, el vespertino *La Razón* tituló a toda página: "Quedó fuera de combate el portaviones inglés. Se están realizando evaluaciones para saber si es el 'Invencible', dijo hoy el brigadier Lami Dozo". *El Popular* no le fue a la zaga: "El 'Invencible' fuera de combate".

Mientras tanto, en Nueva York, las tediosas gestiones de Pérez de Cuéllar estaban empantanadas. Gran Bretaña sostenía que la Argentina debía retirar sus fuerzas de las islas sin condiciones y sin correlato británico; restitución de las Malvinas al Reino Unido y restablecimiento del gobierno kelper

A pesar de los títulos, desde Buenos Aires la vida continuaba, casi, con absoluta normalidad. Uno de los pocos cambios se observaban en las concentraciones de colectividades que a diario se reunían frente a la Casa Rosada, para manifestar su adhesión, o en algunos eventos dirigidos a engrosar el Fondo Patriótico. Por lo demás, los partidos de fútbol se jugaban regularmente, con estadios llenos. En Córdoba, el Talleres de "Angelito" Labruna goleó a Racing por 3 a 1, con goles de Morete y Noriega. La picardía deportiva la puso "El Flaco" Menotti cuando dijo en Alicante, España, donde se preparaba la selección, que "los dirigentes vinieron a pasear, como siempre".

A miles de kilómetros de Buenos Aires, más precisamente en una cafetería del centro del DF de México, desde su exilio, el ex ministro del Interior del gobierno de Héctor J. Cámpora, Esteban "Bebe" Righi, reflexionaba en voz alta: "Se ve muy confusa la situación en Buenos Aires". Y Righi no cree que se pueda darse una apertura rápida, o sea que los militares no habrán de retirarse del poder. Consideró que la cuestión de los Derechos Humanos era "un tema tapón" y observaba la mediocridad de la clase dirigente argentina. "¿Gana Alfonsín la interna radical?", preguntó. "Sí, claro", le respondió el autor.

Consideró que los Montoneros eran muy pocos, pero con mucho dinero. "Se entrevistaron con el presidente José López Portillo a pedido de los cubanos." Y dijo que el operativo de regresar a la Argentina (para ayudar en la lucha por las Malvinas) que fue parado en Perú "fue un mamarracho, porque una vez lanzado debieron concretar la llegada a Buenos Aires, pero en Lima se vieron con el embajador Sánchez Moreno y éste les dijo que si llegaban iban directamente a la cárcel. El único político que les queda es [Ricardo] Obregón Cano (ex gobernador de Córdoba); [Oscar] Bidegain (ex gobernador de Buenos Aires) está muy viejo y quiere ir a morir a la Argentina". Luego remató la conversación:

"Yo creo que al Acta Institucional le queda poco tiempo", afirmó con seguridad.[60]

En otra dimensión, José Antonio Lara Villarreal, el ex embajador mexicano en Buenos Aires, explicó que en los próximos días México producirá un giro de 180° en su posición sobre el problema de Malvinas. Esencialmente para no dejarse robar la posición antiimperialista por Venezuela, hasta ayer aliada de los Estados Unidos en Centroamérica. Y consideró que la Embajada de Argentina no tiene posibilidades de mayor movimiento, frente a la acción de los británicos. El embajador del Reino Unido se ve con el presidente López Portillo, mientras el argentino sólo accede a funcionarios de tercer nivel. Luego comentó que el viaje de los políticos argentinos, para explicar la posición del reclamo de las islas, fue "modesto". [Vicente] Saadi no se vio con el Presidente y tuvo problemas con la colectividad de exiliados argentinos. Hablando de Juan Manuel Abal Medina, dijo que "impresionó muy bien al Presidente, por sus citas de Lázaro Cárdenas y su humildad. No pasó lo mismo con el ex presidente Cámpora porque siempre anteponía sus problemas personales". Preguntado sobre el encuentro de los Montoneros con el presidente López Portillo, dijo que se hizo "ante la falta absoluta de una respuesta argentina respecto al salvoconducto para Abal Medina. Debes tomarlo como un elemento de presión".

Todos los entrevistados preguntaron sobre cómo era Rafael Vázquez, el próximo embajador argentino en México. La respuesta: "¿El 'Chocho' Vázquez? Un gran tipo".[61]

El canciller Nicanor Costa Méndez había tomado la decisión de viajar a La Habana. Cuando llegó a Buenos Aires, tras las gestiones en Nueva York y Washington, lo conversó con Galtieri, junto con "los tres chiflados" Miret, Moya e Iglesias. Según relató uno de ellos, el presidente argentino, con marcada excitación, poniéndose de pie, exclamó: "Bueno... ahora irán a La Habana... con mi amigo Fidel Castro haremos poner de rodillas a la Thatcher".[62]

Ahora sí, el reloj de la historia parecía girar las agujas del reloj a toda velocidad. Sin pausa. Enloquecidas. ¿El "amigo" Fidel? Por mucho menos, mucha gente en los años anteriores sufriría, por lo menos, un notable castigo, sino algo peor de parte de las Fuerzas Armadas. La falta de rumbo era tan pronunciada que el jefe del Ejército proponía coaligarse con el dictador cubano. El mismo que desde 1964 había agredido a la Argentina en pleno gobierno constitucional de Arturo Illia. Y que más precisamente, desde 1966 con la creación de la Organización Latinoamericana de Solidaridad (OLAS), había convertido la isla del Caribe en un campo de entrenamiento de las organizaciones terroristas que asolaron la Argentina. ¿Aliarse con Fidel? ¿El mismo que había refugiado a la conducción montonera en La Habana, desde 1978? ¿Abrazarse con Castro, el tenedor y administrador de los fondos obtenidos por secuestros y muertes de argentinos? Pero lo notable no fue solamente eso: lo era también que lo aceptara Costa Méndez, uno de los más rancios exponentes del establishment intelectual de la derecha argentina. Así estaban las cosas en la Argentina de fines de mayo de 1982. A la deriva.

Antes de viajar a Cuba, el canciller Costa Méndez le solicitó al embajador Esteban Takacs una evaluación sobre dicha decisión en los ambientes de Washington. El 31 de mayo, a las 15.30, entró en la sala de claves del subsuelo del Palacio San Martín el cable 1641/2 "para conocimiento inmediato y exclusivo del Señor Canciller". En el largo telegrama cifrado, Takacs expone las principales opiniones:

- "En el ámbito de la Administración, la presencia del Señor Canciller sería juzgada como un gesto de advertencia de que el gobierno argentino comenzará a valorar y hacer efectiva su pertenencia al Movimiento No Alineado. Aprecio sería considerada como una reacción frente al continuado apoyo que proporciona Estados Unidos y países de Europa Occidental al Reino Unido. Dicho gesto ya pudo ser anticipado por la administración americana entre las opciones a las que el gobierno argentino puede recurrir, a partir del momento en que Estados Unidos anunció su respaldo al Reino Unido el 30 de abril. Por lo tanto no será factor de modificación de la actitud que mantiene EE.UU frente al conflicto."

• "Congreso: […] No debe descartarse la posibilidad de que un pequeño grupo de senadores republicanos más conservadores, partidarios de consolidar una cruzada anticomunista en América Central, utilicen eventualmente el viaje de V.E. a Cuba para continuar sus críticas contra el secretario de Estado. […]Estimo que en este sector la repercusión del viaje sería negativa."

• "Pentágono: Estimo que la decisión de concurrir a La Habana tendría efecto marcadamente negativo, en particular entre aquellos oficiales que se han mostrado en una posición más próxima a la Argentina."

• "Medios empresariales: […] Se estima que este sector no asignará al hecho político del viaje consecuencias inmediatas en el campo económico y financiero."

• "Otros aspectos: La evaluación final que puedan efectuar los medios estadounidenses se verá influida por el carácter de los contactos bilaterales de V.E. pueda mantener con las más altas autoridades cubanas. Y por oposición asuma la delegación argentina en temas de fondo de la reunión, tales como la situación económica, América Central, Puerto Rico y Medio Oriente."

NOTAS

[1] Observaciones del autor que estaba en Nueva York, del 1° de mayo de 1982 a las 11 horas.

[2] Observaciones del autor, anotadas el 1° de mayo de 1982, a las 15 horas.

[3] Diálogo con Raúl Quijano, el 2 de mayo de 1982.

[4] Observaciones de un funcionario, el 2 de mayo de 1982.

[5] Anotaciones del autor, día 2 de mayo de 1982, de su diálogo con Tackacs.

[6] Cable "S" 503, muy urgente, del 2 de mayo de 1982. El almirante Sánchez

Moreno era considerado un gran embajador. Conocía bien los problemas del Pacífico. A comienzos de los '70 había sido agregado naval en Chile y fue testigo del derrumbe de Salvador Allende Gossens. Juan Bautista Yofre, *Misión argentina en Chile (1970-1972)*, Sudamericana, Santiago de Chile, 2000.

[7] Diálogo telefónico entre Galtieri y Belaúnde, 2 de mayo de 1982.

[8] *No vencidos*, Planeta, Buenos Aires 1998, pág. 362.

[9] *Malvinas. La trama secreta*, pág. 233.

[10] Nuevo diálogo telefónico entre Galtieri y Belaúnde.

[11] "Cronograma de los hechos", trabajo realizado en la Cancillería. Dirección Antártida y Malvinas.

[12] Jorge Lozano era un veterano periodista con aceitados contactos en la Armada. Trabajó en muchos medios. Fue director de *Panorama* y *Clarín*.

[13] Minuta dictada, a pesar de su convalecencia, por Anaya para el autor, el 18 de marzo de 2007.

[14] Como en los casos anteriores, apuntes en la libreta del autor.

[15] Cable "S" 1299, 6 de mayo de 1982.

[16] Jorge Isaac Anaya, *Malvinas: Mitos y realidades*, Buenos Aires, 1998. El 14 se rindió la guarnición de Malvinas y el 26 de junio Reagan aceptó la renuncia de Haig.

[17] *Istoé*, N° 280, 5 de mayo de 1982.

[18] Declaraciones formuladas a la revista *Veja*, 9 de mayo de 1982.

[19] *La Nación*, 11 de mayo de 1982.

[20] *Veja*, N° 713, 5 de mayo de 1982.

[21] Apuntes del diálogo en la libreta del autor, 11 de mayo de 1982.

[22] Apuntes del autor, diálogo con Bernardo Grinspun el 12 de mayo de 1982.

[23] Apuntes del autor. El diplomático llegó a embajador, 12 de mayo de 1982.

[24] Apuntes del autor, 12 de mayo de 1982.

[25] *The Economist*, edición brasileña, N°61, del 19 de mayo de 1982. Enviado especial José Carlos Bardawil.

[26] *La Prensa*, 12 de mayo de 1982.

[27] El texto responde a las notas tomadas por el secretario de Hacienda, Manuel Solanet, presente en la reunión en reemplazo de Roberto Alemann que cumplía una misión en el exterior. *Notas sobre la guerra de Malvinas*, pág. 79.

[28] *Somos*, Año 6, N°291, 16 de abril de 1982.

[29] Apuntes del autor, 13 de mayo de 1982.

[30] Apuntes días 13 y 14 de mayo de 1982.

[31] El autor, amigo de Juan De Onis, fue hasta el hotel y vio la máquina.

[32] A.R.C. (ex oficial aeronáutico). Libreta del autor, 18 de mayo de 1982.

[33] E.L.D. (ex embajador de carrera). Anotaciones del 18 de mayo de 1982.

[34] Conversación de Bernardo Grinspun con el coronel Carlos Sullivan, jefe del Comando Antártico, el 18 de mayo de 1982.

[35] Comodoro Vaca . Libreta de apuntes del autor, 18 de mayo de 1982.

[36] Detalles en *El Popular*, 17 de mayo de 1982, pág. 4

[37] La Cancillería se entendió con la licenciada "Marita" Carballo.

[38] "Carlitos" Otero fue un periodista de vasta experiencia en el mundo diplomático. Fue enviado a Nueva York para competir con el enviado especial de *Clarín*, Oscar Raúl Cardoso, el periodista más leído durante los acontecimientos, instalado desde el principio del conflicto en el One United Nations Plaza Hotel. En su habitación 3522, con un desorden manifiesto, en donde se escuchaba sin mengua "Big City" de Merle Haggard, el "Gordo" Cardoso había instalado una redacción y era el más consultado por los diplomáticos argentinos.

[39] Apuntes del autor, 19 de mayo de 1982.

[40] Diálogo con Illia, apuntes del autor del 20 de mayo de 1982.

[41] Aunque parezca una contradicción, el texto del cable dice "mejorarían".

[42] Apuntes del autor, 21 de mayo de 1982.

[43] Conversación con el embajador Mario Cámpora, del 22 de mayo de 1982.

[44] Diálogo con Gustavo Figueroa, año 2006.

[45] Cable "S" 1545 de Ceremonial a la Embajada Argentina en ONU, del 22 de mayo de 1982.

[46] Cable "S" 1599 de D.N.C. a Costa Méndez que se hallaba en Nueva York, del 24 de mayo de 1982.

[47] Rodolfo Terragno, *Falklands*, Ediciones de la Flor, 2002, pág. 171.

[48] Diálogo con "Carpincho", un importante diplomático miembro de la Misión Argentina ante la ONU. Apuntes del autor, 24 de mayo de 1982. Esta decisión no se llevó a cabo, y además, los oficiales que colaboraban con los EE.UU. en América Central se quedaron hasta 1983. A pesar de que uno de ellos propuso dinamitar algunas embajadas americanas en la zona (confesión al autor 2006).

[49] Diálogo con el brigadier José Miret. Apuntes del autor, del 25 de mayo de 1982.

[50] Apuntes del autor del 25 de mayo de 1982.

[51] Tad Szulc, *El Papa Juan Pablo II*, Sudamericana, Buenos Aires, 1995, pág. 256.

[52] Así lo expresó un alto diplomático. Apuntes del autor del 26 de mayo de 1982.

[53] Apuntes del autor. Diálogo con el general Iglesias el 26 de mayo de 1982.

[54] Apuntes del autor, 26 de mayo de 1982.

[55] Diálogo con el brigadier Miret. Apuntes del autor del 26 de mayo de 1982.

[56] *Clarín*, 28 de mayo de 1984.

[57] Diálogo con el autor el 29 de julio de 1982. Publicado en *Clarín* el 2 de abril de 1983.

[58] El documento fue leído en Washington el 28 de mayo de 1982. Archivo del autor.

[59] Diálogo de Galtieri con el autor, 29 de julio de 1982.

[60] Diálogo con el autor, 31 de mayo de 1982.

[61] Diálogo con el autor, 1° de junio de 1982.

[62] Relato de un testigo en *Malvinas, la trama secreta*, pág. 269. El brigadier (RE) Josee Miret estaba presente.

11. Junio de 1982. Nicanor Costa Méndez en La Habana. La Argentina en la pendiente

◆

"Combaten cerca de Puerto Argentino", fue el título de tapa de *Clarín*, el 1° de junio de 1982. Era sorprendente pero real. Tras un largo repertorio de comunicados militares, acontecimientos bélicos, batallas encarnizadas con héroes sin nombre (en esos momentos), los argentinos se desayunaban con que las primeras avanzadas británicas se hallaban a 20 kilómetros de la capital de Malvinas. En otras palabras, muy cerca del lugar donde tenía su cuartel principal el gobernador argentino, general Mario Benjamín Menéndez. Los hechos más relevantes en el terreno de guerra, en los cerros que se elevaban en las cercanías de Puerto Argentino, más tarde guardarían nombres propios: Aldo Rico, Oscar Jaimet, Mario Castagneto, Carlos Doglioli, Mauricio Fernández Funes, Jorge Jándula, Juan José Gómez Centurión, Horacio Losito, Marcelo Anadón y los capitanes Llanos y Frecha, entre tantos.[1] A cientos de kilómetros de la guerra, en Buenos Aires, sin embargo el clima era tranquilo. En el desaparecido cine Capitol de la avenida Santa Fe se proyectaba "Escape a la victoria" y en el Colón se estrenaba "La lección", de Georges Delerue. *Clarín*, junto con *La Nación*, los dos matutinos más importantes recogían declaraciones del brigadier Basilio Lami Dozo, en las que hablaba de la avería de un portaviones inglés pero, fundamentalmente, anunciaba que tras la guerra habría cambios en lo político y lo económico en la Argentina. Una obviedad.

Desde Londres, el Ministerio de Defensa informó que habían sido 17 los muertos británicos en la "reconquista" de Goose Green (Ganso Verde), entre ellos el comandante del II Batallón de paracaidistas, coronel Herbert Jones. Y dio el listado de navíos destruidos por la aviación argentina: las fragatas "Antelope" y "Ardent", los destructores "Sheffield" y "Coventry" y el transporte "Atlantic Conveyor". También dijo que habían perdido 6 Harrier y 11 helicópteros. El total de efectivos muertos era de 126 y unos 150 heridos.

Los diarios reflejaban, además, los flirteos de las autoridades argentinas con los soviéticos. "La Unión Soviética ve con simpatía la dura lucha del pueblo argentino contra las tentativas del imperialismo británico de restituir el estado colonial en las Islas Malvinas", dijo al salir del Palacio San Martín el embajador Serguei Striganov. Después, el representante soviético conversó con Galtieri en el despacho presidencial. Más allá de Malvinas y Buenos Aires, en Nueva York, las gestiones pacificadoras de Javier Pérez de Cuéllar no encontraban ningún eco, y para "reforzar" la misión diplomática en Naciones Unidas volvieron a viajar el general Miguel Mallea Gil, el brigadier José Miret[2] y el contralmirante Benito Moya. En realidad, los motivos del viaje eran otros: Mallea Gil volvió a su destino de agregado militar, después de haber sido retirado como muestra de disgusto a Washington y los otros dos fueron elegantemente desplazados a Manhattan porque sus comandantes —y ellos mismos— no querían que acompañaran a Costa Méndez a La Habana. Uno de ellos, Miret, todavía imaginaba que se podía tender una línea de negociación a través de los Estados Unidos.

¿Por qué iba a negociar el Reino Unido en las Naciones Unidas si tenía a Puerto Argentino al alcance de la mano? ¿O es que Margaret Thatcher imaginaba, a esa altura de los acontecimientos, que iba a perder? No, la primer ministro sabía que estaba cerca de la victoria militar. Así se lo dijo a Ronald Reagan la noche del 31 de mayo, cuando el presidente de los Estados Unidos la llamó tras conversar con el presidente de Brasil, en otra gestión conciliadora, para evitar una derrota humillante de la Argentina:

"Entre el 27 de mayo y el 1° de junio [los funcionarios del Departamento de Estado] mantuvieron activos contactos con el Foreign Office, presentando una propuesta que no se consultó con nuestro gobierno, por cuanto el propósito era lograr un mínimo de elementos que permitieran flexibilizar la posición británica y a partir de ese hecho incorporar elementos que facilitaran la negociación de las partes en el marco de las gestiones de Pérez de Cuéllar.

"Enders me visitó en la residencia a las 12 horas y me mostró dos documentos clasificados que contenían las propuestas mencionadas, cuyos puntos esenciales eran:

a) Retiro mutuo de tropas.

b) Entrada de representantes de Estados Unidos y Brasil para garantizar retiro de tropas argentinas.

c) Establecimiento de un gobierno militar británico en las Islas Malvinas hasta la retirada de las tropas británicas.

d) Instalación de un gobierno de los isleños.

e) Negociaciones entre las partes sin prejuzgar el resultado final.

"Indiqué a Enders que ese conjunto de propuestas no respondían tampoco a mínimas condiciones nuestras. Contestó que sabían eso de antemano, pero que el objetivo había sido lograr una posición británica a partir de la cual Pérez de Cuéllar hubiera podido maniobrar hasta acercar posiciones".[3]

El 3 de junio, Esteban Takacs habló telefónicamente con el senador de Nevada, Paul Laxalt, quien tras conversar con Reagan y con su asesor en el Consejo de Seguridad William Clark, le dijo que Reagan "habló el 31 de mayo para pedirle que no se atacara Puerto Argentino sin agotar todas las instancias, y que [la] respuesta de la primer ministro inglés había sido muy negativa. Finalmente, agregó que su Presidente efectuaría [una] gestión muy decidida durante su encuentro en Europa con [la] señora Thatcher, haciendo hincapié en intereses de los Estados Unidos en la Argentina y el resto del hemisferio".[4]

Estaban en juego en esas horas un pedido de alto el fuego de Pérez de Cuéllar y una propuesta de España[5] y Panamá. Todas sucumbieron y el miércoles 2 de junio el secretario general de Naciones Unidas dio prácticamente por terminadas las negociaciones.

De todas maneras, en la Argentina la gran mayoría pensaba que se iba a ganar. "Sólo nos queda esperar la derrota de los británicos en las próximas 48 horas", declaró a la prensa, sin inmutarse, el gobernador de la provincia de Chubut, contralmirante (RE)

Niceto Echauri Ayerra. En Puerto Argentino —ya que fue muy poco al frente de combate— el general Menéndez arengó a la tropa: "No sólo debemos derrotarlos, sino que debemos hacerlo de manera tal que su derrota sea tan aplastante que nunca más vuelvan a tener esa atrevida idea de invadir nuestra tierra". Se preparaba "la gran batalla", como afirmaron varios medios argentinos.

El 2, Costa Méndez acompañado de una nutrida delegación viajó a La Habana, previa escala en Brasilia, donde conversó con su par Saraiva Guerrero. En Brasil dijo que la Argentina no solicitaría ayuda a la URSS o a Cuba, mientras que Galtieri en Buenos Aires daba a entender otra cosa: "La Argentina recibirá la mano de quien se la quiera dar", dijo al ser preguntado sobre una posible ayuda de Moscú.

El vuelo del Boeing 707 que lo llevaría a Cuba sufrió una demora que nadie percibió. Horas antes, el embajador argentino en Madrid, Enrique "Quique" Lúpiz, se había comunicado con el canciller informando que la policía española había detenido a unos argentinos que trasladaban armas y explosivos. "El Servicio de Inteligencia Naval jugó sucio a la Cancillería en Gibraltar", fue el mensaje de Lúpiz. Luego le contó que la Cancillería española lo había despertado con la novedad cerca de las 2 de la madrugada. "No te mandé un cable", le dijo al canciller, "para no dejar constancia de la gravedad del incidente."[6] Tras la conversación, Costa Méndez, sorprendido, lo llamó al presidente: "Me acaban de informar que han detenido en España a unos argentinos que intentaban volar un buque inglés en Gibraltar". "No sé nada, déjeme que consulte" fue la respuesta de Galtieri. Tras una conversación con el almirante Anaya, el Presidente y su canciller se enteraron de la "Operación Algeciras".

Sin entrar en grandes detalles, el operativo fue autorizado por el almirante Jorge Isaac Anaya y pergeñado por el SIN, cuyo jefe, el almirante Eduardo Morris "el inglés" Girling, siguió atentamente todos los pasos de la trama. Consistió en enviar a España a dos montoneros "quebrados", detenidos en la ESMA, bajo las órdenes de un oficial naval, capitán Héctor Rosales, para volar con explosivos un buque británico. El 24 de abril volaron hacia París, con documentos falsos, confeccionados por Víctor Basterra, otro ex montonero preso en la ESMA; de allí a Málaga y luego de una reunión en Madrid el comando se trasladó a Algeciras, en las cercanías de la base naval de Gibraltar. Los explosivos para las minas se introdujeron, violando todas las convenciones, vía valija diplomática, con el conocimiento del agregado naval en España. Pocos días antes de realizar el atentado fueron detenidos, tras despertar sospechas y ser seguidos por la policía española. Faltaban escasos días para el comienzo del campeonato mundial de fútbol y se habían incrementado las medidas de seguridad ante la posibilidad de atentados de la ETA. Los dos ex montoneros detenidos fueron Máximo Fernando Nicoletti,[7] alias "el gordo Alfredo", y Antonio Nelson Latorre,[8] alias "el pelado Diego". Los dos habían participado en atentados dentro de la organización: Nicoletti fue uno de los que intervino en el atentado que le costó la vida al comisario general Alberto Villar y su esposa (1° de noviembre de 1974) y la voladura del destructor misilístico ARA "Santísima Trinidad" (27 de agosto de 1975). Latorre fue uno de los oficiales de Montoneros que, junto con Rodolfo Walsh (alias "Esteban" o "Doctor Neurus"), realizó las tareas de inteligencia previas al asesinato de José Ignacio Rucci (25 de septiembre de 1973).

El hecho generó dos encuentros. Uno entre Costa Méndez y "el inglés" Girling. Una vez escuchado el relato del jefe naval, se demoró la partida a La Habana para presentarle las excusas del caso a un alto diplomático español que estaba en esos días en Buenos Aires: el vicecanciller Joaquín Ortega Salinas.[9]

El canciller argentino, la misma persona que escasos meses atrás había declarado que la Argentina no pertenecía al Tercer Mundo (Brasilia, marzo de 1982), ahora sostenía que "el Movimiento de Países No Alineados ha sido siempre un gran sostén para la Argentina en todas las negociaciones internacionales en que participamos". Estaba claro que Malvinas alteró la brújula del Palacio San Martín. El más lúcido traductor del cambio del canciller fue el embajador Gustavo Figueroa, cuando afirmó: "En política exterior todas las naciones deben estar insertadas en algún lado. El único país que conozco que no lo hace es Albania y es un placer escucharlo en las Naciones Unidas. Agarra el mapa y les grita a todos. Así le va después...".[10]

En La Habana el canciller fue dispensado con una cálida recepción y un tratamiento especial en todo momento. Hasta se permitió un chiste, cuando Raúl Roa, el embajador cubano en Naciones Unidas, le dijo que "tenían que llegar ustedes, los de derecha, para producir un gran cambio en materia política".[11]

El primer día en La Habana Costa Méndez habló con Fidel Castro, bajo la atenta mirada del general Héctor Iglesias. "La conversación giró sobre la base de dos líneas."[12] El presidente cubano aconsejó continuar la guerra aun si la Argentina era derrotada militarmente en Malvinas. "Ustedes ya ganaron", dijo, "manténganse fuertes, continúen la guerra. Si es necesario ataquen desde el continente en acciones aisladas; continúen con el clima de guerra." Lo demás, entre los dos, se prestó para la anécdota, como cuando Castro preguntó si el general Menéndez "es de los que pelean o se rinden".

También aconsejó definir bien la relación con Sudáfrica porque guardaba relación directa con el mejoramiento de las relaciones con algunos países africanos. Y en esta cuestión, se comprometió a hacer "lobby" a favor de la Argentina con esos países de África. Castro, perspicaz, nunca hizo una referencia ideológica.

El canciller argentino pronunció un discurso preparado por la delegación que había llegado con anterioridad. Sin sonrojarse, llegó a comparar la lucha contra los británicos en las Malvinas con la que libraron "Argelia, India, Cuba y Vietnam, entre otros, por sus independencias". Pidió luego el apoyo del Movimiento y denunció un plan británico para convertir a las Malvinas en una base de los Estados Unidos y Sudáfrica (donde la Argentina había mantenido un encargado de negocios, Alfredo Oliva Day, y un agregado naval, el almirante Rubén Jacinto Chamorro). En otra ocasión dijo que sentía "una enorme satisfacción y felicidad de estar en este país que ha hecho tanta historia en el Caribe y en América Latina". El líder cubano, a su vez, calificó al conflicto austral dentro de una guerra de liberación.

Tras su paso por La Habana, Costa Méndez hizo una escala técnica en Caracas, para agradecer el solidario y masivo apoyo venezolano. Al pie de la escalerilla, lo esperaban las autoridades venezolanas y quien en poco tiempo más sería su sucesor, Juan Ramón "Mocito" Aguirre Lanari, de gran desempeño en esos días. En su escala pronunció unas pocas palabras, más dirigidas al frente interno argentino que al marco internacional, en especial cuando dijo que "no habrá patria socialista" en la Argentina.

El Movimiento de Países No Alineados hizo en La Habana una declaración de franco apoyo a la causa argentina y en Naciones Unidas un nuevo proyecto, reclamando el cese de hostilidades, esta vez con el respaldo de los No Alineados en su mayoría, obtuvo el apoyo necesario para ser tratado por el Consejo de Seguridad. Después de varias jugadas dilatorias, protagonizadas por Francia, Jordania y Japón, Gran Bretaña lo vetó en la jornada del 4 de junio. El proyecto de resolución fue aprobado por Japón, Uganda, URSS, Polonia, China, España, Panamá, Irlanda y Zaire. Se abstuvieron: Guyana, Togo, Jordania y Francia. Lo vetaron el Reino Unido y los EE.UU.

La posición que adoptaría Washington insumió largo tiempo de debate interno dentro de la administración Reagan. Por el veto se inclinó Haig, y así se votó en el momento crucial. La embajadora Kirkpatrick (junto con el subsecretario Enders) insistió hasta el último instante en que el veto ya lo iba a ejercer el embajador inglés Parsons, por lo tanto abstenerse era lo más atinado. A los pocos minutos de haberse pronunciado todos los miembros del Consejo de Seguridad. le llegó la contraorden desde París (en donde se hallaban Reagan y Haig participando de la Cumbre de Versalles). No podía volverse atrás, pero para dejar sentado el principio, la embajadora pidió leer una declaración: "Señor presidente, el dilema continúa hasta la votación de esta cuestión. Se me dice que es imposible que un gobierno cambie su voto una vez que lo ha emitido, pero mi gobierno me ha pedido que deje constancia del hecho de que si fuera posible cambiar nuestro voto quisiéramos cambiarlo de un veto, un no, a una abstención. Gracias".[13] Había quedado mal con los dos bandos en disputa: "De confirmarse el veto de los Estados Unidos al proyecto, cuya esencia es cese del fuego por 72 horas, nuestro gobierno consideraría ello un acto de extrema gravedad que haría peligrar de inmediato la continuidad de nuestras relaciones diplomáticas. Sostuve que dado que Gran Bretaña vetaría de todos modos la resolución, no cabía sino percibir la actitud norteamericana como superflua y gratuita",[14] informó Takacs tras conversar con Thomas Enders telefónicamente.

El proyecto en cuestión no agregaba demasiado, salvo que volvía a solicitar un cese de hostilidades y le otorgaba a Pérez de Cuéllar otra oportunidad para frenar la "batalla final". Al hacer uso del derecho de réplica, en una clara respuesta al argentino Enrique Ros, el embajador de Gran Bretaña dijo que "la responsabilidad de la crisis recae sobre la invasión argentina; la responsabilidad por cualesquiera otras pérdidas de vida recae en la negativa de la Argentina a retirarse de las islas, tal cual lo pide la Resolución 502 del Consejo de Seguridad. Muchas gracias, señor Presidente".[15]

El 6 de junio, tras el Sommet de Versailles, François Mitterrand, en nombre de los "Siete" (Estados Unidos, Gran Bretaña, Francia, Alemania Occidental, Italia, Canadá y Japón) reafirmó su solidaridad con el Reino Unido. Como apuntó el embajador argentino en Francia, el 5 de junio, en su diario íntimo: "Yo estaba harto de que me dijeran que el gobierno (francés) estaba dividido con respecto a Malvinas: en el oído me decían que odiaban a los británicos; en la ONU, en la CEE, a Reagan, (pero) le expresaban públicamente su adhesión a Gran Bretaña".[16] El lunes 7 de junio, Ronald Reagan llegó en visita oficial a Londres, mientras en Buenos Aires se conocían los primeros detalles del viaje que realizaría Juan Pablo II a partir del viernes 11.

En el avión que lo trajo de vuelta de Caracas a Buenos Aires, Costa Méndez analizó varias cuestiones con sus colaboradores más cercanos:

–Volver a Naciones Unidas el 15 de junio para participar en la Conferencia de Desarme.

–Designar al "Bebe" Clarasó de la Vega en Cuba, en reemplazo de "Chocho" Vázquez, que fue trasladado a México para abrir una nueva etapa de las relaciones bilaterales. Se tomó en cuenta el interés de Cuba por acercarse a América Latina.

–En los próximos días deberá analizarse la conveniencia de seguir manteniendo al embajador Esteban Takacs en los Estados Unidos. En la Cancillería las posiciones estaban divididas: unos aconsejaban mantenerlo para no romper canales de comunicación, otros hablaban de retirarlo.

–Se trató el cierre del consulado en Berlín, para demostrar desagrado por la conducta de Alemania Occidental durante los acontecimientos y la apertura de embajadas en África (Mozambique y Angola, por ejemplo).[17]

El 7 de junio, el subsecretario de Asuntos Latinoamericanos, "Tom" Enders le dijo a Esteban Takacs que "no veía indicios mínimos como para evitar una acción militar en Puerto Argentino [...]. Agregó que por estimaciones que había recogido ahora, entre una o dos semanas los ingleses tomarían Puerto Argentino aunque les cueste vidas y buques. Añadió que sería importante una reunión eventual entre nuestros agregados militares y jefes del Pentágono, principalmente con el general Meyer y preguntó si el general Mallea Gil estaba en Washington. Contesté que había viajado, pero si estimaba conveniente podría solicitársele al Comando el regreso a tal efecto [...] Enders dijo que se comunicaría con el Pentágono y me haría conocer la eventual reunión, por cuanto si la evolución de la situación militar resultara distinta de la que sostienen los ingleses podría nuevamente aparecer una posibilidad de una negociación".[18]

Sin secretos. La batalla final

Entre las 19 y las 22 del 7 de junio, el Comité Militar se reunió en el Estado Mayor Conjunto para escuchar una exposición de Costa Méndez, con la inusual presencia del agregado militar en Washington, general Miguel Mallea Gil y los tres integrantes del grupo Malvinas, Miret, Iglesias y Moya. Entre otras cuestiones Mallea Gil detalló el pensamiento de los círculos militares de los Estados Unidos sobre el conflicto. Además, se manifestó la poca actividad en el terreno bélico. Para algunos de los presentes se debía a que se estaban tomando posiciones para la batalla definitiva.

A pocas cuadras del Estado Mayor Conjunto, un reducido grupo de periodistas analizaba con el secretario de redacción de la agencia Noticias Argentinas,[19] Raúl García, el desarrollo de las próximas horas. Con el paso de las semanas, García se había convertido en un analista militar. Y ayudado por Luis "Chango" To-

411

rres (turno mañana), el "Negro" Vergara (turno tarde) y Eugenio Paillet (destacado en la Casa Rosada), más algunas visitas "especiales" que recibía diariamente, disponía de un caudal informativo a tener en cuenta. A última hora de la tarde se hizo el siguiente cuadro de situación:

–Sostenía que los ingleses tenían problemas logísticos y que estaban aprovisionando a sus tropas avanzadas.

–Había también razones políticas que demorarían el asalto final a Puerto Argentino: 1) los "grandes" terminaban la reunión de Versailles; 2) en los próximos días tampoco se atacaría porque Ronald Reagan estaba en Londres y eso dificultaría aun más su relación con América Latina y luego vendría el Papa (11 y 12 de junio).

–El ataque se iniciará el domingo 13. Y hay que tener en cuenta la "sorpresa" de la que habló Costa Méndez.

–"El martes último fue cerrado el aeropuerto de Salta por la llegada de aviones Mirage peruanos. Se le ordenó a *El Tribuno* no publicar nada por razones militares", dijo sin alterar su habitual seriedad (uno de los miembros del directorio de NA era el empresario periodístico Romero).

–La situación militar argentina en las islas es comprometida por el decaimiento físico de los soldados. Los ingleses son "profesionales". [Mario Benjamín] Menéndez está preocupado por evitar una carnicería de sus soldados (versión que coincide con Leopoldo Moreau que trabajaba en la agencia, que dice que Galtieri es el "duro" y no Menéndez).

–Una de las muestras de improvisación de la ocupación de Malvinas estuvo dada en que no se hubieran mandado tropas de montaña, más habituadas a actuar en climas fríos. Sí mandaron correntinos al mando del general Flouret.

–En la última reunión de mandos se criticaron duramente las directivas dadas por Vaquero (jefe del Estado Mayor) durante el transcurso de los hechos bélicos. Vaquero se defendió diciendo que no había tenido la participación necesaria y que no era enteramente responsable. Presentó su renuncia pero Galtieri se la rechazó.[20]

Golpes militares en marcha

La noticia no trascendía en los diarios, pero daba vueltas por las cabezas de algunos integrantes informados de las redacciones. Era una sensación muy rara, esquizofrénica: el país vivía una situación inédita de guerra internacional y se hablaba de un golpe para deponer al gobierno militar. Uno, más que un "golpe", era un "autogolpe". Algo así, como dijo Regis Debray, "una revolución dentro de la revolución". Lo encabezaría el propio Leopoldo Fortunato Galtieri y propugnaba un nuevo alineamiento en política exterior junto con un cambio de la política económica. Se tenía en cuenta un arco de alianzas con la CGT de Azopardo (dejando de lado a Lorenzo Miguel). Todo conducía a la permanencia de Galtieri por un tiempo indeterminado, con retención de su cargo de comandante en jefe del Ejército.

El otro golpe, al que se le adjudicaba un apoyo de la embajada de los Estados Unidos, consideraba que Galtieri tenía que ser depuesto y adoptarse una política exterior "independiente", aunque no alejada de Washington. Se sostenía que esta visión contaba con el apoyo del brigadier Basilio Lami Dozo. Lo sorprendente era que algunas "piezas" que estaban en el tablero político de Galtieri se movían hacia el otro lado: Amadeo Frúgoli, el ministro de Defensa, apoyaba el plan. Lo mismo que en la otra conspiración, se consideraba un cambio del plan económico, con la participación de un sector del "establishment".[21]

El teniente general (RE) Alejandro Agustín Lanusse cree que "después de Malvinas se van a desatar pujas internas militares muy fuertes".[22]

El doctor Ricardo Yofre sostiene que el general de división Juan Carlos Trimarco (comandante del Cuerpo III) piensa que es posible que el régimen militar perdure, después de Malvinas, siempre y cuando cambie radicalmente sus políticas. El general Trimarco cree que puede ser una alternativa.[23]

Bernardo Grinspun, quizá el de mayores contactos militares en el círculo íntimo de Alfonsín, comentó que "hay una conspiración en marcha, en particular con la oficialidad que está en el Sur. Ellos tienen mando de tropa en situación de combate. El generalato de división quedará superado. Aunque el general de división

Vaquero podría ser el candidato de la transición hasta las elecciones. Se habla de cambios totales de las políticas". Bernardo no rechaza una participación de la Unión Cívica Radical en el golpe, si se dan garantías "revolucionarias", "por ejemplo si el 'gordo' (general Ricardo Flouret) entra en el asunto. El contacto parece ser el coronel Sullivan y contó que le pidieron consejos para la elaboración de un plan económico. Para Grinspun el gran problema económico se sitúa en la deuda externa. "Costará mucho pagarla y se necesitarán los dólares para comprar insumos vitales para la industria. Por otra parte, movilizar el mercado interno requerirá una fina operación financiera, ya que las empresas necesitan invertir. A su vez, los empresarios no podrán distribuir salarialmente las ganancias dentro de los márgenes requeridos por las necesidades sociales y para elevar el poder de consumo de la población."[24]

Para el comodoro (RE) Vacca "es terrible la tensión entre la Fuerza Aérea y el Ejército. En Ejército se espera un empate o una derrota humillante en Malvinas, pero no una victoria total. Estamos muy jodidos. Hasta ayer la Fuerza Aérea ha perdido 36 pilotos. Los nuevos misiles provistos por Estados Unidos hacen estragos, son difíciles de contrarrestar: siguen al calor, el infrarrojo y las señales de radar enemigas. Dice que Perú dio misiles soviéticos".[25]

"Si se rechazara el ataque inglés sobre Puerto Argentino, la Fuerza Aérea pedirá negociar directamente con Gran Bretaña."[26]

El día anterior, en la tarde de Washington, Eduardo Hidalgo, ex subsecretario de la Marina durante la administración de "Jimmy" Carter, visitó al embajador Takacs y le dijo que en sucesivas reuniones en las que había participado con jefes y funcionarios del Pentágono "se ha venido notando una creciente crítica hacia la acción británica y también a modificar la apreciación sobre el balance militar del conflicto". Relató que al día siguiente, junto con 10 subsecretarios, participaría de una reunión en el Pentágono para analizar el conflicto de Malvinas. Dijo creer que Gran Bretaña estaba dando datos falsos sobre sus pérdidas en las islas y eso conducirá a "una gran presión sobre el Consejo de Seguridad y particularmente sobre Haig para que se retraiga la cooperación de Estados Unidos. [...] Hidalgo ofreció concertar una entrevista del suscripto (Takacs) con el almirante Hayward. Le manifesté que, en tal caso, comunicaría con el brigadier Peña (agregado de la Fuerza Aérea) y el almirante Franco (agregado de la Armada)".[27]

El miércoles 9 de junio los matutinos informaban que las fuerzas británicas habían sufrido serios reveses el día anterior en Malvinas, cuando intentaron desembarcar soldados a 30 kilómetros de Puerto Argentino. "[Gran Bretaña] sufrió ayer uno de los peores desastres en una sola jornada", informó *Clarín*. Aviones de la Fuerza Aérea hundieron la fragata "Plymouth" (2.800 toneladas, de 112 metros de eslora y una tripulación de 235 hombres) y dos buques de desembarco quedaron encallados y abandonados en Bahía Agradable. También los aviones ametrallaron a los efectivos que tocaban tierra, destruyendo su material. "Estamos muy fuertes […] los argentinos debemos sentirnos líderes de Occidente", dijo el ministro del Interior, Alfredo Saint Jean, durante la ceremonia de posesión del cargo como director general del Archivo General de la Nación de César García Belsunce. "La Argentina está dispuesta a retirar sus efectivos en la medida que Gran Bretaña retire los suyos y asuma el gobierno del archipiélago un delegado administrador de las Naciones Unidas", dijo Galtieri al *Ya* de Madrid.

Mientras, se anunciaba ese día que monseñor Paul Marcinkus, responsable de la seguridad de Juan Pablo II, había llegado a Buenos Aires para ultimar los detalles de la visita papal que se iniciaría el viernes 11. En coincidencia, se conoció que el Santo Padre había designado obispo de Mercedes a monseñor Emilio Ogñenovich y el PEN liberó 128 detenidos, bajo el régimen de "libertad vigilada". La Cámara en lo Contencioso Administrativo ordenó devolverle al sindicalista Lorenzo Miguel sus bienes incautados por la Comisión Nacional de Responsabilidad Patrimonial (CONAREPA).

Ya era noticia el casi seguro pase de Diego Armando Maradona al Barcelona de España. Y en el Museo de Bellas Artes, Gino Bogani presentaba su colección con música del Altiplano, en beneficio del Fondo Patriótico. No faltaron a la cita Graciela Borges, Teresa Hume de Anchorena, Mirtha Legrand, Bruno Gelber, María Rosa de Martini y Nelly Arrieta de Blaquier.

El jueves 10, fue el Día de Afirmación de los Derechos Argentinos en las Malvinas y en Buenos Aires se lo celebró con escenas que manifestaban un gran sentimiento patrio y enorme entusiasmo. Quizá fue el gran día de Nicanor Costa Méndez, el personaje central en los matutinos del viernes 11, en los que aparece sonriente abrazado a Galtieri y apretujado por la multitud. A las 11 horas dirigió una arenga en el Salón Dorado del Palacio San Martín, rindiendo un homenaje a los argentinos caídos en las islas "por una guerra justa: por la Patria". Homenajeó a Latinoamérica que se impuso en la OEA en dos oportunidades a los Estados Unidos "condenándolo en este hecho que no tiene ningún vestigio ideológico, que no puede ser enmarcado por nadie de buena fe en el enfrentamiento Este-Oeste". Y finalmente señaló que "a la emocionante y apasionada adhesión de América Latina siguió la no menos emocionante y apasionante adhesión del Tercer Mundo". Tras sus palabras, hizo leer a su jefe de Prensa la declaración final del Movimiento de Países No Alineados aprobada en la Cumbre de La Habana. A las 18, en la Plaza de Mayo, se encendieron las luces de la fachada del Banco de la Nación Argentina, mientras la multitud ensayaba cánticos contra Gran Bretaña y los Estados Unidos. Con el paso de los minutos, la gente comenzó a corear: "Borombombón, borombombón, salí Galtieri, salí al balcón". No salió al balcón, pero en la puerta de Balcarce 50, de viva voz, dijo: "Yo siento la palabra del pueblo, al observar esta gente que llegó a la Plaza de Mayo...".

Por la noche, a escasas cuadras del lugar, en el Luna Park, una Comisión Popular de Defensa de la Soberanía de las Malvinas, con la heterogénea presencia de Simón Lázara, Luis Brandoni, Humberto Volando, Néstor Vicente y Vicente Solano Lima, realizó un acto donde se pronunciaron innumerables discursos. En la mañana había arribado la delegación sindical que concurrió a la asamblea de la Organización del Trabajo (OIT), en Ginebra. "Cumplimos con los objetivos", declaró Saúl Ubaldini.

En Londres, el gobierno británico tuvo que reconocer que el martes último había constituido uno "de los peores días para la flota británica en esta campaña". En Bluff Cove y Fitz Roy había perdido la fragata "Plymouth" y el buque "Sir Galahad", y el "Sir

Tristram" estaba seriamente dañado. Muchos hombres murieron y muchos más sufrieron serias quemaduras. Se hablaba de que los aviones argentinos habían tirado bombas de napalm (bomba incendiaria). Al estallar el barco "Sir Galahad", las esquirlas alcanzaron a una gran cantidad de efectivos. "Ahora es impensable un arreglo", declaró Margaret Thatcher. Las ediciones también mostraban a un Ronald Reagan cabalgando, con "breeches" y botas, al lado de la reina Isabel por los jardines de Windsor. En esas horas volvió a reiterar su más firme apoyo a Gran Bretaña en el conflicto de Malvinas.

Las páginas principales de los matutinos del 11 de junio se dedicaron a ensalzar la llegada del "Mensajero de la Paz", Juan Pablo II, su misa en Palermo y la multitudinaria misa que ofrecería en Luján por la tarde. También haría una visita protocolar a la Junta Militar en el Salón Blanco de la Casa Rosada.

El vespertino *La Razón* del viernes 11 dedicó casi todas sus páginas a su llegada a Buenos Aires, esa mañana, y su visita, revestida con mensajes de paz en tiempos de guerra. El presidente Galtieri lo esperó en Ezeiza; gente de todas las condiciones sociales se volcó a las avenidas para vitorearlo. Pasó por General Paz, 9 de Julio, Rivadavia, Callao, Alvear, Libertador. "En diversos sectores, incluso gubernamentales, existe hoy una mezcla de esperanza y de temor, de cara a la influencia que Juan Pablo II pueda ejercer en Buenos Aires, bien como hacedor determinante de una paz poco menos que incondicional —algunos la calificarían de rendición—, bien como una especie de mediador en nuestro conflicto con Gran Bretaña, que permita una solución honorable para ambas partes. Grupos de la curia y de algunos partidos políticos, como el peronismo, han puesto ya en marcha una campaña titulada 'viva la paz'", escribió Jesús Iglesias Rouco.[28] "La visita relámpago del Papa a Buenos Aires es proféticamente un viaje de paz", escribió *L'Osservatore Romano*. El Santo Padre dio dos misas públicas. Una en Luján en la tarde del mismo día en que arribó y otra al día siguiente, frente al Monumento de los Españoles. Ambas fueron multitudinarias, pero el gobierno, junto con algunos obispos, desalentó la de Luján. "En realidad, lo que aquellos dirigentes han querido poner de manifiesto es que la misa de Palermo, con sus palcos colmados de funcionarios, habría de tener, respecto de la celebrada anteayer, un tinte de mayor compromiso con el nivel gubernativo."[29]

Casi escondida en las ediciones, una noticia informó que el capitán de corbeta Alfredo Astiz, detenido por tropas inglesas en las islas Georgias al comienzo del conflicto, había sido liberado y había llegado desde Londres a Río de Janeiro. Se desconoció cómo entró a la Argentina.

Persiste el engaño informativo

Crónica: "Si cayera Puerto Argentino, que no caerá, recuerden Dunkerque", dijo Galtieri a la periodista italiana (que lo maltrató) Oriana Fallaci.[30] El jefe militar demostró ignorar la historia de la Segunda Guerra Mundial. Dunkerque, más que una derrota británica, fue un éxito. Fue la operación de rescate más importante de la contienda, en la que el Reino Unido pudo salvar gran parte de su Fuerza Expedicionaria, 300.000 efectivos terrestres que habían peleado en Francia... mientras Francia claudicaba.[31] Fue, también, un gran error alemán. Ante el capricho y la insistencia del mariscal Hermann Goering de exterminar a las tropas con su Luftwaffe, evitó la aniquilación de las mismas con las fuerzas mecanizadas del mariscal Gerd von Rundstedt que esperaban a unos pocos kilómetros. Goering había dicho, pocas horas antes del 30 de mayo de 1940, a Erhard Milch: "El Führer quiere que les demos una lección que no puedan olvidar jamás".

La revista *Tiempo*, de España, reprodujo una entrevista a Amadeo Frúgoli en la que decía que "el conflicto puede hacer variar el curso de la historia".[32]

Londres anunció que el viernes 11, a la noche, inició el ataque final a Puerto Argentino a través de golpes de comando. Preguntado, el 12, sobre la impresión que le había motivado la visita de Su Santidad, Galtieri dijo: "Me siento espiritualmente feliz e interpreto que así lo está nuestro pueblo".[33] Dos meses más tarde diría lo contrario: "Es evidente que su presencia, en los momentos trascendentales [viernes y sábado previos a la caída de Puerto Argentino], nos perjudicó".[34]

A las 3 de la madrugada del 12 de junio, fuerzas argentinas, desde una rampa elevada en la cercanía de Puerto Argentino, dispararon un Exocet tierra-agua contra el HMS "Glamorgan", que sufrió graves daños. ¿Era la "sorpresa" de la que había hablado alguna vez Costa Méndez?

"[...] Durante los pocos minutos que estuvo a solas con las autoridades argentinas —con la Junta Militar o con el Presidente— [el Papa] habló de la paz 'como un bien y un deber supremos de los cristianos', y para conseguirla —habría dicho— 'deben hacerse todos los esfuerzos posibles, aunque sea a costa de sacrificios'", escribió Joaquín Morales Solá, el domingo 13 de junio. Luego sorprendió a sus lectores relatando en la misma columna que la Multipartidaria pensaba reclamar elecciones a fines del 1983 y entrega del gobierno a los pocos meses. Para Galtieri "no hay cronograma ni plazos. [...] No lo había antes del conflicto con Gran Bretaña y los militares creen que la situación nacional no ha cambiado tanto como para dar un giro en ese estratégico flanco del régimen".

Se libran cruentos combates en las proximidades de Puerto Argentino, informan los matutinos dominicales: "Fuentes militares precisaron que la actual táctica de los ingleses está constituida por ataques nocturnos con empleo de material muy sofisticado para las operaciones en la oscuridad...". Sin decirlo abiertamente, para no revelar el estado de desamparo de las tropas argentinas, se informaba del uso de visores infrarrojos por los comandos británicos. Sólo bastaba para conocer de su existencia buscarlos en las revistas especializadas de caza.

En la segunda edición de *La Nación* del domingo 13 se publicó en la tapa el comunicado que emitió el Estado Mayor Conjunto a la 01.20, en el que informa que el día anterior los británicos "conquistaron Monte Dos Hermanas y parte de Monte Harriet. [...] El enemigo en su avance ha penetrado 3,5 km dentro del dispositivo de seguridad propio; esta situación no configura por sí un hecho determinante de éxito o fracaso, pues depende de la concepción operativa de la defensa". Se estaba peleando en las puertas de Puerto Argentino y no se lo decía, el gran público no lo intuía.

Los soldados argentinos carecían de todo: alimentos, municiones, y en la mañana del 13 "un diluvio infernal de acero se abatió sobre los defensores, dañándolos severamente y destruyendo su armamento y comunicaciones como paso previo al avance de la infantería".[35]

En la misma jornada se publicó que Galtieri había conversado telefónicamente con el gobernador Mario Benjamín Menéndez. Unos pocos meses más tarde, el almirante Jorge Isaac Anaya relató las circunstancias y los términos del diálogo telefónico entre Galtieri y el asediado Menéndez. Anaya llegó a la Casa de Gobierno y se encontró con el Presidente entre excitado y deprimido, estados de ánimo que se sucedían alternativamente: "'Parece que Menéndez se rinde. Y ahora he pedido una comunicación con él; me la tiene que dar.' En instantes nomás, existe esa comunicación. Yo puedo decir lo que recuerdo de la comunicación, pero seguramente no es exacto. El general Menéndez le dijo que el general [Jeremy] Moore le había ofrecido una rendición honrosa, con banderas, con las armas —si no me equivoco, también decía— y el general Galtieri le dijo: 'Le ordeno que contraataque'. El general Menéndez le contesta algo así como: 'El estado anímico no me permite hacerlo; el estado anímico de la tropa no permite hacerlo'. Si bien no recuerdo con precisión los términos de la comunicación sí puedo decir que el general Galtieri le dijo: 'Le ordeno que contraataque'; inclusive, creo, que se lo dijo dos veces. Cuando le dijo: 'El estado anímico...', le reiteró: 'Le he ordenado que contraataque'; 'No puedo, mi general' y entonces le contestó Galtieri que él era el comandante militar. 'Usted sabe qué es lo que tiene que hacer; cuando regrese al continente le voy a pedir cuentas según los reglamentos militares', o algo por el estilo. Exacto no es; el espíritu fue ese".[36]

Hablando sobre la conducta de Menéndez, dos meses después del 14 de junio de 1982, sentado cómodamente en su departamento de la calle Sucre —"lo compré con la 1.050", le comentó al autor—, Galtieri dijo que "como dicen los italianos, una cosa es 'morire' y otra cosa 'parlare di morire'".[37]

El domingo 13, a las 15 horas, gran parte la sociedad prendió la televisión, sintonizó ATC y vio la inauguración del Mundial de Fútbol 1982 que se transmitía desde Barcelona, España. Jugó Argentina contra Bélgica en el Estadio Nou Camp y perdió por un gol de Vanderbergh en el segundo tiempo. El equipo albiceleste tenía una delantera mortífera: Bertoni, Díaz, Maradona y Kempes.

Como si le hablara al gobierno militar, César Luis Menotti repetía a sus jugadores: "Para entrar primero hay que saber salir". En las trincheras cercanas —cada hora más cercanas— a Puerto Argentino, se escuchaba la transmisión del Mundial de la Oral Deportiva, bajo la batuta del "Gordo" Muñoz y los comentarios de García Blanco, Zavatarelli y Julio César Calvo.

—¿Y? —lo interrogan ansiosos los soldados al soldado que acaba de llegar.

—Perdimos uno a cero —dice el recién llegado.

—¿Con los belgas?

—No puede ser. ¡Qué boludos!

Ahora los tres se quedan silenciosos, no quieren saber los detalles. Miran al frente otra vez, a las sombras crecientes, aprietan el fusil.

—Esta mierda... y encima pierde la Selección —murmura uno.

—Lo único que nos faltaba —dice otro cualquiera de los tres, todos.[38]

Títulos del vespertino *La Razón* del 13 de junio: "Firme resistencia. Entró en su segundo día de la gran batalla. La Fuerza Aérea bombardeó Dos Hermanas", "Atacan 4.500 invasores con sus mejores armamentos", "Destacó Castro Madero la posibilidad de que la Argentina construya un submarino nuclear".[39]

La última encuesta para el "canciller de hierro". La desorientación. La debacle

Los mandos militares que estaban al tanto de lo que realmente sucedía en el frente de batalla, el lunes 14 ayudaron a dramatizar los títulos de los matutinos. "Bombardeo sobre las avanzadas británicas", tituló *Clarín*; "Malvinas: hay consolidación de la defensa y reagrupamiento", expuso *La Prensa* y "Nuestras fuerzas combaten con denuedo para contener al invasor", informó *La Nación*, y señalaba que "los británicos se sirven en la lucha de miras infrarrojas que les permiten visualizar a los soldados argentinos durante la noche y la niebla. Tales elementos sofisticados, junto con el empleo de visores panorámicos con sistema infrarrojo, constituyen una ventaja técnica a la que se opone el denuedo con que combaten los defensores argentinos en las cercanías de Puerto Argentino".

Entre los días 13 y 14 de junio, el Instituto Gallup realizó un sondeo referido al conflicto de Malvinas. El 75% de la encuesta se realizó durante el domingo, y 25% restante durante el día lunes. "En este último día —reflejó la introducción del trabajo— sólo hasta las 13 horas, dado los acontecimientos, procediéndose al editing y supervisión de las encuestas durante el resto del día. El tamaño muestral fue de 952 casos" (de ciudadanos mayores de 18 años).

La encuesta entregada al Palacio San Martín, el 15 de junio de 1982, demostraba crudamente el estado de ignorancia y desorientación en que se hallaba gran parte de la ciudadanía porteña. Asimismo, y es más que una sospecha, los sondeos eran estudiados concienzudamente por Nicanor Costa Méndez, porque en esos días se imaginó que podía ser "El Hombre" para una salida cívico-militar. En resumen:

• Como usted sabe es inminente el ataque británico a Puerto Argentino. Usted cree que en esa batalla:
1. Triunfará la Argentina 79%
2. Triunfará Gran Bretaña 4%
3. NS/NC 17%

• Y en cuanto a la solución definitiva del conflicto, ¿usted piensa que está cercana o que habrá que esperar durante mucho tiempo antes de llegar a un acuerdo?
1. Mucho tiempo 34%
2. Bastante tiempo 36%
3. Quedará resuelto en pocos días 21%
4. NS/NC 9%

• En cuanto a la importancia de la visita del Papa Juan Pablo II a la Argentina, considera usted que la misma es:
1. Muy importante 69%
2. Importante 21%
3. Poco importante 3%

4. Nada importante 4%
5. NS/NC 3%

• El conflicto puede presentar alternativas diferentes, una de ellas es que la Argentina salga victoriosa. Otra más pesimista sería que Gran Bretaña lograra tomar Puerto Argentino. Si esto último ocurriera, ¿piensa usted que la Argentina debe recurrir a la ayuda de otros países extendiendo el conflicto, debe continuar luchando con sus propios recursos o debe intentar una solución pacífica?
1. Recurrir a la ayuda de otros países y continuar la guerra hasta sus últimas consecuencias 41%
2. Debe continuar luchando con sus propios recursos, sin ayuda externa 22%
3. El conflicto armado debe finalizar con esta batalla y deben comenzar las negociaciones 31%
4. NS/NC 6%

• Suponiendo que el conflicto se extendiera y Rusia ofreciera su ayuda, ¿considera usted que la Argentina debe o no aceptar dicha ayuda?
1. Sí 53%
2. No 30%
3. NS/NC 17%

• Como usted sabe, la posición de los Estados Unidos en este conflicto ha sido marcadamente contraria a la Argentina. En cuanto a esta postura de Estados Unidos en lo que a usted personalmente se refiere se sintió:
1. Defraudado, no esperaba esa actitud de parte de los Estados Unidos 53%
2. No me sorprendió, era lo que esperaba 42%
3. Otras contestaciones 2%
4. NS/NC 3%

• ¿Y cuál cree usted que es la política que debería adoptar el Gobierno Argentino en cuanto a las relaciones con los Estados Unidos?
1. Ruptura total de dichas relaciones 34%
2. Intentar un cambio en la posición de EE.UU. para que revierta su actitud 47%

423

3. Otras contestaciones 11%
4. NS/NC 8%

• ¿Cuál de los países del continente le parece a usted que está más dispuesto a ayudar a la Argentina?
1. Venezuela 62%
2. Perú 24%
3. Brasil 3%
4. Panamá 1%
5. Cuba 2%
6. Otros 1%
7. NS/NC 6%

• En cuanto a los efectos de este conflicto en la política nacional, ¿qué cree usted que ocurrirá?
1. El gobierno seguirá como hasta ahora 17%
2. El gobierno llamará a elecciones, pero gobernará con el apoyo de un gran movimiento de civiles 27%
3. Actuarán los partidos políticos y habrá elecciones 41%
4. NS/NC 15%

El 17 de junio, la encuestadora Gallup entregó otro "Informe Confidencial" con "una síntesis de los principales resultados". En la página 15, sostiene que "se pidió luego a la población que evaluara la gestión de la Cancillería Argentina hasta el momento, detectándose nuevamente una óptima imagen y una marcada conformidad con su accionar. En este sentido no se observan diferencias significativas en las opiniones con respecto a los sondeos del 30 de abril y del 15 de mayo pasados. Una amplia mayoría (88%) calificó a la gestión de la Cancillería Argentina como muy eficiente (64%) y eficiente (24%), existiendo consenso al respecto en todos los grupos etarios, en la Capital Federal y el Gran Buenos Aires y entre los entrevistados de los distintos niveles socioeconómicos y educativos".[40]

Ante la rendición militar en las islas, la primera reacción fue el silencio y las palabras a medias. Ni siquiera se tuvo el coraje de admitir que las tropas se habían rendido. Mucho menos la gallardía de admitir una derrota militar, en la que hubo grandes héroes, cobardes y villanos, de uno y otro lado. Nada, simplemente nada. El gobierno de Galtieri optó, en las primeras horas de la tarde del 14 de junio de 1982, por el silencio y el subterfugio.

Habían mentido cuando invadieron, para recuperar la soberanía de los "territorios irredentos", cuando sabían que era un manotazo de ahogado para rescatar un Proceso insalvable tras seis años de un gobierno de gestión lamentable. Decían que estaban en óptimas condiciones para enfrentar a una potencia militar, a pesar de no ignorar que mandaban conscriptos con tres meses de instrucción. No les importó exponerlos, carecían de solidaridad.

Mintieron durante las negociaciones diplomáticas a propios y ajenos. Y, lo que es peor, alimentaron con su prédica los más bajos instintos de la sociedad: el patriotismo desenfrenado; el convencimiento inútil de lo invencible e irreparable de lo nuestro; la idiotez o, por qué no decirlo, la "guaranguería" de la que habló José Ortega y Gasset a los argentinos, un español que nos quería.[41]

Daba escalofríos, vergüenza, ver el comportamiento de algunos personajes argentinos durante la guerra. Militares que vaciaban los anaqueles de "Bloomingdale's", mientras sus compañeros caminaban sobre la impiadosa turba y la nieve malvinense; políticos y miembros de la dirigencia empresaria que asistían a las reuniones de los organismos internacionales sólo para salir en *Gente* o anotarse con las autoridades, por si las cosas salían medianamente bien. Expusieron a la Nación y lograron que la humillaran: "A la Argentina hay que revolcarla en el barro de la humillación".[42]

Comandantes y oficiales, enfundados en camperas bien forradas para el invierno, mientras sus soldados temblaban de frío y sufrían "pie de trinchera". ¿Cómo podían saberlo? Si apenas salieron de sus refugios para visitar a sus tropas en el frente de combate. Malvinas, la que prometían convertirla en el "Alcázar de Toledo", para serlo, no tenía su coronel José Moscardó.

PREGUNTADO: ¿Cuántas veces estuvo usted en contacto con la primera línea de combate?

MENÉNDEZ: Creo que fui dos veces.

PREGUNTADO: ¿Qué opinión le mereció la acción sicológica que desarrollaba el Estado Mayor Conjunto, a través de sus comunicados, más otras informaciones que llegaban a la isla en cuanto al estado moral de la tropa, todo ello vinculado con la gaceta que usted tuvo que realizar?

MENÉNDEZ: A raíz de que entendíamos que a las tropas las perjudicaba anímicamente o espiritualmente comprobar a través de la información oficial gruesas falsedades u omisiones u ocultamientos, nosotros dijimos: "Acá hay que pasar un boletín donde la gente vea, por lo menos, la verdad de lo que nosotros vivimos en las islas".[43]

Patético. El comunicado 163 del Estado Mayor Conjunto reseñaba lo que parecía una charla de café, entre el general Mario Benjamín Menéndez y su par británico Jeremy Moore. "Se ha producido un alto el fuego y deben acordarse sus condiciones", tituló *La Nación* del 15 de junio. E informó que Menéndez y Moore se habían reunido, por invitación del primero, para "hallar una fórmula que detenga las acciones", y que "no comprometiese el honor de las Fuerzas Armadas", acotó otra fuente castrense. Horas más tarde se conoció que el gobernador militar argentino, a las 23.59, había firmado el acta de rendición, de la que tachó la palabra "incondicional": "Yo, el abajo firmante, comandante de las fuerzas argentinas de aire, mar y tierra, en las Islas Malvinas, M.B.M. (Mario Benjamín Menéndez), me rindo ante el general de brigada, J. J. Moore, C. B., O. B. E., M. C., como representante del gobierno de Su Majestad británica".

El mismo matutino, en su contratapa, repetía los argumentos que generaron la derrota argentina. En un recuadro traducía al simple lector cuáles habían sido las armas secretas inglesas: eran todas armas y equipos que figuraban en los catálogos públicos de los países industrializados.

En otro pequeño recuadro de la página 5 se informaba que el canciller Costa Méndez había mantenido un corto encuentro con el teniente general (RE) Alejandro Agustín Lanusse. Preguntado qué había tratado, respondió: "Más adelante tal vez podrán saber por qué estuve en el Ministerio". La razón nunca se hizo pública.

Como tampoco nunca se hizo pública la razón de por qué Nicanor Costa Méndez aceptó ser nuevamente ministro de Relaciones Exteriores y Culto. Tal vez, un diálogo con un íntimo amigo, antes de fallecer, revela en parte la razón de Malvinas.

"Decime", preguntó Costa Méndez en su lecho de enfermo, "¿en qué estuvimos mal?".

El amigo y compañero de años le respondió: "En aceptar, Canoro. En aceptar". Hablaba de haber aceptado el cargo y la "carga".[44]

Junio-julio de 1982: el colapso del gobierno y el país. De la rendición en las Malvinas a la asunción de Reynaldo Benito Bignone. El Proceso de Reorganización Nacional en retirada desordenada

Con la caída de la tarde del 14 de junio, alguna gente comenzó a acercarse a la Casa Rosada buscando novedades. No eran más de trescientas personas que comenzaron a gritar: "No se rindan, no se rindan". No se sabía fehacientemente lo que ocurría. Nadie pronunciaba la palabra "rendición". Las reuniones de altos mandos militares se sucedían hora tras hora. Así lo informaban los diarios.

"Las Fuerzas Armadas no merecen este destino [...] el país no merece este gobierno [...] el gobierno debe irse ya, debe cesar la usurpación del poder y hoy mismo se debe poner en marcha un período de transición civil hacia la democracia", dijo Raúl Ricardo Alfonsín.

En la tarde del lunes 14, en una sala del Estado Mayor Conjunto, su jefe de inteligencia, contralmirante Olegario Salvio Menéndez, realizó una exposición "off the record" con representantes de algunos medios. De sus palabras quedaba claro que "bajaba línea", pero no hablaba de la rendición de las tropas argentinas en Malvinas. Las ideas principales que expuso fueron:

• Que se debía mantener una idea clara de lo que sucede y evitar la depresión de la gente. "Se perdió el combate en Puerto Argentino pero no la guerra. No significa que el país haya sufrido un deterioro de sus aspiraciones territoriales."·

427

- Al tomarse la decisión del alto el fuego, "se actuó con un alto grado de humanidad".
- Existía una "sensible diferencia a favor de los británicos. Son la tercera potencia del mundo, apoyada por los Estados Unidos y la Comunidad Económica Europea. Había grandes diferencias de apoyos y tecnologías. Aunque se le infringieron al enemigo serios daños a su personal y armamento".
- "Teníamos serios problemas de reposición de armamento. ¿Hasta dónde se puede seguir sacrificando a los hombres?"
- "Se combatió al máximo. Se salvó la dignidad del país. Hubo valor, idoneidad, heroísmo."[45]

Eran horas de replanteos, de críticas silenciadas por el fragor de la guerra que terminó tras la rendición en Puerto Argentino. Eran horas de crisis, en especial, dentro del Ejército. "El lunes 14 tengo una reunión con los generales de división, donde no se plantean problemas mayores", relató Galtieri dos meses más tarde.[46] "Sólo se crea una discusión cuando el general [Edgardo] Calvi plantea el tema de la no consulta con los generales, de que yo había procedido por mi cuenta. Le respondo que si es así y no está de acuerdo, ya sabe lo que tiene que hacer. Lo siguieron en el planteo [Llamil] Reston y [Horacio] Varela Ortiz. Entonces los tres pidieron el retiro. Cuando termina la reunión, los tres solicitaron una entrevista conmigo por separado. Los recibí por orden de antigüedad. El primero fue Reston (comandante del Cuerpo IV). Entró diciendo: '¿Me invita un whisky?'. En la conversación, tanto él como los otros luego, me dicen que la discusión era el resultado de los nervios que se vivían, que no había que darle mayor trascendencia. Yo respondo que es posible que así sea, que todos estábamos cansados por el esfuerzo que realizábamos. Acordé con los tres que nos olvidaríamos del pedido de pase a retiro. Sin embargo, yo me pregunté: ¿Cómo harán mañana para presentarse otra vez ante todos los generales? Le tengo que consignar que, previamente, el lunes (14), había citado a todos los generales de división para mantener una conversación el miércoles (16)."

Martes 15: "No habrá paz definitiva si se vuelve al status colonial", dijo Galtieri en un discurso televisado. Mientras en los alrededores de la Casa Rosada se iba juntando gente para protestar contra la rendición. Muchos concurrieron porque se dijo que Galtieri iba a hablar públicamente, e iba a hacer severos anuncios. Según sus amigos, como el líder egipcio Gamal Abdel Nasser, tras su derrota con los israelíes, pensaba llamar a un gobierno de "unidad nacional" y no reconocer la derrota. Finalmente, la muchedumbre fue violentamente reprimida y las adyacencias de Plaza de Mayo fueron escenario de batallas campales entre manifestantes y policías. Avenida de Mayo fue desvastada por los destrozos e incendios. El desarrollismo reclamó un "acto higiénico".

El mismo día, con la presencia de Elsa Kelly, el embajador Gustavo Figueroa le dice a Costa Méndez que debe renunciar. Tras la noticia los ministros Lacoste y Roberto Alemann se comunican telefónicamente con el canciller. Lacoste para protestar por el anuncio; el ministro de Economía para adherirse a la renuncia.

"Comando derrotado, comando relevado."
"El Proceso está muerto."

El miércoles 16, en la intimidad, el radical Juan Carlos Pugliese confesó que la Multipartidaria no aceptó la invitación del ministro del Interior, a pesar de que Contín y Arturo Frondizi eran de la opinión de concurrir. La tesis de Pugliese en la reunión previa fue: "Comando derrotado, comando relevado". Además, los políticos sostenían que no se podía ir "a tomar chocolate con un gobierno que se va, que nos llame la Junta que viene".[47] Sí concurrieron al Ministerio del Interior los dirigentes de los partidos más afines con el Proceso: Guillermo Acuña Anzorena, Ismael Amit, Luis López Scala y Cristina Guzmán (por la FUFEPO); Francisco Manrique (Partido Federal); Rafael Martínez Raymonda y José de Cara (Democracia Progresista); Jorge Abelardo Ramos (FIP); Víctor García Costa (Socialista Popular) y unos pocos más. Antes de la negativa de la Multipartidaria se realizaron diferentes reuniones entre políticos. Una de ellas en la casa del ex diputado radical Ricardo Natale, con la asistencia de Carlos Contín, Juan Trilla y Horacio Hueyo. También asistieron los generales retirados Bussi y Bignone (que funcionaban en tándem, pero con intereses individuales). En la ocasión, Bignone intentó reflejar firmeza y decisión, cuando afirmó que si era presidente reclamaría "un mando único" en las Fuerzas Armadas. Y los comandantes en jefe debían pasar a ser jefes de Estado Mayor. Para sorpresa de los dirigentes civiles, Domingo Bussi dijo que no estaba de acuerdo. Los dos militares aconsejaron a los dirigentes no asistir a la cita del gobierno.[48] Después de esa reunión, tanto Bussi como Bignone dejaron trascender que contaban con un medio aval del radicalismo para sus pretensiones.

El 16 continúan los cabildeos castrenses y se realiza otra reunión de altos mandos. Una minuta de esa reunión[49] señala entre otras cuestiones:

"El cónclave fue citado por Galtieri con el objeto de resolver si se continuaba o no el enfrentamiento con Inglaterra. De todos los generales presentes, el único que se inclinó por continuar el enfrentamiento fue [Alfredo] Saint Jean. [José] Vaquero, entonces, dijo que así como la semana pasada los 14 generales del Estado Mayor Especial se habían pronunciado en un dictamen por continuar la guerra, ahora debía solicitarse otro. La mayoría de los generales de división expresaron que no se estaba en condiciones de seguir peleando y que había que negociar con Gran Bretaña a través de los Estados Unidos.

"El general Reston dijo: 'Vea mi general, en 1945 se hizo la conferencia de Yalta, donde se dividió al mundo en zonas de influencia. Nosotros quedamos dentro de la esfera norteamericana. Si usted quiere frenar a la Thatcher tiene que ir a Washington'. Fue entonces que Galtieri respondió: 'De ninguna manera, no lo voy a aceptar'.

"Reston volvió a tomar la palabra: 'El concepto que existe en el exterior es que Argentina se portó como un chico díscolo, y ahora el profesor le pega con una regla en las manos'.

"Galtieri respondió: 'Nosotros fuimos solidarios con Estados Unidos en todo.'

"'Sí, tiene razón —volvió a responder Reston—, pero lo fuimos solamente cinco meses. Hay otros países que llevan veinte años de solidaridad, como Inglaterra.'

"En esta oportunidad, los generales Reston, Varela Ortiz y Calvi sostienen que Galtieri debe 'renunciar'.

"'Mediten bien', dijo Galtieri, 'hacemos una nueva reunión el jueves para adoptar una decisión.'

"Seguidamente, Vaquero (jefe del Estado Mayor) le dice a Galtieri que los generales de brigada con destino en el Estado Mayor desean verlo. Galtieri se entrevista con ellos y éstos le transmiten la opinión que debe irse, ya que consideran que él es el responsable de la conducción de las operaciones militares y de la situación de vacío de poder que se vive en el país."

"Además de Vaquero,[50] estaban [Rodolfo] Wehner, [Alfredo] Sotera, [Eduardo] Espósito, [Miguel Ángel] Podestá, [José] Tacchi y Meli, el reemplazante de Menéndez en la Jefatura III. La reunión se inicia a la una de la madrugada y termina a las tres y media. Al poco rato, empiezan una serie de planteos sobre los apoyos que estábamos recibiendo de países o mandatarios que, directa o indirectamente, habían apoyado a la subversión (Cuba y Libia). Tampoco les gustaba que hubiera mandado a Costa Méndez a La Habana. Para cerrar la reunión, a las tres y media les dije a los generales de brigada: 'Para continuar en el mando, yo necesito el respaldo expreso de la fuerza'. A mi juicio, era necesario tomar una serie de medidas de trascendencia y, por lo tanto, se requería contar con el respaldo unificado de todo el Ejército. Deseo una respuesta en una semana. Después me voy a dormir. En verdad, antes paso por la Casa de Gobierno y aviso que 'mañana vengo al mediodía'. Me dirijo a Campo de Mayo. Era la madrugada del jueves 17.

"Vaquero, a la mañana siguiente, me viene a ver. Me dice: 'Los generales te piden el retiro del Ejército y la renuncia a la Presidencia'. No sé qué pasó entre la madrugada y el mediodía. Seguro que habrán hablado con algunos retirados.

—¿Nadie en esos momentos le acercó su lealtad?

—Sí, hasta antes de este último episodio. Hubo quien llamó a Lucy [la esposa] para expresarle su lealtad inconmovible. Mejor no le digo el nombre."[51]

"El brigadier José Miret le mostró un informe de inteligencia al 'gordo' Cardoso, el 16, donde se dice que están dadas todas las condiciones para un clima insurreccional en Buenos Aires y otros centros urbanos en las próximas dos semanas. Además, Miret dice que se están creando las condiciones para 'una noche negra' en Buenos Aires y que hay grandes desacuerdos en la Junta Militar. Luego relató los detalles últimos de Galtieri en la Casa Rosada, cuando decidió convocar a la gente a Plaza de Mayo para pronunciar un discurso por consejo del contralmirante Moya. 'Éste se le ha trepado, aprovechando sus bajones anímicos, tanta parecía su influencia que le pone trabas al general Iglesias, para acceder al despacho presidencial'. Iglesias le dijo a Miret que se sentía traicionado por Galtieri, con todo lo que él lo había ayudado a ser Presidente.

"Miret cree que Basilio Lami Dozo va a tener que renunciar a pesar de ser el más realista de los tres miembros de la Junta. Contó como su comandante en jefe tuvo que viajar al Sur porque los pilotos se habían sublevado, porque querían que se contara, realmente, lo que había pasado en Malvinas y el papel que le cupo al Ejército. Los pilotos no querían combatir más en esas condiciones.

"Lami Dozo les dijo a los brigadieres (y los pilotos):

• que 'el Proceso está muerto' y que no hay posibilidad de cumplir con los objetivos fijados.

• que no habrá 'olvido' por los errores cometidos. Que a su parecer habrá 'revisión'.

• que hay que lograr un mínimo de consenso, durante un período de transición, y volver a los cuarteles. El problema actual reside en que nadie quiere firmar las condiciones presentadas por Inglaterra, porque entre otras cosas impone: 1) Renuncia a las reclamaciones sobre la soberanía de las Malvinas; 2) Reparaciones para la recuperación económica de las islas, no se habla de reparación por daños a la flota.

"Las desavenencias en la Junta son profundas. Con tal de no dejar avanzar a Lami Dozo, la Armada apoya cualquier gestión de Galtieri.

"Galtieri está perturbado por el cansancio. Miret opina que deben irse todos. Él llevó la propuesta de renuncia de toda la Junta a la última reunión del Comité Militar (el 16) pero fue rechazada. Galtieri habló al país como un dictador que amonesta a su pueblo."[52]

El miércoles 16, el *Diario Popular* relató que "60 Minutos" era el noticiero más visto de la televisión argentina, alcanzaba 35 puntos de rating. César Luis Menotti anunciaba que para el partido con Hungría entraría Jorge Valdano por Bertoni. "Carlín" Calvo gozaba de su éxito completo, era "el número uno" y María Emilia, una de las ex Trillizas de Oro, estaba embarazada.

"Se está generando una crisis en las próximas dos semanas. La gente reclama responsables. La situación en las islas es complicada, los soldados tienen mucho frío (comida parece que hay). Galtieri no dice nada."[53]

El 17 se volvieron a reunir los generales de división. Ya se había decidido que Galtieri dejaba la comandancia y la Presidencia de la Nación. Durante el cónclave, los presentes acuerdan dos condiciones para la elección del comandante en jefe. Una, que no hubiera sido miembro del Poder Ejecutivo en las instancias anteriores del Proceso; y que no hubiera tenido relación directa con el conflicto de Malvinas. Las condiciones pusieron fuera de juego a Vaquero[54] (el jefe del Estado Mayor de Galtieri), Reston (ex ministro de Trabajo de Videla), García (jefe del Teatro de Operaciones Malvinas) y Saint Jean (ex ministro del Interior de Galtieri). Juan Carlos Trimarco, comandante del Cuerpo II, dijo: "Propongo que sea Nicolaides" y nadie presentó ninguna objeción. Seguidamente, los presentes se preguntaron quién iba a ser el presidente de la Nación. Y cuál iba a ser la posición que iba a llevar el Ejército a la próxima reunión de la Junta Militar.

En esa instancia se barajaron dos posiciones: 1) Nicolaides como comandante y presidente; 2) algún general que previamente pase a retiro, con lo cual creció la posibilidad de la candidatura de Alfredo Saint Jean.

Características del próximo gobierno: la fuente dijo que no existía un plan. "No hay nada." Que la tendencia que prima en materia económica es el más crudo estatismo. Uno de los asistentes habló de "pureza y limpieza" de la próxima gestión presidencial, para conducir la transición. Como en la época de José María Guido.

La fuente informó que existía una fuerte tendencia a implementar un gabinete netamente militar. Y que se estaba creando una reacción interna en el Ejército, especialmente entre los generales de brigada, por la designación —y las características propias— de Cristino Nicolaides: "No tiene aptitud para conducir la Fuerza. ¿Qué Ejército quiere?", "No tiene aptitud política para acompañar un período de transición hacia la democracia".

La fuente destacó que la semana pasada Nicolaides había almorzado con Galtieri y en esa ocasión le dijo que "el Ejército estaba en condiciones de conducir solo el gobierno, sin compromisos con los partidos políticos" y que "no había por qué pagar ninguna boleta a los partidos políticos".

"En la reunión de hoy se acordó, además, que el jefe del Estado Mayor sería designado en las próximas horas, en el caso que Nicolaides fuera comandante y presidente. Si es solamente comandante en jefe, interinamente, se hará cargo hasta fin de año el segundo de Vaquero, el general Whener."

La misma fuente dijo que en la última reunión del almirantazgo se acordó que Anaya pasaría a retiro recién a fin de año. Con la nueva situación planeada, la Armada ha descartado el "plan Massera" que contemplaba elecciones generales con 3 candidatos militares (él era uno de ellos). Ahora opinan que debe haber "un gobierno limpio y modesto en sus procederes para conducir la etapa de transición hacia la democracia".

En la Fuerza Aérea, dijo la misma fuente, no está decidida la suerte del brigadier Basilio Lami Dozo. Los brigadieres consideran que están dadas las condiciones para que sea presidente un civil. Se habla de las candidaturas de Nicanor Costa Méndez, Rafael Martínez Raymonda y Amadeo Frúgoli.[55]

Los títulos de la tapa de *Clarín* del viernes de 18 de junio fueron una radiografía de las últimas horas dentro del poder. "Cayó Galtieri". Y seguidamente se informaba que "el general Nicolaides asume hoy como comandante en jefe del Ejército. El ministro Saint Jean sería presidente interino. La Fuerza Aérea reclamó cambios profundos. La Armada le ratificó la confianza al almirante Anaya". Galtieri había durado apenas seis meses en el poder y la crisis había estallado tras la rendición militar en las Malvinas. Antes de partir de la Casa Rosada, el 17 por la noche, Galtieri comentó a tres periodistas: "Me voy porque el Ejército no me dio el respaldo político para continuar como comandante y presidente de la Nación".

Cristino Nicolaides pertenecía a la promoción 76 del Colegio Militar de la Nación, había egresado como subteniente del arma de Ingenieros en 1947 y recibió las palmas de general de manos de Isabel Perón en 1975. Era el cuarto comandante del Ejército desde 1976. Entre los antecedentes más notables del nuevo comandante en jefe del Ejército, *Clarín* recordó una conferencia dada en Córdoba el 25 de abril de 1981 en la que afirmó que "debemos pensar que hay una acción comunista-marxista internacional que desde quinientos años antes de Cristo tiene vigencia en el mundo y que gravita en el mundo". Un filósofo.

"No sabemos qué ocurrirá ahora, tras este vuelco de la situación. Y lo más grave es que resulta imposible saberlo", escribió "El gallego" Iglesias Rouco en *La Prensa* del 18 de junio. En la mañana, en el Regimiento Patricios, el nuevo teniente general Cristino Nicolaides asumió como jefe del Ejército y por la tarde, en el edificio del Congreso, lo hizo como miembro de la Junta Militar. En esta ocasión, Anaya leyó un emotivo discurso de despedida a Galtieri en el que afirmó: "Usted puso de pie a la Nación". "Las generaciones futuras me juzgarán", había dicho al despedirse del periodismo el ahora ex presidente.

La calle estaba plagada de los rumores más disímiles. Sólo así se puede entender la tapa de *Crónica* que dio el nombre de Basilio Lami Dozo como futuro presidente, con retención de la comandancia de la Fuerza Aérea y un gabinete que integrarían el brigadier (RE) Osvaldo Cacciatore (Interior), Costa Méndez (Relaciones Exteriores), José Miret (Economía), el brigadier Guerra (Secretaría de la Presidencia) y Juan Gabriel Burnet Merlín (Información Pública). Otros matutinos informaban que Nicolaides había mantenido una reunión con los generales retirados Domingo Bussi y Reynaldo Benito Bignone, e insistían con la candidatura de Costa Méndez. La "noticia" del día fue que la Selección argentina había goleado a Hungría 4 a 1, con un "Maradona se 'comió' la cancha", según tituló *Crónica*.

La crisis militar tras la derrota en Malvinas. La designación de Reynaldo Benito Bignone, según el almirante Jorge I. Anaya. Otras versiones, otros acontecimientos

El sábado 19, la nueva Junta Militar se reunió en el Edificio Libertador. Según Anaya,[56] cuando "el 17 de junio, Galtieri fue obligado a renunciar, el nuevo gobierno allí nacido (Nicolaides, Anaya, Lami Dozo) se convocó a una reunión para aprobar el estatuto de los Partidos Políticos", pero "esta reunión se suspendió". En las horas previas a la reunión de la Junta, "Nicolaides pidió que se firmase el cese de hostilidades, a lo cual Anaya se negó (condición que ponía Gran Bretaña para liberar a los detenidos), porque su hijo 'no se lo iba a perdonar si lo hacía'".

Luego, el 19, "en una reunión llevada a cabo en el Edificio Libertador, que tenía por objetivo explicar a los padres de los detenidos aquella decisión, hubo aceptación general de éstos en cuanto a no firmar el cese de hostilidades culminando con aplausos y vítores por parte de los asistentes".

Más tarde, "la nueva Junta encara la designación del nuevo Presidente de la Nación, lo cual según los Estatutos del Proceso, debía ser resuelto por unanimidad. Entonces, Nicolaides propone al general (RE) Bignone. Basilio Lami Dozo se propone a sí mismo y Anaya a Costa Méndez. Pero como los Estatutos del Proceso especificaban que tenía que ser un jefe de las Fuerzas Armadas, la propuesta de Anaya no fue aceptada, pese a que sugirió que el Estatuto fuera modificado en ese sentido.

"Se produjo, entonces, una discusión entre Nicolaides y Lami Dozo, sirviendo Anaya de moderador. Anaya le dice a Lami Dozo: 'Si vos decís que aceptás a Bignone, yo acepto a Bignone', porque obviamente Nicolaides no aceptaba a Lami Dozo. En este punto, Lami Dozo expresó: 'Acá se rompió el Proceso' y avisó que retiraba al personal de la Fuerza Aérea afectado a la función pública.

"Quedó entonces firme la titularidad del general Bignone como Presidente. Anaya le manifiesta a Nicolaides que ponga en conocimiento de Bignone que también la Armada retira a todo su personal de la función pública, con excepción de aquellos que Bignone considere necesarios. Anaya expresó: 'Esto puede ser una maniobra del general (Roberto) Viola'.

"Las nuevas autoridades convocaron por acta a todos los dirigentes políticos del país, a fin de consensuar con ellos la entrega del gobierno a un presidente constitucional. El acta fue firmada sin discusión. Cuando asume Bignone llamó a todos los presidentes de los partidos a fin de coordinar la entrega del poder.

"Anaya se retiró a su casa. El gobierno de Brasil lo condecoró."

El sábado 19 a la mañana, la confitería "Florida Garden" estaba repleta de gente. Había una mesa grande, pegada a la columna, debajo del reloj, donde se abastecían y hacían "clearing" de noticias políticos como "Quique" Fernández Cortés, Guillermo Cherashny, Leopoldo Moreau, Enrique Nosiglia, Carlos Ruckauf o Enrique Vanoli, con periodistas y gente allegada, principalmente, a la Armada. Ese día, Miguel Bressano, un entendido en cuestiones navales, adelantó que "Anaya no se va, porque de lo contrario podría asumir (Alberto) Vigo que no es amigo de Massera. Una línea interna del arma dice que 'la Marina no lleva candidato, pero no acepta el candidato del Ejército. Anaya dirá que no a la candidatura de Bussi'".[57]

En esas mismas horas llegaba a Puerto Madryn el buque británico "Canberra" con 4.200 soldados argentinos que habían caído presos en Malvinas. Fueron esperados por muy pocas personas, subidos a vehículos, sin poder tomar contacto con los medios. No podían hablar. Se informa, también, que unos 1.000 más quedaron en las islas hasta que la Argentina reconozca el cese de las hostilidades. Al mismo tiempo, Nicolaides, en la plaza de armas de la Escuela de Suboficiales Sargento Cabral, en Campo de Mayo, decía que "la guerra sostenida por la Argentina fue una guerra impuesta, donde tanto los cuadros como las tropas combatieron con decisión, sin titubeos, para mantener incólume su patrimonio nacional; y la gesta contó con el apoyo espiritual y material de todo el pueblo argentino".

Todo era tan efímero que al día siguiente a la candidatura de Bignone se añadió la del general José Rogelio Villarreal, considerado el militar con más cintura política, virtud que lo hacía temible para quienes debían señalarlo. "Cualquiera que salga no dura más de diez días", se pudo escuchar en la misma confitería.

"Uno de los rasgos más preocupantes de la crisis en curso es el abultado número de personalidades civiles y militares a las que en las últimas 48 horas se les atribuyó posibilidades de ocupar la presidencia de la nación. Si a estas personalidades se suman aquellas que, por sus subjetivas ansias de poder, se sienten en condiciones de aspirar al cargo, se tendrá la hondura exacta del pantano en el que circunstancialmente quedó detenido el país", escribió el analista político de *La Nación*, el domingo 20 de junio.

Tenía razón: el 20 de junio el menú de opciones y candidatos era inimaginable. Variaban según las comandancias en jefe. Para el brigadier Lami Dozo, si no era él, los candidatos eran el brigadier general (RE) Omar Graffigna y José Miret. Y en el caso de ser un civil el elegido, se inclinaba por "Mocito" Aguirre Lanari o Amadeo Frúgoli.

Jorge Aguado (gobernador de Buenos Aires) fue bochado por "haberse casado nuevamente, tras su divorcio". Y Martínez Raymonda no fue aceptado por pertenecer a un partido "laicista", aunque aclaró por los diarios que había sido bautizado y estudió con los Hermanos Maristas.

Para Lami Dozo, Nicanor Costa Méndez no podía ser presidente por su imagen belicosa y su viaje a La Habana (al que no fue acompañado por su edecán aeronáutico). Si se elige a un general, la Fuerza Aérea se retira de todos los cargos.

Para Anaya el candidato debía ser un civil, Costa Méndez. O en su defecto aceptaba a Aguirre Lanari, casado con una hija del almirante (RE) Vernengo Lima. Si debía ser un general, los candidatos eran Alfredo Saint Jean u Osvaldo García. Si no sale alguno de estos candidatos, la Armada se retira del Proceso. No obstante si el presidente/general les pide colaboración se la van a dar.

Ejército opina que debe ser un oficial de las FFAA. En la primera reunión se habló de Bignone; en la segunda de Bignone y Crespi. En cuanto a si debe ser un civil, se inclinan por Aguirre Lanari o Frúgoli. "La imagen de Bignone no es nueva, estuvo con tres presidentes del Proceso y es absolutamente irresoluto. Y tuvo que ver con Malvinas (a pedido de Galtieri escribió un documento durante la guerra). La Fuerza Aérea lo bloquea, además, por ser una persona muy afín con el pensamiento de José Alfredo Martínez de Hoz."[58]

La Junta no se ponía de acuerdo con el nombre del presidente, pero sí consideraban que había que entregar el gobierno el 29 de marzo de 1984. Luego, tras las horas, la fecha se borró y fue reemplazada con "el inmediato restablecimiento de las instituciones democráticas".

Primero apareció el domingo 20 en *Convicción*, al día siguiente en *Clarín*.[59] Se hablaba de un "plan Yofre", cuyo autor era Ricardo Yofre, ex subsecretario de la Presidencia (1976-1978). Era un plan de 12 carillas, con un anexo de ambicioso título: "Acta de Compromiso para la Reconstrucción de la República", que debería ser firmada por las FFAA y la dirigencia política. Contemplaba distintas medidas en lo político, económico y el futuro institucional. Y consideraba que una vez firmada el Acta, la misma debería ser sometida a un referéndum, para tener un mayor grado de compromiso de la sociedad. Tras un cuarto de siglo, y fuera del contexto de la época, puede decirse que todo el trabajo no contenía las dos o tres cuestiones básicas del momento: A) Derechos humanos, y B) La fijación de responsabilidades por lo ocurrido tras el 2 de abril. En una opinión muy personal, subjetiva, los "protagonistas" principales no entendían lo que estaba sucediendo, si hasta veinte días antes habían aceptado prolongar el período de Galtieri más allá del 29 de marzo de 1984.

A contramano de una presidencia acordada, con un militar a la cabeza, Raúl Alfonsín propuso que Arturo Humberto Illia presidiera el período de transición.

"¿Y, general, qué le parece la propuesta de Ricardo?"

Era de hablar con franqueza y cuando algo no le gustaba, por lo general levantaba la voz. Uno ya lo conocía bien, así que sabía cómo hacerlo saltar de la silla de su escritorio en la Casa Lanusse. Había sido uno de los militares más odiados por el Proceso y eso llamaba a ser más solidario con él. Ante la pregunta, Alejandro Agustín Lanusse no contestó, prendió un Kent y miró socarronamente. Sabía con qué "bueyes" araba. No contestó, en parte porque pensaba que le habían "afanado" parte de su pensamiento. Se puso a hablar del "gobierno a la Corte Suprema de Justicia de la

Nación". En esas horas había conversado con el contralmirante Joaquín "Coco" Gómez, considerado, junto con Enrique Montemayor, un "intelectual" de la Armada. Le había dicho que hablar de "la cohesión" de las Fuerzas Armadas constituía "una desfachatez" y tenía razón. Todos los civiles asistían azorados a las peleas dentro del sistema militar. Se quejó por el maltrato a las tropas que volvieron de Malvinas.

Relató que había hablado con Nicolaides en tres ocasiones desde que había asumido. "La última fue ayer, a las 07.45", y el comandante en jefe le dijo que iba a haber acuerdo sobre la candidatura presidencial en la Junta. Que sólo faltaba firmar el acta correspondiente. La primera vez que Nicolaides lo llamó, Lanusse aprovechó para retarlo. Fue el viernes, después del discurso de despedida de Anaya a Leopoldo Fortunato Galtieri donde "le tira toda la responsabilidad histórica de Malvinas a Galtieri".

"Déme tiempo", le dijo Cristino Nicolaides, "recién subo al ring, todo se va a arreglar."[60]

El 21, sorpresivamente, tras haberse alejado de la Presidencia de la Nación, Galtieri volvió a la Casa de Gobierno. Se dijo que había ido para solucionar "cuestiones personales". En realidad lo hizo para firmar decretos antedatados de liberación de presos políticos que Saint Jean se negaba a firmar. Y, ya que estaba, almorzó y durmió una siesta. Ordenó que lo despertaran a las 17.30 y a las 18 se volvió a su casa.

En esos momentos, después del almuerzo, un grupo de brigadieres se pone a redactar un documento, según lo solicitado por Lami Dozo. Era las 15.30, y comenzaron diciendo que, ante la situación dramática que vive el país, debe elegirse a un civil que acuerde un programa de gobierno que conduzca en breve plazo al orden constitucional. Si no se aceptaba esta idea central, la Fuerza Aérea se retiraba del gobierno militar.

La reunión de la Junta Militar se realizó esta vez en el Edificio Cóndor. Como una manera de presionar a Lami Dozo y Anaya, Nicolaides introdujo a Reynaldo Bignone en la reunión de Junta Militar para que explicara su eventual programa de gobierno. Lami Dozo lo interrumpe: "No continúes, Fuerza Aérea ya tomó su decisión. No hay nada personal contra vos, pero el arma piensa que debe ser un brigadier o un civil". La Armada, mientras tanto, demora todo tipo de decisión, esperando la eclosión del Ejército.

El "servicio de calle" de la inteligencia aeronáutica sostiene que hay un informe que predice un próximo enfrentamiento dentro del Ejército a nivel del generalato de brigada. Una línea "popular" encabezada por el general Ricardo Flouret contra la "liberal" que reconoce a Miguel Mallea Gil.

"El futuro de Bignone depende de la situación interna del Ejército", dijo el coronel Bernardo Menéndez en esos momentos. Era el subsecretario del Ministerio del Interior, segundo del presidente "interino", Alfredo Saint Jean, y había estado en la intimidad de Galtieri, por lo menos, cuando era comandante en jefe del Ejército. Lo acompañó en su gestión y lo vio asumir, en diciembre de 1981, la Presidencia de la Nación. Analizó la designación de Nicolaides diciendo que "el Ejército actuó con mentalidad de escalafón" y que había sido elegido porque "era el que menos retiros provocaba, es una persona que no representa el sentir del Ejército". Como otros, consideraba que "la solución pasará por los generales de brigada".

No podía responder en ese momento "quién va a firmar el cese de las hostilidades con Gran Bretaña" y aclaró, para la historia, que "yo me enteré de la invasión a las Malvinas el 1° de abril", porque "eso lo manejó un reducido grupo y no hubo posibilidad de asesorar. Así se entiende la gran improvisación de todo el operativo". Como era de esperar, para Menéndez "el comandante en jefe debió haber sido Saint Jean", pero "se actuó con gran egoísmo dentro del Ejército".

En referencia a lo que sucedía en esos días, Menéndez dijo que "el rompimiento de la Junta Militar es gravísimo. No se puede reclamar la unidad nacional al frente civil cuando tres hombres son incapaces de acordar un candidato". Finalmente, como buen abogado, se preguntó: "¿Cuál es el orden legal vigente? Por ejemplo, los jueces federales juraron sobre los documentos base del Proceso".[61]

Cuatro de los partidos de la Multipartidaria (radicales, desarrollistas, intransigentes y demócrata cristianos) emitieron una declaración reclamando el retorno a la plena y urgente vigencia de la Constitución y afirmando que "la Nación asiste defraudada y absorta al espectáculo que se brinda desde los estrados del poder". El peronismo institucionalmente no la firmó, aunque Antonio Cafiero habló de "vacío de poder" y dio "el Proceso por agotado y ya mismo debe ser dado por concluido".

Habemus presidente

Ni siquiera fue nuevo, ni mucho menos original. En su primera declaración como presidente electo, Reynaldo Benito Bignone, en la intimidad de su casa en Castelar, dijo "voy a bregar por el juego limpio", unas palabras que se remontaban a comienzos de la década del '70, cuando Lanusse propuso el "juego limpio" ante las elecciones presidenciales que se avecinaban.

El martes 22, a las 17.45, la sociedad se enteró que había sido designado Bignone a través de un comunicado del comando en jefe del Ejército y no de la Junta Militar, lo que manifestaba las profundas divergencias entre los comandantes. A pesar de la negativa de la Armada y la Fuerza Aérea, fue impuesto para asumir el 1° de julio hasta el 29 de marzo de 1984, día en que terminaba el mandato de Galtieri.

"El Ejército asume la responsabilidad de la conducción política del gobierno nacional", rezaba el comunicado y establecía una "orientación política" al próximo mandatario. En lo que parecía —y era— un absurdo, el comunicado aclaraba que "esta decisión no vulnera la cohesión de las Fuerzas Armadas, las que permanecerán unidas en salvaguarda de los más altos intereses de la Nación, bajo la conducción de sus respectivos comandantes en jefe".

La noticia fue tomada con escepticismo por la mayoría del arco político. Desde la Multipartidaria se le dijo al nuevo poder militar que "la Nación no puede retroceder a la situación imperante antes del 2 de abril. [...] La sociedad argentina necesita un inmediato cambio anticipatorio que evite su desgarramiento y la posibilidad de nuevos y más graves enfrentamientos. [...] En lo institucional, restablecimiento del estado de derecho; levantamiento del estado de sitio; levantamiento inmediato de la veda política; inmediata libertad de todos los presos políticos y gremiales; normalización de la actividad sindical y restablecimiento del orden constitucional, fijando plazos precisos para la normalización". El agrupamiento también proponía medidas urgentes en el área económica. A través de Alexander Haig, el gobierno norteamericano volvió a confirmar que no iba a levantar las sanciones económicas, por lo menos hasta que no hubiera en la Argentina un gobierno "viable".

Hasta el 1° de julio, fecha en que debía asumir, Bignone estableció sus oficinas en dos amplios despachos de la Escuela Superior de Guerra, sobre la avenida Luis María Campos. Allí comenzó a citar a eventuales candidatos. Su secretario privado era el coronel (RE) Atoschi y, antes de asumir, su jefe de gabinete, el "filtro" para llegar a él, era el coronel Federico Minicucci.[62]

Hasta que Nicolaides lo nombró presidente, Bignone tenía una consultora con el general de división (RE) Domingo Bussi en la avenida Corrientes al 500. Es un decir, esperaban concretar algún negocio mientras observaban expectantes el deterioro de Galtieri, decían que iba a fracasar.

Lo primero que hizo fue convocar a los partidos políticos a una reunión. Se tenía pensado hacerla en un hotel céntrico, pero siguió los consejos del cardenal Primatesta. Desde Córdoba le mandó decir que los citara en "la casa de la democracia", en el edificio del Congreso de la Nación. También le aconsejó que anunciara el levantamiento de la veda política.

"Dice el cardenal que 'su debilidad es su fuerza'."

"Tiene razón", contestó el presidente electo.

"En pocos días más lo va a ayudar. En unos días va a hacer una declaración." Y así fue. A mitad de julio, durante su homilía dominical en la catedral de Córdoba, que se emitía por la televisión y la radio provinciales, Primatesta tuvo para con Bignone palabras de aliento.

El jueves 25, se reunió con los presidentes de trece partidos políticos (los conservadores populares no asistieron) en el Salón de Lectura del Senado. "No vine a solicitar apoyo; vine a hablar muy claro, y me agradaría realmente que ustedes pulsen la opinión de los señores dirigentes", dijo Bignone antes de comenzar el cónclave. Todos hablaron. Y hasta se permitió un chiste para distender el clima. Cuando terminó el discurso de Jorge Abelardo Ramos (FIP), Bignone dijo: "Partido chico, discurso grande".

Con el paso de las horas fueron renunciando algunos gobernadores que habían sido designados por Galtieri. Lo mismo que altos funcionarios y embajadores. Entre otros, Esteban Takacs.

Desde el comienzo Nicolaides le impuso a Bignone dos limitaciones. Una era que no frecuentara a los generales Bussi y Villarreal. Hasta horas antes, Bussi era su socio —y también aspiraba al mismo cargo— y confiaba en ser designado gobernador de la provincia de Buenos Aires. La otra fue que no se designara en el área económica a nadie que hubiera colaborado con el ex ministro Martínez de Hoz.

Así lo hizo y Guillermo Walter Klein[63] no fue ministro de Economía y Bussi no fue gobernador del más importante estado provincial. Es más: "El 22 lo llamó a Bussi para pedirle nombres de posibles candidatos a colaborar con su gestión y le hablaba bajo por teléfono, como si tuviera temor. Además, le dijo que las sugerencias se las hiciera llegar por una vía indirecta, no personalmente".[64]

El embajador Carlos Ortiz de Rozas se preguntó: "¿Qué hacemos con Gran Bretaña? Nada, la Argentina no debe firmar nada. Lo hablé con el Presidente. Si ellos no quieren devolver a los presos que no lo hagan, ya se va a encargar la propia comunidad internacional de presionarlos. Además [Margaret] Thatcher ya tiene problemas internos por el futuro costo de la mantención de las Malvinas. A ello hay que sumar los costos de las pérdidas (7 barcos hundidos, 8 averiados seriamente). El costo de mantener a las tropas en las islas se calcula en 1.100 millones de dólares.

"Los ingleses deberán recomponer la relación con Latinoamérica.

"A su vez, los Estados Unidos para recomponer la relación con la Argentina deberá ayudarnos en esta cuestión [de Malvinas], darnos ayuda financiera y otros gestos políticos. Proponía tres o cuatro cambios de embajadores, por ejemplo en Estados Unidos (Takacs), Francia (Schamis), Perú (Sánchez Moreno) y Naciones Unidas (Listre).

"Argentina ya no puede apartarse de la línea fijada por Costa Méndez: Latinoamérica, No Alineados y relaciones condicionadas con Washington. Tarde o temprano, las Malvinas serán nuestras. Hay que iniciar una amplia acción en los organismos internacionales.

"Con respecto a la renuncia de Haig, el reconocido diplomático dijo que se debió a tres causas: 1) oposición de los asesores de Ronald Reagan; 2) mala relación con el secretario de Defensa, Caspar Weinberger, y 3) mala relación con Clark".[65]

El 28 trascendieron las designaciones de José María Dagnino Pastore como ministro de Economía y del embajador argentino en Caracas, Juan Ramón "Mocito" Aguirre Lanari, como ministro de Relaciones Exteriores y Culto. Por su parte, los cardenales Primatesta y Aramburu aconsejaron la designación de Cayetano Licciardo en la cartera de Educación. El general Llamil Reston sería el titular de Interior, aun cuando algunos pedían al general Juan Bautista Sasiañ, como garantía de la "línea dura" del Ejército. Al mismo tiempo, se descartó la idea de nombrar a un vicepresidente civil que acompañara a Bignone. Fue una propuesta del Ejército para volver a acercar, cohesionar, a las Fuerzas Armadas. Con las sutilezas de aquellos días, la vicepresidencia quedó clausurada tras una reunión de los "comandantes" de las tres fuerzas y no por la "Junta Militar". Como tituló *La Nación*: "Un intento fallido de recomponer la relación institucional de las FFAA".

Francisco Manrique, en los días de la guerra de Malvinas, fue uno de los mayores sostenedores del gobierno de Galtieri. Tras la caída de Puerto Argentino, Manrique reclamó el consejo de guerra y tribunal de honor contra el ex presidente, lo que dio origen a una crisis en su pequeño partido. Hernán Cibils Cobo, uno de los dirigentes que renunciaron, lo increpó y públicamente le preguntó: "¿No fue acaso el presidente del Partido Federal quien concurrió presuroso a la reunión de las Naciones Unidas y de la OEA, en total solidaridad con la acción emprendida por el gobierno a partir del 2 de abril?". También preguntó si no había viajado el coordinador del partido a la asunción de Menéndez como gobernador de Malvinas.

Como para completar el desalentador panorama que abrigaba a los argentinos, el martes 29, en Barcelona, la Selección nacional perdió 2 a 1 con Italia. Luego vendría Brasil, partido en el que echaron a Maradona por un patadón sin sentido, en el que se expresaba la impotencia de aquellos días, de aquellos meses. Y la Argentina quedó afuera del Mundial.

La gestión de Bignone. Avatares.
La crisis de los generales: Ricardo Norberto Flouret

El 1° de julio, en la Casa de Gobierno, no en el edificio del Congreso como había ocurrido con los anteriores mandatarios del Proceso, sin el respaldo de la Armada y la Fuerza Aérea, asumió el general de división (RE) Reynaldo Benito Bignone, el último presidente del régimen militar. Salvo el ministro del Interior, Llamil Reston, todos los ministros fueron civiles.

Bignone recibió la herencia del Proceso sin beneficio de inventario. Tras la caída de Puerto Argentino, buscó ser Presidente y, además, había sido dentro del régimen un protagonista más que importante: secretario general del Ejército y comandante de Institutos Militares hasta que pasó a retiro en diciembre de 1981.

Durante su gestión llevó el país como pudo hacia la institucionalización. Fue, casi, en medio del desbande. Hacia octubre de 1982 logró que las FFAA volvieran a cohesionarse, por lo menos bajo la apariencia de la Junta Militar con el ingreso del almirante Rubén Franco y el brigadier Augusto Hughes. Sobrellevó todos los inconvenientes, hasta los atisbos de interrupción del proceso hacia la democracia que sólo se abrió tras la caída de Puerto Argentino: desde las conspiraciones del general Juan Carlos Trimarco y del propio Nicolaides (que pensaba llevar a Domingo Cavallo como ministro de Economía) hasta la crisis de los generales de brigada. Pero no había más margen para otras experiencias castrenses. La Multipartidaria, con el paso de los meses, entendió los peligros que lo acechaban y, en enero de 1983, lo apoyó.

Debió enfrentar la hora del "destape", cuando la sociedad, tras las revelaciones largamente acalladas en los medios de comunicación, comenzó a tomar conciencia de cómo se había terminado con el fenómeno terrorista en la Argentina.

Si bien las FFAA hablaron de marcharse del poder el 29 de marzo de 1984, al comienzo de la gestión Bignone, tuvieron que acortar su mandato. La sociedad no soportaba más y los políticos no querían acordar con quienes habían fracasado. Ganó Raúl Alfonsín, el 30 octubre de 1983, porque la gente entendió que era el que menos manifestaba una "continuidad". El peronismo no pudo, o no supo hacerlo, y los rumores de un "pacto militar-sindical", además de ciertos, estuvieron siempre presentes en la campaña electoral de 1983.

Antes de irse del poder, los militares intentaron desmalezar el camino hacia la democracia. Primero, bajo la conducción del canciller Juan Ramón Aguirre Lanari, la Argentina logró un éxito notable para un país que cinco meses antes había perdido una guerra: el 5 de noviembre de 1982, la Asamblea General de las Naciones Unidas aprobó la resolución 37/9 que llamaba a la reanudación de las negociaciones sobre la soberanía de las Islas Malvinas con Gran Bretaña (90 votos a favor, 52 abstenciones y 12 en contra). La resolución fue aprobada con el voto favorable de Estados Unidos. La misma tomaba en cuenta la existencia de un cese de hostilidades de facto en el Atlántico Sur (Aguirre Lanari hablaba de "un cese de hostilidades de hecho") y la manifiesta intención de ambas partes de no renovarlas.

Juan Ramón Aguirre Lanari venía de la política, no era un diplomático profesional, pero supo hacer una digna gestión siguiendo las líneas que se habían profundizado durante la guerra de Malvinas: continuó con la política de acercamiento a Latinoamérica y acrecentó la pertenencia argentina al bloque de Países No Alineados. Su innato sentido común y su sensatez generaron el apoyo inmediato del Palacio San Martín. En eso ayudaron Enrique Lúpiz (subsecretario en lugar de Enrique Ros); Arnoldo Listre (director de Política); Atilio Molteni (director de Organismos Internacionales) y Gustavo Figueroa, viejo conocedor de los secretos del palacio. Dos embajadas clave cambiaron de manos. En Naciones Unidas fue designado Carlos Manuel Muñiz y en Washington, previa autorización de la Unión Cívica Radical, asumió Lucio García del Solar. Antes de aceptar consultó con Carlos Contín,

Raúl Alfonsín y Arturo Illia, quienes opinaron que su designación en los Estados Unidos era "vital" para reforzar al gobierno en su salida institucional y como elemento de presión en caso de un golpe que derrumbara a Bignone.[66] Es para tener en cuenta que los dos habían sido analizados años antes para cargos diplomáticos, pero las luchas intestinas en las FFAA impidieron sus nombramientos. Los llamaron a la hora del incendio.

Un día después de la asunción de Bignone, el canciller Juan Ramón Aguirre Lanari recibió un mensaje desde Washington, en el que Takacs le informaba que el embajador Middendorf (embajador ante la OEA) lo había llamado para decirle que partía a Londres con la "misión confidencial" de convencer al gobierno británico de iniciar negociaciones con la Argentina. También mantendría encuentros con miembros del almirantazgo para "urgir liberación prisioneros de guerra argentinos". En esta ocasión, Middendorf hablaría como ex secretario de la Marina de los Estados Unidos.[67] Dos semanas más tarde, el mismo funcionario norteamericano habló con el embajador argentino en Washington y le dijo que en el informe que elevó al secretario de Estado expresó a los británicos que debían liberar a los presos en las Malvinas, ya que "de facto" la Argentina había cesado las hostilidades. En cuanto a las sanciones económicas que Estados Unidos había impuesto el 30 de abril, Middendorf comunicó en Londres que la Casa Blanca estaba analizando levantarlas.[68]

El general Ricardo Flouret. El debate con Llamil Reston

Durante los años del gobierno militar muchos periodistas, si no todos, conversaron con los militares. No había otra forma de enterarse de lo que ocurría y de lo que habría de ocurrir. "El gordo" Ricardo Flouret fue uno de los más consultados y de los más respetados. "No parece militar", dijo una vez un viejo político, y tenía razón. Tenía la lucidez suficiente para escuchar las más duras críticas de los civiles hacia el gobierno y gozaba de una virtud no usual en los hombres de la política: era severo en sus juicios consigo mismo. Por su departamento de Carlos Pellegrini 1343, durante los años más duros del Proceso, pasaron los más variados dirigentes. Desde Vicente Saadi a Raúl Alfonsín y desde Carlos Menem a Marcelo Sánchez Sorondo. A su casa fue a buscar refugio el periodista Rodolfo Fernández Condal, cuando se dio cuenta de que lo perseguían, pero no llegó a tiempo.[69]

El año de Malvinas lo encontró comandando la VII Brigada de Infantería y con sus correntinos se llegó hasta Río Gallegos dispuesto a saltar a las islas. No hubo tiempo, o decisión de parte del comandante del Teatro de Operaciones. Intuyó desde el comienzo que la ocupación de Malvinas había sido mal preparada y peor ejecutada. Pero consideró que, a pesar de las miserias de sus superiores, el Ejército había peleado, y peleado como pudo, con lo que tenía. Sus vivencias en el exterior y la permanente opinión de su hermana Teresa,[70] embajadora de carrera, lo llevaron a la conclusión inmediata de que los "aliados" no serían los aliados y los países ignorados de ayer eran los grandes amigos del momento. Consideró que la Junta Militar había sido "intelectualmente subdesarrollada" y que no había entendido "nada de nada" de lo ocurrido.

Conocía muy bien a Bignone, porque trabajó bajo sus órdenes en la Secretaría General del Ejército; nunca lo respetó intelectualmente y menos aún por su ciega afinidad con la gestión económica de Martínez de Hoz. Y sabía que Nicolaides no era el jefe del Ejército más indicado para el momento de crisis. De todas maneras, sus críticas no eran personales. Eran institucionales y fueron atendidas por varios generales de brigada y oficiales de más baja graduación. Fue la contracara, si se quiere, del general Miguel Mallea Gil.

El lunes 9 de agosto se realizó en el Colegio Militar una reunión de generales de infantería para considerar los futuros ascensos de coroneles. En realidad, Flouret no quería ir, pero se negaba a dejar solos a los "generales de Malvinas" Parada y Jofré. Antes de asistir decía que estaba en "comunicación" con otros camaradas "para abrir los brazos para cuando se caiga todo". Su nombre estaba "en el aire para algo", tanto es así que hasta Corrientes se largaron a verlo un reconocido productor televisivo y un empresario periodístico famoso para ofrecerle "ayuda y dinero".

"Yo no estoy proclamando otro golpe. Sí creo que los enormes problemas impedirán, obstaculizarán, una salida electoral.

Propongo un gobierno de coalición que prepare al país para entrar en una época de estabilidad", dijo antes de ir al cónclave.[71]

La reunión de generales fue presidida por los generales de división Llamil Reston y Luis Santiago Martella, había una decena de generales de brigada (Ruiz, Podestá, Piotti, Menéndez, Filips, Garay, Lucena, Jofré, Fernández Torres y Flouret). En el léxico de la época se decía que algunos eran los que tenían "los fierros".[72]

Reston, ministro del Interior, comenzó hablando de la situación política. "Se mostró muy pesimista sobre la situación actual y dijo que el presidente Bignone le ha indicado que debía lograr una 'concertación' con los políticos, pero que ninguno de ellos le 'da pelota'. Que no van al Ministerio del Interior. Además dijo que 'no hay nada para concertar... lo único que tengo es la fecha de elecciones'.

"El ministro del Interior expresó que 'el gran poder donde se desarrolla el proceso de subversión es en las Fuerzas Armadas, porque las mismas se encuentran en un estado total de despelote interno. Las Fuerzas Armadas están subvirtiendo todo'.

"Reston y Martella dejaron la impresión de estar derrotados, sin ninguna reacción frente a la situación del país. (Aquí intervino otro participante de la conversación con Flouret que contó que el día anterior, a las 11, había estado con Martella quien le comentó que estaba muy deprimido, que tomaba pastillas para dormir y que no había aceptado ser jefe del Cuerpo II).

"Reston expuso su conocida teoría de la división del mundo en áreas de influencia después de la cumbre de Yalta (1945).

"Flouret respondió que eso era estar de acuerdo con la teoría de la 'dependencia'. Que después del '45 habían ocurrido varios hechos que podían contradecir esta teoría, como ser Vietnam y Cuba. También, la recuperación del poder sobre el petróleo por parte de los árabes, poniendo en jaque a las potencias occidentales. 'Yalta no corre si se decide construir un país'."

Luego, Flouret dijo que había que "decirle la verdad al país; que los soldados pelearon; que la participación de los Estados Unidos al lado de Gran Bretaña fue fundamental". Reston respondió que "no era conveniente".

Flouret afirmó que "si no se dicen estas cosas se destruye al Ejército, porque no se puede explicar que el Ejército se rindió inmediatamente en Puerto Argentino. Reston reconoció que se había rendido a las dos horas de lucha". Él era de la opinión que la cúpula del Ejército "estaba en el aire, administrando la crisis".

Otro punto de disidencia fue el tratamiento de la deuda externa. Flouret le pidió a Reston que entendiera que "ellos (los acreedores) habían cambiado los términos con que se asumió la deuda externa". Pero Reston dio la sensación de no entender el planteo porque comentó que "la deuda venía de antes". "Sí, pero las condiciones las cambiaron ellos", volvió a repetir Flouret.

En cuanto a la relación con los Estados Unidos, Flouret dijo que la política "feminoide conduce a una trampa". Y Reston ponderó la actuación de Aguirre Lanari.

Flouret, luego, contó que la Armada está muy dura con Estados Unidos a nivel general y que coincidía con el pensamiento mayoritario del Ejército menos la cúpula y Bignone.

Cuando Reston le preguntó qué se podía hacer con Washington, Flouret propuso retirar al embajador y los agregados militares de Washington y sacar la delegación militar norteamericana del 2° piso del Edificio Libertador.

Terminada la cena, Flouret retornó en compañía de [Mario] Menéndez y [Omar] Parada. Les aconsejó que si ellos no mandaban una nota pidiendo ser juzgados junto con todos los generales que habían participado en la toma de decisiones los iban "a cagar miserablemente". Menéndez explicó que su situación se iba a aclarar con el informe que estaba redactando. (El otro participante en la reunión dijo: "Escuchame, a esos papeles no te los va a leer nadie".)

El martes 10 de agosto, Reston fue a almorzar a lo de Fernando de la Rúa y otros dirigentes políticos de centro, acompañado del general auditor Carlos Cerdá. Los diálogos del encuentro castrense de la noche anterior fueron narrados por el ministro, seguramente con el ánimo de generar algún tipo de adhesión. Reston transmitió una visión pesimista sobre el momento que se vivía, y aludió al escaso contacto que tenía con los dirigentes políticos representativos y las dificultades que encontraba para concertar una salida, producto de un estado de ánimo generado por la pérdida de Malvinas.[73] Fue entonces que algunos generales de brigada, entre ellos Flouret, transmitieron la preocupación de que desde el poder "se estaba administrando la derrota, que no había signos vitales, que se perdían banderas y que era necesario decir toda la verdad al país". A juicio de Reston, estas observaciones indicaron que los generales de brigada parecían imbuidos en "corrientes tercermundistas", las que se agravan por una presunta hipótesis de no pago de la deuda externa.

"El Proceso no se puede rifar, mucho menos permitir un incendio", dijo Reston. Por lo tanto, sin que desde su cartera se establecieran medidas, admitía que vería con satisfacción que en los grandes partidos prosperaran las iniciativas moderadas. De un modo u otro descartaba de sus planes a las corrientes más críticas de los grandes partidos, fundamentalmente al alfonsinismo y a casi todas las tendencias gremiales del peronismo. [...] Los comensales políticos creyeron entender en las palabras del ministro que, en el futuro, debían ser ellos quienes indicaran a la autoridad militar la fórmula para una concertación política, ya que desde el núcleo del poder se carece de elementos e ideas para forjar un acuerdo.

[...] Reston finalmente consideró ante los políticos que la reunión militar podría tener alguna trascendencia "cuando ésta fuera convenientemente narrada al comandante Nicolaides."

Así lo hizo, aunque primero habló con Bignone y luego con Nicolaides. El 24 de agosto, Flouret fue castigado con quince días de arresto, sanción que terminaría con su retiro del Ejército. La causa fue "excederse inmoderadamente en el uso de las expresiones empleadas para formular sus apreciaciones sobre la vida institucional del país". Sin ser un hombre de izquierda, Flouret terminó apretado por una visión que, al momento de la derrota en Malvinas, fue vista como de izquierda.[74]

Tras el incidente, en la intimidad, hasta Galtieri habló. El 2 de septiembre, cerca del mediodía, el ex presidente estaba al tanto de lo que había sucedido en la cena de los generales de infantería y creyó ver una posibilidad de volver al ruedo. Comentó que estaba dispuesto a ponerse el uniforme y actuar. "Aquí me ve", dijo, corriendo la cortina con su mano izquierda, tomando un vermouth, "ahora si me llaman me voy al Comando, me siento y tomo medidas, incluso asumo también la Presidencia de la República. ¿Pero con el apoyo de quién? ¿Cómo está Patricios y Granaderos?", preguntó. Y luego agregó: "Además la política económica que se debe aplicar tiene que ser dirigista, no hay solución. También arreglar con un sector de la dirigencia sindical".[75]

Hacia el final del proceso militar. La reunión del Comité Militar y su Directiva Nacional N° 3/82. La magnitud del desastre. El legado

A las 9.30 horas, del 28 de diciembre de 1982, el Comité Militar estableció una larga serie de directivas referidas a la cuestión Malvinas. Nadie pareció darse cuenta, porque no era el mejor día para fijarlas. El 28 se recordaba el Día de los Inocentes. Se repartieron 26 copias con un cuerpo central y 4 anexos. En el trabajo se fija como objetivo político "recuperar definitivamente el ejercicio de la soberanía en las Islas Malvinas, Georgias del Sur y Sandwich del Sur, contribuyendo a la reafirmación de la influencia argentina en el Atlántico Sur".

Cuando trata la "resolución estratégica (caso Malvinas)" propone acciones en los foros internacionales "con preferencia" en Naciones Unidas para "lograr el cumplimiento de la Resolución 37/9". Y "simultáneamente mantener el espíritu latinoamericanista". El largo listado de expectativas era un tanto ambicioso, más para un gobierno que preparaba su retirada. Pero a diferencia de la gestión de Galtieri, se hablaba de "vías diplomáticas" y otros "medios para lograr el apoyo de los Estados Unidos".

En el campo económico, en una gestión que no bajaba del 10% mensual de inflación, con escasas reservas y ninguna confianza externa, disponía dar "prioridad a las zonas marítimas y terrestres al Sur del Río Colorado a todas las actividades nacionales y extranjeras que contribuyan a su desarrollo a fin de disminuir su vulnerabilidad". Lo mismo que satisfacer "las necesidades del equipamiento militar y preparación del potencial militar en la medida en que el Comité Militar lo resuelva, de acuerdo con la situación general del país y particular del conflicto".

En el plano interno, el Comité Militar juzgó que "la recuperación de los archipiélagos australes repercutió profundamente en el marco político interno, produciendo una unidad de hecho que el país no conocía en lo que va del siglo. [...] La grave derrota militar sufrida sorprendió a la población en general, que creía hasta ese momento en un desarrollo favorable de las operaciones, generando un desconcierto y frustración generalizada, que originó un importante desprestigio del Proceso de Reorganización Nacional y de las Fuerzas Armadas, con un ahondamiento de las divisiones y presiones internas, que comprometieron y comprometen significativamente la capacidad de resolución del conflicto y sus derivaciones". Considera que beneficia a Gran Bretaña "la campaña de 'derechos humanos' existente contra el país dentro y fuera del mismo".

Para el Comité Militar "la desinformación pública con respecto a aspectos importantes de la guerra" y el escepticismo generalizado de la población con respecto al P.R.N. "predispone negativamente a la misma y a la dirigencia política en particular, con respecto a gestiones que tiendan a normalizar unilateral y rápidamente las relaciones con el Reino Unido" y "en tal sentido, se considera que el 'cese formal de hostilidades' y/o 'la reanudación de relaciones', hará pasible al P.R.N. y a las Fuerzas Armadas de acusaciones de claudicación, atentado contra la soberanía y dignidad nacional". En razón de tales sospechas y encontrándose en marcha el proceso de institucionalización, es que el Proceso "propuso formalmente como uno de los temas a 'concertar' con la dirigencia nacional el problema Malvinas".

"El PBI registró en el lapso junio-septiembre, una disminución del 2,8%, siendo del 5,7% la caída correspondiente al acumulado de los nueve meses del año. [...] Las importaciones de bienes y servicios decayeron en un 42,2%. [...] La inversión bruta interna cayó en el tercer trimestre en un 6,2%, mientras que la inversión bruta fija disminuyó aun más: 19,6%." Éstos y otros parámetros originaron "el bajo nivel de ocupación, fundamentalmente en la industria y en la construcción, y en el deterioro de los ingresos reales de la población".

Finalmente, el documento no fue público pero, aun así, el Comité Militar no reconoció en la intimidad de su despacho la verdadera razón de la ocupación militar de Malvinas. Dijo en el capítulo "Medidas preliminares para la acción psicológica" (2.5): "Efectuar una acción tendiente a aclarar los sucesos desde el 2 de abril al 14 de junio de 1982, dejando claro que Argentina no tuvo más remedio que accionar ante la agresión (accionar del buque inglés 'Endurance'); que fue sumamente respetuosa de los derechos humanos en las Malvinas y que el Reino Unido no quiso negociar y vetó la orden de cese del fuego del Consejo de Seguridad realizando además operaciones de guerra (hundimiento del crucero 'General Belgrano') fuera de la zona de exclusión establecida unilateralmente por ella".

A los 30 días de la directiva, el brigadier Basilio Lami Dozo dijo que "no estuvimos muy correctos en la evaluación del tiempo en relación con la duración del Proceso [...] se perdieron 3 o 4 años".[76] El 1° de febrero, el titular del peronismo, Deolindo Bittel, consideró que "los militares no sirven para gobernar y tampoco sirven para pelear, como lo demostraron en las Islas Malvinas". Dos días más tarde, la Multipartidaria exigió que la entrega del poder se hiciera "no más allá del 12 de octubre de este año" y reclamó la inmediata rectificación de la política económica-social; la normalización sindical; la solución "a la dolorosa cuestión de los desaparecidos" y una definición de responsabilidades en la guerra de Malvinas (trabajo que realizó la Comisión Rattenbach). El 4 de marzo, Bignone anunció elecciones y la entrega del poder para el 30 de enero de 1984. La dirigencia política no aceptó ese plazo: "Como anestesiado por los siete años de gobierno militar" (el país) "escuchó sin estridencias" el anuncio presidencial. "Pocas veces un mensaje de tanta trascendencia debe haber pasado por tamaña indiferencia frente a la opinión pública."[77]

El 28 de abril de 1983, la Junta Militar dio a conocer a través de la cadena oficial lo que denominó el "documento final" sobre la lucha que se había librado contra "la agresión terrorista", convocada "por el gobierno constitucional" (Isabel Perón), reconociendo que se había incurrido en errores que "pudieron traspasar los límites de los derechos humanos fundamentales y que quedan sujetos al 'juicio de Dios' en cada conciencia y a la comprensión de los hombres". El documento fue rechazado por la mayor parte del arco político y social. Y la comisión ejecutiva de la Conferencia

Episcopal Argentina, además reconocer el estado de "gravísima situación creada por la subversión, que llevaba a la desintegración misma de nuestro ser nacional [...] debemos lamentar que esta defensa no siempre se ajustara a elementales criterios éticos individuales y sociales". Señaló, además, que se requería del poder militar "el reconocimiento de los yerros, su detestación y la búsqueda de caminos posibles de reparación".

En el mes de septiembre de 1983 apareció una solicitada en los diarios con el título "Los argentinos queremos decirle al mundo". Rescatamos párrafos:

"Los argentinos estuvimos en guerra. Todos la vivimos y la sufrimos. Queremos que el mundo sepa que la decisión de entrar en la lucha la provocó e impuso la subversión, no fue privativa de las Fuerzas Armadas. Fue una decisión de argentinos. Todos, absolutamente todos los hombres de buena voluntad que habitan el suelo argentino, pedimos en su momento a las FFAA que entraran en guerra para ganar la paz. A costa de cualquier sacrificio. [...] Y tal como cualquier otra guerra, la nuestra también tuvo su precio. [...] Porque en ella hubo muertos y desaparecidos. [...] Argentinos que cumplían con su deber. [...] Y murieron también muchos de aquellos que pretendieron imponernos ideologías extremistas y un sistema de vida totalmente ajeno a nuestro sentir nacional. [...] Ése fue el precio de la guerra.

"Las instituciones que abajo firmamos, queremos refrendar de esta manera nuestro apoyo a aquella dolorosa pero imprescindible decisión:

"Asociación de Bancos Argentinos - Asociación de Industriales Metalúrgicos - Asociación Internacional del Club de Leones - Bolsa de Cereales de Buenos Aires - Bolsa de Comercio de Buenos Aires - Cámara Argentina de Editores de Libros - Cámara Argentina de Anunciantes - Cámara Argentina de Comercio - Cámara Argentina de la Construcción - Cámara de Comercio, Industria y Producción de la República - Centro Argentino de Ingenieros - Consejo Empresario Argentino - Consejo Publicitario Argentino - Liga Argentina de Lucha contra el Cáncer - Liga de Madres de Familia - Rotary Club de Buenos Aires - Sociedad Rural Argentina" (y continúan más de cien firmas).

El Proceso estaba terminado aunque para muchos costó meses aceptarlo. Hasta la asunción de Raúl Alfonsín, el 10 de diciembre de 1983, existieron distintas manifestaciones que hicieron presagiar la interrupción de la salida constitucional. Pero no había espacio para más experiencias. Hacía tiempo que la hora del "fuimos todos" había finalizado. Sólo era cuestión de reconocerlo.

NOTAS

[1] Para un estudio más profundo, véase Isidoro J. Ruiz Moreno, *Comandos en acción*, Emecé, Buenos Aires, 1986.

[2] Durante esos días Miret, que tenía contactos con los norteamericanos, "fue llamado por Galtieri para decirle que no continuara conversando con 'ésos' que no eran nuestros 'amigos'; que ahora lo era 'el hermano Fidel'. Miret no sabía si lo estaba jodiendo". Confesiones de una fuente argentina de primera línea, apuntes del autor del 9 de junio de 1982.

[3] Cable "S" 1766/7, para "conocimiento exclusivo del canciller" del 8 de junio de 1982. El cable se originó en un reclamo de Takacs a Thomas Enders por el escaso apoyo norteamericano a la Argentina.

[4] Cable "S" 1700, 3 de junio de 1982.

[5] España hizo su esfuerzo, pese a que su presidente Calvo Sotelo pensaba que el problema de Malvinas no era igual al de los españoles con Gran Bretaña por Gibraltar: "Es distante y distinto". España se debatía entre los "sentimientos" de apoyo a la Argentina y los "intereses" por entrar a la CEE con el voto británico. Observaciones de un diplomático argentino en Madrid en 1982.

[6] Diálogo del autor con "Quique" Lúpiz en 1984.

[7] Causa ESMA: detenido el 18 de agosto de 1977. Véase *Nadie fue, op. cit.*, pág. 212.

[8] Causa ESMA: detenido el 14 de mayo de 1977. Véase *Nadie fue, op. cit.*, pág. 228.

[9] Entrevista confirmada por el embajador Gustavo Figueroa el 15 de marzo de 2007.

[10] *Clarín*, 3 de junio de 1982, pág. 16.

[11] Apuntes, 7 de junio de 1982.

[12] De los diálogos posteriores del autor con el ex canciller Costa Méndez.

[13] Cable 1837, del 5 de junio de 1982. En el cable el embajador Arnoldo Listre relata detalladamente la compulsa en el seno del Consejo de Seguridad de la ONU.

[14] Cable "S" 1703, del embajador Takacs a Costa Méndez, 3 de junio de 1982.

[15] Cable 1842, 5 de junio de 1982.

[16] Gerardo J. Schamis, *1000 días en París*, Editorial El Cronista Comercial, Buenos Aires, 1989.

[17] Diálogos con los protagonistas del Palacio San Martín, 7 de junio de 1982.

[18] Segunda parte del texto del cable "S" 1766/7 del 8 de junio de 1982.

[19] El 6 de junio el Poder Ejecutivo le aplicó una suspensión de tres días por dar noticias que violan "la seguridad nacional".

[20] Apuntes de la reunión realizados por el autor, 7 de junio de 1982.

[21] Apuntes del autor, 7 de junio de 1982.

[22] Diálogo de Lanusse con el autor, 8 de junio de 1982.

[23] Apuntes del autor 10 de junio de 1982.

[24] Bernardo Grinspun, diálogo con el autor, 10 de junio de 1982.

[25] Apuntes del autor, 10 de junio de 1982.

[26] Concepto pronunciado durante un almuerzo entre Raúl Alfonsín y un brigadier en actividad, en el departamento de la avenida Alvear del ministro Oscar Torres Ávalos, apuntes del autor 10 de junio de 1982.

[27] Cable "S" 1794 para "conocimiento exclusivo del canciller" del 9 de junio de 1982.

[28] "La visita del Papa", *La Prensa*, 11 de junio de 1982.

[29] *La Nación*, 13 de junio de 1982, pág. 8.

[30] La entrevista fue lamentable. El autor, dos meses más tarde, le preguntó a Galtieri el porqué de ese encuentro. "Me la metió Baltiérrez", respondió. Y agregó que estaba muy cansado en ese momento.

[31] Merece recordarse —y compararse— que en 1943 comenzó la declinación alemana, cuando el Sexto Ejército del mariscal de campo Friedrich Von Paulus, con cerca de 200.000 efectivos, cayó prisionero de los rusos en los alrededores de Stalingrado.

[32] Ambas citas: *Crónica*, 12 de junio de 1982.

[33] *Clarín*, 13 de junio de 1982.

[34] Conversación de Galtieri con el autor, 18 de agosto de 1982.

[35] Isidoro J. Ruiz Moreno, *op. cit.*, pág. 374.

[36] Interrogatorio al almirante Jorge Anaya por los miembros de la Comisión Rattenbach. Texto del acta del 22 de abril de 1983, en el archivo del autor.

[37] Diálogo con el autor, 11 de agosto de 1982.

[38] Juan Sasturain, *La patria transpirada*, Gárgola, Buenos Aires, 2006.

[39] El almirante Castro Madero era el titular de la Comisión Nacional de Energía Atómica (CNEA).

[40] Encuestas en el archivo del autor.

[41] "Intimidades. La pampa… promesas", Ortega y Gasset, septiembre de 1929.

[42] Palabras de Winston Churchill (nieto) en el Parlamento, 21 de junio de 1982.

[43] Declaración testimonial del general Mario B. Menéndez ante la Comisión Rattenbach, 16 de febrero de 1983. En el archivo del autor.

[44] Apuntes del autor. Año 1993.

[45] Apuntes del autor, 14 de junio de 1982.

[46] Conversación con el autor, 11 de agosto de 1982.

[47] Apuntes del autor, 16 de junio de 1982.

[48] Apuntes del autor, tras conversar con Horacio Hueyo.

[49] Minuta del 17 de junio de 1982, en el archivo del autor.

[50] El autor retoma la conversación con Galtieri del 11 de agosto de 1982.

[51] Fue el general de división Cristino Nicolaides, comandante del Cuerpo I. En la versión de *Clarín* del 2 de abril de 1983, el autor no lo puso. Tras un cuarto de siglo, el autor "desclasifica" el nombre.

[52] Apunte del autor, 16 de junio de 1982.

[53] Apuntes del autor, tras una conversación con el general Ricardo Flouret.

[54] Aunque Vaquero en un momento fue candidato a comandante en jefe.

[55] Minuta del 17 de junio de 1982, en el archivo del autor. Para un estudio más detallado de la caída de Galtieri, consultar: "Comienzo de un largo calvario" de Oscar Raúl Cardoso, *Clarín*, 17 de junio de 1983, pág. 16.

[56] Dada su precaria salud, el almirante (RE) Jorge Isaac Anaya dictó, el 18 de marzo de 2007, una minuta para el autor y que éste conserva en su archivo. El autor cree que la minuta no se refiere a una sola reunión, ya que la decisión de elegir a Bignone formó parte de discusiones que se extendieron durante varios días.

[57] Apuntes del autor, 19 de junio de 1982.

[58] Apuntes del autor con diferentes fuentes, 20 de junio de 1982, 23.15 horas.

[59] *Clarín*, 21 de junio de 1982, pág. 4.

[60] Conversación del autor con Lanusse. Apuntes del 22 de junio de 1982.

[61] Diálogo con Menéndez, apuntes del autor, 24 de junio de 1982.

[62] Minicucci no fue al gobierno luego de una crítica que le hizo Iglesias Rouco desde *La Prensa*. Lo mismo que el coronel Simón Argüello, a quien comparó con el "Damasco".

[63] El 21 de junio de 1982 lo habían llamado para pedirle consejos.

[64] Diálogo con un testigo presencial del hecho. Apuntes del autor, 22 de junio de 1982.

[65] Diálogo con el embajador Ortiz de Rozas, apuntes del autor, 24 de junio de 1982.

[66] Conversación con el embajador Daniel Olmos, 5 de agosto de 1982.

[67] Cable "S" 2042, del 2 de julio de 1982.

[68] Cable "S" 2180, 14 de julio de 1982.

[69] Periodista desaparecido.

[70] Teresa Flouret fue reincorporada por Alfonsín y terminó su carrera como embajadora en la India.

[71] Apuntes de la conversación con el autor en Rosario, 7 de agosto de 1982. El autor se reserva los nombres de los dos "visitantes".

[72] Aquí comienza el relato sobre la comida de generales relatada por Flouret, apuntes del 10 de agosto de 1982.

[73] Esta información salió como nota por Noticias Argentinas firmada conjuntamente por Roberto García y el autor el 11 de agosto de 1982. García había hablado esa mañana con Reston.

[74] Pocos años más tarde integraría el Consejo para la Consolidación de la Democracia creado por Alfonsín.

[75] Minuta de la entrevista con Galtieri. Archivo del autor, 2 de septiembre de 1982.

[76] Periódicos del 29 de enero de 1983.

[77] *Clarín*, 5 de febrero de 1983.

ÍNDICE

◆